L'éclat/poche
31

JAZZ SUPREME

RAPHAËL IMBERT

JAZZ SUPREME

INITIÉS, MYSTIQUES
&
PROPHÈTES

préface
de
Patrick Chamoiseau

ÉDITIONS DE L'ÉCLAT

*La première édition de Jazz supreme a paru aux Éditions de l'éclat
dans la collection « Philosophie imaginaire » en 2014.
La préface de Patrick Chamoiseau a été rédigée spécialement pour cette
reprise dans la collection L'éclat/poche. Les notes en bis ont été ajoutées
pour cette réédition.*

Retrouvez *Jazz Supreme* et toute l'actualité du livre et de son sujet
sur la page facebook consacrée
(https://www.facebook.com/JazzSupreme)
et sur le blog de Raphaël Imbert
www.raphaelimbert.com

Une page *Deezer* consacrée au livre permet de retrouver
de nombreuses œuvres citées dans l'ouvrage :
http://www.deezer.com/playlist/157145061

© Éditions de l'éclat, Paris, 2014, 2018
www.lyber-eclat.net

Au cœur de l'impensable

Patrick Chamoiseau

Pour celui qui n'a pas de questions, les livres demeurent des trésors endormis. L'ampleur de la question que l'on se pose à soi, que l'on applique au monde, nourrit les amplitudes de la réponse. Si la question existe, tout se met à répondre. Mais seul ce qui touche l'essentiel vous renvoie l'écho d'un infini de possibles. En ce sens, *Jazz supreme* est un livre essentiel. J'ai conservé de sa lecture un souvenir radieux. Comme un émerveillement qui s'installe et qui dure. Le sentiment si rare de trouver un ami, un frère, une vallée improbable où se rejoignent des approches similaires de la vie et de la création.

Je ne suis nullement un spécialiste du jazz. Cette présence artistique du monde contemporain, je la regarde de loin, comme on fixerait quelque chose d'insondable. Je m'y suis intéressé de biais, en explorant (avec Glissant) ce que furent (pour nous créoles américains, gens de la Caraïbe, personnes des Amériques) les plantations esclavagistes. Le souci était de dépasser le pathos et les accusations pour envisager ce moment de *deshumain* extrême comme un lieu fondateur. Et surtout : pour en saisir les émergences. J'appelle *deshumain* une entreprise quasi industrielle, massive, interminable et méthodique, de négation de l'humain. Un au-delà des ordinaires de l'inhumain qui constituent encore une dimension de l'humain. L'esclavage de type américain relève du *deshumain*. Au registre du crime, ce fut une pratique d'un genre nouveau. Elle est la seule qui, dans l'histoire de notre espèce, a frappé tout un phénotype, pour ne pas dire une race, d'une damnation ontologique, active encore jusqu'aujourd'hui dans l'ensemble des sociétés de notre planète. Cette damnation servit de socle à nos pays, à nos imaginaires, mais aussi aux dynamiques du monde contemporain. Ce qui a surgi des nuits esclavagistes (de ce « gouffre » dont parle Glissant) se révèle « valable pour tous » pour reprendre l'expression qu'il a lui-même utilisée.

Ses notions de *créolisation, Relation, errance, opacité, démesure de la démesure*… sont fécondes quand il faut questionner l'inextricable de notre monde globalisé, frappé par la *mondialisation économique* mais nourri des inattendus de la *mondialité*. Elles le sont aussi pour le jazz comme pour toutes les musiques de la Caraïbe. Ces arts musicaux sont les nervures de notre contemporanéité. Elles naissent d'une même matrice : urgence, diversité gourmande, polyrythmies africaines et improvisation. Elles circulent royales, épousent les contextes, traversent les histoires, demeurent, sans homogénéisation, valables et stimulantes pour tous. Au-delà de ses incarnations, de ses histoires et des lieux, le jazz, est un « esprit ». Une manière de vivre en soi et de vivre le monde. Une expérience qui, à mon sens, ouvre aux aventures de la *mondialité* et de *la Relation*.

L'ouvrage de M. Raphaël Imbert en est une éclatante démonstration.

Ce qui est puissant dans son approche, c'est qu'il reste musicien. Il explore dans le sensible. Il ne cherche pas à enlever les plis et les ombres. Pour lui, le jazz reste un inouï de créativité à la fois individuel et collectif, surgi d'un syndrome de circonstances, donc d'un mystère, et qui s'est déployé *par* un mystère, *dans* un mystère. Il reste ainsi inépuisable.

L'entreprise de déshumanisation systémique (la frappe esclavagiste, sa damnation ontologique, ses persistances racistes) a confronté les nègres créoles étasuniens, ceux de la Caraïbe et des autres Amériques, au soleil noir d'un impensable : la privation de toute humanité. L'impensable est un au-delà de l'intelligible. Une déroute des conditionnements mentaux et des ordres installés. Il force celui qui s'y confronte à un renouvellement total. Il est la source de cette créativité qui allait parachever Homo-sapiens, stimuler son cerveau, étendre son langage, magnifier ses perceptions sensibles. La conscience réflexive de Sapiens est ce moment improbable où il se perçoit lui-même et perçoit ce lui-même dans le monde. Cette perception s'est heurtée à *l'impensable global de l'existant*, à la panique du vivre, l'absurde du mourir, au terrifiant et au sublime de ce qui reste hors d'atteinte de l'esprit. De ce choc, vont naître le sentiment du divin, la ferveur du sacré, le grand désir, le vaste amour, le tout baignant dans la persistance d'une menace impavide et grandiose. La conscience de Sapiens va réagir à cela par une formidable créativité. C'est contre les impensables (de la vie, de la mort, du monde, de l'univers…) qu'ont surgi les dieux, les diables, les démons, l'esprit magique, les systèmes symboliques et religieux, l'esprit philosophique, l'esprit de science, la recherche d'une sagesse, avec bien entendu traversant tout cela : le geste artistique. Ce geste, à nul autre pareil, est une manière de vivre et un des modes insolites de la connaissance. L'artiste s'est toujours trouvé proche à la fois du chaman, du philosophe, du scientifique, du marginal ou du rêveur visionnaire strictement inutile.

Dans le vertige inouï de l'impensable (où tout s'annule, où tout se doit de renaître autrement), le réel ne se construit que sur les fastes du sensible, au-delà de l'intelligible, dans le flot souverain des forces imaginales. À tout instant, un impensable surgit dans notre vie quotidienne. Qu'il soit d'un intime minuscule (la perte d'un être cher) ou d'un grandiose terrible (l'esclavage de type américain), chaque impensable nous restitue à l'impensable fondamental : cet « en-dehors » qui annule les équilibres de notre imaginaire, les fondations souvent très illusoires de notre pauvre réel. L'impensable est une immanence du réel de Sapiens : le pire ennemi de ses croyances, le moteur de ses connaissances, le grand allié de sa créativité…

Aucune abolition, aucune évolution, ne parviendront à dissiper cet impensable que fut l'esclavage de type américain. Ce que les esclaves et leurs descendants avaient de plus humain au plus obscur d'eux-mêmes, s'est exalté dans un grand désir d'humanité. Le deshumain ne parvient jamais à éliminer d'un être toute sa matière humaine. On l'a vu dans les plantations américaines, on le verra plus tard dans les camps nazis des exterminations. Subsiste toujours une énergie sombre, farouche, élémentale, dans laquelle ceux qui résistent peuvent se réfugier, se ressourcer, se renouveler du plus profond, renouveler leur vision du monde et réinsuffler dedans leurs désespoirs sinon une espérance mais le tressaillement d'un charroi de possibles. Au fond du deshumain, les seuls possibles qui vaillent sont ceux d'une *réhumanisation*. La réaction devient alors déterminante. Elle dépasse la simple rébellion, les formes immédiates de la résistance, pour s'élancer au-delà du crime et des rancœurs, dans un autre degré d'exigence de l'humanisation. C'est alors que se mobilise l'esprit créateur dans ce qu'il a, de plus vertigineux.

Le jazz raconte cette confrontation-là.

Il est de cette confrontation-là.

Il témoigne d'un combat suprême qui s'est déroulé au cœur du deshumain américain. Tout jazzman véritable a connu cette exposition à l'impensable d'une situation existentielle, contre laquelle, avec laquelle, malgré laquelle, il s'est mis en devoir de *vivre-quand-même*, d'*exister*, c'est-à-dire de créer. Ce choc contre un impensable, et l'impensable lui-même, Coltrane allait l'appeler « Dieu ». En face de « Dieu », on peut que renaître sur des bases nouvelles. C'est pourquoi le jazz défait les catégories de nos perceptions, nos échafaudages mentaux, pour ouvrir à de nouveaux possibles. C'est en cela qu'il est « spirituel » – il bouleverse la création jusqu'alors accomplie, et stimule les assises de l'esprit. Archétype de l'expérience humain, le jazz fut d'emblée valable pour tous. Pas dans un universel dominateur tramé par l'Occident, ni dans les transparences d'une citoyenneté au monde désincarnée, mais dans *l'expérience singulière* de celui qui en fait une dynamique de son existence, de sa vie et de sa création. Loin de tout universel, *le jazz est donc de principe diversel.* Il échappe aux définitions, tellement il en accumule, et tellement l'expérience de chaque musicien et de ceux qui réussissent à s'en nourrir, l'installent dans un charroi de perceptions toujours renouvelées. Dans l'indéfinition du jazz, on avance dans l'obscur, on ne cherche pas on trouve, et souvent on ne sait pas ce que l'on a trouvé : on commence par le vivre. Cela signifie qu'au lieu de nous protéger de l'impensable, de nous inciter à le nier ou à le refuser, le jazz en a fait une source spirituelle, je veux dire : de jouvence très sévère pour l'esprit.

Une autre dimension de l'impensable esclavagiste américain, c'est qu'il n'a pas fondé d'entité collective. Ceux qui ont dû se reconstruire en tant qu'êtres humains, ont dû opérer sans le corset d'une symbolique communautaire. Ils ont dû retrouver en eux-mêmes, dans l'expérimentation questionnante d'eux-mêmes, les moyens de se reconstruire et d'invoquer un autre monde. La partition n'étant pas donnée par une autorité centrale, l'improvisation devient la règle. Dans les plantations esclavagistes, les premiers résistants (danseur, tanbouyé, tibwa, chanteur, musiciens...) furent des improvisateurs. Leur résistance fut un espace de renaissance sur la base d'un ensemble d'individuations qui se fondent à la fois *contre* et *avec* les autres — qui s'acclament ainsi. L'improvisation est une *composition* instantanée. Une architecture tremblante, qui se maintient telle quelle, qui dure et change sans cesse, qui s'accomplit comme ça. Les brièvetés fulgurantes y composent des permanences océaniques, difficiles à complètement figer. Le moment de l'improvisation devient un espace rituel, sans autel et sans dieu autre que l'imprévisible inouï de la rencontre et de l'intégralité des possibles dans la grâce d'un instant. Une telle alchimie ressemble à ce qu'il y a de suprême dans l'Amour : on s'y retrouve exalté en soi-même, mobilisé en ses potentialités propres, et versé tout entier vers la présence autre qui confère du sens et de la densité à ce que vous êtes en train de devenir. Tout jazzman est donc par fondement : solitaire à fond et solidaire à fond.

L'extrême modernité était donc déjà-là. *Jazz suprême* décrit en fait ce qui se passe dans nos sociétés contemporaines, dans nos écosystèmes urbains. Des dynamiques d'individuation, multi-trans-culturelles, doivent y improviser d'optimales plénitudes dans des solidarités relationnelles, fluides, souvent instantanées, toujours momentanées, erratiques, renouvelées et changeantes. C'est difficile à vivre, presque impossible, si votre mental n'est pas au jazz. Les grands jazzmen se maintenaient debout dans un terrible maëlstrom. Ils voyaient à l'origine de leur musique, mais aussi en face d'elle, mais aussi dans sa matière elle-même, la présence d'un vaste soleil énergétique. Créer en face de cela constitue un impartageable, une mystique qui ne peut se manifester qu'en éclats et visions : *en créations souvent sacralisées.* Le prodige éblouissant de Monk. L'instantané océanique de Coltrane. La simplicité infinie de Miles... *La création qui fixe l'impensable !*

Nous sommes aujourd'hui en face d'un soleil similaire, donc d'une même exigence. Le Tout-monde dont parle Glissant est une tempête relationnelle.

Cette dernière nous oblige à mobiliser toutes les assises de notre esprit pour de nouvelles modalités du vivre : du vivre-en-soi, du vivre-pour-soi, du vivre-ensemble et du donner-à-vivre. Le Tout-monde est la base bien naturelle du jazz. Glissant avait imaginé un peuple qui en avait eu la prescience et qui, refusant de s'enfermer dans un quelconque territoire, dans une identité à racine meurtrière et unique, s'était mis à habiter le monde de manière dispersée et toujours invisible. Il les appelait : *les Batoutos*. Il est presque impossible de repérer un *Batouto*. Glissant, très vigilant, en avait repéré quelques-uns, à commencer par la plupart des grands jazzmen.

Alors, prenez plaisir à suivre ce *Batouto*, M. Raphaël Imbert. Il nous emporte ici dans une exploration puissante de ce que le monde contemporain possède comme esthétique majeure. L'enjeu est que chacun puisse y trouver la force de s'inventer soi-même dans les instants relationnels ; d'accorder son expérience à l'expérience de l'Autre, tout l'Autre, qu'il soit humain ou non-humain ; de trouver cette sagesse qui seule permet de confronter au mieux, l'impossible connaissance, l'irréductible mystère et l'impensable comme immanence à vivre.

Favorite, 25 février 2018.

Jazz supreme

Le jazz n'est pas simplement de la musique, c'est un esprit susceptible de s'exprimer dans presque toute chose.
J. A. Rogers

C'est dans ses propres marges que le jazz raconte une bonne partie de son histoire.
Jean Echenoz

La plupart des gens ne comprennent pas ce que le jazz a de nouveau (…), [ils] *se font, du jazz, une idée fausse.*
Jelly Roll Morton

Jazz is my religion.
Ted Joans

À la mémoire de
Zim Ngqawana
Fabrice Schall
René Caprioli
&
Daniel Fabre
Trop tôt disparus

À mes enfants Timon, Garance et Malo.

Élégie en guise d'ouverture

Alors que je m'apprête à quitter les coulisses, une main me retient, à la fois tendre et ferme. « Chez nous, on ne monte pas sur scène comme ça, sans une prière ! » C'est le trompettiste Hugh Masekela qui m'interpelle. Son ami, le génial saxophoniste Zim Ngqawana, acquiesce silencieusement. Nous sommes en 2006, au festival *Banlieues Bleues* et, au sein du groupe Newtopia – qui compte le pianiste Yaron Herman , j'ai l'honneur de partager la scène avec deux des plus grandes légendes du jazz sud-africain.

Zim sait bien sûr de quoi Masekela parle. Moi, j'ai bien une petite idée, mais avoue une certaine circonspection que semblent d'ailleurs partager mes camarades. Un cercle se forme, assez grand. Nous sommes près d'une vingtaine. Hugh Masekela entame un chant de prière profond, Zim ferme les yeux, les musiciens sud-africains reprennent en chœur, et en *call and response*, une formule que nous ne tardons pas, nous aussi, à entonner, avec un plaisir évident. Le moment est intense : plus aucune frontière culturelle, ethnique ou politique ne nous sépare. Nous monterons sur scène avec le sentiment d'appartenir à une seule famille. Ce concert, je le sais, restera l'un de mes plus beaux souvenirs : magique. Ces maîtres qui ont combattu l'Apartheid par les mots, le souffle et les sons, par l'ouverture du cœur, viennent de nous rappeler à la véritable nature du jazz : une musique de lutte, de partage et d'esprit.

Zimology!
Mais Zim est mort, désormais ! Le vide laissé par la disparition d'un ami cher est d'autant plus grand lorsque, par la force des choses, nous ne nous sommes pas vus depuis longtemps. Quand j'apprends sa mort subite en 2011, je ne peux que constater la cruauté du temps qui passe. Lui qui avait orchestré la cérémonie d'investiture de Nelson Mandela en 1994 était l'un des musiciens africains les plus originaux et les plus méconnus, et un compositeur unique en son genre. Saxophoniste intense, au son immense et aux idées illimitées, Zim incarnait à la fois le meilleur de la culture jazz sud-africaine, et une salutaire indépendance d'esprit vis-à-vis des clichés qu'elle pouvait véhiculer.

Avec lui, l'essentiel devenait possible. Je l'avais rencontré vers 2005 par l'entremise d'un ami commun, Frédéric Salles et, à partir de là, tout est devenu différent. Nous avions créé ensemble cet orchestre, le « Newtopia Project », au sein duquel j'ai pu exprimer musicalement des émotions qui, par leur profondeur, leur fulgurance, leur étrangeté aussi, m'étaient jusqu'alors inconnues. La *Suite élégiaque*, que nous jouions à chaque concert, représente l'une de mes rares tentatives d'écrire avec une intention sacrée, ou du moins introspective. C'est une suite qui évoque mon sentiment face à l'expérience de la mort et la disparition des proches.

Je me sentais à l'aise en la compagnie de Zim pour aller au-delà de mes préventions, et je n'étais pas le seul : les autres membres de l'orchestre rassemblaient également un beau, et donc efficace, pouvoir musical. Il y avait trois jeunes improvisateurs provençaux, Stephan Caracci, Cédrick Bec, Simon Tailleu, que j'avais connus quand j'enseignais au conservatoire de Marseille et qui étaient promis à un bel avenir. Et il y avait cet autre ami, le prodigieux pianiste Yaron Herman, qui portait au plus haut les ambitions d'une improvisation parfaitement construite et pourtant onirique. Le jazz est affaire de rencontre et de transmission. Ensemble, nous construisions une musique personnelle, mais qui semblait dépasser notre cercle musical pour toucher les publics les plus divers. À la longue, la difficulté de réunir des musiciens venant d'horizons si différents nous avait éloignés de la scène, hélas. Mais nous gardions le contact avec Zim : il était pour moi une source d'inspiration intarissable.

Zim se consacrait également à une mission éducative en Afrique du Sud. Il essayait de créer sa propre école, le *Zimology Institute*, loin de tout académisme, qu'il exécrait. Son originalité lui avait valu quelques inimitiés, et la destruction de son centre par des vandales avait achevé de le rendre pessimiste sur l'avenir du jazz et de sa musique. C'est sans doute un homme épuisé et passablement déçu qui succombe à une crise cardiaque le 11 mai 2011, mais aussi une victime de la déchéance du système hospitalier sud-africain. Sa fin tragique ressemble à celle de tant d'autres dans l'histoire de cette musique : absence d'assurance-maladie, de carte bancaire, ou préjugés raciaux et professionnels ont eu raison de nombreux musiciens qui auraient pu être soignés et sauvés dans de bonnes circonstances, comme Eric Dolphy. Certes, la musique de Zim Ngqawana survivra, et continuera d'embellir le monde, parce qu'elle est nécessaire. Mais la perte reste insurmontable artistiquement. Zim avait une capacité hallucinante à transmettre ce sentiment de profondeur et de bonheur autour de lui, sans une once de naïveté. Je crois n'avoir jamais rencontré un musicien d'où émanait, humainement, artistiquement, autant d'énergie spirituelle : comme une saine vibration qui touchait l'ensemble des gens qui l'approchaient, sans pour autant assujettir qui que ce soit.

Ainsi, mon propre agnosticisme n'en a jamais souffert. J'avais affaire à un « soigneur » (*healer*) pour qui la musique apportait non pas un bien-être de pacotille *new age*, mais une conscience aiguë de soi : « Zimology », le concept qui guidait l'ensemble de son travail, signifiait selon lui « *knowledge of the self* » : « connaissance de son être propre ». Il était tout sauf un gourou : plutôt un mentor sensible à son prochain, jamais sentencieux ni doctrinaire, et dont la religiosité s'exprimait dans un soufisme ouvert. Je me le rappelle devant le Mur des lamentations à Jérusalem, lors de notre tournée en Israël, kippa sur la tête, priant sincèrement face à la pierre, après avoir rédigé comme il se doit une invocation sur un minuscule bout de papier glissé dans un interstice. Les orthodoxes de toutes tendances en étaient pour leur frais, une vérité universelle se dégageait de cet homme à l'aise dans n'importe quel sanctuaire : une fraternité mystique qui dépassait largement le cercle, restreint, de la religion. Il représentait à lui seul cette ambition paradoxale du jazz, musique de la vie, de la résistance et de l'esprit, qui porte l'auditeur à un sentiment d'élévation des plus intenses dans les contextes les plus profanes. Ce livre lui est dédié, en manière de contribution à son projet « zimologique » : afin qu'il perdure et prospère.

Experience the spirit of jazz!
Avec Zim et mes compagnons de cette « nouvelle utopie » (Newtopia), j'ai touché plus concrètement à une dimension qui rayonne dans le jazz, comme une lueur persistante : la musique improvisée, créée depuis un point – esthétique, social, géographique – singulier, porte en elle une nature intrinsèquement spirituelle.

Avec mes amis de la Compagnie Nine Spirit, que je dirige depuis 1999[1], nous travaillons à la création d'un répertoire qui implique cette dimension d'improvisation. Créations originales autour d'Amadou Hampâté Bâ, de Théodore Monod, de Martin Luther King ou réinterprétations des musiques sacrées, religieuses ou mystiques de Duke Ellington, John Coltrane, Albert Ayler, Sun Ra, Pharoah Sanders. Nous cherchons à exprimer les aspects les plus énigmatiques ou controversés de l'esprit et de la musique des maîtres qui nous inspirent. Car c'est une évidence, le spirituel, au sens large, traverse l'histoire du jazz et anime ses artistes. C'est avec le projet *Bach-Coltrane*, né de ma rencontre avec l'organiste André Rossi et le Quatuor Manfred, que cette vérité m'est devenue

---

1. Je tiens particulièrement à remercier, pour leur soutien, leur talent et leur efficacité, Olivier Corchia, notre administrateur, Marion Rampal, Thomas Weirich, Simon Sieger, Pierre Fenichel, Jean-Luc Difraya, Thomas Savy, Carine Bonnefoy, Mourad Benhammou, Émile Atsas, Nicolas Calvet, Alain Aithnard, Hubert Rousselet, Isabelle Fruleux, et tous ceux qui contribuent à cette belle aventure.

essentielle. Pour réussir le mariage si périlleux du jazz et du classique, il fallait dépasser les questions de style et de genre, afin de mieux appréhender les passerelles possibles. Entre Bach et Coltrane, c'est l'improvisation et la mystique qui rapprochent résolument les deux génies. Entre Mozart et Ellington, suite logique de ce travail transfrontalier[2], c'est le caractère ludique de l'improvisation et une spiritualité plus initiatique. Par cette approche, musiciens classiques et *jazzmen* entrent dans un même cercle : animés par ce même souci de jeu, de dialogue, de cultures à partager.

Mais ces projets n'auraient pas vu le jour sans une brûlante nécessité vitale : je me devais de saisir, de comprendre, de connaître les tenants et les aboutissants de ce principe spirituel qui apparaissait si incontournable et troublant. Jeune musicien, j'avais constaté ce paradoxe : la plupart des musiciens que j'admirais, tels Ellington, Coltrane, Louis Armstrong, Django Reinhardt, Sonny Rollins, Wayne Shorter, Albert Ayler, Sun Ra, Dave Brubeck ou Keith Jarrett, dévoilaient à travers leurs musiques, leurs vies, leurs témoignages, une inclination spirituelle évidente, mais qui, souvent, ne semblait pas intéresser biographes, journalistes ou historiens. La question du « spirituel dans le jazz » est devenue rapidement privilégiée pour moi. Elle avait, du moins dans le champ des sciences humaines, une dimension inédite et semblait ouvrir une voie de compréhension nouvelle pour l'artiste apprenti que j'étais. Car ce que me démontraient ces grands maîtres, c'est que l'improvisation en musique,

---

2. *Heavens, Amadeus & the Duke*, Jazz Village / Harmonia Mundi.

et en particulier le jazz, peut être considérée comme un état d'esprit, voire comme un acte spirituel à part entière. Même dans ma propre pratique du jazz, dès mes débuts balbutiants mais passionnés, il m'était évident que le simple fait d'improviser impliquait un geste, par essence, spirituel. Un mystère ludique et facétieux. Un souffle vital. J'avais donc sérieusement besoin d'étudier la question, ne serait-ce que pour ne pas tomber dans les excès et les travers des postures pseudo-mystiques ou *new age* que je voyais trop souvent à l'œuvre chez de nombreux camarades de toutes générations. Ma curiosité s'est trouvée ainsi mise à contribution pour des recherches passionnantes, ouvrant des perspectives originales à la musique que je jouais. C'est le résultat de ces recherches que je soumets aujourd'hui à la sagacité du lecteur.

J'ai une vocation contrariée de naturaliste. Avant de faire de la musique, mon activité principale consistait, adolescent, à arpenter la nature provençale pour y chercher des insectes rares, des fossiles, observer un couple de sittelles torchepot ou le vol d'un circaète Jean-le-Blanc. À travers cette recherche sur la nature du jazz, je renoue avec ma vocation première, tout en enrichissant ma pratique artistique. La découverte d'une véritable spiritualité chez les musiciens que j'appréciais, et la faible proposition d'études et de documents sur le sujet, m'a littéralement poussé à combler un vide personnel et un manque scientifique. La présente étude résulte d'une dizaine d'années de recherches et de va-et-vient entre étude anthropologique et travail artistique. Elle a fait l'objet d'un séjour de création et de recherche à New York en

2003, financé par la Villa Médicis Hors les Murs, bourse de l'Institut français. Elle conclut donc une période de réflexion intense, de doutes et de mises en question, jalonnée d'articles, de conférences et de séminaires, qui ont permis son évolution et sa rédaction. C'est surtout grâce à la confiance de Jean Jamin et de toute l'équipe de l'EHESS que cette étude voit le jour, dans le cadre fécond d'une école hors normes. L'autodidacte que je suis ne saurait trop les remercier de m'avoir accueilli, soutenu et permis d'intégrer un cursus universitaire des plus stimulants. À cet égard, la présente étude n'est pas conclusive, mais fournit un socle à de nouvelles réflexions et interrogations.

Objectifs subjectifs

Cet essai ne manquera pas de susciter questions et débats : c'est là son but. D'abord, on pourrait m'objecter ma position ambivalente d'observateur et d'acteur. J'étudie en effet le sujet que je pratique, et vice versa. Mais cette position double est justement le moteur de ma recherche, qui répond autant à un besoin objectif d'y voir plus clair, qu'à une nécessité personnelle d'avancer dans la compréhension de mon art, à la manière à la fois distante du chercheur et participante de l'acteur. De plus, le leitmotiv principal de l'étude pourrait se résumer à cette proposition : « Écoutons ce que dit l'artiste ! » En ce sens, l'étude renvoie l'histoire du jazz à ses lacunes et ses amnésies pour se brancher directement sur le propos de l'artiste, quant à ses sources d'inspiration et ses aspirations. Précisons, pour ceux qui s'en inquiéteraient : je ne suis pas croyant, encore moins un « mystique » du jazz. Mais je pense avoir assez pratiqué cette musique pour comprendre, ou du moins commencer à comprendre la plupart des artistes qui offrent leur tribut, témoignent de leur piété, expriment leurs sentiments à propos du sens spirituel de leur musique. Il s'agit donc, objectivement, de rendre pleinement justice à leur expérience. Quitte, et pourquoi pas, à en faire œuvre subjective, dans la rédaction de ses lignes, comme dans l'interprétation musicale. L'un ne perturbe pas l'autre, au contraire. Ils se nourrissent l'un l'autre.

Ensuite, l'étude a pour but d'apporter un outil supplémentaire à la compréhension d'un objet culturel identifié mais insaisissable. Il ne s'agit pas de réunir un ensemble achevé de connaissances sur un sujet qui ne serait qu'historique ou esthétique. Je voudrais plutôt ouvrir un champ de réflexion à partir de trois axes d'étude approfondie. Le premier concerne l'état d'esprit du jazz et les particularités de sa dimension spirituelle. Le deuxième, l'aspect initiatique du jazz à travers le prisme de la franc-maçonnerie noire américaine. Le troisième, les voies méconnues du mysticisme de John Coltrane. Ces trois axes, et la réflexion ample qu'ils impliquent dans leur développement, nous rapprochent d'une plus juste compréhension de ce qui, véritablement, *anime* la musique jazz.

Mais ce faisant, le lecteur pourra être surpris par des partis pris *a priori* déroutants. Tout d'abord, le *negro-spiritual* et le gospel seront peu évoqués dans cette étude. Seules véritables musiques sacrées afro-américaines au sens strictement liturgique, les musiques religieuses noires américaines ont déjà fait l'objet d'une littérature abondante et exhaustive. De plus elles orientent généralement la réflexion sur le seul champ de l'apprentissage du jazzman – « apprentissage à l'église, professionnalisation au club » –, réduisant les possibilités de prospection d'une façon assez manichéenne. Elles ne montrent souvent que la partie visible de l'iceberg, masquant un ensemble vaste et complexe de phénomènes musicaux qui doivent autant à la relation au sacré et à la liturgie qu'au club et à la rue. Si les musiques religieuses sont évoquées ici, c'est dans des contextes culturels et cultuels plus larges, non strictement afro-américains, telles l'histoire du méthodisme ou l'anthropologie du *Sacred Harp* – contextes propices à la création d'un langage musical et spirituel installant d'emblée le jazzman dans une ambivalence entre le sacré et le profane.

En revanche, et c'est sans doute un deuxième parti pris qui étonnera le lecteur, le jazzman dont il sera question dans ces pages sera essentiellement un artiste noir américain. Nous y croiserons les figures de Duke Ellington, John Coltrane, Louis Armstrong, Albert Ayler, Sun Ra, Mary Lou Williams, Thelonious Monk, Art Blakey, Buddy Bolden, tels des leitmotive. Il ne s'agit en aucun cas de pécher par essentialisme ethnique, ou par crainte de ne pas faire « authentique ». Au contraire, rester concentré sur l'aire afro-américaine nous permettra de mieux appréhender le phénomène jazz en tant que musique du monde, étant sans aucun doute la première, à faire appel à toutes les cultures qu'elle a rencontrées. Il suffit de penser à Zim et à l'Afrique du Sud, pour comprendre que le jazz s'épanouit dans les contextes particuliers de l'oppression, en l'occurrence de l'oppression coloniale, des Blancs sur les Noirs. Cette situation singulière favorise non seulement un terrain d'expérimentation esthétique propice à l'invention de nouveaux langages musicaux, mais aussi une conscience politique et spirituelle qui soutient la lutte et l'émancipation par ces moyens symboliques, allégoriques, souvent à l'insu de l'oppresseur. Voir évoluer cette conscience dans le cheminement d'une musique perpétuellement réinventée par les Noirs américains offre une alternative aux simples tentatives de récupération nationaliste ou ethnocentrée du jazz : il s'agit au contraire d'observer cette conscience comme moteur créatif de toutes les musiques qu'elle concerne. Le concept de « musique noire » est lui-même sujet à caution[3]. Il y a musique noire s'il y a musique blanche, et, dans la situation américaine, la distinction devient délicate. Plutôt que de parler de « musique noire », il faudrait parler alors d'une « circonstance noire » qui en permanence, sur la base empirique de la traite négrière, nourrit et féconde le vaste domaine de la musique populaire et savante américaine. Je montrerai en quoi cette « circonstance », ou cet « état d'esprit », surdétermine la création de la plupart des événements musicaux nés sur le sol américain – comme autant de témoignages du génie humain, sans aucune distinction de race, de religion, de classe. Le jazz est une totalité issue d'une circonstance singulière et particulière. Il répond à une « urgence créatrice », comme l'écrit si justement Coltrane.

Autre parti pris : j'évoquerai assez peu, hors cette circonstance précitée, les très nombreux phénomènes

---

3. *Cf.* « Peut-on parler de musique noire ? », *Volume !* n° 8, vol. 1, 2011.

néo-religieux qui ont surgi dès les années 1960. La scientologie de Chick Corea, l'hindouisme actualisé de John McLaughlin, le Magma de Christian Vander, ou, dans une moindre mesure, la production du label ECM[4] sont autant de manifestations assimilables au jazz, mais qui fleurissent sous des auspices autres – contre-culture, New Age, ésotérisme moderne, mouvements communautaires – et sont assujetties à des causes politiques, sectaires ou religieuses au jazz. De même, j'ai longuement étudié les phénomènes de conversion des *jazzmen* au bouddhisme ainsi que le parallèle fécond, en termes d'identité et de spiritualité, entre la communauté musicale noire et celle tout aussi dynamique, à travers le jazz klezmer, de l'aire culturelle juive américaine[5]. Ainsi, si cette étude se focalise d'abord sur cette « circonstance noire », évoquer d'autres « circonstances » permet ainsi de mieux cerner cette problématique, sans pour autant proposer une quelconque exhaustivité. Cette étude se présente donc comme une première exploration d'un paysage spirituel, qui ne demande qu'à être poursuivie. Et j'appelle de mes vœux les débats, les critiques et les questions qui permettraient de prolonger cette réflexion, où se concentrent d'amples possibilités de recherches.

Oui, cette étude pose sans doute plus de questions

---

4. *Dans une moindre mesure*, car la production d'ECM, aussi européenne, scandinave et « évanescente » qu'elle puisse paraître, est largement inspirée des œuvres et des idées, notamment spirituelles, des tenants de la *Great Black Music* et de cette circonstance que nous évoquions.

5. *Cf.* Nicole Lapierre, *Causes communes : Des Juifs et des Noirs*, Stock, 2011.

qu'elle n'apporte de réponses définitives. Mais ce faisant, elle ambitionne de remettre en lumière ce sujet trop souvent négligé. Les raisons même de cette négligence éclairent notre rapport amour/haine à cette musique : trop intellectuelle, trop opportuniste, trop triviale. Interroger alors cette évidence oubliée qu'est, dans le jazz, le spirituel, nous permettrait ainsi de faire un pas décisif vers la compréhension du phénomène dans son intégralité. Si cette étude permettait de rendre justice à ce qu'ont exprimé une majorité d'artistes, parfois face au silence et au mépris, elle aurait déjà largement atteint son but.

Zim Ngqawana est en quelque sorte mort de n'avoir pas été écouté. Il n'y a pas de pires sourds que ceux qui ne veulent pas entendre. Cette étude souhaite simplement tendre l'oreille.

PREMIÈRE PARTIE

Du spirituel dans la musique (et dans le jazz en particulier)

Quand j'étais jeune, je pensais que la musique primait sur tout. Et maintenant que je suis plus vieux, je réalise qu'elle reflète seulement l'image des gens que j'aime, et la présence de Dieu à mes côtés.

Bobby Hutcherson

I.
État d'esprit

Sous les voûtes de la Grace Cathedral de San Francisco, deux hommes devisent, admirant sereinement l'édifice. L'un est reconnaissable à sa tenue, il est prêtre. L'autre est reconnaissable en tant que tel. C'est Edward K. « Duke » Ellington.

J'imagine la scène. L'ecclésiastique et le compositeur arpentent ensemble les travées gigantesques conçues pour symboliser l'éternité et la pérennité du culte. Pourtant, tout est neuf ici. Plusieurs décennies de travaux prennent fin et la création de ce *Sacred Concert*, composé par le maître et joué par son légendaire orchestre, sera une forme d'inauguration éclatante. Cela fait trois ans qu'ils y travaillent! Une rencontre improbable, sans doute, mais si exaltante : le swing des musiciens parmi les plus créatifs du moment dans un cadre dédié à la méditation extatique et au recueillement grégorien. Parmi les musiciens attendus, certains font partie de l'aventure ellingtonienne depuis le début, comme le saxophoniste (et accessoirement chauffeur du Duke!) Harry Carney, d'autres viennent d'intégrer l'orchestre comme on entre à l'université ou… au séminaire. Mais pour le moment, les deux hommes évoquent les préparatifs de l'événement, qui, pour original qu'il soit, ne peut se contenter de la demi-mesure. Les questions pratiques sont rapidement élucidées. La conversation prend une tournure plus philosophique, voire théologique. Le prêtre n'avait aucun doute sur la sincérité du compositeur quant à son ambition créative et spirituelle. Mais il s'avoue agréablement surpris par l'intelligence, l'affabilité, la pertinence de leur échange. Ce n'est pas tous les jours que l'on reçoit l'un des artistes les plus acclamés de son temps, mais c'est encore plus rare de découvrir la profonde réflexion théologique d'un musicien plus familier des clubs que des cloîtres.

Il serait sans doute affligé de savoir que son interlocuteur est un franc-maçon actif, 32e degré du rite écossais ancien et accepté. Ou peut-être le sait-il et n'en prend-il pas pour autant ombrage. Après tout, Ellington n'est même pas catholique, et la volonté du diocèse est de marquer l'événement du sceau de l'œcuménisme. Vatican II est passé par là, et il s'agit, du moins pour quelque temps, de faire preuve d'ouverture et d'originalité. Le prêtre, grand amateur de jazz, est de toute manière heureux de se retrouver en tête à tête avec le maître et de lui présenter l'immense bâtiment dont il aura la charge. Il se dit d'ailleurs qu'il devrait en profiter. Demain, des milliers de fidèles seront là, des journalistes du monde entier viendront relater l'événement et réclameront à grands cris une interview avec le chef d'orchestre. Alors que là, pour le moment, il est seul avec celui qui est le Jazz personnifié. La monumentalité du lieu lui donne paradoxalement une impression de confidence. Tant qu'il ne s'agit pas de confession ! Il pose quelques questions à Ellington sur son parcours, son histoire. Quelles sont les nouvelles de Billy Strayhorn, l'*alter ego* du Duke, que l'on sait malade ? Comment a-t-il vécu la disparition de Jimmy Blanton ? Était-il vraiment content de son batteur

Sonny Greer, que l'on accusait parfois d'arythmie ? Le prêtre, en confiance, se permet d'exprimer ses goûts : « Tricky Sam » Nanton, quel génie ! Par contre, je suis pas fan de « Cat » Anderson, trop c'est trop ! Mais de toute manière, Monsieur Ellington, vous avez toujours eu ce génie unique d'associer les contraires. La première fois que j'ai écouté le *Come Sunday* avec Mahalia Jackson, j'ai tout de suite su que les anges avaient inspiré votre œuvre. Entre nous, je donnerais cent *Ave Maria* pour pouvoir passer ne serait-ce qu'une fois votre musique aux mariages ou aux enterrements, mais ça choque mes paroissiens. C'est pourquoi je suis si heureux que vous ayez accepté l'invitation, j'espère que cela ouvrira des portes.

C'est au tour d'Ellington de s'avouer surpris par les connaissances de son compagnon. Les propos du prêtre ont réveillé une multitude de souvenirs enfouis dans des décennies de vie trépidante, intense et épuisante. Tout juste entend-il la dernière question du prêtre. Mais, Monsieur Ellington, pour vous, c'est quoi au juste, le jazz ? Ellington lève les yeux, la hauteur de la voûte précipite ses pensées vers des souvenirs encore plus précis. Il se rappelle William Cook, son professeur de musique, violoniste génial admiré de tous et compositeur prolixe jeté dans l'oubli pour sa couleur de peau. Il se souvient d'Elsa, la superbe danseuse du Cotton Club, qui ne cachait rien de ses charmes ni de ses lectures saugrenues dans un tel lieu (Faulkner, pensez-vous !). Tiens, au Cotton Club, il y avait aussi Mô, le tueur attitré du parrain qui possédait le club, et qui lui demandait systématiquement de jouer *Sophisticated Lady* avant de repartir achever ses basses œuvres. Romantique, le tueur… Et puis d'autres épisodes de sa vie, restés plus confidentiels, mais qui n'en ont pas moins de poids : sa tenue maçonnique à la Hiram Lodge d'Harlem, par exemple, où le hasard avait voulu que Lionel Hampton, Count Basie, Ben Webster, Earl Hines et W. C. Handy soient aussi présents. Il se dit qu'une bombe posée ce soir-là dans le temple par un raciste zélé aurait passablement changé l'histoire de la musique. Il se souvient que le seul moment où il arrivait à prier, c'était le matin à l'hôtel, après un énorme petit-déjeuner, son seul repas de la journée, et avant qu'Harry ne vienne le chercher pour rouler je ne sais combien de centaines de kilomètres. Il se souvient que le soir, après les concerts, était généralement consacré à des mondanités et, pourquoi pas, quelques rencontres qui ne lui laissaient pas le temps de méditer. Johnny Hodges, Paul Gonsalves, Rex Stewart, Cootie Williams, Lawrence Brown, « Bubber » Miley, « Tricky Sam », Barney Bigeard, il se rappelle tous ses compagnons, ceux qui sont morts, ceux qui sont toujours là. Il se rappelle aussi n'avoir jamais réussi à faire venir dans son orchestre Charlie Parker ni Miles Davis. Mais il a bien compris que ce dernier, tout comme John Coltrane d'ailleurs, a attentivement écouté son *Blue Rose*. Toujours dans le coup le Duke, même en jouant dans une cathédrale ou au bal de la marine ! *Surtout* en jouant dans une cathédrale et au bal de la marine. Il est temps de répondre au prêtre, qui attend avec patience mais circonspection. Le jazz… ? C'est le genre de bonhomme que tu n'aimerais pas que ta fille fréquente[6] !

6. Cet épisode évidemment imaginaire s'inspire des images du documentaire « Love You Madly » de Ralph J. Gleason, où l'on voit effectivement Duke et un prêtre arpenter la cathé-

À l'évidence, le journaliste et historien J. A. Rogers a su, dès le début, nous signaler l'essentiel : « Le jazz est une merveille de paradoxe[7] », écrivait-il en 1925. Musique savante tout autant que populaire, il échappe à toute définition systématique, et propose continuellement les contradictions les plus remarquables à ceux qui souhaiteraient le cataloguer, l'enfermer, l'analyser. Il y a le paradoxe géographique d'une musique dont on connaît le lieu de naissance, mais qui ne peut être réduite à une localisation ethnomusicologique. Il y a le paradoxe d'une oralité moderne constitutive du jeu des *jazzmen*, qui pourtant donnera naissance à plusieurs générations de compositeurs parmi les plus sophistiqués du XXe siècle, et inspirera ou effraiera la littérature occidentale [8]. Il y a enfin le paradoxe qui nous intéresse ici : voilà une musique qui évolue dans un contexte assurément profane de *bootleggers*, de bandits, de clubs et de mafias[9], et qui pourtant semble inspirer aux musiciens les plus hautes ambitions spirituelles.

L'exemple de Duke Ellington est éclatant : il est chef d'orchestre vedette au sein du plus grand jazz club de Harlem, le Cotton Club, tenu par la mafia locale, célè-

---

drale. La phrase conclusive est, quant à elle, véridique. Nat Hentoff, *At the Jazz Band Ball: Sixty Years on the Jazz Scene*, University of California Press, 2010.

7. J. A. Rogers, « Jazz at Home », *Survey Graphic*, n° 4, vol. 6 (texte phare de l'Harlem renaissante, déjà cité en exergue et repris par Alan Locke dans *New Negro*).

8. C. Béthune, *Adorno et le jazz : Analyse d'un déni esthétique*, et *Le Jazz et l'Occident : Culture afro-américaine et philosophie*, Klincksieck, 2003 et 2008.

9. R. L. Morris, *Jazz et Gangsters*, Le Passage, 2002.

bre pour ses danseuses et numéros exotiques, tirant parti de la fascination d'un public exclusivement blanc pour la *jungle* sauvage d'une Afrique fantasmée. Duke Ellington va pourtant utiliser rapidement sa célébrité pour faire passer des messages. Politiques, d'abord, avec, par exemple sa suite *Black, Brown and Beige*, créée dans le temple de la musique classique, le Carnegie Hall. Et puis bientôt spirituels, à travers ses concerts sacrés, de 1965 jusqu'à sa disparition en 1974[10].

Duke Ellington nous invite donc à pousser la réflexion sur le spirituel dans le jazz. Ce sujet, central et pourtant quasiment cryptique, a aussi le mérite de nous apporter un outil de recherche pluridisciplinaire, arrachant le jazz à une lecture exclusivement historique, ou journalistique, ou scientifique. Comprendre le rôle du spirituel dans le jazz, un mouvement musical qui, dès sa genèse, brille davantage par ses zones d'ombre que par sa clarté, revient à mettre en œuvre une herméneutique circonstanciée. Et à initier ainsi une anthropologie inédite du jazz[11].

Je souhaite donc élucider cette notion d'esprit du jazz : son rapport à l'improvisation, au discours, à l'oralité, à l'écriture. Elle embrasse l'inspiration du *jazzman*, son imaginaire, l'influence de son environnement social, politique, spirituel, au moment où il a créé sa musique, c'est-à-dire le plus souvent dans l'instant, collectivement, avec la complicité et l'émulation de ses confrères.

---

10. D. W. Stowe, *How Sweet the Sound : Music in the Spiritual Lives of Americans*, Harvard University Press, 2004 ; E. Ellington, *Music is my Misstress*, Da Capo Press, 1973.

11. J. Jamin & P. Williams, *Une anthropologie du jazz,* CNRS éditions, 2010.

Il ne s'agit évidemment pas de défendre un quelconque « art de vivre jazz » (pire, « jazzy »), forme de snobisme dandy que certains aiment afficher en totale ignorance de la musique elle-même. Mais en parlant d'*esprit du jazz*, nous acceptons cette impossibilité de circonscrire cette musique au seul champ de l'analyse esthétique. Le jazz, « gigantesque malentendu », écrit le philosophe Christian Béthune, ne se laisse pas attraper facilement. « À vrai dire tout, non seulement dans l'histoire du jazz, mais dans son expression musicale elle-même et sa réception, semble faussé », insistent les anthropologues Jean Jamin et Patrick Williams, en résonance avec le constat de Jelly Roll Morton : « La plupart des gens ne comprennent pas ce que le jazz a de nouveau (…), ils se font, du jazz, une idée fausse[12]. » Mais il représente, constate J. A. Rogers, un esprit susceptible de s'immiscer en tout lieu.

Le jazz est nulle part et il est partout. Il est absent de la philosophie, de l'anthropologie, de l'intelligentsia musicale, médiatique et intellectuelle[13]. Mais il demeure présent auprès de l'ensemble de la communauté culturelle comme un acteur et témoin, aussi important qu'étrange, de la créativité de notre époque. Par son altérité, son incongruité, sa pluralité, son indépendance, son affranchissement, le jazz – à l'instar du blues – s'offre un droit d'ingérence dans le

---

12. A. Lomax, *Mister Jelly Roll*, Presses universitaires de Grenoble, 1980.

13. *Cf.* C. Béthune, *Le Jazz et l'Occident, op. cit.* ; Jamin et Williams, *Une anthropologie du jazz, op. cit.* ; A. Ross, *The Rest is Noise*, Actes Sud, 2010 ; C. Jaeglé, *L'Interview : Artistes et intellectuels face aux journalistes*, PUF, 2007.

monde musical et artistique[14] dans son ensemble. Dans un drame théâtral qui mettrait en scène les histoires de la musique contemporaine, il serait Arlequin. Influence majeure tout autant que repoussoir, le jazz effraye et attire, non pas, comme le rock, le rap, l'électro, pour ce qu'il représente, mais pour ce qu'il est *et* pour ce qu'il n'est pas. Il n'est certainement pas, en tout cas, une esthétique musicale dont on aime représenter l'évolution par une arborescence généalogique telle qu'affichée dans de nombreux clubs, conservatoires et écoles, et dont l'absurdité chronologique ou stylistique témoigne de la difficulté pour les auteurs à faire entrer le jazz dans le moule d'une histoire évidente.

Le jazz a un terrain de jeu bien plus éclaté et large. Il est partout, mais cultive une distance ironique avec les formes artistiques qu'il est censé interpréter – ou pervertir. « Le jazz est un style qui peut s'appliquer à n'importe quelle sorte d'air », rappellent Rogers et Jelly Roll Morton. Il n'est pas pour autant une force de rassemblement autour d'un projet utopique : il aura, de fait, suscité plus de débats sur sa nature et son rôle que la plupart des autres mouvements musicaux. Le jazz est donc bien, au-delà du phénomène stylistique, une manifestation singulière

---

14. En ce sens, l'exposition au Musée du Quai Branly « Un siècle de Jazz » en 2009 aurait pu être une occasion unique de mettre en perspective le jazz et son influence sur le monde des arts. Malgré une documentation passionnante, la lourde scénographie et la cacophonie des installations sonores ont fait de ce moment attendu un rendez-vous manqué, pour un public nombreux, mais frustré par ce qu'il pouvait percevoir comme un univers d'entre-soi.

de l'esprit humain : la « *music of thought* », dira Duke Jordan[15].

Comme musicien, j'ai l'habitude d'en donner ma propre définition : le jazz est le *geste* musical qui me permet de jouer avec qui je veux quand je le veux[16]. Je ne cesse pas, à mon sens, de faire du jazz quand j'improvise sur du Bach avec un quatuor à cordes ou un organiste liturgique. Eux-mêmes, improvisant leur première note, s'émancipent de la tutelle du compositeur démiurge pour trouver leur propre autonomie. Ils deviennent, par définition, et par esprit donc, *jazzmen* dans l'instant. Je ne fais pas du jazz parce que je joue un swing ternaire, un blues ou une improvisation collective empruntant au phrasé *be-bop* ou *dixieland*. Je fais du jazz parce que je vais, dans ces contextes ou bien d'autres, instiller cette transformation et cette altérité, fruit de mon autonomie musicale, dans un geste musical qui doit autant à l'improvisation qu'à un imaginaire propre.

Autonome, mais à l'écoute de l'autre. Rarement dans l'histoire de l'art un mouvement aura autant posé problème dans sa définition. Jamais aucun musicien, intellectuel, chercheur, musicologue, journaliste ne pourra proposer une définition esthétique stricte du jazz qui convienne à tous. Au point de nourrir chez les musiciens une haine tenace pour le mot lui-même, et chez les amateurs les interprétations parfois les plus mythologiques. Seul l'esprit de cette musique,

---

15. Communication personnelle, interview 2004.
16. Je n'invente évidemment rien, interprétant pour moi-même la belle affirmation de Jelly Roll Morton citée précédemment.

écho fantomatique et fantasmatique de l'histoire du jazz, peut, à défaut, rassembler un ensemble hétérogène d'acteurs qui conviendront alors de la singularité de leur pratique et de leur recherche.

L'*esprit du jazz*, impalpable par nature, nous invite, avec Jean Echenoz, à explorer les marges de son parcours, sa propre altérité. Ainsi, à la marge des marges de son histoire, l'appréhension du spirituel, domaine par excellence de l'ineffable et de l'indicible, représente une occasion originale et magnifique de reconnaître le jazz comme un phénomène esthétique unique, d'examiner plus attentivement son environnement tout entier, ses influences méconnues, les amnésies de son historiographie, et l'imaginaire de ses créateurs. Poser la question du spirituel dans le jazz est une aventure intellectuelle qui élargit le champ d'exploration de cette musique, nous mène au plus près des sources d'inspiration profondes de l'artiste, et contribue à l'inscrire durablement dans notre paysage culturel.

2.
Afrologie vs Eurologie

Le jazz est une musique simplement humaine.
Eric Dolphy

Ma musique est l'expression spirituelle de ce que je suis – ma foi, ma connaissance, mon être...
John Coltrane

Je pense que la musique peut rendre le monde meilleur et, si j'en suis capable, je veux le faire. J'aimerais montrer aux gens le divin dans un langage musical qui transcende les mots. Je veux parler à leurs âmes.
John Coltrane

L'état d'esprit du jazz – et c'est là sa singulière modernité – doit s'entendre au double sens du mot « spirituel » : à la fois sacré et mondain. Autrement dit, l'esprit du jazz s'exprime souvent chez le musicien par un sens de l'humour légendaire. Avant d'être religieux, métaphysique ou mystique, le spirituel dans le jazz est intimement humoristique : c'est une affaire de bons mots, de bon esprit et de confidences volontiers déstabilisantes.

Cette intelligence malicieuse est naturellement en action lors de l'interview – comme l'a élégamment montré Claude Jaeglé dans son essai sur l'art de l'interview[17]. Ne résistons pas au plaisir de citer quelques maîtres en la matière :

---

17. Claude Jaeglé, *L'Interview. Artistes et intellectuels face aux journalistes*, PUF, 2007. L'auteur ajoute que la spiritualité et la

Louis Armstrong, quand on lui demandait de définir le concept rythmique du swing : « Si tu as besoin de demander, tu ne le sauras jamais[18] ! »

Duke Ellington : « En gros, (…) le jazz a toujours été comme ce genre de type que vous n'aimeriez pas que votre fille fréquente[19]. »

Thelonious Monk, dans une interview d'anthologie faite de chausse-trapes, jeux de mots, litotes, pour le magazine *Down Beat* d'octobre 1971 :

« INTERVIEWER : Des compositeurs de musique classique qui ont une influence sur vous ?

MONK : Je ne sais pas de quoi vous voulez parler.

INTERVIEWER : Vous savez, comme Bach, Beethoven et ainsi de suite.

MONK : Oh, vous voulez dire Rachmaninov, Stravinsky et des gars comme ça (Il rit). J'ai seulement mentionné leurs noms parce que vous avez une veste rouge !

INTERVIEWER : Eh bien, aucun d'eux ne vous impressionne ?

MONK : Eh bien, pas trop de compositeurs classiques, mais les musiciens de jazz m'impressionnent. Tout le monde est influencé par tout le monde mais vous pouvez le ramener à vous comme vous le sentez. Je n'ai jamais copié personne. Je joue simplement de la musique.

---

foi figurent parmi les thèmes immuables du dialogue entre *jazzmen* et intervieweurs, ces derniers ayant souvent recours à des questionnaires-types, sachant leur interlocuteur capable de transcender la routine de l'exercice.

18. J. F. Szwed, *Jazz 101: A Complete Guide to Learning and Loving Jazz*, Hyperion, 2000.

19. N. Hentoff, *At the Jazz Band Ball: Sixty Years on the Jazz Scene*, University of California Press, 2010.

INTERVIEWER : Comment définiriez-vous votre son ?
MONK : Musique.
INTERVIEWER : Admettez-le (*Let's face it*). Vous avez votre propre style.
MONK : *Face* ? Y a-t-il un visage dans la musique ? (Monk joue ici avec le mot « *face* ».) N'est-ce pas là une chanson ? *Let's Face the Music* ? (…)
INTERVIEWER : Quels centres d'intérêt avez-vous ?
MONK : La vie en général.
INTERVIEWER : Qu'escomptez-vous faire à ce sujet ?
MONK : Continuer à respirer. (…)
INTERVIEWER : Quel est pour vous le but de la vie ?
MONK : Mourir. »

Outre le caractère spirituel des réparties, et des anecdotes truculentes sur son parcours, le *jazzman* profite souvent de cette occasion de se raconter pour exprimer son point de vue sur la nature du jeu jazzistique. C'est comme si l'humour spirituel de l'échange provoquait naturellement la réflexion, ainsi que l'a montré Claude Jaeglé : « Raconter permet de penser[20]. » Raconter/Penser/Jouer (*Storytelling/Music of thought/Playing*) sont les trois fondamentaux d'une philosophie musicale qui affecte le *jazzman* dans sa musique, sa vie et la manière de la dire, créant une intelligence de l'instant qui dépasse largement le cadre musical. Si faire du jazz c'est dire sa vie, faire sa vie revient à se raconter par la musique, le *jazzman* vivant ainsi dans un mouvement biographique perpétuel et régénérant. Rien à voir avec la vision démiurgique du compositeur occidental qui impose à l'interprète et l'auditeur

---

20. Claude Jaeglé, *L'Interview. Artistes et intellectuels face aux journalistes*, op. cit.

le résultat de ses choix conceptuels. Le jazzman en action fait la musique « d'une vie », la sienne, qui devient musique « de la vie » quand il fait œuvre collective, « sa vie » devenant en présence des autres improvisateurs « leur vie ». Nous comprendrons alors les difficultés de compréhension et d'appréhension de nombreux compositeurs contemporains vis-à-vis de cet objet musical si volatil, qu'il en vient à menacer la notion même d'œuvre. L'œuvre invite à l'analyse. La vie, elle, ne se saisit pas.

> Charlie Parker : « La musique est ta propre expérience, tes propres pensées, ta sagesse. Si tu ne la vis pas, elle ne sortira pas de ton biniou. Ils t'enseignent qu'il y a des frontières en musique. Mais, mon gars, il n'y a pas de frontières en art[21] ! »
> Charles Mingus : « J'essaye de jouer la vérité de qui je suis. La raison pour laquelle c'est difficile, c'est que je change tout le temps[22]. »
> Sydney Bechet : « Je joue ce que je vis[23]. »
> Louis Armstrong : « Ce que nous jouons est la vie[24]. »
> Wynton Marsalis : « Le jazz est la musique de la vie[25]. »
> Ou le programme du Vision Festival de 1999 : « Fon-

---

21. R. G. Reisner, *Bird : The Legend of Charlie Parker*, Da Capo Press, 1977.
22. N. Hentoff, *At the Jazz Band Ball*, cit.
23. J. E. Berendt, *The Jazz Book : From New Orleans to Jazz Rock and Beyond*, Paladin, 1984.
24. *Ibid*.
25. W. Marsalis, « Jazz is Life Music », *Down Beat*, oct. 2009.

damentalement, tout ceci concerne le plus élevé des arts, qui est de vivre[26]. »

Les préoccupations de la vie, courante comme rêvée, sont d'ailleurs le sujet principal du fameux livre de la baronne Pannonica de Koenigswarter [27] qui a recueilli auprès de ses amis *jazzmen* « leurs trois vœux ». Santé, travail, famille, les vicissitudes de la vie du musicien semblent prédominer dans les esprits des créateurs les plus audacieux.

Nous glissons donc imperturbablement vers une notion du jazz comme illustration musicale de la vie et comme élément biographique, que nous pourrions nommer bio-empirique, fruit de l'expérience et du vécu, allant de pair avec une conception spirituelle de l'acte d'improviser. Tel est le paradoxe ontologique du jazz vu simultanément comme l'illustration la plus pragmatique de la vie séculière et la manifestation d'un dessein spirituel, d'une mystique immanente (« le geste jazzistique est spirituel en soi »), ou d'une transcendance du destin d'ordre plus religieux (« le créateur m'a pourvu d'un don, celui de jouer et d'improviser ») ou intellectuel. Ainsi, Ralph Ellison qui évoque une spiritualité propre au blues et au jazz, qui transcende la dure réalité quotidienne du Noir, par l'humour, l'ironie, mais aussi la quête du beau. Emmanuel Parent nous invite à lire Ellison de ce point de vue, comme l'un des rares auteurs noirs dépassant les clivages idéolo-

---

26. A. Pierrepont, *Le Champ jazzistique*, Parenthèses, 2002.
27. P. de Koenigswarter, *Les Musiciens de jazz et leurs trois vœux*, Buchet/Chastel Meta-Éditions, 2006.

giques et nationalistes récurrents. Ellison implique « une perspective du sublime, qui surgit de l'écart entre la finitude matérielle de la performance scénique et l'infini de sa substance spirituelle[28] ». Cette porosité entre le corporel et le spirituel se manifeste dans tous les domaines musicaux de l'Amérique noire, et elle redéfinit une relation intime entre la fonctionnalité évidente de la musique américaine et afro-américaine et sa dimension profondément spirituelle. Une relation qui fut longtemps contestée, à la suite du philosophe Theodor Adorno, mais qui nous apparaît à nouveau pertinente dans cette perspective ellisonienne de la culture de « L'Atlantique Noir », qui transcende jusqu'à la relation mémorielle au corps de l'esclave supplicié[29]. « Ce spirituel n'en est que plus humain, et surtout plus virtuose », conclut Emmanuel Parent.

> Sonny Rollins : « La liberté dans l'improvisation, son essence, est quelque chose de très créatif, et pourtant très formel ; la capacité de créer quelque chose de très spirituel, quelque chose de sa propre initiative[30]. »

---

28. Emmanuel Parent, *Jazz Power. Anthropologie de la condition noire chez Ralph Ellison*, CNRS Éditions, 2015.
29. P. Gilroy, *L'Atlantique noir. Modernité et double conscience*, Kargo-L'éclat, 2003.
30. Il est assez difficile de retrouver la source exacte de cette interview pourtant très citée. Stuart Nicholson y fait référence dans une interview de Sonny Rollins de 2009, qu'il conçoit comme la suite de cette fameuse interview faite « dix ans auparavant ». Le fait que cette interview ait été éditée dans le magazine disparu *Jazz Express* explique la difficulté de trouver la référence exacte du numéro et de l'article

Il ne faut pas s'étonner de ce paradoxe jazzistique – un de plus – qui consiste à assumer en un même geste musical le pragmatisme ludique et une dimension presque miraculeuse. C'est d'abord un paradoxe caractéristique du religieux aux États-Unis – nous y reviendrons – où le séculaire s'associe au sacré. C'est aussi une situation que l'on peut admettre face à une musique qui s'affiche d'emblée avec un humour et un esprit astucieux. Le jazz est la musique de la vie, certes, mais la vie n'en reste pas moins mystérieuse. Le geste musical si étrange pour l'auditeur qui consiste à créer en temps réel une œuvre collective qui n'aura jamais l'occasion de se graver définitivement dans le marbre ni sur le papier – malgré l'invention de l'enregistrement audio – relève d'un jeu collectif parfaitement assumé d'imitation-recréation, une compétition fraternelle au service de l'intelligence de l'instant, dans le registre de l'*agôn* si cher à Roger Caillois dans sa classification des jeux[31].

Pour autant, le résultat de ce jeu, comme le miracle hasardeux d'une vie humaine, reste pour le musicien, comme pour tout être humain, un mystère insondable. Malgré son parti-pris et son activisme, lui-même se pose la question des forces en jeu dans une pratique musicale qu'il sait ne pas contrôler dans son ensemble. Les *jazzmen* parlent alors de « télépathie[32] », et donnent parfois des titres explicites à leurs œuvres composées et spontanées, tel

---

31. R. Caillois, *Les Jeux et les hommes* (1957), Gallimard, « Folio », 1992.
32. P. F. Berliner, *Thinking in Jazz, The Infinite Art of Improvisation*, University of Chicago Press, 1994.

ESP, pour « Extra Sensoriel Perception », de Miles Davis[33].

Le jazz est une musique à la filiation claire, ancrée dans la vie populaire de la nation, mais aussi ce langage qui échappe aux classifications historiques. C'est que le jazz, fruit de l'expérience particulière de l'esclavage[34] – où la question de l'humanité du Noir ne se posait même pas – procède d'un sens de l'affirmation naturelle de sa propre humanité. Il est la représentation d'une expérience positive propre au musicien, qui créé et recréé à chaque instant, quels que soient son parcours et l'importance de son bagage, témoignant de sa réalité d'artiste et de son humanité[35]. Le jazz est à la fois biographique, mémoriel et instantané.

C'est aussi le sens d'un texte essentiel de George Lewis, tromboniste, chercheur, informaticien, compositeur, membre de l'AACM (*Association for the Advancement of Creative Musicians*) à propos de laquelle il a signé un ouvrage de référence[36]. Dans un article

---

33. *Extra Sensorial Perception* : un des flambeaux théoriques de la parapsychologie moderne en mal de reconnaissance scientifique, telle qu'elle s'expérimentait dans les laboratoires de J. B. Rhine à la même époque. ESP deviendra aussi le nom d'un des labels les plus radicaux et influents du free jazz, mais il fait référence autant à la parapsychologie qu'à la langue espéranto.

34. Il ne s'agit ici évidemment pas d'une généralisation pseudo-historique (esclavage-coton-chant-blues-jazz) mais justement d'assumer ce fait historique comme constitutif par essence de l'expérience américaine, et le jazz comme son illustration la plus significative.

35. C. Béthune, *Le Jazz et l'Occident*, cit.

36. G. Lewis, *A Power Stronger Than Itself: The AACM and American Experimental*, University of Chicago Press, 2008.

publié dans le *Black Music Research Journal* et intitulé « Improvised Music After 1950 : Afrological and Eurological Perspectives[37] », George Lewis oppose audacieusement, mais subtilement, deux approches de l'improvisation musicale : « eurologique » et « afrologique ». Alors bien sûr, il balaye immédiatement toute ambiguïté en dénonçant, des deux côtés, les perspectives essentialiste, racialiste ou nationaliste qui classeraient les musiques « noires » ou « blanches » selon l'appartenance ethnique[38].

« La musique afro-américaine, comme toute musique, peut être jouée par toute personne de toute "race" sans perdre son caractère historiquement afrologique, tout comme un spectacle de musique vocale carnatique joué par Terry Riley ne transforme pas le *râga* en une forme musicale eurologique. Mes réflexions ne tentent aucunement de délimiter l'origine ethnique ou la race, même si elles sont conçues pour veiller à ce que la réalité de la composante ethnique ou raciale d'un groupe socio-musical historiquement émergent soit considérée honnêtement et concrètement[39]. »

Ainsi posée, la réflexion de George Lewis porte sur l'existence de deux logiques distinctes de l'improvisation et plus largement de la musique. Si l'une est d'essence européenne et l'autre d'essence africaine,

---

37. *Black Music Research Journal* n° 16, vol. 1, 1996. Je remercie Pierre Saint-Germier, de m'avoir fait connaître ce texte.

38. Sur la musique « noire » et l'ambiguïté de la terminologie, on peut lire l'excellent numéro de *Volume !* (n°8, vol. 1, 2011) consacré à ce sujet, sous la direction d'Emmanuel Parent : « Peut-on parler de musique noire ? ».

39. G. Lewis, *A Power Stronger Than Itself*, cit.

elles ont malgré tout évolué sur le sol américain, définissant des philosophies, des attitudes, des démarches différentes, parfois même opposées. La perspective eurologique (ou américano-eurologique) se place dans la mythologie de la « nouvelle frontière » et de « la négation des principes de la tradition », affirmant la préséance de « ce qui est devant nous » par rapport au « passé[40] ». La perspective afrologique, quant à elle, ne peut admettre « l'effacement de l'histoire », particulièrement dans le cas des improvisateurs afro-américains, fidèles à la mémoire de l'esclavage :

> « La destruction de la famille et de la lignée, la réécriture de l'histoire et de la mémoire à l'image du Blanc, est l'un des faits auxquels tous les gens de couleur doivent faire face. Il n'est pas surprenant, par conséquent, que, du point de vue d'un ex-esclave l'insistance à être exempt de mémoire puisse être considérée avec une certaine suspicion, que ce soit sous la forme du déni ou de la désinformation[41]. »

Ce faisant, George Lewis montre que ces aspects considérés comme extra-musicaux ne s'incarnent pas moins dans la manière d'appréhender la musique d'un côté comme de l'autre. Il y a deux logiques audibles dans les productions américaines contemporaines de l'après-guerre. Et Lewis d'évoquer deux figures tutélaires du modernisme américain : Charlie Parker et John Cage. À bien y regarder, en effet, les deux

---

40. *Ibid.*
41. *Ibid.*

maîtres sont représentatifs de deux courants parallèles, qui se sont développés malgré leur proximité dans deux contextes culturels divergents. S'ils ont influencé durablement la musique, ils ont déterminé également une décisive différence dans la manière d'appréhender la musique en temps réel et l'improvisation. Cette différence, note Lewis, englobe « non seulement la musique, mais des zones autrefois considérées comme "extra-musicales", y compris la race et l'ethnicité, la classe sociale, et la philosophie sociale et politique[42] ».

Charlie « Bird » Parker est le fer de lance d'une révolution musicale, le *be-bop*, qui entreprend d'une part de faire émerger une parole noire forte intellectuellement, politiquement et esthétiquement, et d'autre part de porter le geste musical improvisé, sans pour autant annihiler les fondamentaux du jazz historique, à un niveau d'écoute, de concentration et de virtuosité jusque-là inconnu. Le *bopper* place le Noir américain dans un autre rapport à la société dominante. De descendant d'esclave appartenant à une minorité humiliée, il devient « non conformiste », membre d'une communauté minoritaire fière et consciente de son potentiel. Ainsi, le *bopper* n'a même plus besoin de faire *tabula rasa* des traditions et de son propre passé. Il le transforme, le fait évoluer, et use des mêmes motifs sonores (thème, solo, structure, sens) que ses aînés pour obtenir une nouveauté esthétique musicale d'autant plus radicale qu'elle se joue des influences et des racines, les transgressant et les assumant, allant même jusqu'à affirmer son attache-

---

42. G. Lewis, *A Power Stronger Than Itself*, cit.

ment à certaines figures les plus « eurologiques » de la musique (Debussy, Varèse, Stravinsky, Ravel, etc.).

John Cage, comme Charlie Parker, a eu sur son époque une influence qui dépasse très largement le cadre strictement musical. Prenant pour socle l'évolution de l'art contemporain dans son ensemble, autant que les philosophies et religions orientales qui apparaissent et prospèrent alors en Occident (en l'occurrence le zen), il participe à un mouvement musical résolument tourné vers l'avenir, vers les « nouvelles frontières » de l'art, et définit un rapport au spontané et au temps réel qu'il nomme *Indeterminancy*. Son œuvre la plus connue, *4'33"*, demande au pianiste de rester concentré face à son piano sans y actionner aucune note. Elle met ainsi en scène les sons, les bruits, les réactions du public comme les hasards de l'environnement sonore, réglant l'intention immuable du compositeur sur les variations infinies et indéterminables de l'extérieur. John Cage considère toute forme de revendication, de lutte, de combat comme inutile, et préfère voir dans son travail une manière de totalité, vision holistique du monde sonore et du monde réel qui refuse toute frontière, tout conflit, toute esthétique. « Le monde est un seul monde maintenant. » Précisant même : « Quand je pense à un avenir radieux, il y a certainement de la musique là-dedans, mais il n'y a pas un seul genre… ils y sont tous[43]. » Au-delà du vœu pieu d'un authentique créateur à la sagesse profonde, il semble que l'intention ne tient pas l'analyse. Car le désir d'unité manifesté par Cage ne semble pas s'accommoder de la proximité de

---

43. G. Lewis, *A Power Stronger Than Itself*, cit.

l'*autre* musical américain, la musique afro-américaine, et le jazz en particulier : « Le jazz en soi découle de la musique sérieuse, et quand la musique sérieuse découle du jazz, les choses commencent à devenir un peu ridicules. » Ou encore : « Je me porte parfaitement bien sans aucun jazz, mais je remarque que beaucoup de gens en ont un grand besoin. Qui suis-je pour estimer que leur besoin est inutile[44] ? » Il y a une réponse dissimulée, évidemment, à cette question d'une humilité sans doute sincère, mais qui cache mal la réalité de la considération que Cage porte à son œuvre et au jazz. Comme le remarque Lewis, les analogies entre *be-bop* et arts visuels (en particulier Jackson Pollock et Franz Kline) ont été maintes fois établies, pour mieux souligner le rapport fécond que tous entretenaient avec la spontanéité de l'instant. Pourtant, dans le domaine musical, et en restant dans la périphérie new-yorkaise, ce sont plutôt des témoignages de désaveu, de scepticisme, de mépris ou d'ignorance que l'entourage de Cage et Cage lui-même manifestent envers le *be-bop* et le jazz. Et pourtant, la chronologie ne laisse aucun doute sur la préséance : la révolution du *bop* précède de près de dix ans les premiers travaux de Cage sur l'instant, l'indéterminé et le spontané.

Il y a là un phénomène que Lewis nomme, à la suite des travaux du critique des médias John Fiske, « *exnomination* ». Qu'est-ce à dire ? L'acte d'*exnomination* est l'une des premières caractéristiques du *whiteness* en tant que pouvoir [45]. Il consiste à éviter de se définir

---

44. *Ibid.*
45. Le *whiteness* est un concept que le théoricien de la culture George Lipsitz et le juriste Cheryl I. Harris ont identifié

soi-même en définissant l'autre par une attitude de mépris et de domination. Fiske précise : l'*exnomination* est le moyen par lequel le *whiteness* évite d'être nommé et se maintient ainsi lui-même hors du champ de l'interrogation et donc hors du programme de transformation… Une pratique de l'*exnomination* est l'évitement de l'auto-reconnaissance et l'auto-définition. Définir, pour les Blancs, est un processus qui est toujours dirigé vers l'extérieur sur plusieurs autres, mais jamais vers l'intérieur sur le définisseur.

Le jazzman Anthony Braxton invite également à réfléchir sur cette stratégie : « Les deux mots "aléatoire" et "indéterminé" sont des mots qui ont été inventés… pour contourner le mot "improvisation" et par extension l'influence d'une sensibilité non blanche[46]. » Lewis y voit lui aussi un moyen de dénier au jazz et au be-bop l'antériorité du recours à l'improvisation. Le be-bop et sa manière d'associer le spontané, la structure, l'unicité représente ainsi un défi pour la musique eurologique, qui a un besoin de réponses impérieuses : « Trop souvent, l'espace de la *"whiteness"* fournit une plate-forme commode pour un déni raciste face à ce défi provocant, tout en fournissant une arène pour l'articulation d'une sensibilité implicite que j'ai appelée "eurologique"[47]. »

Dans ce rapport forcément conflictuel, le jazz devient cet « autre épistémologique », écrit Lewis, qui

---

comme un fait culturel déterminant de la société et de l'histoire américaines, apparaissant en raison des réalités de l'esclavage, de la politique amérindienne et de la conquête de l'Ouest.

46. G. Lewis, *A Power Stronger Than Itself*, cit.
47. *Ibid.*

permet aux concepts eurologiques contemporains d'improvisation de mieux s'identifier, sans pour autant risquer de se définir. Le jazz et sa sensibilité afrologique permettent à la sensibilité eurologique de mieux cerner les singularités qui la distinguent de ce qu'elle aime ignorer ou mépriser. Les notions de « spontanéité » (« Le jazzman n'use-t-il pas de motifs qu'il connaît, d'idiomes communs, ou de sa mémoire, tournant le dos à une vraie spontanéité non idiomatique ? »), de « liberté » (« La liberté afrologique n'est-elle pas trop liée au contexte politique et social pour représenter pleinement la liberté musicale ? »), de « musique improvisée » (en opposition au « jazz » bien trop suspect décidément) sont autant de champs de réflexion, de champs de bataille sémantique pour la sensibilité eurologique : elles lui permettent d'asseoir une suprématie putative, au mépris de la réalité historique, et d'une certaine humilité.

Mais il est une notion conceptualisée par George Lewis qui nous intéresse ici particulièrement : la notion de « personnalité ». Elle permet de distinguer, au niveau musical même, les deux sensibilités. Particulièrement constitutive de l'identité afrologique, elle souligne l'importance d'une narration personnelle, propre à chaque improvisateur, par sa capacité à « raconter sa propre histoire ». Le son, la personnalité, la sensibilité du musicien s'expriment alors totalement dans son propos musical. Il illustre qui il est, au moment où il est, à l'endroit où il est. Le jazzman joue ce qu'il est, il joue « sa vie » et propose à ses camarades son « vécu musicalisé » pour le mettre en scène avec le leur, une manière de collectif de destins qui fait sens commun – et musical. La « personnalité » ontologique du jazzman s'oppose donc bien à l'esprit de la musique eurologique qui, elle, repose sur la capacité de l'interprète à gommer sa propre personnalité pour mieux exprimer le désir du compositeur et du chef d'orchestre, véritables démiurges de leur propre cause. Même dans le cadre de l'improvisation, le musicien eurologique s'oppose à toute manifestation de l'histoire, de la narration, de la mémoire, et voit dans l'improvisateur afrologique un amateur de compétition plus ou moins brutale, dont l'ego demeure la signature la plus visible. Lewis rapporte ainsi le cas de ces groupes européens d'improvisation non idiomatique, se définissant parfois comme pratiquant des *non-jazz group improvisations*, qui font reposer leurs actes musicaux sur l'idée d'« amitié ». Par conséquent : « Tout acte de nature inamicale de la part d'un individu menace la force de la musique que nous essayons tous de créer », disent-ils – sous-entendu, toute manifestation de l'ego ou de la personnalité d'un des musiciens serait susceptible de détruire l'édifice érigé par une amitié qui nivelle plus qu'elle n'émule. L'un de ses acteurs n'avoue-t-il pas trouver son plus grand plaisir lorsqu'à l'écoute du groupe, « tu ne peux pas distinguer qui joue quoi, et que cela n'a plus aucune importance d'une manière ou d'une autre » ?

Nous en apprenons généralement plus sur une chose de la part de ceux qui ne l'aiment pas que de ceux qui l'apprécient. En affirmant son amour de l'anonyme dans l'improvisation eurologique, notre amateur d'amitié désincarnée nous donne une juste définition, par défaut, du jazz : le jazz est la musique du soi, d'une sensibilité afrologique affirmée, la manifestation de la vie et la narration de l'existence propre de celui qui l'exprime, et qui aime jouer avec ceux qui ont le même destin en mains et en musique.

Pour ma part, je pose aussi la question de savoir si le concept de George Lewis ne pourrait pas s'étendre à l'ambivalence entre populaire et savant. La notion de personnification, de narration, de *storytelling* demeure le point nodal qui distingue le chant populaire des musiques savantes ou académiques. Musiques de fonction (commerciale, narrative ou sociale) et de mémoire, contre musique de création d'un individu ou d'un groupe identifié, le problème est bien connu : il marque une différence entre deux domaines qui savent évidemment, et malgré tout, s'influencer, consciemment ou pas, au-delà du mépris et de l'ignorance.

Ruralité et urbanité sont d'autres notions qui permettraient de mieux définir le paysage socioculturel de la musique. En les appliquant au territoire américain, nous dégagerions des affinités et des analogies parfois surprenantes. Nous constaterions ainsi que la country, le bluegrass, les musiques appalachiennes, toutes musiques populaires de la narration, du vécu, du destin, répondent à la même sensibilité que l'afrologique. Johnny Cash, Bill Monroe ou Jimmie Rodgers, figures afrologiques au même titre que John Coltrane, Duke Ellington ou Albert Ayler ? La proposition peut sembler provocante, voire ridicule. Pourtant, les racines africaines ou afro-américaines des musiques rurales américaines sont incontestables et bien étudiées. Bill Monroe a appris la musique avec un ami métayer noir et guitariste. Le *Grand Ole Opry* de Nashville était un show mixte tant qu'il restait radiophonique – avec l'arrivée de la télévision, hors de question, évidemment, de voir des Noirs à l'écran jouer d'égal à égal avec des Blancs. Jimmie Rodgers enregistra un chef-d'œuvre du blues et du jazz avec Louis Armstrong en 1931, *Blue Yodel n° 9*. Et inversement de nombreux bluesmen ruraux témoignent de leur admiration pour les grands artistes country blancs qu'ils écoutaient à la radio ou rencontraient en voyage[48]. Le banjo lui-même, instrument africain devenu l'emblème de la ruralité blanche américaine, symbolise à lui seul les échanges incessants en ce domaine. L'ethnomusicologue Art Rosenbaum[49], qui enregistra en Géorgie des centaines de musiciens non professionnels noirs comme blancs, s'est consacré à démontrer ces échanges essentiels à la qualité des musiques populaires de tradition orale américaines. De nombreuses fois, s'apprêtant à enregistrer un bluesman noir ou un fiddler blanc, il fut surpris de voir des musiciens amis venus les accompagner, et qui n'avaient pas la même couleur de peau.

J'ai moi-même pu constater en sa compagnie, jouant du saxophone jazz avec des *old timers* des montagnes ou avec l'immense Earl Murphy (violoniste western swing de 94 ans), le sens de l'accueil et de l'improvisation de ces musiciens country, mais surtout

---

[48]. La lecture du remarquable *Feel Like going Home. Légendes du blues et pionniers du rock'n'roll*, de Peter Guralnick (1971, tr. fr. Rivages, 2009) est édifiante. Le destin croisé de nombreuses personnalités du rock, du blues et de la country démontre une perméabilité communautaire consciente et assumée en ce qui concerne la musique.

[49]. Le disque-livre *Black & White, Recorded in the Field by Art Rosenbaum*, édité par Dixiefrog est entièrement consacré au travail de défricheur d'Art Rosenbaum et à l'aspect multicommunautaire de la musique rurale de Géorgie et du Deep South.

la force évocatrice d'un vaste répertoire, qui passe sans gêne aucune des chansons de meurtres (très souvent le mari tue sa femme) aux *spirituals* les plus fervents et les plus méditatifs. Le destin, la narration d'une vie de labeur et d'espérance y ont la même force, la même signification, la même sensibilité afrologique qu'ont les blues, les gospels et les virtuoses improvisations du jazz. Avec eux, surtout, j'ai pu observer un fait sans doute parmi les plus méconnus de l'histoire musicale américaine : la campagne, de tout temps, a servi de terrain d'expérimentation et de rencontres intercommunautaires pour des musiques qui allaient s'épanouir industriellement et médiatiquement dans les grandes villes, parfois avec moins de dialogues interethniques.

C'est ce destin partagé qui fait sens sur ce territoire malgré les obstacles, les violences, les humiliations, ce miroir perpétuel brandi face aux regards de tous par le biais des *minstrels* et *medecine shows*, des spectacles où on ne sait plus qui parodie quoi. Il y a là une analogie évidente avec les échanges parodiques et les va-et-vient interculturels du *black face* décrits et popularisés par William T. Lhamon[50] dans le contexte plus urbain et plus industriel des ports et des grandes villes américaines. Ouvriers noirs et blancs des agglomérations, métayers et petits propriétaires terriens, toutes les communautés prolétariennes partageaient les mêmes conditions miséreuses par-delà la couleur de peau, et trouvaient dans la danse, la musique et tous les signes de l'échange et l'imitation parodique de *l'autre* un ter-

---

50. W. T. Lhamon, *Peaux blanches, masques noirs*, Kargo-L'éclat, 2008.

rain de contestation ludique et une insolence salutaire qui ne souffrait finalement pas de ségrégation. C'est donc aussi dans les champs, au moment d'un travail harassant ou de rares temps de loisir, que les histoires se croisent, se chantent, s'associent.

À lui seul, un musicien comme Bob Wills, inventeur du *western swing,* symbolise cette interpénétration. Ayant créé, durant les années 1930 et 1940, l'un des groupes musicaux les plus populaires de son temps aux États-Unis, il travailla à associer sa passion du blues et des musiques afro-américaines avec le répertoire de valses, polkas et breakdowns de la musique de danse rurale. Il fonda ainsi un véritable orchestre de jazz, avec d'authentiques improvisateurs (dont Eldon Shamblin, originaire de l'Oklahoma, et compagnon de route de Charlie Christian, dont il adoptera l'amplification électrique), faisant sensation auprès d'un public rural et blanc qui circulait sur tout le territoire américain à la recherche d'emploi (avec la Californie comme rêve), et qui goûtait pour la première fois aux joies du swing. C'est dans sa jeunesse laborieuse que Bob Wills dit avoir découvert la musique des Noirs avec qui il travaillait. Il se rappelle même avoir fait plus de musique avec eux qu'avec des Blancs. Il avouait une admiration sans bornes pour Bessie Smith, et permit également au swing français de Stéphane Grappelli, de Django Reinhardt et du Hot Club de trouver une place importante au sein des string-bands américains. Ainsi, alors que Cab Calloway affolait les foules des clubs mythiques et des immenses salles de concert des grandes agglomérations avec ses récits fantasques et osés, Bob Wills transmettait le virus du swing aux classes blanches laborieuses qui n'y étaient *a priori* pas sensibles. À eux deux, ils ont fait plus pour la popularisation d'un rythme, d'un récit, d'une sensibilité de type afrologique, que bien d'autres musiciens définis comme « jazz » par les puristes[51].

Le système élaboré par George Lewis, augmenté d'une compréhension aiguë des logiques populaires, rurales et urbaines, nous aide à mieux élucider le jazz, à l'aune d'éléments dits « extra-musicaux », et à saisir le sens du récit propre à l'esprit de cette musique.

Jouer ce que l'on est, jouer selon la vie que l'on mène, jouer afin de manifester sa profonde humanité, est fondamentalement un acte spirituel.

JOHN COLTRANE : « Je pense que la majorité des musiciens est intéressée par la vérité. Ils doivent l'être, parce qu'exprimer une chose musicale est une vérité. Si vous vous affirmez musicalement et si c'est une affirmation valable, ce sera vrai en tant que tel. Si vous jouez quelque chose de bidon, eh bien, vous savez que c'est quelque chose de bidon (*rires*). Tous les musiciens se battent pour atteindre autant que possible une certaine perfection, et la vérité est là-dedans, vous voyez. Ainsi, afin de jouer ce genre de choses, de jouer dans le vrai, vous devez vivre dans le vrai autant que cela peut être possible… Et si un gars est religieux, et s'il est à la recherche du bon, qu'il veut

---

51. Pour plus de renseignements sur Bob Wills, l'ouvrage de référence reste le *San Antonio Rose: The Life and Music of Bob Wills*, de Charles R. Townsend (University of Illinois Press, 1976), qui décrit précisément les zones d'influence et de pénétration entre musiques « noires » et « paysannes » à l'œuvre chez le *leader* des Texas Playboys. Pour Cab Calloway, la référence reste l'excellent site de Jean-François Pitet : thehidehoblog.com.

vivre une vie de bonté – il pourra alors se considérer comme religieux, ou pas[52]. »

Et le critique Ashley Kahn d'ajouter, au-delà de la figure persistante de « celui qui a trouvé le salut à travers son saxophone » : « Qu'il soit pratiquant ou pas, un musicien dévoué peut atteindre le même niveau de spiritualité qu'une âme pieuse. »

Le jazz témoigne de l'évolution des mentalités séculières, religieuses et spirituelles des époques qu'il traverse. Mais il est aussi en tant que tel une aventure spirituelle transgressive, qui dépasse évidemment la religion tout en assumant parfaitement ses racines et ses aspirations confessionnelles. En tant que manifestation de l'existence, musique de vie et de l'individu qui la crée dans l'instant, le jazz est à la fois le résultat des phénomènes sociaux qui l'environnent et le moteur culturel de mouvements qu'il génère ou accompagne, souvent discrètement, par l'esprit, si j'ose dire.

Il convient alors de comprendre ce qui se trame dans l'expression du jazzman. De faire pour une fois confiance à ce qu'il dit et écrit, pour mettre pleinement en lumière l'idée maîtresse et motrice du jazz comme geste intrinsèquement spirituel, comme manifestation impérieuse du soi, et comme illustration de ses sources d'inspiration parmi les plus flagrantes. Il faut lire et écouter le jazzman : aller donc puiser aux sources du témoignage personnel que sont l'autobiographie, le récit biographique et l'interview – tout en prenant conscience des torsions, oublis, malentendus que la critique jazzistique leur fait subir.

---

52 A. Kahn, *A Love Supreme: The Story of John Coltrane's Signature Album*, Penguin, 2003.

3.
La parole des jazzmen et l'amnésie médiatique

Dans son bel essai consacré à l'art de l'interview[53], Claude Jaeglé a vu juste : le jazzman aime à se raconter tout en déjouant les questions de son intervieweur. Plus que tout autre acteur de la vie culturelle, il a le goût du récit et, plus encore, d'un dialogue sensiblement proche du jeu d'improvisation musicale qu'il met en place lors de ses concerts. Car c'est un jeu agonistique[54] qui se crée dans l'improvisation jazzistique : une lutte fraternelle, mais implacable, qui plonge ses racines dans la triade imitation/récupération/création (imitation du maître, récupération des astuces et des procédés, création de sa propre voix[54bis]), correspondant d'ailleurs à un modèle d'apprentissage du langage. C'est ainsi que le jazzman se prête volontiers au jeu des questions, familier qu'il est des interprétations et des dialogues naturels. L'interview est généralement vue par les artistes et intellectuels comme un nécessaire, mais souvent pénible, exercice de rapport de force. Le jazzman, lui, loin de

---

53. Claude Jaeglé, *L'Interview. Artistes et intellectuels face aux journalistes*, cit.

54. C. Béthune, *Le Jazz et l'Occident*, cit.

54bis. C'est admirablement résumé par le trompettiste Clark Terry qui nommait les trois étapes de l'apprentissage du jazz : imitation, assimilation, innovation.

la morgue affichée par les groupes de rock, montre de quelle intelligence particulière il use en répondant de manière ludique, compétitive et perspicace. Cette facilité évidente caractérise une manière de dire, de raconter et souvent de brouiller les pistes ou de se jouer de l'interlocuteur comme on se joue d'un partenaire musical. L'art rhétorique du jazzman est un art souple et presque désinvolte, mais il n'est pas forcément d'un abord facile ni d'une compréhension aisée. Nous pourrions presque parler d'un art d'initié – au sens où l'entendent les francs-maçons, comme nous le verrons dans la deuxième partie.

De même, lorsque le jazzman s'engage dans la rédaction autobiographique, assistée ou pas, le récit se fait baroque, singulier, loin de ce que l'on attend habituellement du témoignage d'un acteur culturel. André Cœuroy ne qualifiait-il pas de « très curieuse » l'autobiographie de Louis Armstrong [55] ? La vie de Sydney Bechet n'est-elle pas particulièrement difficile à suivre si on lit son autobiographie [56] ? Les contradictions chronologiques ne sont-elles pas devenues presque constitutives des récits de Thelonious Monk, de Miles Davis ou de Dexter Gordon ? Sun Ra n'est-il pas le magnifique cauchemar de tout intervieweur et biographe, à force d'avoir travesti, mythifié et « ufologisé » ses origines ? D'autres, comme Keith Jarrett, s'offrent même le luxe de contrôler ce qui ressort de l'interview et de la rédaction biographique. Steve Coleman use plus que tout autre de l'ellipse rhéto-

---

55. A. Coeuroy, *Histoire générale du jazz : Strette Hot Swing*, Denoël, 1942.
56. S. Bechet, *Treat it Gentle*, Da Capo Press, 2002.

rique. Et Ahmad Jamal refuse que certains sujets, comme le religieux, soient abordés.

Il existe donc, chez le jazzman, une sorte de flou narratif qui trouble l'interlocuteur. Comme ce journaliste qui nous avouait son embarras face au pythagorisme revendiqué d'un Roswell Rudd, au point d'éliminer ce genre de référence dans l'édition des interviews qu'il réalisait[56bis]. Le besoin de rationaliser le propos jazzistique devient une nécessité du biographe et du critique, non pas tant par esprit de censure, que pour affiner ce qui lui semble recevable dans un discours souvent truffé d'affirmations jugées fantaisistes et parasitaires. Comment interpréter une déclaration aussi péremptoire et énigmatique que celle d'Armstrong : « *Our music is a secret order* [57] » ? Que viennent faire Dieu, Pythagore, l'Égypte ancienne, chez des acteurs contemporains de la culture urbaine afro-américaine ? Place à la musique et aux faits, le reste est aimablement classé au rang de l'anecdote, pour ne pas être tout bonnement jeté aux orties.

Ainsi, l'autobiographie, après les essais mystérieux d'un Armstrong, devient vite un objet hybride écrit

---

56bis. Depuis la parution de cet ouvrage, j'ai reçu un retour de cet ami journaliste. Il s'agissait bien d'une incompréhension liée à l'ignorance du fait spirituel et politique prédisposant la référence étonnante à Pythagore qui déterminait pour lui cette réaction somme toute légitime.

57. « Notre musique est un ordre secret. » Il semble que cette citation très usitée soit apocryphe. Elle ouvre malgré tout l'excellent ouvrage de John Szwed sur Sun Ra. Ceci étant, l'expression est assumée par Armstrong lui-même dans une lettre au trompettiste Chris Clufetos. On peut alors sans aucun doute attribuer cette phrase, ô combien significative pour notre étude, au grand « Satchmo ».

sous contrôle d'un collecteur-correcteur. Pour le meilleur dans le cas d'Alan Lomax avec Jelly Roll Morton. Ou pour le pire dans celui du peu scrupuleux biographe de Billie Holiday, William Dufty, promouvant dans *Lady Sing the Blues* la vision d'un jazz « nègre » et d'une artiste instinctive et ignorante, sauvage, sinon aliénée.

Face à ce corpus de la critique jazzistique, de l'interview au roman biographique, c'est donc bien l'imaginaire de l'artiste qui se retrouve dangereusement réduit à sa part congrue : celle de l'artisan d'un divertissement sonore, élégant et intelligible[58].

Et pourtant… S'il y a bien un domaine où l'imaginaire de l'artiste s'exprime pleinement, et en toute conscience, c'est le domaine spirituel. À commencer par les titres de ses œuvres, de ses morceaux et de ses albums, ou par les choix de *covers* et les *liner notes* de ses disques[59]. *The Good Book* est l'album de Louis Armstrong qui revendique à la fois les racines liturgiques afro-américaines de sa musique et son investissement

---

58. Pour une analyse du problème biographique, je renvoie à lecture de mon article « Jazz en vies ; de l'exemplarité du fait spirituel et maçonnique chez les musiciens de jazz », *L'Homme*, n° 200/2011. Ici, l'avis de Pierre Bourdieu sur « l'illusion biographique » (*Actes de la recherche en sciences sociale*, 1986) est éclairant. Afin d'échapper à une linéarité historique illusoire – conséquence d'un dialogue subjectif de sujet à objet, d'interrogateur à interrogé, l'histoire de vie doit en passer par une appréhension de la surface sociale complète, propre à décrire le sujet dans son environnement, sa complexité, sa totalité.

59. Nous pouvons lire et consulter avec intérêt *Freedom Rhythm & Sound. Revolutionary Jazz Original Covers Art 1965-1983* de Gilles Peterson & Stuart Baker (SJR publishing, 2009), qui restitue un ensemble homogène et édifiant de *covers* de cette période.

spirituel. *Sacred Concerts* de Duke Ellington est un triptyque magnifique qui signe la tentative du grand Duke d'intégrer dans son corpus la musique sacrée. John Coltrane – peut-être le seul véritable mystique de l'histoire du jazz, nous le verrons – livre tout au long de son œuvre les témoignages de son expérience spirituelle, par le poème comme par la musique, et plus particulièrement encore dans son chef-d'œuvre *A Love Supreme*. Il en est de même avec Albert Ayler, mais selon une orientation nettement plus religieuse, qui se professe dans des titres comme *Holy Ghost*, *Holy Family*, voire *Jesus*[60]. Ces exemples pris parmi des centaines d'autres affirment clairement la dimension spirituelle qui habite la quête artistique des jazzmen.

Il est vrai que ce n'est pas seulement le jazz, mais l'ensemble de la production musicale américaine qui trouve sa justification dans la gratification envers le Créateur. En Europe, l'image de l'artiste redevable à lui-même de son talent, à force de travail et d'expérience, fait souvent place aux États-Unis à l'idée d'une offrande divine : un don, que l'on honore par le travail en signe de respect (*Thanksgiving*…). On ne compte plus les remerciements au Créateur glissés dans les *liner notes*[61], qui justifient les plus grandes entreprises artistiques comme les plus médiocres, de John Coltrane à Kenny G. À n'en pas douter, Dieu n'en demandait pas tant !

---

60. R. Imbert, « The Father, the Son and the Holy Ghost. The Avant-Garde Trinity of Coltrane, Sanders, and Ayler », IAHR Quinquennial World Congress Trinity College, Toronto, IAHR, 2010.

61. Les commentaires et remerciements de l'auteur ou d'un tiers, dans les notes d'albums.

Plus singulière, l'interview permet également ce genre d'acte de gratitude, que l'on est étonné de retrouver sous forme de contrition dans les propos du saxophoniste bopper Sonny Stitt en 1982, quelques semaines avant sa mort :

> « Je ne veux pas jouer au saint homme, mais je crois sincèrement que Dieu a voulu que je reste sur terre encore quelque temps. Je ne sais pas encore quelle est ma mission, mais je ne plaisante pas avec Dieu. Je tremble de peur à l'idée de toutes les bêtises que j'ai faites dans ma vie et que Dieu m'a pardonnées. Il ne m'a pas abandonné. Quand on décide de se convertir, on découvre brusquement qu'on a beaucoup d'amis, on devient différent, on devient soi-même. Je suis en bonne santé physique et mentale. Je me sens bien tous les jours naturellement. Je travaille dur pour continuer à progresser sur mon instrument. Tout le mérite en revient au Créateur, à ma mère et à ma femme, parce qu'ils disent la vérité et que la vérité c'est la lumière[62]. »

Hors l'œuvre elle-même, la spiritualité revendiquée par le jazzman se manifeste donc dans le dialogue avec le journaliste ou l'amateur. L'une des interviews les plus frappantes à mon sens est peut-être celle que Bernard Lairet réalise auprès de Randy Weston, en 1967, alors que cet immense pianiste et

---

62. L'interview réalisée par un musicien, Al Levitt, donne, de l'avis de la rédaction de *Jazz Magazine*, une « complicité autre » entre les deux interlocuteurs. Est-ce à dire qu'un artiste est mieux à même d'interroger un autre artiste sur sa sensibilité spirituelle – qui semblerait hors sujet pour un journaliste ?

compositeur, qui s'installera au Maroc au plus près des musiques rituelles gnaouas, n'avait alors jamais mis les pieds sur le vieux continent, et n'y était connu que de quelques musiciens et amateurs. Après les présentations biographiques d'usage, les questions de Bernard Lairet permettent à Randy Weston de donner son point de vue sur l'Afrique, l'Amérique, et sur son statut de musicien afro-américain. « L'Afro-Américain est l'âme de l'Amérique, affirme-t-il. Il est le réservoir inépuisable de créativité et de rythme. » Et de cependant préciser : « Je me considère d'abord comme un homme de ce monde, faisant partie de la planète Terre (Je suis sérieux!). » Les questions en viennent alors très naturellement à la dimension politique de la musique :

INTERVIEWER : Que pensez-vous de la musique de jazz en tant que moyen de revendication sociale ?
WESTON : De qui voulez-vous parler ?
INTERVIEWER : Certains musiciens de la *New Thing* le préconisent…
WESTON : De toute façon, la *New Thing* n'est pas une chose nouvelle. Je pense que la musique doit d'abord décrire la vie, la beauté, l'intelligence. Certaines personnes pensent que je suis un adepte du *Black Power* (…). Plutôt que de vouloir instaurer le pouvoir noir, je pense qu'il vaudrait mieux exprimer la beauté noire. Oui, *Black Power* c'est plutôt le nom de la beauté noire.
INTERVIEWER : Vous avez choisi de vous installer provisoirement au Maroc. Est-ce parce que vous êtes musulman ?
WESTON : Je ne suis pas musulman : j'ai ma propre religion. Je veux dire que je suis de toutes les reli-

gions car toutes n'en forment qu'une pour moi. Quel que soit son nom, nous avons tous le même Dieu.
INTERVIEWER : Que pensez-vous des tentatives qui consistent à faire jouer du jazz dans les églises ?
WESTON : Je pense que c'est une très bonne chose (...). J'ai donné un concert le 1er janvier à l'église St. Gregory de New York : il y avait plus de deux mille personnes, des gens de toutes conditions (...). Ce fut pour moi l'une des choses les plus importantes que j'aie jamais faites en musique, beaucoup plus importante que de travailler dans un night-club (...). J'ai ressenti une grande émotion. »

Il faut lire la dernière question à l'aune d'un débat présent ces années-là dans les milieux du jazz français, à la suite du succès hallucinant des « concerts sacrés et jazz de l'espace » de Jean-Christian Michel, et des séries de *Sacred Concerts* de Duke Ellington. Cela restera sans doute le seul moment où musiciens et critiques s'interrogeront en France sur la dimension strictement religieuse du jazz, par-delà les distinctions manichéennes dominantes entre musique afro-américaine profane (blues, jazz) et sacrée (gospel, negro-spiritual), entre musiques de night-club et musiques d'église. À la suite de l'audition de l'orchestre de Duke Ellington à l'église Saint-Sulpice en 1969, le magazine *Jazz Hot* organisera même une table ronde avec des musiciens et un prêtre autour de la question « Le jazz et l'Église ?[63] ».

Mais la nature de l'entretien nous révèle bien plus

---

63. Avec Jef Gilson, Roger Guérin, François Guin et le père Guy de Fato, ancien musicien.

qu'une incompréhension à propos des lieux où se diffuse une musique jugée *a priori* profane. Nous pouvons y observer un autre phénomène de réinterprétation tacite. La question sociale et politique est généralement réorientée par l'artiste vers la question esthétique et spirituelle, comme c'est très souvent le cas chez les musiciens de la « génération free », à l'exception notable des véritables militants politiques que seront Archie Shepp ou Amiri Baraka dit LeRoi Jones, auxquels fait sans doute référence Bernard Lairet. Les interviews d'Albert Ayler par Daniel Caux [64] à la fondation Maeght en 1970, ou de John Coltrane par le journaliste Frank Kofsky[65] en 1966 sont édifiantes de ce point de vue. Dans le premier cas, sur la question de l'interprétation que fait de sa musique LeRoi Jones (qui émettait des doutes sur les orientations nouvelles d'Ayler, après l'avoir accompagné et soutenu), Albert Ayler élude et, en toute modestie, reconnaît à LeRoi Jones le droit et même la compétence d'émettre l'avis qu'il souhaite sur sa musique. Mais il en profite pour clarifier un point semble-t-il litigieux : « En Amérique, ils ont essayé de dire qu'il était [l'album *Spiritual Unity*] très politique et aurait causé des émeutes (c'était au moment où j'étais avec LeRoi Jones). Mais ce n'était pas vrai et la musique était très belle. » Dans la vidéo de l'entretien que l'on peut voir dans le trop rare documentaire sur son passage à Saint-Paul-de-Vence, il tente de ramener son travail avec LeRoi Jones, poète

---

64. D. Caux, *Le Silence, les couleurs du prisme et la mécanique du temps qui passe*, Éditions de l'éclat, 2009.
65. F. Kofsky, *John Coltrane and the Jazz Revolution*, P. Finder, 1970/1998.

et activiste militant, à un niveau strictement professionnel qui n'impliquerait pas son adhésion. De son côté, Frank Kofsky tente d'introduire son entretien de 1966 avec John Coltrane en l'interpellant sur Malcolm X, quelqu'un de sa connaissance l'ayant vu à un meeting du leader noir. Coltrane répond qu'il ne l'a vu qu'une seule fois en meeting, et qu'il en a été assez impressionné. Kofsky insiste :

> KOFSKY : Des musiciens ont dit qu'il y avait une relation entre certaines idées de Malcolm X et la musique, spécialement la nouvelle musique (*new music*) ? Pensez-vous qu'il n'y a rien de cela ?
> COLTRANE : Je pense que la musique, étant l'expression du cœur de l'homme, ou de l'être humain, n'exprime que ce qui arrive. Je pense qu'elle exprime l'ensemble de l'expérience humaine au moment précis où elle est exprimée.

Il y a là un paradoxe. D'abord une réponse que l'on pourrait qualifier presque de hors sujet, allusive et d'ordre général à une question pourtant précise. Nous touchons à cet ésotérisme des idées et du vocabulaire du jazzman déjà évoqué, et qui déstabilise nombre d'interlocuteurs. Mais, en même temps, la nature de la réponse coltranienne est très précise. À une question politique et sociale, Coltrane répond par une définition de l'acte créatif de l'improvisateur selon une conception à la fois humaniste (l'expression de l'homme) et métaphysique (l'ensemble de l'expérience humaine exprimé à un moment précis). La pensée du musicien est ici nette et sans faille. Elle est l'expression d'une vision macrocosmique et microcosmique qu'il partage avec Weston. Et, pourtant, nous pourrions presque penser que journaliste et musicien, interrogateur et interrogé, ne parlent pas la même langue, du moins ne partagent pas la même compréhension du monde, et la précision prompte des réponses qui sont données à ce genre de question laisse à penser que le musicien a déjà fait l'expérience de cette incompréhension. Il ne manifeste aucune amertume ni lassitude à l'écoute de ces questions, mais semble obligé d'exprimer sans hésitation une pensée qui laissera le journaliste sinon sur sa faim, du moins dans l'expectative. Randy Weston juge même nécessaire de préciser au journaliste qu'il est sérieux dans ses revendications humanistes et universalistes. Les silences dans l'enregistrement de l'interview de Coltrane par Kofsky sont, il me semble, très significatifs[66], et les réponses d'Ayler et de Weston réorientent elles aussi l'aspect politique de la question vers l'idée de la beauté.

En ce qui concerne plus précisément la question religieuse, nous remarquerons, dans l'interview de Randy Weston, cette affirmation qui reprend presque mot pour mot ce slogan lisible dans les *liner notes* de l'album de John Coltrane, *Meditations*, et que l'on doit, vraisemblablement, au saxophoniste Pharoah Sanders : « Je crois en toutes les religions, à partir du moment où elles parlent d'un Créateur. » Si Randy Weston semble partager la même vision syncrétiste de la religion que les maîtres souffleurs du free jazz, il se positionne esthétiquement hors du mouvement free. Précurseur d'une *world music* qui commençait à peine

---

66. L'interview peut être écoutée en ligne, notamment sur YouTube.

d'émerger, il est un musicien parfaitement moderne mais pétri d'une tradition jazzistique fièrement assumée. Il nous rappelle simplement que sa vision spirituelle de la musique n'est pas le seul fait d'une génération de révolutionnaires plus ou moins mystiques des années 1960. Elle puise non seulement aux racines de la musique liturgique afro-américaine, mais se nourrit surtout d'une vision spirituelle de la musique improvisée, que l'on retrouve à l'œuvre chez Louis Armstrong, Duke Ellington, Mary Lou Williams, John Coltrane, Charles Lloyd et bien d'autres – autrement dit, à toutes les époques du jazz.

Plus étonnant est le constat paradoxal que nous pouvons désormais faire d'une présence forte de l'occurrence spirituelle dans les entretiens des jazzmen, et de sa quasi-absence dans les ouvrages biographiques et autobiographiques. À tel point que l'on peut légitimement se demander si l'interview ne devient pas pour le musicien soit le champ de bataille ultime pour réhabiliter certains aspects de son imaginaire, soit le terrain d'un jeu sémantique où il sait que le sujet esthétique et spirituel sera à son avantage, dans une joute oratoire qui correspond parfaitement à sa démarche. Mettons de côté les très rares biographies de jazzmen qui ont, dans le cas d'Ellington ou de Coltrane, pris le parti de l'hagiographie religieuse pour relater leurs vies et leurs œuvres[67]. Ce qui nous intéresse ici, c'est le caractère finalement musicologique, ou journalistique qu'ont pris de très nombreuses bio-

---

67. La biographie de John Coltrane par J.-C. Thomas (1984) n'échappe pas à une vision *new age* de l'univers coltranien.

graphies, éludant l'univers spirituel et l'imaginaire propres de l'artiste, comme souvent aussi le contexte anthropologique où s'enracine son œuvre. L'autobiographie n'échappe pas à la règle, avec, nous l'avons vu, l'intervention fréquente du co-auteur, qui vient collecter les informations sur le musicien. Dans le cas où l'artiste est seul responsable du texte qu'il souhaite proposer au lecteur, nous pouvons néanmoins observer une plus grande liberté de choix des abordés. Tel Louis Armstrong et sa minutieuse description de la vie à La Nouvelle-Orléans, et notamment de l'importance des confréries et fraternités constitutives d'une identité propre à la ville et à sa musique. Tel William Parker, dans un autre registre, tout aussi édifiant, qui n'a de cesse d'accompagner son travail musical d'édition de recueils de poèmes et de principes esthétiques – ses *Document Humanum* témoignant de la teneur spirituelle et panthéiste de sa recherche artistique.

Mais si le musicien confie souvent à un collecteur le soin de recueillir les informations le concernant, ses préoccupations spirituelles ou religieuses ne sont pas pour autant oubliées. Dans *To Be or Not to Bop*, la truculente autobiographie de Dizzy Gillespie[68], collectée par Al Fraser, le génial trompettiste donne des détails sur sa conversion au bahaïsme et ce qu'elle lui a apporté. Il précise même, nous le verrons, les raisons de l'échec de son entrée en franc-maçonnerie. Ce qui est en cause, ce n'est pas en l'occurrence l'objectivité du collecteur, mais la recension de l'ouvrage par les médias, les spécialistes, les savants du jazz. Ce qui reste alors, c'est un

---

68. D. Gillespie, & A. Fraser, *To Be or Not to Bop*, Presses de la Renaissance, 1981.

sophisme qui se voudrait peu ou prou musicologique, hérité de la musique savante occidentale. À savoir que ce qui fait sens musicalement se lit dans la partition, et, quand on a affaire à une musique de tradition orale, dans la retranscription graphique et la collecte des informations relatives à l'acte musical seulement – pour le jazz : personnel de l'orchestre, organologie, chronologie historiographique, anecdotes de la vie sociale des musiciens. Si la spiritualité et la religion de Bach, Messiaen, Mozart sont parfaitement lisibles dans la graphie de l'œuvre et sa définition strictement liturgique de musique sacrée, en revanche l'improvisation et l'oralité du jazz ne peuvent s'analyser selon les mêmes critères et les mêmes attentes. Le sujet passe alors à la grande périphérie des raisons historiques et ontologiques du jazz, quitte à forcer le trait sur son aspect profane par l'accent mis sur une genèse dans les bordels de la Nouvelle-Orléans, ou par l'adoption du mythe d'un jazz et d'un blues diaboliques, par opposition à la sacralité du *negro-spiritual*. Le bahaïsme de Gillespie devient évidemment subsidiaire dans ce contexte, et il est gentiment mis au placard des informations secondaires de la biographie, ce au mépris d'une part de la réalité religieuse et politique des États-Unis, d'autre part des revendications de l'artiste.

Mais plus encore, ce sont les particularités du jazz qui sont finalement oblitérées par une démarche biographique trop musicologique. Certes, la méthode musicologique et ethnologique, et son pendant journalistique que sont la biographie historique et l'analyse critique, restent adaptés pour analyser les détails d'un moment musical jazzistique. Mais, en 2014, près d'un siècle après l'acte discographique officiel de sa naissance, le jazz garde tout le mystère de son essence et de son histoire. Les critiques et les chercheurs définissent le jazz par les notions d'harmonie, de structure, de tempo, de swing, de discographie, d'historiographie, éventuellement par le contexte sociopolitique et psycho-historique du groupe. Les musiciens de jazz évoquent, quant à eux, Dieu, l'Égypte ancienne, la Tradition, le geste immanent de l'improvisation, la spiritualité intrinsèque à la musique, la place de l'homme dans l'univers, la métaphysique liée à leur démarche, la politique de la communauté. D'où le hiatus entre la vision d'une musique savante et celle d'un art initiatique.

Les raisons d'une amnésie médiatique

« Plus que jamais peut-être depuis l'apparition de la New Thing, c'est dans ses propres marges que le jazz raconte une bonne partie de son histoire. » C'est ainsi que Jean Echenoz introduisait son article « Note sur le discours mystique dans le jazz[69] ». Il ajoutait plus loin : « Ce qui peut surprendre en revanche, c'est que l'inflation d'un discours mystique (…) ait provoqué chez la critique un mouvement unanime de rejet[70]. » Le fait spirituel sourd en effet dans un

---

69. *Jazz Hot*, n° 280, 1972.
70. Je remercie Alex Dutilh de m'avoir fait connaître ce magnifique texte. Il répondait d'ailleurs à Echenoz dans le *Jazz Hot* de juin 1972, soulignant l'importance inédite de son analyse et l'impact d'un tel sujet : « Il aurait fallu attendre un récent article de Jean Echenoz (…) pour que la critique se penche sur tout un courant du jazz actuel qu'elle paraissait ne pas vouloir appréhender. »

ensemble trop important de documents biographiques et d'interviews. Mais ne semble pas pour autant considéré comme un élément notable. Il est même suspect, ou selon le mot d'Echenoz : « gênant ». Une gêne qui peut confiner à l'*omertà* si l'on observe attentivement le rapport entre les documents existants et leur recension[71]. Un fait plus particulier illustre bien le déséquilibre de ce rapport entre manifestation et restitution : l'engagement maçonnique de la plupart des jazzmen des années 1920, 1930 ou 1940, resté largement inaperçu – et qui sera l'objet de notre deuxième partie. Et ce malgré les indices sans ambiguïté laissés par les uns et les autres, tel Joe Morello interviewé par Jean-Louis Ginibre pour *Jazz Magazine*. Jean-Louis Ginibre : « Que représente la bague que vous portez ? » Joe Morello : « Elle signifie que je suis franc-maçon. 3e degré[72]. »

Nous ne pouvons que constater, avec Echenoz, le déni que le fait spirituel a suscité chez ses confrères d'alors. Les causes de cette amnésie sont d'abord liées à l'apparente contradiction entre les paroles et les actes, entre le discours et la musique. Peut-on raisonnablement parler de sacré à propos d'une musique qui s'épanouit d'abord dans un contexte résolument profane ? Car après tout, s'il y a des jazzmen maçons, il n'y a pas, nous le verrons, de jazz maçonnique. Cette

---

71. Signalons tout de même pour être juste, outre l'article de Jean Echenoz, un magnifique article de Bernard Loupias, « Spiritual Unity », paru dans la revue *Gulliver* n°2 en janvier 1999. L'auteur insiste, chose rare, sur l'aspect mystérieusement initiatique de la démarche artistique et de la communication de très nombreux jazzmen.

72. *Jazz Magazine* n° 146, 1967.

première raison s'associe à une autre que nous pourrions qualifier de moraliste, ou plutôt anti-moraliste. Le motif spirituel éloigne trop le jazzman de l'image d'Épinal imposée par la littérature biographique, à la suite du succès foudroyant de *La Rage de vivre*, récit épique du clarinettiste Mezz Mezzrow[73]. Le jazzman doit être alors un personnage musical, truculent et amuseur, avant d'être un artiste ou un intellectuel, ou, tout simplement un croyant. Denis Constant-Martin l'a parfaitement démontré[74], l'amateur de jazz français a élaboré son image du jazz selon des *a priori* « à distance », sans faire nécessairement le voyage aux États-Unis. Quand bien même le faisait-il (Hugues Panassié, Darius Milhaud, Jean Wiener), cela n'entamait en rien cette vision préétablie d'une musique belle car « sauvage », « authentique », « naturelle » – bref, assujettie à tous les poncifs de la négrophilie d'avant-guerre, pourtant si éloignée de la réalité sociale, spirituelle et politique de l'Afro-Américain. Même David Yaffe, dans son étude sur la littérature et le jazz[75], privilégie les histoires de jazzmen maquereaux, mettant l'accent sur les récits de *pimps* de Charles Mingus, Miles Davis ou Billie Holiday, et l'image nécessairement profane que le jazzman doit véhiculer. Quand bien même les faits de prostitution auraient une présence censément prépondérante dans l'histoire de sa vie, cela n'exclut pourtant pas l'imaginaire spirituel du musicien. Dans

---

73. *Really The Blues*, Random House, 1946 ; tr. fr. *La Rage de vivre*, Buchet-Chastel, 1972 [rééd. 2013].

74. « De l'excursion à Harlem au débat sur les "Noirs" », *L'Homme*, avril-septembre 2001.

75. D. Yaffe, *Fascinating Rhythm: Reading Jazz in American Writing*, Princeton University Press, 2006.

l'autobiographie de Miles Davis[76], truffée d'anecdotes triviales, plane aussi la présence des esprits de John Coltrane et de Gil Evans qui viennent le visiter, et apparaît un intérêt très marqué pour l'astrologie. Dans une société afro-américaine où la frontière entre sacré et profane est ténue, les actions triviales s'accommodent d'ambitions spirituelles – une ambivalence que l'on peut voir à l'œuvre par exemple dans les concerts de Prince, sexuellement explicites et où le Seigneur est sincèrement honoré… Significatif est l'accueil médiatique incroyable qu'a suscité la remarquable étude de Ronald L. Morris sur le jazz et les gangsters[77]. Que Louis Armstrong et Duke Ellington aient eu des employeurs malfrats, cela semble contenter tout le monde, pour une bonne image d'un jazz de bastringue. Mais que les mêmes aient développé par ailleurs une musique emprunte de religiosité, il y a là une contradiction qui doit tenir d'une erreur d'interprétation, ou d'une manipulation de marketing. Vu d'Europe, on ne peut pas être à la fois musicien de gangsters pour danseuses dévêtues, et musicien épris d'élévation spirituelle. Il s'agit alors de préférer le bordel à l'église comme lieu de naissance du jazz, n'acceptant pas, par manichéisme, que cette musique ait bien pu naître au bordel *et* à l'église – à quoi nous ajouterions volontiers le village, le champ, la rue, le cimetière, le night-club, le club fraternel et le temple.

Une troisième raison du mépris pour le discours spirituel des musiciens tient au fait qu'une part

---

76. M. Davis, & Q. Troupe, *Miles Davis, the Autobiography*, Picador, 1990.
77. R. L. Morris, *Jazz et Gangsters*, Le Passage, 2002.

importante des journalistes et amateurs de jazz partage une vision assez politisée d'un mouvement musical qui, par essence, se devrait d'être révolutionnaire, et porter les aspirations de changement des intellectuels et des militants. En témoigne le formidable retentissement du livre-manifeste *Free Jazz Black Power* de Philippe Carles et Jean-Louis Comolli[78]. Mais dans ce cas, l'occultation du fait spirituel relève plus d'un malentendu que d'une véritable *omertà*. Et l'erreur serait alors de dépolitiser le discours des musiciens au prétexte de mieux souligner l'incompréhension, par les critiques, de leurs aspirations spirituelles. Nous le verrons, discours spirituel, revendications politiques et prosélytisme religieux font cause commune aux États-Unis. L'histoire maçonnique – celle-là même dont nous devinerons les implications sur le monde du jazz – nous montre en la matière des exemples inédits et édifiants. Le problème réside donc dans un malentendu entre critiques qui, politiquement, ne peuvent envisager de lutte révolutionnaire sans une critique totale de l'institution religieuse, et musiciens afro-américains, pour qui les mêmes luttes s'inscrivent parfaitement dans l'histoire spirituelle de leur pays.

78. Publié chez Champ Libre en 1971 (rééd. « Folio », 2000). Soulignons au demeurant qu'il s'agit d'un des très rares livres français de l'époque relatant l'importance de Prince Hall – créateur de la maçonnerie noire que nous étudierons plus tard – comme militant précurseur des luttes afro-américaines. Notons aussi qu'il n'y est pas fait mention d'un lien quelconque entre militantisme maçonnique et jazz classique et moderne, et soulignons, si besoin était, l'anachronisme politique et culturel que représente la maçonnerie afro-américaine pour les intellectuels français de l'époque.

En France, la riche histoire du journalisme jazzistique connaît trois âges, correspondant à trois générations de journalistes amateurs passionnés. Il y a d'abord la période de l'« art nègre » de 1917 à 1940. Le jazz, défendu autant par des réactionnaires comme Hugues Panassié que par certains surréalistes dissidents, comme Michel Leiris ou Robert Desnos, est systématiquement vu comme un primitivisme bousculant les codes d'un bon goût occidental à abattre. Le jazz est beau parce qu'il est laid (*cf.* Erik Satie). Le jazz est percutant parce qu'il est sauvage et inédit. Seuls quelques-uns, comme André Schaeffner, semblent ne pas céder aux caricatures de l'époque.

Vient ensuite, de 1944 à 1960, la période dite « existentialiste[79] ». Le jazz est la musique de la libération. Libération de la France par les troupes américaines. Et libération des mœurs. Ici, idée politique progressiste et survivance de « sauvageophilie » d'avant-guerre se lient pour comprendre le jazz et le be-bop comme actes de régénération d'un monde détruit.

Il y a enfin l'esprit politique de 1968. Le rock et le jazz, et plus particulièrement le free jazz, sont l'illustra-

---

[79]. Nous pourrions sans souci insérer une période propre à la Seconde Guerre mondiale elle-même. Le jazz, loin de l'idée généralement admise, n'a pas été interdit durant les années noires. Bien au contraire, pour de nombreux amateurs, ce fut même un age d'or, bénéficiant d'une toute relative bienveillance des pouvoirs en place, et d'une image de résistance encore vivace. Ce fut même l'occasion pour Charles Delaunay d'affirmer son autorité morale sur le monde du jazz français et sur le Hot Club de France, alors que Panassié s'était « exilé » à Montauban. On peut lire, sans partager l'essentialisme de l'auteur, l'intéressant *Jazz et société sous l'Occupation* de Gérard Régnier (L'Harmattan, 2009).

tion musicale des aspirations contestataires, sinon révolutionnaires de la jeunesse, de l'activisme spontané et artistique des quêtes, et des utopies en construction.

Aux États-Unis existe le paradoxe d'un jazz qui n'a pas intéressé tout de suite les intellectuels américains[80]. Les ethnomusicologues comme Lomax père et fils, Homard Washington Odum, et quelques journalistes passionnés comme Leonard Feather feront figure de pionniers dans l'entreprise de compréhension d'un fait musical qui est pourtant la pure invention de leur territoire. Mais même Alan Lomax n'est pas exempt de reproche, privilégiant un jazz dit « primitif » et « authentique » pour sa cartographie des musiques populaires américaines, et semblant ignorer ainsi toute nouvelle évolution du langage jazzistique. La génération de journalistes et intellectuels américains d'après-guerre partagera les mêmes tendances politiques et contestataires que ses confrères français dans sa lecture du jazz, avec notamment Frank Kofsky et Amiri Baraka.

Malgré tout, des progrès considérables ont été faits par la recherche universitaire, à la suite des travaux de Paul Berliner, qui, dans *Thinking of Jazz*, paru en 1994, consacre de longs paragraphes à l'intention spirituelle de l'improvisation musicale. Et des historiens des religions comme Jason Bivins[80bis] ou des his-

---

80. D. Constant-Martin & O. Roueff, *La France du jazz : Musique, modernité et identité dans la première moitié du XXᵉ siècle*, Parenthèses, 2002. C. Béthune, *Adorno et le jazz : Analyse d'un déni esthétique*, cit. Y. Séité, *Le Jazz à la lettre*, PUF, 2010.

80bis. Depuis la parution de ce livre, Jason C. Bivins a enfin édité sa remarquable étude sur le jazz et la religion : *Spirit Rejoice ! Jazz and American Religion*, Oxford University Press, 2015.

toriens des idées comme David W. Stowe dédient, depuis le tournant du siècle, l'essentiel de leurs recherches à la compréhension du fait religieux dans la musique populaire américaine en général et dans le jazz en particulier.

Mais ces tentatives restent discrètes. Considéré tour à tour comme une expression primitive, une aventure existentialiste, une quête révolutionnaire, le jazz – notamment en France – attend encore que soit reconnue sa dimension spirituelle.

4.
Les trois discours spirituels

Les mots de Jean Echenoz résonnent donc de manière prophétique. La situation qu'il décrivait il y a quarante ans a peu changé. La spiritualité du jazz, malgré l'effort de certains journalistes et chercheurs, est un sujet qui effraye encore. Il y a pourtant urgence : il nous faut renouer avec cette compréhension pour mieux appréhender la transmission d'une musique qui voit ses derniers acteurs historiques disparaître. Pour battre en brèche à la fois le cliché d'un jazz naïf – beau parce qu'inculte, fort car instinctif – véhiculé depuis Panassié dans l'inconscient de nombreux *jazzfans*, et les revendications d'une musique savante, élitiste, cloisonnée. Et ainsi mieux analyser la situation du jazz, qui voit le public se renouveler dans les salles de concerts, mais dans le même temps disparaître les revues historiques et s'éloigner un Jean Echenoz qui, à notre plus grand regret, se livre désormais à une autocritique de ses goûts de jeunesse[81].

Quelques exemples d'œuvres marquantes ? Parmi

---

81. Entretien avec Christine Jérusalem dans *Jean Echenoz*, La Documentation française, 2006 : « La musique de Jazz ne me paraît plus être un organisme vivant… » Et dans un article passionnant intitulé « Mon Coltrane Favori » (*Jazzman* n° 137 juillet/août 2007) il définit ce qui, chez Coltrane, a selon lui résisté au temps. Même *A Love Supreme* ne trouve pas grâce à ses yeux dans cet exercice périlleux de regard critique *a posteriori*.

tant d'autres : les *Sacred Concerts* et *Black, Brown and Beige* de Duke Ellington, *The All-Seeing Eye* de Wayne Shorter, *Black Christ of the Andes* de Mary Lou Williams, *The Good Book* de Louis Armstrong, *A Love Supreme* de John Coltrane, *Karma* de Pharoah Sanders, *Spiritual Unity* d'Albert Ayler, *Space is the Place* de Sun Ra, sans oublier la messe en partie perdue de Django Reinhardt ou les *Sacred Hymns* de Keith Jarrett d'après Gurdjieff. Autant d'œuvres religieuses et liturgiques dans certains cas, métaphysiques ou panthéistes dans d'autres, qui ont toutes la particularité d'évoquer le rapport de ces artistes au sacré en s'appuyant sur le mot, comme si le son ne suffisait plus à assumer cette relation dans son intégralité.

Mais existe-t-il seulement un discours spirituel des artistes de jazz ? Peut-on, comme Echenoz, parler d'un unique « discours mystique » ? L'appellation est commode, mais, à bien y regarder, se révèle approximative. Voilà pourquoi nous proposerons ici de distinguer trois tendances qui, chacune, fonde une orientation spirituelle particulière : l'attitude mystique, l'attitude métaphysique et l'attitude religieuse. À savoir ?

Du mystique…
Solitaire par essence, le mystique tente néanmoins de transmettre son expérience, qu'il sait pourtant intraduisible, et peut d'une certaine manière faire école, telles les confréries soufies qui perpétuent la pratique et la mémoire de leurs fondateurs. La musique comme la poésie ont la faveur du mystique comme vecteurs de transmission. Dans le jazz, en ce sens, le seul véritable mystique ne serait-il pas Coltrane ? Il a vu Dieu, le dit et l'écrit dans *A Love Supreme* et fait de cette vision

œuvre mystique par le poème et la musique, mais sans prosélytisme – une obligation religieuse généralement honnie par les mystiques. Certains artistes véhiculent une image similaire, mais appartiennent à une école ou une tradition mystique, comme Abdullah Ibrahim ou Yusef Lateef avec l'islam mystique ou ahmadiste par exemple. Dans tous les cas, le mysticisme, dans son acceptation anthropologique, religieuse ou illuministe, ne suffit pas à définir un grand nombre de récits du spirituel jazzistique. C'est que d'autres témoignages reflètent une ambition spirituelle différente.

... du religieux

Communautaire et collective par essence, la tendance religieuse se rattache à la tradition musicale religieuse (Gospel) tout en cherchant à la faire évoluer. Citons Mary Lou Williams et son fervent militantisme afro-américain et catholique, qui s'épanouit dans de nombreux ouvrages musicaux liturgiques ; Louis Armstrong, et son attachement affiché à la tradition liturgique du *Good Book* ; Charles Gayle, et ses prêches enflammés d'une teneur irréfutablement évangélique et donc, à la plus grande stupéfaction de ses fans européens, empreints d'une certaine idéologie conservatrice. La figure prophétique, enfin, d'Albert Ayler. Cette tendance religieuse est souvent caractérisée par le prosélytisme : pensons à la St. John's Church, qui a sanctifié Coltrane selon le rite orthodoxe, ou aux *Gospel Choirs*, et leur ribambelle de produits dérivés à la gloire du Seigneur… et du porte-monnaie. Mais elle témoigne surtout d'une appartenance cruciale à une communauté, de l'acceptation d'un credo, de l'affirmation d'une révélation.

... et du métaphysique

La tendance métaphysique est plus individuelle. Elle témoigne de la volonté d'un artiste à inventer son propre univers spirituel — même si avec une nette propension à un universalisme humaniste. On pense à Pharoah Sanders et ses références syncrétiques multiples. Milford Graves et sa recherche musicothérapeutique autour de la vibration sonore. Paul Robeson et son militantisme universaliste. Duke Ellington, enfin, certes empreint de culture biblique, mais qui n'aura de cesse de faire jouer œcuméniquement ses concerts sacrés dans des lieux religieux ou profanes. Cette attitude consiste également en un cheminement personnel, d'étude, de recherche, de travail sur soi, prenant ouvertement en considération des valeurs tant politiques que religieuses sans pour autant s'assujettir à quelque credo que ce soit.

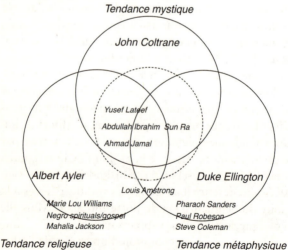

TROIS TENDANCES SPIRITUELLES

L'initiatique en partage

La tendance métaphysique semble embrasser les démarches maçonniques de nombreux jazzmen que nous n'allons pas tarder à examiner. Les personnalités de Paul Robeson et de Duke Ellington, francs-maçons actifs et/ou militants, nous guideraient volontiers vers cette conclusion. Pourtant, il faut se garder des jugements hâtifs. D'abord parce que la maçonnerie américaine est d'inspiration profondément biblique, et donc religieuse. Ensuite parce que les chantres d'un syncrétisme contre-culturel comme Sanders ou Graves demeurent souvent éloignés des loges – même s'ils ont, nous le verrons, largement puisé dans le corpus symbolique maçonnique. Enfin, parce que la démarche initiatique, au sens large, concerne toutes les tendances spirituelles : nous la trouvons aussi bien chez les religieux méthodistes que chez les mystiques ahmadistes. Nous pourrions dès lors voir en l'initiation un motif commun à toutes les familles du jazz. Et sans doute est-elle effectivement au fondement si singulier de cette musique – d'où son esprit.

Le paysage tripartite ainsi obtenu peut désormais nous servir de guide dans l'exploration de l'imaginaire spirituel à l'œuvre depuis un siècle chez les jazzmen américains, et singulièrement afro-américains. Il nous permet d'analyser plus finement les prospections des artistes, et de démêler, au-delà de l'imprécise étiquette « mystique », les différentes racines et évolutions de musiciens ayant manifesté leurs appartenances ou leurs recherches spirituelles.

Les trois tendances ici présentées donnent une occasion de lecture plus ouverte de l'histoire du jazz, à la fois nourrie par une pensée moderne et en phase avec une filiation spirituelle plus fondamentale. Les singulières trajectoires de John Coltrane, Pharoah Sanders et Albert Ayler illustrent d'ailleurs ce triptyque. John Coltrane est le vrai mystique. Pharoah Sanders montre bien la nature métaphysique de sa quête de réminiscences panthéistes, jusqu'au quasi-reniement, nous le verrons. Et si l'on aime à le décrire comme illuminé, Albert Ayler témoigne en fait d'une volonté de communauté, de rassemblement et d'unité qui plonge ses racines dans les sources les plus religieuses de la culture américaine et afro-américaine.

Évidemment, les frontières sont floues. Les tendances s'entremêlent et s'influencent, telles démarches métaphysiques pouvant conduire à un mysticisme plus intense ou une religiosité plus rigoureuse. Ainsi, le parcours problématique de Chick Corea qui montre que notre schéma triptyque n'est pas réservé aux cas afro-américains. Musicien typique des recherches syncrétiques et avant-gardistes des années 1960 et 1970, Chick Corea évoluera peu ou prou vers une démarche strictement religieuse, certes hétérodoxe et sectaire, mais parfaitement claire dans son prosélytisme, en devenant une figure de proue de l'Église de Scientologie, avec quelques autres musiciens-stars comme Isaac Hayes et Julia Migenès. Evolution similaire chez John McLaughlin, avec son attention toute particulière aux traditions hindouistes. Ou plus prosaïquement chez Dizzy Gillespie, qui conclura son parcours spirituel par une conversion sans conditions au bahaïsme. Ou encore chez de nombreux artistes juifs américains, conduits d'une interrogation métaphysique des origines à une appartenance communautaire religieuse militante, ou l'inverse. Le renouveau Klezmer mais aussi la démarche polymorphe d'un John Zorn peuvent être envisagés ainsi à nouveaux frais[82].

Pas de règle absolue, ni de murs infranchissables entre nos trois tendances, donc. Le décor schématique ainsi posé, s'il permet de constater non pas un, mais *des* discours d'ordre spirituel, nous rappelle d'abord à un même rapport, revendiqué par tous, au sacré.

---

82. Voir *infra,* p. 140 *sq.*

5.
Amazing Grace,
ou la naissance d'une nation

> *They call it stormy Monday, but Tuesday's just as bad (bis)*
> *Wednesday's worse, and Thursday's also sad*
> *Yes the eagle flies on Friday, and Saturday*
>   *I go out to play (bis)*
> *Sunday I go to church, then I kneel down and pray*
> *Lord have mercy, Lord have mercy on me*
> *Lord have mercy, my heart's in misery*
> *Crazy about my baby, yes, send her back to me*
> *They call it stormy Monday*
>
> T-Bone Walker

Le motif du sacré s'invite désormais dans notre étude. Il convient avant toute chose d'expliciter l'idée de religion dans une société américaine qui cultive avec elle une relation visible, mais complexe. L'image de l'Amérique le plus souvent véhiculée en France renvoie à un mélange de puritanisme persistant, de communautarisme ethnique, et de prosélytisme d'État. Les choses ne sont évidemment pas aussi simples. Car si la place importante de la religion n'y fait aucun doute, il s'agit de comprendre les jeux d'influences complexes qu'elle entretient avec le reste de la société. Et de prendre ainsi conscience de l'étonnante ambivalence de la vie religieuse du citoyen en général, et de l'artiste afro-américain en particulier.

Les récentes déclarations de certains *leaders* politiques conservateurs et la montée en puissance de l'hétéroclite « Tea Party [83] » peuvent parfois nous faire croire que les États-Unis sont tout prêts à sombrer dans une crypto-théocratie. Ce serait oublier que cette racine commune à nos deux pays, qu'est la philosophie des Lumières, a débouché sur deux visions presque opposées de la séparation entre les églises et l'État. Car les États-Unis sont aussi un des terrains d'expérimentation d'une laïcité nouvelle. Là où en Europe, particulièrement en France, la lutte pour la liberté religieuse et la libre-pensée s'est faite contre des religions d'État (catholique en France, ou anglicane en Angleterre), il s'est constitué dans les jeunes colonies américaines un modèle nouveau d'évidente tolérance religieuse, indispensable à l'intégration d'immigrés fuyant les persécutions européennes. Forte d'une espérance religieuse et surtout sociale, chacune de ces nouvelles communautés se constitue en pleine possession de ses moyens liturgiques et symboliques, tout en admettant de fait la présence de l'autre. Se met ainsi en place, dès le départ de l'aventure américaine, l'institutionnalisation d'un principe d'altérité certes préoccupant, mais indispensable à sa propre existence. Les rares tentatives d'établissement d'une religion d'état presbytérienne (héritière de l'Église-mère anglicane) furent vouées rapidement à l'échec, face à la multitude des églises concurrentes en lice,

---

83. Mouvement politique récent qui, sous couvert de critique de l'État-providence, rassemble efficacement, mais sans *leadership*, des mouvances qui vont de l'ultra-conservatisme religieux au *libertarianism* anti-État. Il prend son nom de la fameuse *Boston Tea Party*, manifestation contre les taxes anglaises qui déclenchera le mouvement indépendantiste américain à la fin du XVIIIe siècle.

mais surtout face à l'état d'esprit particulier de tolérance religieuse. Les témoins étrangers de l'époque, notamment français (Voltaire, Crèvecœur, plus tard Tocqueville) en furent admiratifs. Certains y voient l'influence bénéfique d'un espace immense et sans limites – tel J. Hector St. John de Crèvecœur dans ses fameuses *Lettres d'un cultivateur américain*[84]. D'autres insistent sur une filiation directe avec le principe philosophique de tolérance et l'esprit d'entreprise pragmatique du capitalisme protestant anglo-saxon. Ainsi Voltaire, qui prend d'abord comme exemple la Caroline dans son *Traité sur la tolérance*, cite, dans sa *Sixième lettre philosophique*, la Bourse de Londres comme rare allégorie d'une possible cohabitation des religions[85]. Mais si le principe de tolérance religieuse trouve sa place au Royaume-Uni durant le XVIIIe siècle, il demeure la conséquence des sanglantes persécutions politico-religieuses, et se fait sous la houlette, certes distante, de l'anglicanisme d'État.

Le sol américain, lui, est vu par la plupart des nouveaux arrivants comme un Éden religieux, une utopie quasi virginale. Ni exclusivement protestante – très rapidement, le catholicisme y trouvera refuge sous la pression des Irlandais et Italiens –, ni d'ailleurs seulement chrétienne – ainsi faut-il observer l'affluence grandissante des communautés juives, séfarades d'abord, azkhénazes ensuite. La plupart des mouvements religieux modernes, en fait, trouveront à un moment ou à un autre aux États-Unis l'occasion

---

84. http://gallica.bnf.fr/ark:/12148/bpt6k73713d
85. D. Lacorne, *De la religion en Amérique : Essai d'histoire politique*, Gallimard, 2007.

de prospérer, déterminant ainsi une laïcité à l'américaine, que les pères fondateurs auront souci d'institutionnaliser. L'expression même de « mur entre l'Église et l'État » vient d'une fameuse lettre de Thomas Jefferson à une congrégation baptiste du Connecticut[86]. Le premier amendement de la Constitution garantit officiellement la liberté de culte et sécularise l'État, contre toute récupération religieuse. La présence parmi les pères fondateurs de Thomas Jefferson, comme de Benjamin Franklin, Thomas Paine, John Madison ou John Adams, montre l'influence d'une philosophie des Lumières, déiste par essence, qui contrebalance le relatif conservatisme religieux d'un George Washington. Certains prônant un néo-paganisme à peine voilé – Thomas Paine tentant la démonstration d'une filiation druidique dans son essai *De l'origine de la franc-maçonnerie* –, ou la libre circulation des expérimentations religieuses les plus innovantes et utopiques – de William Penn rêvant d'une Pennsylvanie nouvelle aux quakers de George Fox[87]. Le serment d'allégeance de tous les nouveaux présidents américains, symbole pour de nombreux commentateurs critiques de l'influence du religieux dans la vie politique américaine, n'a pas toujours été prêté sur la Bible et illustre l'ambivalence de la question pour les Américains : Theodore Roosevelt a refusé de prêter serment sur la Bible, estimant qu'il n'avait pas à le faire selon ses convictions religieuses dans un cadre

---

86. *Jefferson's Letter to the Danbury Baptists*, Lettre du 1er janvier 1802 sur le site de la Bibliothèque du Congrès.

87. L. Guillaud, *Histoire secrète de l'Amérique*, Éditions du Félin/Philippe Lebaud, 1997.

public. De même, John Quincy Adams prêta serment sur un livre de loi. Nous voyons simplement ici la relation particulière que les Américains entretiennent avec la religion, finalement moins manichéenne que nous pourrions l'imaginer. Du reste, notons que l'affiliation religieuse aux États-Unis est extrêmement volatile, une majorité d'Américains changeant jusqu'à trois fois d'église dans leur vie, selon une étude du *Pew Research Center*[88]. Le *Time* parlera même pour l'occasion de *church shopping*. Malgré tout, selon une étude de l'université du Michigan, l'athéisme reste une notion très négative au regard de la majorité de la population, les athées devenant même la minorité la plus suspecte pour les personnes interrogées, devant les musulmans et les homosexuels[89].

Si l'affiliation religieuse est étonnamment mouvante, la foi quant à elle est profondément ancrée. La laïcité à l'américaine consiste alors en une institutionnalisation de la tolérance religieuse et aura favorisé ainsi dès la fondation du pays l'émergence pléthorique de sectes – d'abord chrétiennes et évangéliques –, ce qui corrige quelque peu notre vision d'une nation majoritairement et unitairement protestante[90]. Le

---

88. Pew Forum on Religion and Public Live, « Faith in Flux Changes in Religious Affiliation in the U.S. », 2009, 2012.
89. P. Edgell, D. Hartmann, & J. Gerteis, « Atheists As "Other" : Moral Boundaries and Cultural Membership in American Society », *American Sociological Review*, n° 71, 2006.
90. Il semble néanmoins qu'il faille nuancer ce constat négatif sur l'athéisme aux États-Unis. De nombreux journaux américains (notamment *USA Today*) se font l'écho ces dernières années d'une réelle et inédite augmentation de personnes s'affirmant athées, selon les derniers résultats statistiques publiés

phénomène religieux, autrement dit, s'avère aux États-Unis consubstantiel à la vie politique, militante et sociale. Loin, donc, de la dichotomie profonde qui en France existe entre militantisme progressiste ou simplement humaniste, et appartenance religieuse, *a fortiori* chrétienne. Historiquement, on peut y être et, disons-le, on doit y être religieux et militant si l'on brigue une quelconque carrière publique. Nous verrons, à propos de la franc-maçonnerie, comment la plus ancienne institution afro-américaine influence la vie politique et sociale de la communauté noire, qui prend racine autant dans l'Église, la Loge et le Temple que dans le militantisme populaire urbain et les combats séculaires pour le droit au travail, au vote et à la liberté.

Ainsi, dans le cas des luttes pour les droits civiques, presque aucun *leader* afro-américain, à l'exception notable de Frederick Douglass et des jeunes activistes du Black Power, n'échappe à une identification religieuse assumée, de Denmark Vesey à Martin Luther King[91] en passant par Adam Clayton Powell, Martin Delany, Elijah Muhammad ou Malcolm X. Ce qui n'empêchera pas ce dernier de connaître, en

par le Pew Forum. Le militantisme athéiste n'a jamais été aussi assumé et revendicatif, en guise de réponse au fondamentalisme de plus en plus intrusif dans la vie publique et politique américaine, avec un succès certain pour l'« *Atheist Out Campaign* » menée par Richard Dawkins, fer de lance du nouvel athéisme américain, et auteur de *best-sellers* sur le sujet.

91. À ce titre il faut lire *Les idées noires de Martin Luther King* de Serge Molla (Labor et Fides, 2008). Docteur en théologie, l'auteur effectue un remarquable travail de mise en perspective des idées philosophiques, politiques et surtout théologiques comme un ensemble cohérent et trop souvent dispersé.

France particulièrement, la même sécularisation de son propos que les jazzmen. Nous voyons là à l'œuvre l'entreprise de déconstruction du fait spirituel par ceux qui ne peuvent, par incompréhension ou conviction, assimiler cette ambivalence proprement américaine. Ainsi, si l'on en croit le dessinateur polémiste et grand amoureux du jazz, Siné, Malcolm X n'a jamais été réellement musulman[92]. En France, un militant révolutionnaire ne peut être religieux ! N'y a-t-on pas interprété les conversions religieuses d'un Bob Dylan comme un traître abandon des causes de ses débuts, là où nous devrions reconnaître que la religion est constitutive, aux États-Unis, de l'esprit militant ? Dans la société afro-américaine, il est alors intéressant de souligner l'évolution conjointe de la plupart des mouvements d'émancipation et de lutte pour les droits civiques, qu'ils soient d'essence religieuse ou politique (très souvent les deux), et qu'ils soient intégrationnistes (militant pour l'intégration au sein de la société américaine), radicaux ou séparatistes[93].

---

92. Interview de Siné dans le blog allumesdujazz.com : « Ils ont assassiné Malcom au moment où il allait avouer ne pas être musulman mais "socialist" (selon l'acception américaine bien plus dure que la nôtre). » L'affirmation de la non-appartenance à l'islam de Malcolm X revient dans l'interview de Siné dans *Jazz Magazine* n° 616, 2010.

93. Précisons alors que la notion de radicalité n'a pas la même valeur ni la même puissance selon le point de vue. Martin Luther King, chef de file d'un mouvement intégrationniste pacifique populaire, est vu par les militants radicaux européens de son temps comme un véritable disciple de Gandhi, un peu « mou » tout de même, voire « social-traître », alors que le gouvernement, et particulièrement le FBI de J. Edgar Hoover, le considère comme un cryptocommuniste radical particulière-

L'élection de George W. Bush et la prise du pouvoir par les néo-conservateurs nous ont évidemment alertés sur le rôle néfaste de la tendance la plus dure du fondamentaliste chrétien sur la société et la vie politique du pays. Mais il n'en a pas toujours été ainsi. Comme l'a brillamment démontré Ron Briley[94], le christianisme social dit 'de gauche' aura eu une influence tout aussi déterminante sur l'évolution des mentalités que le fondamentalisme réactionnaire. Le christianisme de gauche, rappelle Briley, a eu son heure de gloire après la crise de 1929. Et le symbole le plus marquant de ce mouvement fut le chanteur et poète Woody Guthrie, père spirituel de tous les *folk & protest singers*, et de Bob Dylan en particulier, jusqu'aujourd'hui. Archétype du chanteur *hobo* (« vagabond »), artiste assumant la plus grande radicalité progressiste et antifasciste (« *This machine kills fascists* » était-il inscrit sur sa guitare), Woody Guthrie puisa son énergie créatrice et son militantisme politique dans le message de l'Évangile. Très proche des communistes américains, et en tant que tel vivant sous la menace permanente des briseurs de grève et de la haine des réactionnaires, Woody Guthrie n'abandonnera jamais ses convictions religieuses, refusant finalement d'appartenir au Parti Communiste pour ne pas avoir à choisir entre celui-ci et sa foi profonde. Ce parcours n'est pas atypique mais plutôt symptomatique des positionnements de l'artiste militant américain, d'abord chez les

ment dangereux, et beaucoup moins manipulable que les mouvements plus violents de la même époque.

94. R. Briley, « Woody Guthrie and the Christian Left : Jesus and "Commonism" », *Journal of Texas Music History*, n° 7, 2007.

chanteurs itinérants et poètes qui poursuivent le mouvement Beat Generation (Jack Kerouac en est un exemple frappant, tout comme Allen Ginsberg et son rapport aux religions juive et bouddhiste) et inventent ensuite la révolution folk (Pete Seeger, Bob Dylan, mais aussi actuellement Bruce Springsteen, tous maniant avec plaisir et malice, les attendus et les habitudes des rassemblements religieux américains, avec réactualisation des hymnes, cantiques et prêches inspirés, entre mémoire patrimoniale et attention à l'actualité). Mais aussi chez les artistes noirs de la même génération, à commencer par Paul Robeson, véritable pendant afro-américain du radicalisme socialiste et de l'universalisme populaire de Woody Guthrie.

La frontière entre sacré et profane, entre quotidienneté séculière et aspiration spirituelle la plus profonde, est en effet bien ténue aux États-Unis, et sans doute encore plus au sein de la société afro-américaine. Le religieux y influence le quotidien et, inversement, les médias communautaires, comme les pratiques populaires, ont définitivement pris position à l'intérieur de l'Église et du Temple. S'accrocher à une vision séparatiste des domaines religieux et séculier présente le danger de passer à côté d'une juste compréhension des phénomènes politiques et sociaux (Malcolm X et l'islam, Martin Luther King et l'évangélisme progressiste) comme culturels américains (Woody Guthrie, Paul Robeson, Duke Ellington, Johnny Cash ou John Coltrane). Si l'on ne comprend pas ce rapport ambivalent chez Elijah Muhammad ou Barack Obama, on prend le risque d'une mauvaise surprise à l'écoute d'Albert Ayler, plus encore à la rencontre d'un Charles Gayle. Emblème le plus radical de la scène *underground* avant-gardiste américaine, accueilli comme tel par tous les festivals contestataires de la contre-culture occidentale, Charles Gayle ne cache rien pourtant de sa pensée religieuse, qui pourrait en effrayer plus d'un. Jason Bivins se souvient de ses prêches de rue enflammés, dans les années 1980, contre l'avortement et le danger de l'homosexualité, un discours que ne renierait pas un pasteur fondamentaliste[94bis]. Aucun jugement moral ne viendra ici corrompre notre intérêt musical pour l'un des grands artistes du free jazz contemporain. Mais il conviendra désormais de prendre sa musique pour ce qu'elle est. Entre autres, comme la manifestation, certes retorse et finalement minoritaire, d'un mouvement artistique moderne, le jazz, qui loin des habituelles images de bon sauvage ou de mauvais garçon, trouve en son noyau un mélange de phénomènes religieux, politiques, intellectuels et spirituels, qui en constitue sa profonde originalité.

Mais comment un pays sans nom propre – les « États-Unis » – en vient-il à donner naissance à la nation américaine ? Quelle force à l'œuvre aura donc permis à ce rassemblement hétérogène de communautés en exil – volontaire ou contraint – de se reconnaître un jour en un *american dream* commun ? Comment s'élance-t-on, par-delà la déchirure oppressante de la ségrégation et les rêves de nouvelles frontières, vers cette « poursuite du bonheur » partagée par les descendants d'esclaves africains, les sectes protestantes allemandes, les immigrés latins ou les pionniers anglo-

---

[94bis]. Jason Bivins, *Spirit Rejoice! Jazz and American Religion*, *cit.*

saxons ? C'est que cette originale utopie aux accents religieux[95] qui, de la Déclaration d'indépendance des pères fondateurs au « *I have a dream* » de Martin Luther King, forgera l'Amérique, a longtemps manqué d'une langue commune pour se dire. Aux XVIIIe et XIXe siècles – au fur et à mesure que débarquent les nouveaux immigrés – le niveau de maîtrise de l'anglais se révèle inégal. Quelle possibilité de rencontre entre l'Africain que l'on rabaisse pour l'emploi d'un rudimentaire anglais « petit nègre », mais sans pour autant l'autoriser à user de sa langue d'origine – une prohibition dont les noirs se jouent admirablement bien, néanmoins –, et le membre d'une communauté religieuse venue du nord de l'Europe, volontiers repliée sur elle-même, et sur son dialecte germanique ?

La réponse est simple, et n'en reste pas moins encore aujourd'hui étonnante. C'est la musique – et plus particulièrement l'hymnologie religieuse – qui s'imposera en fait comme le langage commun des communautés. Pour le dire avec l'historien David W. Stowe dans son *How Sweet the Sound*, « les hymnes ont fourni un remarquable et inestimable facilitateur spirituel ». Et d'évoquer ces grands importateurs de musiques religieuses du XVIIIe siècle que furent les Moraves germanophones sous la houlette de l'évêque David Nitschmann, ou les frères Wesley directement arrivés d'Oxford, Angleterre[96]. John et Charles Wesley ne sont donc pas seulement les fondateurs du métho-

---

95. D. Lacorne, *De la religion en Amérique cit.* ; L. Guillaud, *Histoire secrète de l'Amérique, cit.*
96. D. W. Stowe, *How Sweet the Sound : Music in the Spiritual Lives of Americans*, Harvard University Press, 2004.

disme – au départ un schisme de l'Église anglicane, qui obtiendra un succès important en Angleterre mais surtout aux États-Unis. Ils auront aussi un rôle décisif quant à l'émergence d'une musique religieuse américaine capable de transcender les barrières communautaires. Charles Wesley, en particulier deviendra, avec Isaac Watts, l'un des plus prolixes et populaires pourvoyeurs d'hymnes religieux – il en composera plus de six mille –, dont beaucoup sont encore joués aujourd'hui. Et son fils, Samuel Wesley, s'imposera comme l'un des grands compositeurs classiques anglais du XVIIIe siècle. Missionnaires, John et Charles débarquent en Géorgie en 1736 afin de convertir les populations, notamment indiennes, à leur théologie du libre arbitre (*free will*) héritée de Jacobus Arminius, qui s'oppose au déterminisme implacable (« son salut et sa place en enfer ou aux côtés de Dieu sont prédéterminés ») des calvinistes et puritains déjà présents dans les colonies américaines. Particulièrement choqués par l'esclavage institutionnel, ils considéreront leur mission comme un échec, sans se rendre compte qu'ils ont contribué largement à l'évolution de la religiosité américaine, puisque leur théologie du libre arbitre allait trouver un écho favorable auprès des Afro-Américains et susciter la création des premières églises noires méthodistes par Richard Allen et consorts – nous y reviendrons. Et ils auront surtout durablement implanté la musique comme langage universel de la prière, et, par suite, de la communication, dans une société américaine fragmentée par les langues. John Wesley écrit ainsi dans son journal : « Ayant trouvé quelques Allemands à Frederica qui, ne comprenant pas la langue anglaise, ne pouvaient se joindre à notre service, je les priai de me retrouver chez moi ; ce qu'ils firent alors tous les jours à midi. Nous chantions d'abord un hymne allemand, puis je lisais un chapitre dans le Nouveau Testament, et je le leur expliquais tant bien que mal, selon le peu d'habilité que me permettait ma pratique de la langue[97]. »

Les frères Wesley, et leurs nombreux continuateurs, font de la musique le socle du dialogue : une langue partagée par l'ensemble des fidèles dans la prière. Ils prennent en cela appui sur une longue tradition protestante initiée par Martin Luther, lui-même compositeur prolifique. L'Église américaine devient ainsi le laboratoire national d'une communication commune. Du *O for a Thousand Tongues to Sing* (*Pour que mille langues chantent*, un des hymnes les plus célèbres de Charles Wesley) au *Speaking in Tongues* et autres glossolalies chères aux pentecôtistes (phénomènes de réappropriation ou d'invention miraculeuse de langues lors des services religieux), il y a un lien évident qui fait de l'Église américaine le lieu d'une communication universelle, et de la musique, l'outil sensible de ce lien social unique.

Mais l'autre phénomène qui prolonge l'effort des Wesley, et ouvre la voie à une démocratisation de la musique par la liturgie, c'est sa transmission et son apprentissage. Les nouvelles populations américaines et particulièrement du Sud, témoignent en effet d'une vitalité pour apprendre, transmettre et inventer collectivement des formes musicales originales dans le cadre pourtant *a priori* strict des spirituals entonnés à l'église. Il existe en effet un phénomène musical qui,

---

97. D. W. Stowe, *How Sweet the Sound*, *cit.*

s'il est parfaitement assimilable à l'hymnologie religieuse, s'est développé hors de la liturgie et du temple, de manière presque profane donc – au sens premier du terme en tout cas, « devant le temple » soit hors du temple. Un phénomène participatif, rural, sudiste, qui a largement influencé les musiques chorales américaines, et par conséquent les musiques instrumentales. Et qui illustre en outre les enjeux originaux de transmission de la musique. Il s'agit des *Sacred Harps*[98]. Lesquels sont d'abord une technique permettant la mémorisation, l'apprentissage et l'exécution de chants polyphoniques par des assemblées de chanteurs peu ou pas formés musicalement. Les *Sacred Harps,* qui sont au départ des recueils d'hymnes datant du milieu du XIXe siècle, usent de *shape notes* : des notes symbolisées par des figures géométriques qui facilitent grandement leur mémorisation et leur reconnaissance (à l'instar des premiers manuscrits grégoriens, et comme de nombreux recueils d'hymnes protestants qui ont gardé cette méthode[99]). Stephen A. Marini rapproche les racines profondes du *Sacred Harp* de la *country parish music* des campagnes anglaises du XVIIIe siècle[100]. Phé-

---

[98]. Soit « harpe sacrée », « *harp* » désignant aussi l'harmonica, par extension tout instrument harmonique. Une juste traduction qui prendrait en compte l'argot de la région donnerait plutôt « harmonie sacrée ». De nombreux ouvrages universitaires rendent compte du phénomène Sacred Harp, mais l'excellent ouvrage de Stephen A. Marini, *Sacred Song in America ; Religion, Music, and Public Culture* (University of Illinois Press, 2003) a le mérite de contextualiser ce phénomène dans l'ensemble des musiques liturgiques américaines.

[99]. Il y a peu ou prou deux écoles, celle qui utilise 4 symboles, celle qui en utilise 7.

[100]. S. A Marini, *Sacred Song in America, cit.*

nomène rural à l'origine, il le restera lors de son importation sur le sol américain, devenant ainsi un élément caractéristique de la musique chorale du Sud. Le résultat à l'écoute est incontestablement efficace. Il peut sembler rudimentaire, non dénué d'une certaine sauvagerie[101] (les jeux d'harmonisation sont assujettis à la simplicité du procédé de symbolisation des notes[102]) mais il est indéniablement original, évocateur, prenant et, surtout, créatif.

Le phénomène *Sacred Harp* est un exemple parmi les plus significatifs des relations ambivalentes qu'entretiennent aux États-Unis, les domaines du populaire et du savant, de l'oral et de l'écrit, du rural et de l'urbain, du Sud et du Nord, du sacré et du profane, voire du noir et du blanc. Mouvement musical populaire et européen, il fut très rapidement assimilé par certaines communautés rurales noires qui y ont vu un excellent moyen d'apprentissage de l'hymnologie.

101. Les images mises en lignes sur YouTube par la *Cultural Equality Association* provenant du fond Alan Lomax sont édifiantes. Elles montrent notamment les séances filmées en 1982 par Lomax lors de l'*Alabama Sacred Harp Convention*, et démontrent l'inventivité collective de ce genre de réunions, tout en mettant en valeur les aspects rythmiques et vocalement rugueux et expérimentaux (sons gutturaux, tempo marqué par accentuation de consonne et de bruits) qui seraient habituellement identifiés comme caractéristiques des musiques « noires ». La dichotomie entre le son et la vision de cette assemblée de ruraux sudistes blancs est flagrante.

102. Pour une plus grande facilité d'apprentissage, même si le Sacred Harp trouve ses origines dans le *fuging tune* ou *fuging tune*, procédé qui consiste à mettre simplement en valeur les quatre voix chorales, d'abord en homorythmie, puis en question/ réponse, forme simplifiée de contrepoint populaire, et très usitée dans le chant sacré anglo-saxon historique.

Dans un Sud ségrégué, mais coutumier des échanges culturels interraciaux, il est alors délicat de distinguer dans les *Sacred Harps* ce qui relève de l'européen (de l'eurologique?) et de l'africain (l'afrologique?) : rythme soutenu, scansion appuyée, apport sonore expérimental, personnalisation de sa contribution à l'effort commun, harmonisation collective et respect des formes écrites, autant de notions qui feront pencher la balance d'un côté ou de l'autre. Plus encore, les *Sacred Harps* vont se diffuser sur tout le territoire américain et influencer l'ensemble des musiques vocales populaires – ou même savantes, à travers les nombreux compositeurs qui, tel Aaron Copland, s'inspireront des chants appalachiens. Encore une fois, c'est la facilité d'apprentissage et la possibilité assez libre d'interprétation qui rend le *Sacred Harp* si efficace et si fondamental dans l'imaginaire et la pratique musicale américaine. Le schéma symbolique permettant de diriger le collectif dans la juste exécution de l'hymne laisse malgré tout à chacun un champ relativement libre pour y placer ses idées et son identité. L'oral y côtoie donc très précisément l'écrit. Et même s'il n'y a pas d'improvisation à proprement parler dans le *Sacred Harp*, mais bien un schéma directeur ouvrant à chacun les possibilités d'interprétation, ce système de repères symbolisant le déroulement harmonique d'une structure musicale est devenu une configuration habituelle dans le jazz et dans de nombreuses musiques improvisées actuelles. Le symbole crée l'instant musical.

On retrouve également cette ambiguïté par rapport à la notion de sacré. Le *Sacred Harp* est évidemment un phénomène consacré entièrement à l'hymnologie religieuse, et il évoluera parallèlement au *Social Harp*, son *alter ego* profane, qui utilise les mêmes méthodes pour narrer les faits de société et les histoires des communautés séculaires. Mais, pour autant, le *Sacred Harp* ne se déroule pas, ou peu, dans le temple et l'église. Il s'agit très souvent d'un rassemblement, parfois rigoureusement orchestré et ritualisé, qui a lieu dans des salles communautaires profanes, agencé en quatre sections définies selon les tessitures, se faisant face en carré, sous la direction d'un chef de chœur qui se déclare spontanément selon l'envie et l'inspiration. Né dans les montagnes des Appalaches et dans les grandes campagnes du Sud, le *Sacred Harp* témoigne de la dévotion religieuse de populations rurales qui n'hésitent pas pourtant à extérioriser et déterritorialiser la pratique spirituelle, qu'elle soit musicale ou pas, hors du champ strictement ecclésiastique. En cela, ce phénomène prend corps à partir des grands mouvements religieux et spirituels qui ont vu naître, suivant les différents « réveils » (*awakening*) et les influences des innombrables factions chrétiennes débarquant sur le territoire, une piété spécifique, démocratique, populaire et néanmoins fortement organisée : comme une forme de sacralisation du quotidien. Dans ce cadre, chacun a sa chance, chacun a la possibilité de faire acte de présence, de proposition, voire de diriger une session. C'est l'histoire de l'oralité musicale ambiguë américaine – entre l'afrologique et l'eurologique – qui est encapsulée dans les *Sacred Harps* : comme une préhistoire populaire, liturgique, rurale du jazz en devenir.

En un temps qui voit le *call and response* mûrir dans les églises baptistes, puis pentecôtistes, l'hymnologie lyrique s'épanouir dans les temples méthodistes[103], l'apprentissage collectif se démocratiser grâce aux *Sacred Harps,* l'individu voit son imaginaire musical solidement transformé par cet ensemble de pratiques qui, suite à l'expérience de l'esclavage et face à une présence multiculturelle, font sens. De là se crée un nouveau domaine musical, véritable miroir profane des phénomènes religieux : work songs, blues, minstrels shows, medecine shows, old time music, ballades, folk songs, shout singing, ragtime, country, plus récemment bluegrass, rap, hip-hop, funk, soul. Si tous ces styles s'élancent sous la double influence du sacré (culte, liturgie, imaginaire religieux) et du profane (société séculière et laïque, faits divers, politique, faits de société), ils restent pourtant clairement identifiés (arbitrairement sans doute) à l'un ou l'autre. Le jazz demeure, selon moi, bien que généralement et justement considéré comme un style d'origine profane, un mode de jeu, un état d'esprit musical qui teste sans merci l'ambiguïté propre à la société américaine par rapport au sacré. Il éclaire, pour tous les autres styles, les va-et-vient répétés de genres musicaux que l'on voudrait cantonner au domaine séculier ou religieux, mais qui subrepticement débordent leurs propres frontières pour emprunter les chemins de l'autre bord. Combien de chants religieux dans les concerts de country, au milieu des chansons de meurtre ou d'amour perdu ? Combien de rythmes hip-hop et de sons de la rue dans les églises baptistes actuelles ?

103. Nous verrons dans la partie consacrée à John Coltrane que le méthodisme est primordialement confronté aux mêmes problématiques musicales de corporalité, de transe, d'oralité que les autres églises.

Les mêmes motifs – *call and response*, répétitions, oralité, abstraction symbolique des formes et des écritures, personnification, *storytelling*, improvisation, mythologie, échanges subreptices interculturels, etc. –, la même porosité entre ce qui est sacré et ce qui ne l'est pas, entre les cultures et les peuples, sont donc les marques de fabrique d'un champ musical américain global. Ici l'échange marche d'autant mieux que chacun sait « où il habite ». Ce registre d'interaction est le moteur créatif d'une société qui plonge l'Américain (d'abord immigré ou esclave, ensuite citoyen) dans une perpétuelle sorte de schizophrénie, mais stimule sa propre créativité, particulièrement musicale, domaine privilégié de l'échange sémantique.

C'est sous cette influence particulière que l'on devient artiste aux États-Unis. Comme le constate David W. Stowe, les destins musicaux de Yossele Rosenblatt – légendaire cantor américain –, Sun Ra, Duke Ellington, Thomas A. Dorsey l'illustrent parfaitement. Ainsi, Thomas A. Dorsey représente à lui seul l'ambivalence des influences qu'ont à subir les musiciens, même quand, dans son cas, il choisit précisément la voie religieuse pour exprimer son immense talent musical. Très judicieusement, David W. Stowe met en parallèle les carrières de Dorsey et Ellington, et montre qu'entre le pianiste d'Atlanta qui a subi les itinérances du prolétariat noir sudiste, et le compositeur washingtonien issu de la bonne bourgeoisie de la capitale, il y a des similitudes et des retournements de situation édifiants.

Thomas A. Dorsey, profondément marqué par l'hymnologie religieuse et les pratiques musicales liturgiques de ses parents baptistes (plus particulièrement de sa mère Etta Dorsey), commencera sa carrière musicale en tant que pianiste de blues et de jazz. Son évolution vers la musique sacrée se fera sous le coup du destin, suite à de nombreux drames personnels, professionnels et familiaux. Le plus terrible, la perte de sa femme et de son fils mort-né, alors qu'il est loin de chez lui pour un rassemblement religieux, lui inspirera son gospel le plus célèbre : *Precious Lord*, un des rares gospels qui deviendra un hymne incontournable autant qu'un standard de jazz. Dans cette magnifique prière, directement inspirée de la mélodie d'un hymne anglais de Thomas Shepherd, *Maitland*, Dorsey abandonne l'habituelle affirmation de l'hymnologie protestante d'une certitude du salut de l'âme. *Precious Lord*, c'est au contraire un besoin brut, une nécessité, un appel à l'aide face au précipice, plaçant même le refrain en premier pour mieux exprimer sa détresse. Ce faisant, Dorsey sacralise les motifs du chant populaire et du blues, qui usent d'images bibliques, d'appels à l'aide lancés vers le Très-Haut, mais n'intègrent pas pour autant leur pratique dans un cadre cultuel. Dorsey, lui, crée le gospel moderne en transformant et individualisant son message, en sacralisant son destin, et surtout en fondant un nouveau domaine musical qui accueillera toutes les traditions convergeant dans le Chicago de son époque : méthodiste, baptiste, ainsi que les églises sanctifiées et pentecôtistes du Sud dont il est originaire. Il trouve en la personne de Mahalia Jackson l'écrin idéal pour son dessein, elle qui aura judicieusement intégré dans son chant magnifique, entièrement consacré au message divin, les échos, les intonations et les émotions du chant profane, du blues, du work song, du jazz. Et aura ainsi révolutionné le chant religieux. Thomas A. Dorsey offrira un répertoire digne de la voix unique de Mahalia Jackson, et le Duke lui-même proposera son chef-d'œuvre, *Come Sunday*, à une artiste qui fera une exception à sa propre règle, en acceptant de jouer avec un grand orchestre de jazz. Pas n'importe lequel certes, l'orchestre de jazz par excellence, à l'aise au Cotton Club, au bal de la marine, ou à la cathédrale St. John the Divine.

Le jazz s'immisce partout, et s'inspire de tout. Musique de vie et de la vie, il n'a donc aucune difficulté à appréhender le sacré, non plus pour sa fonction liturgique (apanage du negro-spiritual), mais en tant que sacralisation de l'existence même. Thomas Dorsey, en mettant son destin en scène dans ce chant sacré, fait œuvre de jazz en ce sens. Il rejoint ici également Duke Ellington, le maître de la « biographisation » de sa musique, de ses compagnons (les portraits), de son peuple (les suites) et de sa propre vie.

Autre figure significative, Herman Poole Blount, avant de devenir Le Sony'r Ra, puis Sun Ra, se forge une solide culture biblique, hétérodoxe mais complète, qui constituera l'armature de son imaginaire spirituel. Prenant appui sur la forte présence de l'Église baptiste à Birmingham, Alabama – ville particulièrement ségréguée, et par conséquent bénéficiant d'une sociabilité noire (clubs, églises, fraternités) solidaire et résistante –, Sun Ra associe son apprentissage biblique à un intérêt marquant pour l'ésotérisme – et particulièrement pour la figure gnostique et légendaire d'Hermès Trismégiste – et pour l'égyptomanie qui déjà sourd dans la littérature afro-biblique et initiatique (*cf.* deuxième partie). Nous redécouvrons depuis 2005 cette culture méconnue de Sun Ra, avec la publication inédite des textes de prêches et de tracts qu'il rédigea après la Seconde Guerre mondiale, avant la formation historique de l'Arkestra[104]. Le message biblique est réinventé par l'auteur au profit d'une nouvelle identité noire, formulation à la fois inédite et traditionnelle de la fierté religieuse afro-américaine : les Noirs sont les « vrais juifs », le véritable peuple élu et, pour cette raison, opprimé. Mais cette réaffirmation de la primauté religieuse des Afro-Américains ne lui suffira bientôt plus. Car « la vérité est ailleurs » : il devient, après sa rencontre avec les extraterrestres, un citoyen de l'Univers, originaire de Saturne. Et « Ra » – selon lui le premier mot que les hommes employèrent pour définir la divinité et la présence extraterrestre du divin, ARkestRA devenant alors, pour ce manipulateur de mots et de sens, l'outil du RA – est la seule manifestation extraterrestre de Dieu, dont il devient le prophète. Il ne s'agit plus de se positionner vis-à-vis du vaste paysage religieux chrétien, même de manière originale, mais de réinventer totalement l'identité afro-américaine afin de mieux la défendre, l'ancrer dans l'Histoire, et la projeter dans l'avenir. Et pourtant, même les chants « spaciaux », récits des voyages intersidéraux que l'Arkestra est censé accomplir grâce à la seule énergie de la musique afro-pythagoricienne des « sphères », selon des principes afro-futuristes qui mêlent science, spiritualité et occultisme, sont directement inspirés d'anciens hymnes baptistes. Le *Space Ship* de l'Arkestra fait

---

104. Sun Ra, & J. Corbett, *The Wisdom of Sun Ra; Sun Ra's Polemical Broadsheets and Streetcorner Leaflets*, WhiteWalls, 2006.

directement référence au *Ship of Sion* des vieux spirituals, et Sun Ra répond à l'hymne *No Hiddin Place* (« il n'y a pas d'endroit où se cacher ») par *Space is the Place* !

David W. Stowe établit alors un parallèle audacieux mais saisissant entre la pensée spirituelle, musicale, politique de Sun Ra et le projet utopique du mystique germanophone Conrad Beissel. Ce dernier fonde au début du XVIIIe siècle une communauté monastique mixte inédite à Ephrata, Pennsylvanie. Beissel prend appui sur la liberté religieuse de cet état fondé par un autre mystique, William Penn, et sur la grande tradition hermétique, kabbalistique et ésotérique allemande. Il se réfère à l'astrologie, à Johannes Kelpius et à Jakob Böhme. Et il crée une fraternité monastique d'un genre nouveau : initiatique, communiste et utopiste. La musique y joue un rôle déterminant, elle évolue selon les réflexions de Beissel qui met au point de nouvelles règles musicales, franchement révolutionnaires, entièrement fondées sur la numérologie des textes sacrées et des symboliques qui déjà s'inspirent du néo-pythagorisme, de la franc-maçonnerie, de la mythologie Rose-Croix et de la cabale. Thomas Mann, dans son *Doktor Faustus*, voit en lui un précurseur germano-américain de l'atonalisme moderne.

Conrad Beissel éclaire par là le rôle de nombre d'artistes, de communautés et d'utopistes iconoclastes qui, aux États-Unis, se sentent libres d'expérimenter spirituellement, socialement, esthétiquement, musicalement à partir de bases traditionnelles assumées. Pensons à Charles Ives, compositeur autodidacte, baigné d'hymnologie protestante et de chants populaires de la Nouvelle Angleterre, et qui pourtant prendra tout le monde de court par ses conceptions novatrices en matière d'harmonie et de rythme. Voyons alors dans le jazz et dans cette constellation, hétéroclite mais homogène, de musiques « afro-américano-logiques » – que le terme « americana », pourtant très folk, pourrait à mon sens parfaitement englober –, la manifestation populaire d'une conscience aiguë de l'expérimentation ludique, et du dialogue paradoxal entre sacré et profane, dans une même intention d'échange et d'universalité.

6.
Le bop et le Croissant

La scène se passe à Harlem ou près de la 52ᵉ rue, la « Swing Street », dans un local de l'union des musiciens, ou un studio de répétition, en cette fin des années 1940, où le be-bop fait rage. Ce nouveau style bouscule les habitudes des anciens qui auraient aimé en rester à ce bon vieux swing – tout comme les anciens de la Nouvelle-Orléans vingt ans auparavant pestaient contre les bizarreries et innovations de ceux qui désormais râlent contre les jeunes loups du bop. Non, décidément cette nouvelle musique, virtuose, complexe, iconoclaste, passe mal, mais beaucoup plus auprès des amateurs et de nombreux critiques, qui hurlent à l'anti-jazz, que des musiciens. N'entendons pas partout : « On ne peut plus danser. » « C'est intellectuel et prise de tête » « On ne reconnaît plus ni les thèmes, ni les accords, encore moins les fondamentaux du jazz. » Sur l'ensemble de la planète jazz, la polémique fait rage, rappelant simplement, avec le recul, que le jazz a toujours été illégitime, que c'est là sans doute son essence, et qu'il est déjà mort à plusieurs reprises, pour ressusciter à chaque fois ailleurs, là où on ne l'attend pas.

Les musiciens ne s'y trompent pas, mis à part les sempiternels puristes et pisse-vinaigre. Coleman Hawkins semble avoir depuis longtemps prévu, voire préparé la révolution musicale qui s'opère. Il intègre dans son groupe le plus radical des innovateurs, Thelonious Monk, et joue depuis ses débuts avec les subtilités harmoniques les plus audacieuses. Art Tatum et Django Reinhardt ont quant à eux déjà mis la barre de la virtuosité technique à un niveau qui semble toujours inatteignable. Lester Young, à son habitude, survole tout cela de son impérieuse distance poétique. Il est la modernité personnifiée, influençant jusqu'aujourd'hui et pour longtemps encore, tous les amoureux du son et de la mélodie.

Les jeunes musiciens boppers qui se préparent à répéter dans notre local new-yorkais semblent également loin des polémiques stériles. Qu'ils fassent du jazz ou pas, ils ne s'en soucient pas, ils font de la bonne musique, point ; du moins ils y travaillent. Ils sont ici pour préparer une séance d'enregistrement qui deviendra, dans les méandres de l'idolâtrie discographique, historique. Mais ça aussi ils ne le savent pas et ne s'en soucient guère. Tout juste sont-ils convaincus de faire la musique de leur temps, la plus exigeante possible, la plus pointue possible, non pas par goût du spectaculaire, encore moins pour en mettre plein la vue aux anciens – ils ne leur reprochent rien musicalement, si ce n'est humainement de ne pas leur laisser la place qui leur est due –, mais pour enfin montrer de quoi est capable une communauté marginalisée. Ils sont presque tous là, et préparent la session avec sérieux, tous ont dormi très peu la nuit dernière, comme chaque nuit. On tient le coup comme on peut. Alcool, drogue, médicaments, c'est certain, ce ne sont pas le sport ou l'équilibre alimentaire qui ont la préférence des jeunes jazzmen lorsqu'il s'agit de résister à un rythme de travail hallucinant. C'est pourquoi on n'est jamais certain d'avoir tout le monde à la séance, malgré le sérieux et l'ambition de tous. Qui sait ce qui a pu arriver à certains d'entre eux durant la nuit ? Dégrisements, comas éthyliques, overdoses, insécurité et surtout arrestations par la police qui apprécie particulièrement ces « bons clients » des métiers de nuit. Le trompettiste et le tromboniste sont là les premiers. « Il y a du courrier » selon l'expression consacrée, et ils déchiffrent les arrangements réputés ardus du saxophoniste. Le pianiste discute de tout sauf de musique avec le contrebassiste. Il est le seul musicien blanc de la séance, mais rien ne semble indiquer que cela soit une marque de différence pour tous. Le racisme règne à New York comme partout aux États-Unis, mais cela fait longtemps que la communauté musicale locale, musiciens comme amateurs, a imposé péniblement mais efficacement un consensus officieux sur la mixité nécessaire et bénéfique des orchestres et des audiences. Reste que le microcosme bohème de Greenwich Village, des clubs de Manhattan et des lieux marginaux, mais influents, de New York expérimente un idéal multiculturel qui mettra encore longtemps à s'exporter hors de ce laboratoire.

On ne s'inquiète pas encore de l'absence du batteur. Non pas qu'il soit coutumier du fait, ça peut arriver à tout le monde d'être en retard, mais tout le monde sait qu'il tient la rythmique d'un des lieux les plus importants de la scène locale, un bar qui ouvre *after hours*, au moment où les autres ferment, et laisse leur chance à tous les musiciens novices ou confirmés pour l'une des *jam sessions* les plus courues de la ville. Ne terminant jamais avant sept heures du matin, il a une excuse valable pour cette séance programmée à onze heures! Malgré tout, le voilà, fringuant pour un bonhomme qui a dormi trois heures, ou peut-être pas du tout. Il a le sourire, il savoure par anticipation l'effet de l'annonce qu'il s'apprête à faire: Hey, les gars! Vous n'êtes pas au courant? Ça y est, je suis blanc! Face à l'incrédulité amusée des collègues – sa couleur de peau n'est-elle pas incontestablement noire? – celui-ci arbore fièrement sa nouvelle carte d'identité. À l'état civil, là où normalement devrait figurer son patronyme, l'administration a validé un nom pour le moins étonnant, à consonance franchement orientale. Le plus surprenant n'est pas là. À la section raciale du papier administratif (car il y en a une, il faut déclarer sa couleur de peau), il est bien marqué W pour *white*. Le batteur, après avoir laissé ses camarades dans l'expectative, donne enfin l'explication: Je me suis converti à l'islam, vous n'êtes pas au courant? Et j'ai acquis par la même occasion un patronyme musulman. Ça le fait les gars, non? Oublié, le vieux nom d'Américain qui sentait les plantations et le vieux Sud. Un nouvel homme, que je suis devenu! Et vous ne connaissez pas la meilleure? Quand vous êtes musulman, vous êtes arabe, donc blanc, pour l'administration! Ni une ni deux, la préposée m'a collé mon W sur le papier à ma demande, elle n'a même pas moufté! Me demandez pas pourquoi, je ne préfère pas savoir... En tout cas, hier j'ai profité de l'occasion, je me suis arrêté sur la 96e m'offrir un sandwich chez les snobs. *A priori*, même Al [le pianiste] ils n'en voudraient pas, alors nous, aucune chance. Et ben, j'ai arboré les preuves de mon appartenance à la grande caste des pâlichons, qui plus est membre de minorité religieuse, genre à qui on doit le respect, tu vois ! Le sésame, un vrai passe-droit ! J'ai été servi avec les honneurs, je te raconte pas la tronche des clients !

Ce récit, imaginaire quoique fort probable, pourrait d'abord faire sourire. Il ferait même rire ou pleurer face à l'absurdité véridique d'une administration qui à l'époque tolère et organise l'un des pires systèmes de ségrégation raciale, et dans le même temps considère l'appartenance religieuse comme seule prescriptrice d'appartenance ethnique, pour automatiquement faire passer de noir à blanc tout Afro-Américain nouvellement converti. Car nous pourrons rapidement vérifier que le fruit de mon imagination est inspiré de faits réels nombreux, et d'un phénomène relativement connu, mais quelque peu incompris, à savoir la conversion massive à l'islam de nombreux jazzmen afro-américains de l'immédiat après-guerre, concomitante de l'émergence du be-bop. Un texte de Dizzy Gillespie, à l'humour évidemment ravageur, suffit à le prouver. Dans un chapitre de sa célèbre autobiographie, sur l'apparition du culte du be-bop, Dizzy Gillespie énumère toutes les accusations que le be-bop et les boppers ont dû subir, accusés de saper l'ordre établi, la morale et les bonnes mœurs – preuve, au demeurant, que la qualité subversive du jazz et du bop était bien comprise par les pouvoirs en place, médiatiques et politiques. La septième accusation porte sur la supposée préférence des boppers pour des religions autres que le christianisme. Ce faisant, Gillespie montre parfaitement que l'accusation de « mysticisme » ou d'attirance pour des cultes « étranges » et « étrangers » est un excellent moyen de ridiculiser ces jazzmen aux sources d'inspiration si singulières. Le « mysticisme » des free jazzmen, quelque vingt ans après, n'y échappera pas, comme nous le verrons. Face aux reproches de tourner le dos à la religion chrétienne, Gillespie affirme :

> « Ce n'est qu'une demi-vérité, car la plupart des musiciens noirs, y compris ceux de la période bop, ont eu leur premier contact avec la musique grâce à l'Église, et ont subi cette influence qu'ils ont gardée toute leur vie. Pour des motivations sociales et religieuses, un grand nombre de musiciens de jazz se sont effectivement tournés vers l'islamisme depuis les années 1940, mouvement tout à fait dans l'optique de la liberté de culte. Rudy Powell, de l'orchestre d'Edgar Hayes, fut un des premiers à adopter l'islamisme et prit le nom musulman d'Ahmadiyya[105]. D'autres suivirent, pour des raisons plutôt sociales que religieuses me semble-t-il alors, si tant est que l'on puisse les départager. « Écoute, si tu te fais musulman tu n'es plus noir, tu deviens blanc » disait-on. « Tu prends un nouveau nom et terminé, tu ne seras plus un nègre ». Et tout le monde a commencé à se convertir parce qu'il semblait assez avantageux de ne plus être noir à l'époque de la ségrégation. J'y ai pensé moi aussi, mais je me suis dit que la plupart de mes congénères essayaient seulement de devenir n'importe quoi plutôt que de rester des « nègres ». Ils n'avaient pas pris conscience de l'identité de leur race et cherchaient simplement à se débarrasser de ce qu'ils croyaient

---

[105]. Ici, Mimi Perrin, traductrice du récit de Dizzy Gillespie, fait une confusion. Le texte anglais dit : *He became an Ahmadiyya Muslim*, ce qui signifie qu'il devient un musulman ahmadiyya, une branche hétérodoxe de l'islam, très importante dans notre étude.

être une tare. Quand tous ces gens-là ont su par exemple qu'Idrees Sulieman, qui venait de se faire musulman, pouvait se permettre d'entrer dans les restaurants réservés aux Blancs et ramener des sandwiches aux autres parce que lui n'était plus « noir » – malgré sa teinte de cheminée mal ramonée –, ils se mirent à se convertir par fournées. Les musiciens commencèrent à inscrire sur leur carte d'identité la lettre W pour *white*. Kenny Clarke me montra la sienne en me disant : « Regarde ça, négro, je ne suis pas noir, je suis blanc. » Il avait adopté le nom arabe Liaqat Ali Salaam. Un autre type (…), Oliver Mesheux, eut une altercation sur le sujet dans le Delaware. Il était entré dans un restaurant où on lui avait dit qu'on ne servait pas les Noirs, et il répliqua aussitôt : « Je vous comprends, mais voyez-vous je n'en suis pas un, je m'appelle Mustafa Dalil ». Après quoi, on le laissa tranquille et le patron l'accueillit même avec une formule de politesse[106]. »

Dizzy Gillespie témoigne ici d'une compréhension aiguë du trouble identitaire que révèle la conversion massive des musiciens noirs. Il préfigure le débat qui naîtra des années plus tard entre les afrocentristes et les Black Muslims : les premiers accuseront les seconds de proposer une contre-identité anti-africaine au lieu d'affirmer l'identité véritablement africaine de la culture afro-américaine[107]. Reste à savoir si ce mouvement a eu l'ampleur décrite par Gillespie, au point qu'il se soit

---

106. D. Gillespie, & A. Fraser, *To Be or not to Bop*, cit.
107. P. Guedj, « A Nation within Nations : Nationalisme afro-américain et réafricanisation aux États-Unis », *Civilisations*, LI (1-2), 2004.

posé la question de se convertir lui-même, avant d'opter pour le bahaïsme, mouvement religieux né en Perse au XIXe siècle. John Coltrane aura lui aussi une attirance affichée pour l'islam, aidé par un environnement familial (sa première femme, Naima) et professionnel (son pianiste McCoy Tyner appartenant au mouvement ahmadiste), sans pour autant passer le cap de la conversion[108]. Il s'agit également de déterminer la nature réelle de ce mouvement – au-delà du jugement des médias, à la fois clair et partiel, voire partial, porté sur un mouvement associant jazz et spiritualité. Avec un témoignage aussi incontournable que celui de Dizzy, le « roi du bebop » en personne, personne en tout cas ne peut passer à côté du phénomène. La liste des musiciens afro-américains convertis à l'islam est assez édifiante pour convaincre d'une connivence véritable entre la création d'un jazz nouveau et provocant, et l'émergence d'une religion jusque-là quasi-absente du territoire :

Yusef Lateef (né William Emmanuel Huddleston), Musheed Karween (né Rudy Powell), Liaqat Ali Salaam (alias Kenny Clarke), Mustafa Dalil (né Oliver Mesheux), Talil Dawud (né Alfonso Neslon Rainey), Hajj Rashid (né Lyn Hope), Yusef Muzafaruddin Hamid, tous membres entre autres de l'orchestre de Dizzy Gillespie, notamment durant la fameuse tournée de 1956 pour le département d'État dans de nombreux pays musulmans en plein ramadan[109]. Mais encore :

---

108. L. Porter, *John Coltrane, sa vie, sa musique*, Outre Mesure, 2007. C. O. Simpkins, *Coltrane, a biography*, Black Classic Press, 1975.

109. R. B. Turner, *Islam in the African-American Experience*, Indiana University Press, 2003.

Ahmad Jamal (né Fritz Jones), Sahib Sahab, Idris Sulayman (ou Idrees Sulieman, né Leonard Graham), Abdullah Ibn Buhaina (*alias* Art Blakey), Sulaimon Saud (*alias* McCoy Tyner), Idris Muhammad (né Leo Morris), Muhammad et Rashied Ali (nés Patterson), Aliya Rabia (née Dakota Staton), Fard Daleel, Nuh Alahi (batteur qui deviendra plus tard vice-président de la communauté ahmadienne de Los Angeles), Muhammad Sadiq (tromboniste qui deviendra président de la communauté ahmadienne de New York et New Jersey), Abdullah Ibrahim (né Adolph « Dollar » Brand, en Afrique du Sud), Omar Ahmed Abdul Kariem (né Jackie Mc Lean), Basheer Qusim (né George « Gigi » Gryce[110]), Abdal Karim (né Billy Higgins), Amir Rushdan (né Vernel Fournier), Jamil Basheer (né Jaki Byard), Ahmed Abdul-Malik (né Jonathan Timm Jr.[111]).

La liste pourrait se poursuivre longtemps, entre grands noms du jazz et anonymes *sidemen* qui tous ont entrepris de changer radicalement de confession et d'identité. Car ce changement passe, évidemment, selon les règles de la conversion islamique, par la donation d'un nom arabe nouveau. Ce qui imprime

---

110. Le site jazzdiscography.com fournit une page parfaitement documentée sur les musiciens de jazz musulmans et leur patronyme, ancien et nouveau.

111. Le cas d'Ahmed Abdul-Malik est particulier. Présenté partout comme l'un des très rares musiciens musulmans de naissance, par son père soudanais, il semblerait en fait qu'il n'en soit rien, d'après le biographe de Monk, Robin Kelley, qui démontre qu'il s'appelait en fait Jonathan Timm Jr, que ses parents étaient originaires de St. Vincent, et qu'il s'est converti à l'islam ahmadiste en 1949 (comme tout le monde, si j'ose dire), l'année où il a rencontré Monk.

au phénomène l'allure la plus radicale : peut-on aller plus loin symboliquement qu'en changeant de nom et de référence culturelle patronymique ? en reniant la filiation parentale traditionnelle pour affirmer une identité qui ne peut être plus originale ? Il faut être Thelonious Monk pour se permettre d'ironiser sur un tel phénomène de renomination : « Je n'ai jamais été intéressé par l'islam. Si vous voulez en savoir plus, demandez à Art Blakey. Quant à mon nom, je n'ai jamais eu à en changer – il est bien assez étrange comme ça [112] ! »

L'affirmation d'un nom nouveau, qui rompt une filiation forcément enracinée dans l'histoire de l'esclavage – beaucoup de Noirs américains portent le nom du maître de leurs ancêtres – et qui renonce à la langue et la religion du maître, est évidemment un acte fort et inédit. Il attire en ce sens un nombre significatif de musiciens qui s'inscrivent dans une démarche sinon de contestation, du moins de revendication militante nouvelle – il n'y a pas de musiciens de l'ancienne génération qui se convertissent à l'islam. On voit là qu'au moment de la Seconde Guerre mondiale, une prise de conscience s'opère au sein de la communauté intellectuelle noire américaine. Une prise de conscience politique et spirituelle donc, plus que réellement esthétique, si ce n'est que l'affirmation d'une identité nouvelle implique pour les jeunes musiciens de ne plus se conformer aux attentes de la musique de divertissement (danse, format, médias, radio, industrie). Elle provoque ainsi un bouleversement important des struc-

---

112. R. D. Kelley, *Thelonious Monk: The Life and Times of an American Original*, Free Press, 2009.

tures musicales innovantes. La musique se doit d'être élevée, techniquement, esthétiquement, et de ne surtout pas céder aux canons de l'industrie de l'amusement *mainstream*, détenue en grande majorité par les Blancs. Voyons en cela l'illustration concrète qu'une prise de conscience intellectuelle et spirituelle collective peut – même si elle s'épanouit dans un cercle restreint – influencer l'évolution esthétique d'un mouvement musical. Charlie Parker, en affirmant : « Le be-bop n'est pas l'enfant du jazz[113] » n'a jamais dit qu'il n'était pas du jazz, ce qu'évidemment les opposants ataviques du be-bop, tels Hugues Panassié, n'ont pas manqué d'attester. Au contraire, il rend justice non pas à une musique au sens strict, mais à un mouvement artistique complet, témoin de l'épopée d'un peuple, et trouvant pleinement sa place au sein de l'avant-garde occidentale – un statut que l'industrie musicale avait presque réussi à annihiler.

Le be-bop n'est pas l'enfant du jazz, il est ce que le jazz a toujours été. En pouvant à tout moment, face à la police ou aux médias, montrer qu'il est maître de son destin, y compris de sa part la plus intime qu'est son nom, le bopper converti à l'islam démontre l'autonomie totale de sa démarche, et la haute responsabilité de son ambition : « Je ne suis pas un descendant d'esclave, je suis l'adepte du Prophète qui ne fait pas de distinction de race et je suis l'acteur d'un mouvement intellectuel qui te dépasse et te dépassera toujours. » Ce faisant, il s'inscrit dans la lignée des mouvements émancipateurs passés, en les réactualisant.

---

113. Dans un article de *Down Beat* : « No Bop Roots in Jazz : Parker », septembre 1949.

C'est exactement le même mouvement qui animera les free jazzmen qui, vingt ans plus tard, prendront des positions spirituelles plus initiatiques, mystiques et métaphysiques.

De nombreux observateurs ont vu alors dans ce phénomène de conversion massive des musiciens modernes la preuve de la radicalisation de la pensée noire américaine, et le succès des idées nationalistes qui se développent à l'époque. Les boppers musulmans ne voudraient plus de contact avec les Blancs, et prôneraient une séparation radicale des races. La dénomination « Black Muslims » devient alors la norme pour désigner ce mouvement, d'autant qu'il fait écho à celui des « Black Panthers » et semble confirmer une proximité entre les connotations religieuses de l'un et les affirmations politiques de l'autre [114]. N'y a-t-il pas de nombreux membres du Black Panther Party qui se définissent aussi comme Black Muslims ? Certains de ces observateurs vont jusqu'à penser que ce mouvement de conversion marginalise plus encore la communauté du be-bop : « Déjà rejetée dans une marginalité évidente, la communauté "bop" allait accomplir un pas de plus vers l'isolement. Pour se démarquer aussi bien des Blancs que de la bourgeoisie noire assoiffée de respectabilité, nombre de ses membres se convertirent à l'islam[115]. »

Reste que cette lecture dénote une certaine ignorance des affaires religieuses – encore une fois –, et un anachronisme flagrant. En effet, « Black Muslims » se

---

114. Voir l'excellent site, au demeurant, sur le be-bop : bebop.nikkojazz.fr.

115. A. Tercinet, *Be-Bop*, P.O.L., 1991.

rapporte en fait à des mouvements nationalistes. Le plus connu et le plus prolifique de ces mouvements est le *Nation of Islam* créé par Wallace D. Fard Muhammad dans les années 1930, développé par Elijah Muhammad et popularisé par la haute figure de Malcolm X, qui quittera le mouvement dans les années 1960, quelque temps avant d'être assassiné, en 1965. *Nation of Islam* a effectivement un discours racialiste radical. Il est déjà activement prosélyte lorsque le be-bop émerge de la scène *underground* new-yorkaise. Les médias, à la fois fascinés et effrayés par ce nouveau style de vie musical, constatant le nombre croissant de musiciens qui affichent des noms arabes, font l'amalgame entre ces conversions et ce mouvement nationaliste islamique qui commence à faire sensation, dans le but évident de ridiculiser un phénomène musical inclassable et incontrôlable. C'est cette tentative de manipulation médiatique que dénonce avec acharnement Dizzy Gillespie. Les observateurs qui analyseront le be-bop quelque temps après hériteront de cette vision d'un islam nationaliste, et seront de plus tributaires de la médiatisation, dès la fin des années 1950, des discours enflammés d'Elijah Muhammad ou de Malcolm X. L'amalgame, d'ailleurs, continue de faire école.

Et pourtant, *Nation of Islam* n'a quasiment rien à voir avec la conversion des musiciens du bop. L'immense majorité d'entre eux se tourne en fait vers *l'Ahmadiyya Movement*. Ce qui, d'un point de vue aussi bien religieux que politique, change résolument notre vision des choses. L'islam n'est pas inconnu aux États-Unis lorsque l'*Ahmadiyya Movement* et *Nation of Islam* commencent leurs missions de prosélytisme dans les grands centres urbains américains. Quelques esclaves sont déjà les représentants de cette religion durant la période *ante bellum*, et quelques vagues d'immigration, africaines et asiatiques, constituent les premières communautés musulmanes américaines[116]. Mais la première tentative d'islamisation de la communauté afro-américaine provient de l'action d'un personnage étonnant, Noble Drew Ali, et de son *Moorish Science Temple*, qu'il fonde en 1913 dans le New Jersey. Parfaite illustration des expériences de syncrétisme américaines et afro-américaines, Noble Drew Ali y mixe allègrement ses connaissances de l'ésotérisme occidental (franc-maçonnerie – qu'il a sans doute rejoint, rosicrucianisme, gnosticisme, etc.) et oriental (bouddhisme, taoïsme), pour malgré tout créer un concept religieux qui se réfère directement à l'islam et à son Prophète. Il s'adresse alors à la communauté noire en prêchant, dans un langage et des apparats que semble avoir repris Sun Ra, pour un séparatisme noir, enraciné dans une singulière légende religieuse : les Maures (*Moores*) sont le peuple noir élu de Dieu, persécutés par le peuple du diable, les Blancs. Il est le nouveau prophète qui vient montrer la voie de la reconquête. La religion islamique de Noble Drew Ali, totalement hérétique aux yeux de l'orthodoxie sunnite et chiite, à défaut de convertir un nombre significatif de Noirs américains, marque durablement les esprits, notamment du côté des militants musulmans radicaux dans les ghettos urbains. Le *Nation of Islam* est d'ailleurs une émanation, un schisme du *Moorish Science Temple*, qui obtiendra un succès grandissant en valorisant les aspects nationalistes du discours, et en effaçant les éléments jugés trop ésotériques.

---

116. R. B. Turner, *Islam in the African-American Experience*, cit.

Malgré tout, c'est avec l'apparition de l'ahmadisme qu'a lieu le premier grand phénomène de conversion islamique aux États-Unis. Et plus précisément avec l'arrivée de son missionnaire le plus charismatique : Mufti Muhammad Sadiq. Fondé sur l'enseignement du prophète indien Mirza Ghulam Ahmad (1835-1906), l'ahmadisme clame la nature messianique de ce dernier. Provocant le scandale, Ahmad déclare être à la fois le Mujaddid de son temps (le réformateur attendu selon la tradition chaque siècle du calendrier islamique), le Messie (la seconde venue de Jésus-Christ) et le Mahdi (le prophète attendu par les musulmans à la fin des temps) : autant d'affirmations qui ne peuvent en aucun cas s'additionner selon l'orthodoxie. Ainsi, nous le voyons, les trois grandes tendances islamiques en rapport avec la culture afro-américaine (*Morrish Science Temple*, *Nation of Islam*, *Ahmadiyya*) sont toutes hérétiques aux yeux de la norme sunnite et chiite. Mais l'ahmadisme est, des trois, la seule mouvance qui soit née hors du territoire américain (Indes anglaises d'abord, Pakistan compris, puis Perse et Asie musulmane). Elle est donc impitoyablement réprimée par les instances officielles de l'islam orthodoxe. En quelque sorte, les disciples d'Ahmad pourraient être à l'islam ce que les Cathares ont été à la chrétienté : un immense mouvement réformateur persécuté. À la différence que le catharisme a disparu sous l'oppression des croisades catholiques, là où l'ahmadisme a survécu et même trouvé refuge dans des pays non hostiles, particulièrement aux États-Unis. C'est donc loin de toute revendication nationaliste que le mouvement prospère, obtenant cependant un succès marqué auprès des Noirs américains. L'ahmadisme prêche la paix mondiale, la justice et la fin des conflits religieux. Il ne fait strictement aucune distinction de race, le salut viendra d'en haut, en toute égalité. Non seulement le discours ahmadiste se démarque par son ouverture d'esprit du contradictoire discours chrétien américain[117], mais il marque une vraie différence avec le discours séparatiste des autres congrégations musulmanes afro-américaines. Il n'est en rien un mouvement raciste. Il est même à l'époque, aux États-Unis, l'une des rares organisations religieuses à revendiquer une ambition multiraciale. Avec un résultat mitigé, puisque ce sont essentiellement les Noirs américains qui vont répondre à l'appel du prophète Ahmad et de son missionnaire Sadiq, qui ne remettra pas pour autant en question son discours de paix, d'égalité et d'espoir. Pas de contestation du pouvoir en place, d'autant que, religion persécutée, l'ahmadisme profite de la protection des pays qui accueillent ses missionnaires et fidèles en

---

117. Dizzy Gillespie : « Alors ne me parlez pas d'abandonner le christianisme, c'est plutôt le christianisme qui m'abandonne, ou disons que les gens qui se proclament chrétiens ne le sont pas vraiment. Dans l'islam, il n'y a pas de ligne de démarcation entre les races. Tous les hommes sont égaux. » Ou Mufti Muhammad Sadiq, lorsqu'il tente sans succès de prêcher dans les églises américaines, pour mettre les chrétiens face à leurs contradictions concernant le problème racial et la violence : « Je voulais mettre au défi l'ouverture d'esprit des pasteurs chrétiens par rapport à celle de notre Saint Prophète. J'étais certain que la parole d'évangile "Aime ton ennemi" était seulement un effet pour le prêche, qu'ils ne mettent jamais en pratique. Je voulais le faire sortir de leur bouche, et je dois continuer à y travailler. » Cités par Turner, *Islam in the African-American Experience*, cit.

errance. Un certain loyalisme prévaut chez les adeptes. Mais à son arrivée aux États-Unis, Mufti Muhammad Sadiq sera profondément choqué par la ségrégation qui y règne. L'ahmadisme s'efforcera de lutter contre le racisme et l'injustice.

C'est bien cela qui explique le succès remporté par l'ahmadisme auprès des Noirs, et plus particulièrement des musiciens boppers. L'islam prêché par les ahmadistes est une religion de fraternité, qui met tous les adeptes sur un pied d'égalité, défend l'identité propre à chaque individu au-delà des barrières raciales, et représente l'intérêt de chacun dans la lutte pour l'émancipation. Cette religion née dans le cadre pourtant très éloigné de l'Asie coloniale anglaise et de l'islam oriental, propose une théologie de la libération que l'esclave ou l'affranchi pouvait déjà interpréter dans l'Évangile. En tant que mouvement messianique, qui affirme que Jésus n'est pas mort sur la croix, qu'il fut enterré au Kashmir, et que son Saint Prophète Ahmad est l'incarnation de la seconde venue du Christ, l'ahmadisme correspond à l'attente de la venue prochaine de Jésus, libérateur des opprimés et des esclaves, déjà largement entretenue par les églises noires. Si *Nation of Islam* remporte un succès médiatique colossal par l'affirmation d'une intransigeance à toute épreuve face à l'oppression – suscitant l'admiration de toute la communauté noire, artistes et intellectuels compris –, c'est le discours fraternel de l'*Ahmadiyya Movement* qui gagne l'adhésion des musiciens de jazz. Évidemment, la conversion à l'islam a un attrait social important, jusqu'à fournir une occasion unique de faire un pied de nez incroyable à un policier trop entreprenant en lui démontrant, papiers à l'appui, que l'on est, tout comme lui, blanc ! Mais si la conversion ne représentait qu'un profit social, les musiciens se seraient tournés vers toutes les tendances islamiques en présence, les prosélytes et recruteurs de tous bords étant actifs. D'ailleurs, *Nation of Islam* attirera avec un succès grandissant des jeunes populations urbaines, et de façon plus anecdotique des sportifs.

C'est donc pour des raisons profondément intellectuelles et spirituelles, parfaitement liées à la vision qu'ils se font de leur mission artistique, que les boppers se tournent vers l'*Ahmaddiya*. Ils y trouvent une singularité revendicatrice forte mais qui ne les coupe pas pour autant du monde, contrairement à ce que pouvait affirmer Alain Tercinet. Il les valorise selon leur personnalité propre, plutôt que leur appartenance ethnique, communautaire ou professionnelle, proposant un code moral qui amende la mauvaise réputation qui dans la société leur colle à la peau. Le be-bop, quintessence de l'acte créatif individuel au service du collectif, ne peut que se retrouver dans la vision ahmadiste affirmant la singularité de chacun – à l'instar d'ailleurs du protestantisme américain malheureusement lesté par son racisme atavique. L'*Ahmadiyya* répare en fait une injustice séculaire, et met le musicien en position d'égalité, sans exclusion de l'autre, mais avec la vigilance requise par ce monde d'oppression. Le bopper ahmadiste peut en toute fierté et toute liberté partager son art avec son collègue blanc. Il ne refuse en rien le contact avec l'autre. Il sait pertinemment que sa musique, qu'on l'appelle bop ou autre, peu importe, doit tout à l'épopée tragique de son peuple, et à sa lutte contre le racisme. Il sait aussi que sa foi religieuse singulière met en valeur les bénéfices profonds d'une morale qui n'a rien à voir avec les races. Il peut, restant vigilant malgré tout à l'égard de toute récupération ou de tout pillage de son savoir-faire, accepter en toute liberté les nombreux musiciens blancs de talent et de génie, juifs, italiens, irlandais, WASP, qui portent haut les valeurs d'une musique unique et présente. Les Stan Getz, Lee Konitz, Al Haig, Dodo Marmarosa, Gerry Mulligan, Lennie Tristano ou Red Rodney ont fait l'admiration purement musicale de leurs frères noirs, qui ne pouvaient les soupçonner de non-réciprocité. Un orchestre bop était donc un microcosme multiculturel, où le Noir ahmadiste pouvait se sentir à l'aise au même titre que le juif new-yorkais, malgré des tensions – par exemple lors des événements de 1948 au Proche-Orient, si l'on en croit Dizzy Gillespie – qui immanquablement pouvaient apparaître.

Finalement, tout le monde s'accorde sur la question de savoir pour qui est le bop – il est pour tous – et qui a inventé ce langage : Thelonious Monk, Dizzy Gillespie, Kenny Clarke, Bud Powell, Charlie Parker et les jeunes loups qui ont fourbi leurs armes dans les petits clubs *after hours* de Harlem.

Charlie Parker, justement. Ne serait-il pas à l'islam ce que Louis Armstrong (nous y reviendrons) serait à la franc-maçonnerie : un adepte trop beau pour être honnête ? Bird est souvent cité comme musulman ahmadiste parmi les plus prestigieux, même si son nom musulman reste imprécis : Abdul Karim pour les uns[118], et Saluda Hakim pour les autres[119]. Pour

---

118. *Cf.* Turner, *Islam in the African-American Experience*, cit.
119. R. G. Reisner, *Bird : The Legend of Charlie Parker*, cit.

autant, la source de l'information est claire : il s'agit du témoignage d'Ahmed Basheer, compagnon de route de Charlie Parker lors des quatre derniers mois de son existence trop courte – Bird, né en 1920, meurt en 1955, le médecin légiste qui procède à l'examen du corps lui donne une soixantaine d'années. Ahmed Basheer, converti à l'islam ahmadiste en 1949, devient plus qu'un manager pour Bird, un véritable confident pour ce génie qui subit les outrages d'une vie sans repos et d'une psychopathologie alourdie par une consommation effrénée d'alcools et de drogues. La présence d'Ahmed en ces temps de déchéance physique et psychologique lui procure un réconfort certain. Ils parlent de religion, de rédemption, de la possibilité d'une hygiène de vie sans alcools ni dépendances que pourrait lui apporter une pratique religieuse qui a déjà sauvé tant de ses collègues. Le son des sourates récitées en arabe à sa demande par Ahmed résonne avec plénitude et onirisme à ses oreilles. Ahmed conclut : « Charlie Parker était intéressé par la religion musulmane. Son nom mahométan était Saluda Hakim. Il connaissait un peu d'arabe coranique. »

Charlie Parker, sans doute l'être le plus insaisissable de l'histoire du jazz – il était pour les uns féru de poésie et de lecture, d'autres ne l'avaient jamais vu avec un livre – était aussi interpellé par l'islam. Le témoignage de Ahmed Basheer, pour touchant qu'il soit, ne signifie pas pour autant que Charlie Parker s'y soit converti, malgré l'intérêt qu'il semble avoir manifesté. Pour être musulman, il faut prononcer la profession de foi (la *Chahâda*, premier des cinq piliers de l'islam), qui consiste en la récitation sincère d'une phrase brève mais essentielle attestant que Allah est un, que lui seul mérite d'être adoré, et que Mahomet est son prophète. L'ahmadisme prêche que toute personne qui prononce la *Chahâda* ne peut être déclarée non musulmane par qui que ce soit. La profession de foi suffit. Il aurait été simple pour Charlie Parker de prononcer cette phrase et d'être immédiatement converti. Il aurait été aussi simple alors pour Basheer de le dire, or ce n'est pas le cas. Il y a un monde entre un Yusef Lateef, profondément pratiquant et respectueux des interdits du culte, et un Charlie Parker, curieux de tout et notamment de religion, mais jusqu'au bout confronté à ses démons addictifs. Le nom mahométan de Charlie Parker (pluriel qui plus est) peut être vu alors comme une démarche non pas de réappropriation de la part d'Ahmed Basheer, mais plutôt comme un hommage, peut être posthume, à une grande âme, quels qu'aient été ses tourments. Mais cela suffira aux prêcheurs et aux missionnaires pour en faire un coreligionnaire, comme le prouve le témoignage rapporté par Turner d'un musicien amateur converti : « Beaucoup de jazzmen étaient musulmans. Ils [les ahmadistes] disaient que Charlie Parker l'était – Abdul Karim. »

Avoir Charlie Parker parmi ses membres illustres, on peut en être fier, à l'instar des francs-maçons de Prince Hall qui font de Louis Armstrong l'un des leurs. Et de fait, nous verrons que la franc-maçonnerie a préparé le terrain : l'engouement des boppers pour l'islam ahmadiste ressemble fort à celui de la génération précédente pour la maçonnerie. La franc-maçonnerie a fourni une protection comparable à celle que le changement d'identité assure au converti islamiste. Parfois, l'appartenance maçonnique, comme la conversion islamiste, permet de se sortir de mauvais pas, en faisant valoir une identité autre et un certain élitisme, sinon social, du moins spirituel. De plus, l'idéal fraternel et collectif, au-delà d'un besoin communautaire, est défendu avec la même intransigeance dans les deux cas. Mais, au lendemain du conflit mondial qui a vu s'entre-tuer toutes les nations autour des idées de liberté, de race, de territoire, l'islam représente un atout supplémentaire pour des Afro-Américains qui ont contribué à l'effort de guerre, sans en ressentir d'effets bénéfiques sur leur condition. La franc-maçonnerie sublimait en quelque sorte leur identité masculine émancipée de descendants d'esclaves, alors que l'islam annihilait jusqu'à leur origine et leur lien avec la traite négrière. De plus, la maçonnerie reste une institution fondamentalement euro-américaine, du moins largement dominée par les Blancs, alors que l'islam n'a plus rien à devoir à l'Occident. La conversion islamique représente donc la quintessence de la reconquête de soi par l'Afro-Américain, que seul le retour officiel de l'afrocentrisme dans les années 1980 contestera et relativisera.

Laissons, pour conclure, Art Blakey donner les raisons de sa conversion, suite à un épisode périlleux avec un officier de police à Albany, Géorgie : « Après cette expérience, j'ai commencé à chercher une philosophie, un mode de vie meilleur. Je savais que la maçonnerie ne me l'apporterait pas, et que le christianisme avait depuis longtemps échoué à le faire[120]. »

Après deux siècles où l'Église et la Loge ont, tant bien que mal, contribué à résister et à apporter un

---

120. Kelley, *Thelonious Monk*, cit.

soutien aux opprimés de toutes sortes, les musiciens modernes du bop et du renouveau musical sont à la recherche d'autre chose. Un espace plus radicalement éloigné de la culture de l'oppresseur, mais aussi, et surtout, capable d'apporter une nouvelle base morale à leur vie mouvementée et chaotique. Art Blakey et une quinzaine de musiciens tels que Idrees Sulieman formèrent à cette époque un *rehearsal band* – un orchestre de travail, de répétition, créé pour la musique d'abord et non pas pour la scène – qui comprenait un grand nombre d'ahmadistes. Le nom du groupe avait une connotation clairement religieuse : ils l'appelèrent *The Seventeen Messengers*, sous-entendu : les messagers d'Allah. Le groupe, en se débarrassant ensuite de cette lourde référence liturgique, s'imposera comme l'un des piliers du jazz moderne, d'abord sous l'appellation *The Messengers*, et enfin *The Jazz Messengers*. Immense découvreur de talents, initiateur en quelque sorte, à l'instar de Miles Davis ou de Duke Ellington, Art Blakey aura ainsi mis le pied à l'étrier à plusieurs générations de surdoués, toutes religions confondues si j'ose dire, de Wayne Shorter à Wynton Marsalis, en passant par Lee Morgan et Keith Jarrett.

Eastern vs Western

Cette quête d'identité et de prophète, telle qu'elle apparaît désormais, nous amène paradoxalement à sortir quelque peu du cadre que nous nous étions donné. En introduction, nous établissions un peu arbitrairement le périmètre de nos recherches à l'afro-américanité, non pas dans un quelconque essentialisme ethnique, mais pour recentrer notre étude et ouvrir des perspectives de prospection beaucoup plus larges. D'ailleurs, notre observation de l'islamisme ahmadiste chez les jazzmen afro-américains démontre la richesse de cette situation : à la fois occurrence parfaitement attribuable à un acte militant afro-américain et, en même temps d'essence universelle, par la nature de l'islam qui est en jeu et par la qualité de la musique en action, sans distinction de race ou d'appartenance. Rien ne se réduit à la race, qui, de fait, n'existe pas, et tout se lit à l'aune de la culture et de la filiation des créateurs. Il est judicieux de réfléchir en ce sens à l'intérêt pour les philosophies orientales, et plus précisément le bouddhisme, qu'ont affiché de nombreux jazzmen dès les années soixante. On connaît la curiosité de John Coltrane pour l'Orient, d'un point de vue musical et spirituel (*cf.* troisième partie). On comprend la sympathie envers les religions chinoises et hindouistes d'un rosicrucien comme Sonny Rollins, ou d'un néo-théosophe comme Sun Ra. Dans la mouvance du New Age, et sous l'influence des intellectuels de la beat generation, Allen Ginsberg et Jack Kerouac (adeptes du bebop et du Bouddha), de nombreux artistes ont résolument tourné leur esprit vers l'Asie. John McLaughlin et son *Mahavishnu Orchestra*, en compagnie de Carlos Santana, ont réussi à rassembler en un culte commun leur dévotion pour Coltrane, l'Inde et Sri Chinmoy. La méditation propre aux religions asiatiques devient un nouvel outil d'inspiration pour ces artistes qui voient dans cette introspection une nouvelle allégorie de leur imaginaire jazzistique, de John Coltrane (les albums « Meditations » et « Om » ainsi que ceux de son épouse, Alice Coltrane) à Tony Scott (sans doute l'auteur du premier disque jazz bouddhiste avec *Music for Zen Meditations* en 1964) jusqu'à Keith Jarrett. Il y a aussi de véritables convertis au bouddhisme, notamment chez des artistes afro-américains aussi significatifs que Herbie Hancock et Wayne Shorter (et ajoutons-y Tina Turner pour faire bonne figure). Cités en tête de gondole des jazzmen bouddhistes célèbres, les deux camarades de chez Miles Davis affichent clairement leur conviction religieuse, dans de nombreuses interviews[121]. L'image que l'on se fait du bouddhisme donnerait volontiers à cet affichage des allures candides et vaguement « peace and love ». Pourtant, nos trois artistes (Tina Turner y compris) appartiennent à la Soka Gakkai, mouvement religieux relativement nouveau, d'origine japonaise. Issu du bouddhisme de Nichiren, ce mouvement met l'accent sur une organisation laïque très hiérarchisée, une modernisation des moyens de communication et un activisme social et politique militant. Que l'on soit d'accord ou pas avec le jugement de la commission d'enquête parlementaire sur les sectes en France et de la mission interministérielle de lutte contre les sectes, qui décida un

---

121. Dans *Le Figaro* du 21 juin 2010, notamment, Herbie Hancock y évoque son projet de livre coécrit avec Wayne Shorter et Daisaku Ikeda, président de la Soka Gakkai, qui étudierait les rapports entre jazz et bouddhisme. À la question : « en quoi le bouddhisme a-t-il influencé votre musique ? », il répond : « Cette source d'inspiration provient de votre propre vie. La pratique nourrit ce que vous êtes en profondeur », soulignant encore une fois le caractère spirituel personnel et biographique de cette musique. Le beau documentaire de Guido Lukoschek « Wayne Shorter ; légende du jazz » s'ouvre sur une scène de prière.

temps d'épingler l'organisation pour certaines de ces méthodes[122], on peut constater qu'il ne s'agit en rien d'un bouddhisme séculaire ni d'une orthodoxie patentée, tel le Zen ou le lamaïsme tibétain. S'il n'y a pas d'équivalence statistique du fait du peu d'artistes concernés, nous pouvons malgré tout nous risquer, pour notre réflexion, à une comparaison avec l'islam ahmadiste tel que nous l'avons observé. Soka Gakkai et ahmadisme font partie de ces mouvements connexes et minoritaires, souvent hérétiques et prophétiques, qui opèrent pourtant une certaine continuité avec les habitudes religieuses afro-américaines. Organisation activiste structurée pour l'un, messianisme pour l'autre, Soka Gakkai et ahmadisme offrent à l'artiste afro-américain des outils d'identification et de différenciation qui ne l'exclut pas de ses racines et le distingue de ses collègues rock stars (Beatles, Leonard Cohen), avant-gardistes (John Cage) ou contre-culturels (Allen Ginsberg, Jack Kerouac), en quête de renouvellement spirituel inédit.

Radical Jewish Culture!

Il convient désormais de reconnaître certaines tentatives d'appropriations identitaires par le biais du jazz qui sont assez significatives hors du contexte afro-américain. Nous pourrions voir chez certains musiciens italo-américains, comme Joe Lovano (*Viva Caruso* en 2002), une manière de relier leur pratique musicale à leurs racines. Mais cela reste dans le

---

122. Rapport n°1687 de l'Assemblée Nationale sur www.assemblee-nationale.fr/dossiers/sectes/r1687.pdf

domaine du tribut à la culture ancestrale confinée au registre musical. Dans le même ordre d'idée, il faudrait remarquer le mouvement dit de l'« Americana », qui a consisté à réactualiser et redécouvrir le répertoire patrimoniale *Old Time* propre à l'Amérique, aux Appalaches et à la ruralité, pour en faire un objet de création. Toute une génération de musiciens *country* ou classiques se sont emparés de ce mouvement, qui repose sur les avancées en la matière des grands anciens tels que Charles Ives et Aaron Copland, ou les maîtres de la folk music comme Bob Dylan, Peete Seeger, Woody Guthrie et John Hartford. Edgar Meyer, Bela Fleck, Paul Elwood, Levon Helm, Alison Kraus, quant à eux, ont créé une *alternative country* qui a contribué à dépoussiérer le genre en le sortant du giron industriel de Nashville et en le confrontant à autant de jazzmen, qui, à leur tour, se sont emparés du mouvement : Bill Frisell, Eugene Chadbourne, Pat Metheny. Les *Carolina Chocolate Drops* représentent à cet égard la plus intelligente tentative de « normalisation » culturelle, en devenant l'orchestre « old time » et country afro-américain le plus connu. En 2011, ils deviennent le premier *string band* noir à jouer sur la scène du *Grand Ole Opry* de Nashville, rendant un hommage inconscient à tous ces musiciens noirs anonymes ou oubliés qui ont contribué à créer la *country music* moderne plusieurs décennies auparavant.

Autant d'expériences enrichissantes et essentielles, mais qui restent malgré tout confinées au registre purement musical, c'est-à-dire dans un esprit de réappropriation d'une identité seulement musicale. D'autres mouvements musicaux ont étendu leur prospection au domaine de l'identité culturelle et spirituelle, sous forme d'une profonde quête des origines. Pensons à Jim Pepper et à son œuvre dédiée à ses racines amérindiennes, avec l'improvisation et le jazz en moteur d'un chamanisme remanié, même s'il faut admettre qu'il resta un tant soit peu solitaire dans ce registre. Il rejoint ainsi la spiritualité universelle d'un Don Cherry, qui lui avait conseillé de renouer avec ses racines de *native american* pour mieux porter son message au-delà, prouvant à nouveau que le jazz se nourrit de cette identité transcendante. Le mouvement, qui peut alors se comparer quantitativement et qualitativement à ceux afro-américains que nous avons décrits, est celui qui émerge dès le début du XXe siècle aux États-Unis au sein de la communauté juive émigrée, et qui donnera ses lettres de noblesse à l'un des domaines musicaux les plus excitants. Nous le connaissons actuellement grâce à l'incroyable vitalité de la jeune scène Klezmer américaine, qui a largement inspiré une scène internationale désormais bien visible. Mais le renouveau Klezmer qui explose dans les années 1970 à New York et sur la côte Est des États-Unis ne naît pas de génération spontanée. Il est le fruit d'une forte émigration juive qui a émaillé la fin du XIXe siècle jusque dans les années 1920. Avec eux, les émigrants qui fuyaient la précarité et les persécutions ont amené une tradition musicale immense et influencée par toutes les musiques que le peuple juif a pu rencontrer en Europe durant son histoire. C'est déjà une musique de métissage prenant corps aux États-Unis avec la culture yiddish qui y prospère, mais qui, inexorablement, perd du terrain du fait de l'industrialisation et de la normalisation de la culture américaine. Face à ce constat, et au fait que la culture yiddish elle-même a du mal à survivre en Europe après le génocide, des musiciens prennent les choses en main. Souvent surdiplômés, héritiers putatifs des anciens musiciens itinérants de la Mitteleuropa, comme de leurs descendants qui ont intégré les plus hautes sphères de la musique classique occidentale (Yehudi Menuhin, Jascha Heifetz, Nathan Milstein, plus tard Itzhak Perlman), ces artistes font œuvre commune, à la fois patrimoniale et créative, pour renouveler le genre Klezmer, musique de danse populaire qui porte en elle toute cette intense histoire. Giora Feidman, *The Klezmatics*, David Kraukaer, Andy Statman, *The Klezmer Conservatory Band* sont autant d'acteurs militants de ce renouveau et de l'actualisation d'une musique qui, cela nous rappellera des choses, mêle l'ancestral et l'actuel. De toute manière, les relations entre cette tradition musicale, cette communauté et le jazz sont historiques et fécondes. La musique populaire juive est faite d'oralité et de jeu et il ne fait pas de doute que les très nombreux jazzmen juifs américains l'avaient bien compris (Benny Goodman, Artie Shaw, Stan Getz, Buddy Rich, Mezz Mezzrow, Al Cohn, Lee Konitz, David Liebman, etc.). Mais la contribution de la communauté juive au jazz s'étend au-delà[123], notamment par l'importance des compositeurs de Broadway : Jerome Kern, Irving

---

123. On peut lire avec intérêt *Jazz Age Jews* (Princeton University Press) de Michael Alexander, qui décrit la contribution des juifs américains à la période charnière dite du « Jazz Age ». On doit lire également le *There Was a Fire : Jews, Music and the American Dream* du chanteur et journaliste Ben Sidran, sur l'influence des musiciens juifs sur la musique populaire américaine.

Berlin, Harold Harlen, Richard Rodgers, les frères Ira et George Gershwin. Issus de cette émigration, mais aussi héritiers de la grande tradition musicale germanique et européenne, ils sont aussi les plus prolifiques pourvoyeurs de mélodies et standards à succès qui feront le terreau idéal des improvisateurs jazzmen. Au-delà des conflits éventuels que l'histoire et la radicalisation des esprits ont pu générer, les relations entre communautés juives et afro-américaines ont été du point de vue intellectuel et culturel particulièrement fertiles, quoique souvent délicates. Nicole Lapierre décrit admirablement cette relation prolifique, à travers le parcours de Paul Robeson, Eddie Rosner, André Schwarz-Bart, Jean-Loup Anselme, Ilan Halevi[124]. Le jazz sert alors de ressort et d'engrais à cette accointance intellectuelle qui s'épanouit sous le signe de Sartre, Fanon, du tiers-mondisme et des mouvements d'émancipation. Juifs et Noirs américains partagent un même rapport à l'errance et une même fierté d'avoir tant contribué à l'édification d'un pays et d'une société à l'origine méprisante à leur égard. Le jazz, tel qu'il se développe à partir des années vingt, peut même être vu comme une construction commune. Un film, décrié mais incontournable, semble concentrer à lui seul la dynamique créative du pays, puisqu'il parle de jazz et révolutionne le cinéma, les deux plus authentiques inventions culturelles de l'Amérique. *The Jazz Singer* (1927), connu pour être le premier film parlant de l'histoire, est aussi une fable sur l'identité juive en construction aux États-Unis, entre tradition et modernité. Le célè-

---

124. Nicole Lapierre, *Causes communes : des juifs et des noirs*, cit.

bre personnage de Jack Robin, *alias* Jackie Rabinowitz, interprété par le chanteur Al Jolson, hésite dans sa carrière entre le succès du vaudeville qui l'appelle, et son talent de cantor de synagogue qu'il a hérité de son père. Pris entre deux feux, entre sa mère et la scène de Broadway, il cède aux « sirènes » du jazz et devient l'un des artistes phares du « blackface » populaire de l'époque. Il réussira, pour les besoins du « happy end », à réconcilier ce qui ne l'était apparemment pas[125]. Nicole Lapierre le dit clairement :

> « Jackie Rabinowitz (…) est sommé de choisir entre des mondes opposés, la synagogue et la scène, le sacré et la variété, la tradition et l'assimilation. »

Pour autant, chantant la prière du Yom Kippour à la place de son père mourant qui l'avait chassé du foyer familial pour son goût du jazz, il réussira une carrière de chanteur populaire sans renier ses racines religieuses. L'immense cantor Yossele Rosenblatt apparaît lui-même dans le film, comme pour boucler la boucle et signifier l'unité d'une culture plurielle. *The Jazz Singer* est sans doute pour cela l'un des documents les plus significatifs de l'état d'esprit d'une culture en perpétuel questionnement sur son rapport au sacré et au profane. Le destin de Jack Robin est si

---

125. Pour l'anecdote, c'est le dialogue improvisé par Al Jolson, non prévu au scénario durant la chanson « Blue Skies » (Irving Berlin) qui convainc les producteurs du bien-fondé de cette nouvelle technique du cinéma parlant, qui n'allait pas de soi pour les industriels du cinéma. Selon moi, c'est notamment cette invention spontanée qui fait de *The Jazz Singer* un indéniable document jazzistique, n'en déplaise à certains puristes.

semblable à ceux d'artistes afro-américains, Ray Charles, Charles Mingus, et bien d'autres, d'abord critiqués pour avoir profané une musique sacrée (negro-spiritual, gospel) en l'extirpant du temple, et ensuite célébrés pour avoir justement popularisé une musique à vocation liturgique. Nicole Lapierre va plus loin, en évoquant le travail de Michael Rogin, pour qui « l'intégration des artistes juifs passe précisément par le détour du blackface ».

> « Selon lui (…) Jack Robin (…) ou Eddie Cantor, s'américanisent quand ils se griment en noir, chantent du jazz et célèbrent "Mummy", une icône aussi populaire que l'Oncle Sam. »

Le jazz, invention d'une communauté sous le joug d'un pouvoir dominateur, devient l'instrument de l'intégration d'une autre communauté qui fuit un autre oppresseur. Et comme toujours, le jazz vecteur d'identité et d'intégration pour différentes communautés minoritaires devient également un vecteur d'universalisme et de dialogue. Le jazz, dans la communauté afro-américaine comme dans la communauté juive (et dans toutes les communautés américaines qui ont contribué à l'évolution de cette musique) est un outil d'identification à sa propre communauté, mais aussi un miroir des autres, de l'Autre. Il n'est ni la musique exclusive et identitaire d'une communauté fermée, ni la musique d'un universalisme sans visage, sans particularité. Dans le cas qui nous intéresse, nous voyons la preuve de cet espace propre au jazz et à sa capacité à identifier, individualiser et rassembler. Le renouveau Klezmer fut un véritable mouvement de sauvegarde d'une culture en perdition, mais aussi un formidable vecteur de métissage (dirions-nous de créolisation?). Déjà musique de métissage et de récupération de tous les éléments européens (classique, savant, populaire, tzigane, etc.), le Klezmer trouve aux États-Unis un magnifique terrain d'expérimentation et de rencontre, en mettant à profit les inventions collectives du jazz dixieland ou free, et en faisant de l'improvisation un moteur indispensable. Très rapidement, ayant rempli sa mission de sauvegarde, il inspira et s'inspira d'artistes qui n'avaient pas d'attaches communautaires. Don Byron, remarquable clarinettiste afro-américain, a toujours témoigné de son admiration pour cette musique, en rendant hommage notamment au comédien et musicien Mickey Katz. Partout dans le monde, le Klezmer prend racine, mettant en avant ses qualités jazzistiques d'improvisations et de jeu. Pensons au *New Orleans Klezmer All Stars*, à l'*Amsterdam Klezmer Band*, à l'artiste protéiforme Yom, et au jeune groupe marseillais *Kabbalah*, dont les membres viennent d'horizons jazzistiques, géographiques et musicaux distincts.

Si le Klezmer démontre cette capacité du jazz à intégrer et proposer ses « outils » dans des contextes hétérogènes, il ne doit pas non plus dissimuler le rôle d'une communauté sur l'évolution du jazz en tant que tel. Cette communauté juive américaine, actuelle et urbaine, nourrie de sa culture populaire et religieuse, européenne et américaine, fournit un nombre important d'artistes qui contribuent à la modernisation du langage jazzistique, tout autant qu'au renouvellement de son esprit. John Zorn, théoricien, saxophoniste, compositeur, semble centraliser un ensemble de motivations collectives et individuelles significatif en l'occurrence. L'activisme de ce musicien novateur met en avant la capacité de résistance de nombreux musiciens new-yorkais à la gentrification de la ville et au mercantilisme de l'industrie musicale. Propriétaire d'un club du Lower East Side, le « Stone », et responsable de son propre label, « Tzadik », John Zorn est à l'initiative d'un nombre de projets qui mobilisent la cheville ouvrière la plus créative du pays, mais aussi de tous les continents. L'identité juive de son travail est marquée par les appellations (*Tzadik* désigne en hébreu un « homme juste ») comme par certains de ses projets. Le plus significatif et le plus célèbre reste « Masada », hommage explicite à l'épisode antique de résistance juive face à l'envahisseur romain. Quartet sans piano clairement inspiré par Ornette Coleman, « Masada » repose sur un répertoire d'une centaine de mélodies que Zorn s'est assigné à écrire en un an. « Masada » représente alors une quintessence du métissage jazzistique le plus moderne, mêlant modalité orientale, harmolodie, swing et expérimentalisme au service d'un projet expressément identifié et conceptualisé. Mais le travail de Zorn ne doit en aucun cas s'assimiler à un communautarisme restreint. Il y a le Zorn du *Radical Jewish Culture* (séries d'albums célébrant la judéité créative), il y a aussi le Zorn qui, à travers son club et son label, offre une visibilité accrue à des groupes du monde entier sans liens communautaires. Les français Maxime Delporte (et son groupe *Stabat Akish*) et Guillaume Perret ont pu, grâce au label, défendre leur travail créatif à un niveau international. Plus encore,

Tzadik permet à des héros de la « Great Black Music » d'exister. Des légendes afro-américaines comme Wadada Leo Smith ou le batteur musicothérapiste Milford Graves ont assuré chez Tzadik une production pléthorique qu'aucun autre label ne semblait pouvoir offrir. Il y a aussi le Zorn fan d'Ennio Morricone, féru de bruitisme et de hardcore, et surtout d'ésotérisme et d'occultisme. Ses inspirations spirituelles doivent autant à la Kabbale, au *Zohar* et au Talmud qu'à une profonde empathie pour l'hermétisme, le templarisme, les hérétiques chrétiens et la magie noire occidentale. Il fait explicitement référence à l'œuvre de l'occultiste Aleister Crowley dans « Magick », et édite chez Tzadik une série d'ouvrages intitulée « Arcana » qui montre le rapport des musiciens de la scène underground new-yorkaise avec le mysticisme, le rituel, l'alchimie et l'ésotérisme. Il y a chez John Zorn, comme chez tous les jazzmen que nous observons, cette même fascination pour l'ambivalente position sociale et esthétique que le jazz et l'improvisation apportent, ni profane ni sacré, ou plutôt totalement sacré et profane.

Le Klezmer, dans ses tendances traditionnelles comme avant-gardistes, possède cette même ambivalence que le jazz. Par définition profane, le Klezmer, musique de danse, de fête, d'événements populaires, met pourtant en scène rabbins et anecdotes religieuses et nourrit inlassablement l'esprit d'une communauté sans distinction pour ce qui est temporel et ce qui est intemporel, dans des registres qui vont du festif à la méditation. Remplaçons « klezmer » par « jazz » et « rabbin » par « pasteur » ou « pécheurs » et nous aurons une bonne définition sociale et esthétique du jazz et du blues. La communauté juive américaine, avec les similitudes politiques et sociales qu'elle peut partager avec l'afro-américaine et une tradition musicale métissée et plurielle, a sans doute été l'une des plus sensibles à l'ambivalence spirituelle du jazz. Aucune communauté, si tant est que le terme puisse se justifier dans le contexte jazzistique, n'échappe à la tentation du jazz et à sa contribution. Mais la communauté juive cultive une proximité singulière avec cette musique et, ainsi, avec la communauté qui en est la créatrice, l'afro-américaine[125bis].

125bis. Signalons la parution du coffret « Black Sabbath. The Secret Musical History of Black-Jewish Relations » chez Idelshon Society, sur les relations musicales entre artistes afro-américains et juif-américains.

7.
Duke Ellington : les racines de l'universel

Concluons cette première partie comme nous l'avions commencée. Avec Duke Ellington. Il est le symbole suprême de cette musique qu'il a contribué à inventer et à populariser. Il s'attache à tous les paradoxes propres au jazz, à commencer par le mot lui-même, dont il se méfie et dont il est pourtant le héros. « Jazz est juste un mot, et ne signifie pas grand-chose[126]. » C'est que son œuvre et son personnage dépassent largement le cercle esthétique du jazz. Il est sans doute le compositeur américain le plus respecté par l'ensemble des musiciens, toutes catégories confondues. Il incarne l'importance de la culture afro-américaine dans la musique moderne, y célébrant dans ses succès la beauté noire. Il est aussi le compositeur qui s'approche avec le plus de bonheur des formes de la musique classique occidentale, tout en y ajoutant, sans scrupule, les fondamentaux du blues et de la musique populaire américaine. Il est enfin l'incontournable : de Charles Mingus à Archie Shepp, personne n'échappe à son influence. Et un seul thème du Duke, *Blue Rose*, enregistré en 1956 avec Rosemary Clooney, pouvait influencer Miles Davis pour l'écriture de *Milestones* et John Coltrane pour *Giant Steps*. « En 1956, Duke Ellington est le musicien

---

126. E. Ellington, *Music is my Misstress*, Da Capo Press, 1973.

le plus respecté. Chaque fois que l'un de ses disques comportait une innovation (et c'était souvent le cas), vous pouviez être sûrs que Miles Davis et John Coltrane l'écouteraient[127]. »

Si le jazz est un jeu, Duke Ellington est le grand joueur du siècle. Avec l'esprit de cette musique aussi il s'amuse. Parfois musique de cabaret, de club, de réception mondaine, il donne à son œuvre des allures de révolution, de prière, de méditation et d'exaltation. Les concerts sacrés qu'il compose lors des dix dernières années de sa vie (trois concerts composés en 1965, 1968 et 1973) sonnent comme l'accomplissement d'une carrière intense et magnifique, mais qui a aussi subi nombre d'aléas. Il a combattu de nombreux préjugés sur le statut de musicien et créateur afro-américain, et il a souvent fait face à des revers de fortune qu'il a toujours réussi à dépasser. Les mondanités et les honneurs qu'il a collectionnés durant son existence étaient plus un moyen de se rendre justice et de porter un message qu'une réelle quête de célébrité et d'argent. « Je vis dans le domaine de l'art, et je n'ai pas d'intérêt pour l'argent », dit-il. C'est fort d'une légitimité rare pour un artiste noir de son temps, et qui ne se sera pas détourné de son rôle militant de leader d'opinion, qu'il aborde ses œuvres religieuses, selon lui « la chose la plus importante qu'il n'avait jamais faite ». « Maintenant, je peux dire ouvertement ce que j'ai toujours exprimé en moi-même à genoux » confie-t-il lors de la création de son premier concert sacré.

Car Duke Ellington a toujours eu quelque chose à

---

127. D. Liebman, & F. Théberge, « Sax Supreme... », *Jazzman* n° 137, 2007.

dire. Il aurait pu se contenter du succès foudroyant de son orchestre au Cotton Club dans les années 1930, ou de la célébrité de son âge d'or dans les années 1940, et profiter d'une vie confortable et routinière. Il n'y a sûrement pas renoncé, ne mettant jamais en péril ce qu'il avait soigneusement édifié. Mais il a toujours instillé dans les titres de ses morceaux comme dans ses déclarations, les marques d'un militantisme subtil, mais clair. Le concert mythique du 23 janvier 1943 au Carnegie Hall de New York montre son intelligente détermination à marquer les esprits à une époque pourtant sensible. Dans le temple de la musique classique de New York, après avoir joué le *Star Spangled Banner* et quelques grands succès de l'orchestre, Duke Ellington dévoile sa nouvelle suite, *Black, Brown and Beige*. Dans une forme très proche des œuvres classiques du répertoire, il raconte pourtant le drame et l'émancipation du peuple noir, le poids de l'esclavage et l'espoir d'un monde meilleur. La partie « *Black* » est constituée d'un work song (l'esclavage), d'un spiritual novateur (*Come Sunday*) et d'une évocation d'espérance (*Light*). Le « *Brown* » est plus politique, puisqu'il célèbre l'*Emancipation Day*, le blues et le souvenir des troupes haïtiennes noires venues sauver Savannah durant la révolution (*West Indian Influence*). Le « *Beige* » est consacré aux Noirs américains de son temps.

Avec *Black, Brown and Beige*, Duke Ellington porte au plus haut les aspirations de son peuple, d'une manière, ouverte et officielle, assez inédite, et qu'il renouvellera maintes fois, soit en rejouant cette suite, soit en composant d'autres œuvres de même ambition (*My People, Afro-Eurasian Eclipse*). Mais, comme pour appuyer notre réflexion sur l'ambivalence de cette musique, Ellington introduit, avec *Come Sunday*, un évident motif religieux dans son acte politique. « Cette mélodie est difficile à associer avec d'autres morceaux d'Ellington ou d'autres compositeurs » nous dit très justement David W. Stowe[128]. Effectivement, ce chant religieux, simple dans sa forme AABA, ne ressemble à aucune autre création du Duke. Il évoque l'espace sacré que le peuple noir, depuis l'esclavage, a su créer pour se protéger de l'oppresseur. Les paroles invoquent le Seigneur pour qu'il assiste à la dévotion profonde du peuple noir, le jour qui lui est consacré, le dimanche. Chaque strophe du chant est inspirée d'un épisode biblique, souvent des psaumes. Musicalement et formellement, la mélodie paraît simple, pentatonique. En cela, *Come Sunday* peut revendiquer son appartenance au negro-spiritual. Mais harmoniquement, le génie d'Ellington consiste à trouver un *background* qui relativise grandement cette apparente simplicité. Le morceau commençant sur des accords de dominante enrichis, il est presque impossible de deviner la tonalité initiale jusqu'aux dernières mesures de la mélodie, ce qui crée une ambiguïté diffuse et une impression introspective propre à la méditation. Il est d'ailleurs intéressant de comparer cette analyse avec celle de *Heaven*, autre tube des concerts sacrés ellingtoniens[129]. C'est en quelque sorte un miroir inversé qui agit entre les deux chants sacrés. Ils ont tous deux la même struc-

---

128. D. W. Stowe, *How Sweet the Sound, cit.*
129. Ludovic Florin propose une excellente étude du thème « *Heaven* », issu du deuxième concert sacré (1968) dans les *Cahiers du Jazz* n° 6, 2009, éditions Outre Mesure.

ture en AABA, mais si *Come Sunday* repose sur une mélodie très simple avec une structure harmonique peu discernable, *Heaven* propose un schéma harmonique très classique (I-VI-II-V) pour une mélodie sophistiquée essentiellement tissée de dissonances et d'extensions d'accords. Ce jeu de contrastes harmoniques-mélodiques provoque un même sentiment d'irréalité et de hiérophanie sereine que les chants de Mahalia Jackson, Alice Babs ou Johnny Hodges.

Il faut ici souligner l'incompréhension que ces concerts sacrés ont provoquée auprès des fans et des analystes du Duke. Il suffit de comparer leur importance aux yeux d'Ellington lui-même, et la place ténue que ces œuvres occupent dans les très nombreux ouvrages consacrés à sa musique[130]. La notion même de musique sacrée semble inopportune dans le contexte jazzistique. Pourtant, les concerts sacrés de Duke Ellington sont bien des œuvres personnelles et liturgiques jouées sous la houlette d'autorités ecclésiastiques. Mais l'ambition de Duke Ellington est, comme toujours, plurielle. Il obtient le soutien de pouvoirs liturgiques qui avalisent la sacralisation de son œuvre, mais milite, dans les actes et dans l'écriture, pour un œcuménisme et un universalisme très personnels. Jouant ses *Sacred Concerts* dans des synagogues, des édifices historiques (Saint-Sulpice à Paris, Westminster à Londres) et des salles de spectacles tout ce qu'il y a de profane, Duke Ellington ne fait aucun mystère de son

---

130. Exception faite de la biographie spirituelle du pasteur méthodiste Janna Tull Steed, qui met l'accent sur un Duke « messager de Dieu ». J. T. Steed, *Duke Ellington : A Spiritual Biography*, The Crossroad Publishing Company, 1999.

intention de parler à tous. Les références bibliques, religieuses et spirituelles du Duke sont elles-mêmes éloignées des obligations d'un credo religieux et des interdits du culte. La fraternité et la paix sont les moteurs du sacré chez Ellington, et sa culture initiatique et maçonnique, que nous étudierons plus précisément dans la deuxième partie, influence précisément certaines de ses œuvres sacrées. *Supreme Being* (l'Être suprême, aux accents étranges de la Convention) est une prière chorale teintée de déisme, où la référence à la pomme de discorde renvoie à la responsabilité de l'homme face à la Création. *The Brotherhood* (ou *United Nations of Brotherhood* : les nations unies de la fraternité) ne laisse quant à elle pas de doute sur les intentions de l'auteur et sur ses racines spirituelles. La religion de Duke Ellington est celle de tous les hommes, selon sa propre expérience du christianisme et sa propre réflexion spirituelle – plus métaphysique que mystique. *Every Man Pray In His Own Language* (Chaque homme prie dans sa propre langue : dans le troisième concert sacré de 1973) est le manifeste de cette métaphysique universelle. C'est surtout la liberté qui, selon lui, justifie les prières : *Freedom* est la plus longue suite du deuxième concert sacré, et un appel joyeux et intense à la libération de tous les peuples. L'imaginaire d'Ellington est influencé par ce qu'il connaît : une foi chrétienne profonde et un fraternalisme initiatique, qui le poussent à s'ouvrir aux autres. Et à revendiquer un universalisme qui rompt avec l'hégémonique abstraction occidentale – sans pour autant tomber dans un relativisme gazeux.

Voilà qui devrait nous amener à nous interroger sur la nature de l'universalisme souvent revendiqué par les exégètes du jazz. Car si le jazz est universel, ce n'est à l'évidence pas à la façon dont la culture européenne – eurologique, donc – l'entend. Victime de sa propre ambivalence, il est une musique inclassable, présente partout, mais nulle part réellement en position de suprématie. Ainsi, cette musique qui a surgi bruyamment du paysage culturel au XXe siècle est, d'une part, toujours absente de territoires géographiques entiers, rétifs à son image et à son esthétique. Surtout, et d'autre part, elle ne s'est jamais uniformisée mais continue de changer d'un lieu à l'autre. Ou pour le dire avec le saxophoniste Franck Lowe : « le jazz est un phénomène à la fois environnemental et cosmopolite. Chaque style a sa région d'origine et chaque région fait sa mixture : l'endroit où vous avez grandi reste la base de votre mélange, mais vous pouvez y ajouter ensuite toutes sortes d'ingrédients[131]. »

Le jazz n'est pas universel au même sens, revenons-y, que la musique classique et contemporaine. Il n'est pas le fruit homogène d'une intention de l'individu créateur de se déterritorialiser pour toucher à un universel abstrait – vision qui, de Beethoven à Pierre Boulez anime la modernité européenne. Le jazz est un esprit : ce « Djeuze Grou », cher à Ishmael Reed, qui tel un virus est venu contaminer l'Occident par le rythme et la danse. Un esprit que chaque artiste accueille selon ses racines, sa filiation et ses aspirations. On peut être totalement relié à son territoire, sa famille, son environnement, et accepter sans peur la présence de l'autre, et l'ambition universelle de son travail.

---

131. Dans A. Pierrepont, *Le Champ jazzistique*, Parenthèses, 2002.

Duke Ellington aura sans aucun doute poussé l'ambition au plus loin, s'identifiant à des régions qu'il n'avait jamais visitées ou tout juste traversées (*Isfahan* ou *Liberian Suite*), s'amusant de formes musicales étrangères, et d'attitudes peu familières, mais toujours s'exprimant depuis son propre point de vue, son hédonisme aérien, son style généreux. Plus encore, dans le dialogue qu'il instaure avec Dieu dans ses œuvres sacrés, il témoigne d'une proximité toute amicale, ludique même. Craint-il Dieu ? Il ne semble pas le manifester dans sa musique en tout cas. Tout n'est qu'amour, paix, joie et espoir dans une œuvre qui parle pour tous. Et instille pourtant le sentiment, jamais craintif, qu'il y a là une puissance qui infiniment nous dépasse. Le jazz dans sa dimension spirituelle insuffle une forme de mystère fécond : « Je ne sais pas ce que je recherche, quelque chose qui n'a jamais été joué auparavant. Je ne sais pas ce que c'est. Mais je sais que lorsque je l'aurai trouvé, je le ressentirai. Et je continuerai à chercher », dit John Coltrane[132]. Cette quête sans raison apparente n'a rien d'effrayant, au contraire, elle est le moteur universel d'une musique qui par définition cherche, et qui disparaîtra d'avoir cessé de chercher. Dans une note du programme du *Sacred Concert* de 1965, Duke Ellington nous prévient : « Pourtant, chaque fois que les enfants de Dieu ont oublié leur peur pour essayer honnêtement de communiquer entre eux, se comprenant ou pas, des miracles se sont produits. »

Albert Ayler, quant à lui, a peut-être trouvé : « Leur musique était réjouissance. Et c'était la beauté

---

132. *Ibid*.

qui apparaissait. C'était ainsi au début, ce sera ainsi à la fin. Un jour, tout sera comme il doit être[133]. » Le prophétisme religieux d'Ayler, la métaphysique d'Ellington, le mysticisme de Coltrane, trois visions pour une même musique qui trouble, qui s'échappe, et qui pourtant nourrit toujours le plus sincère engouement et inspire une ferveur sans credo. L'universel selon le jazz sonne, une fois encore, comme un insaisissable paradoxe : cosmopolite parce qu'enraciné, intemporel parce qu'historique, spirituel en tout état de cause.

Cérémonie maçonnique lors des funérailles du clarinettiste George Lewis, 2 janvier 1969 à la Nouvelle Orléans.
(à droite : Edward "Noon" Johnson).
Avec l'aimable autorisation du Hogan Jazz Archive, Tulane University
http://jazz.tulane.edu/

133. A. Ayler, « Les Secrets d'Albert le Grand », *Jazz Magazine* n° 142, 1967.

DEUXIÈME PARTIE[133bis]

Jazzmen, Noirs et francs-maçons[134]

> *Il y a un paradoxe dans tout projet initiatique, puisqu'il tend à uniformiser en « humanisant » et en « harmonisant » (…) mais divise en socialisant.*
>
> Jean Jamin

> *Nous affirmons être à la fois des hommes et des francs-maçons, et exhortons le monde à nous éprouver, nous contredire, s'il le peut.*
>
> Martin Delany

> *Avec* [le jive] *les gars peuvent discuter politique, religion, science, guerre, danse, businness, amour, économie et sciences occultes.*
>
> Dan Burley

133bis. Depuis la parution de *Jazz Supreme* en mars 2014, j'ai publié deux articles qui complètent le présent chapitre sur ce sujet inédit qui a, depuis, fait couler beaucoup d'encre. Le premier dans les *Cahiers d'Études africaines*, LIV (4), 216, 2014, p. 999-1026, intitulé « Jazz, sociétés initiatiques et afrocentrisme ». Le second est l'entrée « jazz » du *Dictionnaire de la franc-maçonnerie*, Armand Colin, 2014, sous la direction de Pierre-Yves Beaurepaire. J'invite le lecteur à les consulter pour plus de précisions, notamment sur l'afrocentrisme et Coltrane, et je remercie vivement Pierre-Yves Beaurepaire ainsi que Pauline Guedj pour leur confiance et leur sollicitude.

134. Cette partie prolonge l'article que j'avais rédigé pour *Jazz Magazine* de février 2008, intitulé : « Jazz et franc-maçonne-

rie, une affaire d'initiés. » Le titre fait référence à l'ouvrage de Cécile Révauger : *Noirs et francs-maçons*, Édimaf, 2003 (nouvelle édition augmentée chez Dervy en 2014) – seule étude exhaustive francophone sur la maçonnerie dite « de Prince Hall ».

I.
« Notre musique est un ordre secret »

Avancer vers un point jusque-là inconnu. C'est bien là ce à quoi aspire tout auteur, artiste ou chercheur. Cela constitue même son moteur. Le sujet que nous proposons maintenant de soumettre à la réflexion des lecteurs comporte plus que le potentiel de nouveauté requis. Nous pourrions même, d'ores et déjà, établir sa caractéristique première : l'absence quasi-totale de recherche historiographique le concernant. De fait, celui qui souhaite comprendre le lien qui existe entre les jazzmen et leur appartenance, manifeste ou supposée, à la franc-maçonnerie, se rend rapidement compte que tout, ou presque, reste à faire – avec ce que cela implique d'excitation et de découragement. Non pas qu'il n'existe pas d'éléments de référence sur l'histoire de la franc-maçonnerie américaine, bien au contraire. Mais ces références, sont souvent partielles et n'abordent pratiquement jamais les implications sociologiques, anthropologiques, et esthétiques de la présence, pourtant forte et mythifiée, de la maçonnerie dans l'histoire américaine.

En quelque sorte, la maçonnerie américaine fonctionne à l'inverse de la maçonnerie européenne : elle a pignon sur rue – affichant ouvertement ses symboles et son implantation au sein de toutes les villes américaines –, là où en Europe, l'histoire a appris aux maçons à se faire très discrets. Reste qu'aux États-

Unis, la vie initiatique du maçon et l'histoire de l'Ordre sont jalousement protégées du regard du profane, alors clivé entre des informations locales et les rumeurs mythologiques. En Europe, en revanche, et en France particulièrement, les francs-maçons participent activement à l'élaboration d'une historiographie objective de l'ordre, via notamment l'organisation de colloques, où chercheurs profanes et initiés dialoguent sans tabou. Cette situation ne facilite pas la compréhension de l'histoire de la maçonnerie américaine – mais elle invite d'autant plus à en percer les zones obscures et les connexions inédites.

D'ailleurs, le chercheur qui débute son investigation constate très rapidement qu'entre la maçonnerie et l'*entertainment* – de Hollywood à la country music, en passant par Broadway –, les liens se sont multipliés tout au long du XXe siècle. Le simple curieux jazzophile aura, quant à lui, la surprise de trouver, dans les nombreuses listes de maçons, ou supposés maçons, célèbres, les noms de Louis Armstrong, Duke Ellington, Lionel Hampton, aux côtés des Mozart, Goethe, Churchill, Sibelius – rare et original exemple de fraternité post-esthétique. Par contre, toutes ces références étant le fait de publications maçonniques, l'amateur aura vite compris que l'histoire actuelle du jazz ignore toute empathie entre jazzmen et ordre maçonnique, prêtant ainsi, de la part des rares chercheurs et journalistes qui se sont penchés sur la question, à deux hypothèses : soit ces quelques occurrences ne révèlent rien de concret et toute tentative d'en établir la réalité historique relève du fantasme ; soit l'histoire de ce lien reste à défricher et son étude recèle de réelles surprises. Il semblerait que la première hypothèse ait remporté largement l'adhésion auprès du milieu du jazz et de la recherche. Nous montrerons que la seconde hypothèse vaut d'être envisagée. En commençant d'ores et déjà par éliminer deux affirmations d'ordre mythologique.

Premièrement, il n'y a pas de jazz maçonnique. Ou plutôt il n'y a pas de musiques maçonniques rituelles qui s'identifieraient au jazz. Ce qui ne signifie pas que certaines musiques de jazz ne conviennent pas à certains contextes rituels, notamment maçonniques. Nous le verrons, le cas des *jazz funerals* de la Nouvelle-Orléans en est sans doute l'exemple le plus frappant. Par conséquent, et c'est le deuxième point, l'étude de l'histoire maçonnique du jazz ne permet aucunement de déduire une supposée ritualité du jazz : ni au niveau de la musicologie – le ternaire rythmique typique du jazz ou les accords de septième n'ont pas de signification numérologique, contrairement à ce que voudraient croire certains « initiés[135] » –, ni au niveau scénique.

Les amateurs de scènes occultes, de codes cachés, et de conspirations mystiques en seront donc pour leurs frais. C'est que l'histoire maçonnique du jazz est à nos yeux autrement plus passionnante : elle éclaire l'état d'esprit particulier qui traverse cette musique et soutient la communauté afro-américaine. Et elle nous révèle les ressorts essentiels des motifs fraternels, spirituels ou sociopolitiques à l'œuvre dans le jazz. En suivant notre hypothèse de travail, nous serons ainsi

[135]. Un franc-maçon turc actif sur Internet propose sa vision du symbolisme du chiffre 7 entre harmonie jazz de septième et sacralité du chiffre : http://web.mit.edu/dryfoo/masonry/Essays/jazz-masonry.html.

amenés à mettre à jour de manière surprenante une organisation professionnelle, initiatique et intellectuelle jusque-là largement ignorée, du métier de jazzman, aux États-Unis, notamment avant la Seconde Guerre mondiale. Et nous pourrons jeter une lumière inédite sur les racines du syncrétisme symbolique animant les milieux contre-culturels à partir des années 1950. Une fois encore, c'est dans la marge de son histoire, dans l'aspect initiatique de son développement que nous découvrons une manière évidente d'appréhender cette musique dans sa relation au symbole, à la fierté, au travail, à la mise en scène et au sacré.

Mais pour éviter un écueil courant dans de nombreuses publications concernant la franc-maçonnerie, où l'anecdotique rivalise avec le fantasmatique, il semble opportun de resituer cette étude dans le contexte plus général de nos travaux sur le spirituel dans le jazz. Et de la confronter donc au schéma des trois attitudes spirituelles exposé dans la première partie : la tendance mystique, la tendance religieuse et la tendance métaphysique. Et que traverse, nous l'avons dit, une tendance initiatique commune. C'est là un des constats les plus surprenants de mes recherches sur le spirituel dans le jazz : l'importance d'une démarche initiatique non seulement dans l'histoire des États-Unis en général et au sein de la société afro-américaine en particulier, mais encore plus précisément chez les artistes américains. Avec pour démonstration *exotérique* l'existence avérée de la plus connue des sociétés initiatiques occidentales au sein de cette communauté et de ses artistes, la franc-maçonnerie.

C'est cette conjonction entre artiste et maçon que nous proposons d'explorer en suivant deux fils conducteurs. L'un littéraire et autobiographique : un texte du contrebassiste Milt Hinton. L'autre musical : le *Masonic Inborn* d'Albert Ayler. Nous verrons alors que l'initiation maçonnique revêt pour le jazzman une essentielle valeur professionnelle, mais surtout morale. Elle se répercute en effet sur sa façon de transmettre son art, de vivre une certaine collégialité du métier, de façonner une fraternité active dans un milieu hostile à tout ce qu'il représente musicalement, ethniquement, politiquement. Plus largement, l'histoire maçonnique américaine comporte des particularités initiatiques, anthropologiques, ethniques propres à faire avancer la compréhension du fait religieux et culturel dans ce pays. Dans ce cadre, l'influence de la maçonnerie afro-américaine éclaire notre vision des luttes pour les droits civiques, de l'évolution des mentalités et des revendications afro-américaines, et leurs interactions avec le monde culturel et artistique. Mais surtout, elle nous apporte de nouveaux éléments de compréhension sur l'émergence du jazz, sur son caractère et sa théâtralité. Ainsi, et une nouvelle fois, nous verrons à l'œuvre un mode de pensée singulier qui vient contredire – ou au moins altérer – l'image d'Épinal du jazzman insouciant, individualiste, et peu enclin à la méditation.

Mais commençons par ouvrir *Playing the Changes*, l'autobiographie en images du contrebassiste Milt Hinton[136]. Elle est en effet une excellente introduction au monde maçonnique du jazz. Salué comme il se

---

136. Parue tout d'abord sous le titre de *Bass Line*, l'autobiographie de Milt Hinton, qui met en avant ses souvenirs autant que ses talents de photographe, a été maintes fois remaniée et publiée sous différents titres.

doit à sa sortie, le récit majeur d'un des plus grands et polyvalents témoins de l'âge d'or du jazz livre bien plus que les anecdotes truculentes – même si essentielles – dont sont friands les jazzophiles. Jugeons, pour ce qui nous concerne, sur pièce :

« Beaucoup de musiciens établis de l'orchestre, à commencer par moi, étaient francs-maçons. Cab [Calloway] l'était aussi. La plupart d'entre nous ont été initiés à la *Pionner Lodge* n° 1, Prince Hall, à St. Paul, et à chaque fois que nous jouions dans cette ville, nous essayions de passer du temps dans la loge. Si quelqu'un dans l'orchestre se montrait digne et exprimait le désir de nous rejoindre, l'un d'entre nous le recommandait et essayait d'organiser l'initiation. Mais nous étions assez nombreux dans l'orchestre pour organiser, en tournée, nos propres tenues. Parfois, entre les sets, *backstage*, nous avions de courtes réunions et des lectures dirigées. Nous passions toujours du temps avec les gars qui étaient nouvellement initiés, essayant de leur enseigner le réel sens de la maçonnerie, et comment cela pouvait les aider dans leur vie de tous les jours. Être maçon est une chose sacrée. Il y a beaucoup de secret à ce propos, c'est pourquoi les gens ne parlent pas de ce qui s'y passe. C'est vraiment un système moral basé sur la Bible. Il y a beaucoup de signes et de symboles que seuls les maçons connaissent, et si tu n'y appartiens pas, c'est difficile à comprendre. J'ai toujours pensé que le problème majeur avec la maçonnerie c'est son rapport à la race. Il ne devrait pas y avoir de système noir et blanc séparés, pourtant c'est le cas. Cela semble contredire complètement la philosophie de l'organisation. Mais depuis que je suis maçon, j'ai été capable de me faire mon opinion sur le problème racial grâce à ce cadre. Ça n'a jamais été un problème pour moi, j'ai essayé de garder cela à un niveau normal. Et je n'ai jamais senti que j'avais à accepter quelqu'un juste parce qu'il est maçon. Si une personne ne se conduit pas de manière adéquate – s'il ne vit pas selon les règles auxquelles il a juré d'obéir – j'estime que je n'ai juste rien à faire avec lui. »

On ne saurait être plus clair, tout y est : investissement, rôle moral et philosophique de l'appartenance, importance dans la vie professionnelle et quotidienne, importance de la question raciale à ce niveau, rôle initiatique des anciens vis-à-vis des novices, devoir de lucidité, utilité de l'appartenance dans son propre développement moral, philosophique, spirituel, politique. Et ceci au sein d'un des orchestres les plus importants de l'âge d'or des *big bands*. Pour couronner le tout, l'image vient appuyer le texte, puisque Milt Hinton, dont on connaît la passion pour la photographie, propose une photo plus qu'éloquente. On y voit l'auteur, le tromboniste Keg Johnson, et Cab Calloway en compagnie d'un anonyme, tous quatre en habits rituels de maçons, tablier blanc et bavette repliée, gants blancs, costumes sombres [137].

---

137. *A priori*, l'habit correspond au 2e degré de la maçonnerie (grade de compagnon), qui en comporte trois en « loge bleue », c'est-à-dire la structure basique commune à toutes les grandes loges du monde. Mais des structures rituelles adjacentes, dites de « hauts grades », ont été imaginées et peuvent comporter selon les rites jusqu'à trente degrés supplémentaires

Lors de mes recherches, j'ai constaté avec étonnement que la plupart des spécialistes qui avaient recensé le livre ne faisaient pas mention de ce passage pourtant si manifeste. En règle générale, mes interlocuteurs témoignaient d'un intérêt certain, souvent teinté d'incompréhension, pour le sujet, mais la plupart avouaient ne connaître aucune référence, même anecdotique, concernant un supposé rôle de la maçonnerie dans l'histoire du jazz. En cela, nous nous confrontons à nouveau au phénomène de déni du spirituel dans le jazz. Car voilà : la présence d'anecdotes, de témoignages, de références maçonniques, si elle n'est pas pléthorique, est loin d'être aussi rare que l'on pourrait le penser. Et elle concerne les acteurs majeurs de cette musique. Constatons :

> Jelly Roll Morton : « Jack the Bear avait une sorte de faux pin's sur le revers de son veston. Il allait et venait dans le train et chaque fois qu'il voyait l'un de ces pauvres gars de couleur qui portait un insigne quelconque, il s'approchait de lui, couvrait l'insigne avec ses mains en disant : "Je t'y prends maintenant ! Si tu ne peux pas me dire le serment secret du cinquantième degré de cet ordre, je vais devoir t'enlever

(quatre-vingt-quinze même dans le rite de Memphis-Misraïm, qui n'est pas pratiqué par les loges américaines régulières, noires comme blanches). L'habit du 3e et ultime degré de la maçonnerie bleue, le grade de maître, est généralement différent des deux premiers, l'habit de compagnon étant simplement le tablier blanc d'apprenti dont la bavette a été rabattue. Le tablier de maître change quant à lui, plus coloré, selon des modes et des symboles imputables aux différents rites pratiqués. Les gants blancs sont immuables selon les rites et les degrés.

ton insigne. Tu as gravement porté atteinte aux règles de la loge, je te demanderai un peu d'argent en échange de mon indulgence… " De temps en temps Jack réussissait à extorquer quelques dollars en faisant ce genre de chose. »

Le saxophoniste et hautboïste Garvin Bushell dans son autobiographie[138] comme un écho au récit de Jelly Roll :

« Ils m'avaient mis dans une voiture Jim Crow avec les caisses de poulets, les boîtes de lait, et quelques péquenots noirs assis dans le compartiment bagage. J'étais vraiment malheureux là-dedans. Lorsque le conducteur vint, il vit mon pin's maçonnique, et je vis le sien, et je lui demandai s'il pouvait me donner une meilleure place. Il me fit une faveur, peut-être parce que j'étais franc-maçon, et je fis tout le chemin du retour à New York en Pullman. »

Évoquant l'état de santé de Chick Webb, qui venait d'être hospitalisé en urgence :

« — Nous étions en train de jouer dans un temple maçonnique noir en Alabama, quand Tim Gale – notre *road manager* – nous dit : "Tout le monde revient ici dans la salle pendant l'entr'acte." Lorsque nous y sommes allés, nous n'avons pas été surpris d'apprendre qu'il [Chick Webb] était mort. Nous savions qu'il ne pouvait vivre plus longtemps. Pendant que nous évo-

---

138. G. Bushell, & M. Tucker, *Jazz from the Beginning*, Da Capo Press, 1988.

quions ce qu'il fallait faire, quelques-uns des francs-maçons de l'orchestre souhaitèrent entrer et investir la loge. Tim Gale avait oublié qu'il y avait certains moments où être blanc était un inconvénient dans le Sud. Il n'avait pas informé les gens que nous avions une réunion privée. À l'extérieur un grand gars s'énerva : "Ne verrouillez pas cette porte pour me dissuader de rentrer, parce que je dois rendre des comptes pour chaque morceau de bois et de pierre dans cet édifice." – "C'est que…, déclara Tim, nous avons eu de mauvaises nouvelles." – "Je m'en contrefous." – "OK, nous allons sortir." Nous sommes retournés sur scène et ce fut une bien triste fin de concert. »

Le batteur Harry Dial nous livre pour sa part les détails de la vie initiatique et jazzistique à Harlem, avec une liste de noms qui serait considérée en Europe comme de la délation, mais qui aux États-Unis démontre simplement la considération dont jouit la franc-maçonnerie :

« Après avoir quitté Lester [Young], ma principale activité a été l'organisation de ce que vous appelez une *jam session* au *Masonic Temple* tous les mois de mars ou avril pendant un certain nombre d'années. Le dîner y était servi, et c'est pourquoi je ne disais pas vraiment qu'il s'agissait de *jam sessions*, et nous affichions cela plutôt comme des « musicales ». Ma loge est connue autour du temple comme étant la « loge des musiciens » parce que beaucoup d'entre eux y appartiennent. J'ai toujours pu rassembler suffisamment de gars de la loge pour participer à la musique, mais beaucoup de profanes venaient juste pour jouer et, à cet égard, il s'agissait bien d'une *jam session*. Cependant, elles ont été abandonnées ces dernières années en faveur d'autres divertissements. »

Certains musiciens très célèbres ont appartenu, et appartiennent toujours, à l'Hiram Lodge n° 4, F. & A. M. Prince Hall. Parmi les membres passés et présents nous trouvons : W. C. Handy, Will Vodery, Willie Gant, Chester Perry, Jimmy Rushing, Eubie Blake, Jonah Jones, Cozy Cole, Lem Johnson, Lester Boone, Albert « Happy » Caldwell, Alfred Bell, Charles Frazier, Lawrence Lucie, Robert Cheek, Vernon Moore, Buddy Johnson, Jerome Darr, John Brown, George Grant, Kenneth Roane, Carroll Ridley, James « Bob » Robinson, Johnny Russell et Bob Ysaguirre. Sans mentionner tous les membres décédés et tous les vivants, cette liste permet de comprendre pourquoi cette loge est appelée la « loge des musiciens[139]. »

Le témoignage de Dial est à mettre en résonance avec celui de Hinton, pour envisager l'importance de l'initiation maçonnique dans le métier de jazzman dans la première moitié du XXe siècle, les noms évoqués comme membres de l'Hiram Lodge démontrant un parfait mélange entre stars de l'époque (Rushing, Handy, Blake, Cozy Cole, etc.) et la *working class* des musiciens *sidemen*.

L'immense trompettiste et révolutionnaire du bop Dizzy Gillespie raconte dans son autobiographie sa relation avec Lorraine et leur décision de se marier. Seul problème, l'employé de mairie avait oublié de tamponner l'acte de mariage :

---

139. H. Dial, *All this Jazz About Jazz*, Storyville, 1983.

« Il ne s'est d'ailleurs rien passé d'extraordinaire, jusqu'au jour où j'ai décidé de faire partie d'une loge maçonnique. Un des membres est donc venu prendre des renseignements à mon domicile, et a demandé entre autres à voir mon acte de mariage. Mais bien sûr. Lorraine, veux-tu aller le chercher ? Elle l'a donné au type qui, après l'avoir lu, m'a jeté un drôle de regard et est parti sans un mot. Plus tard, j'ai appris que ma demande avait été rejetée, et comme j'en demandais la raison au copain qui m'avait parrainé, il m'a dit : Pourquoi n'as-tu pas avoué franchement que tu vivais en concubinage ? ça ne dérange personne chez nous, mais il faut en faire état. Tu as eu tort de faire tout un cinéma avec ton acte de mariage qui ne porte même pas le cachet officiel… »

Duke Ellington quant à lui ne fait pas mention dans son autobiographie de son appartenance maçonnique (avérée, nous le verrons). Mais il montre, à la page recensant les titres et honneurs qu'il a reçus et notamment de la part des fraternités étudiantes reconnaissables à leur sigle en lettre grecque, une photographie où on le voit coiffé du fez des shriners, en compagnie de membres de cette fraternité composée exclusivement de francs-maçons hauts gradés. Une photographie inédite[140] met en scène Lionel Hampton dans le même contexte.

Plus récemment, Steve Coleman parle dans une interview pour *Jazz Magazine*[141] du *background* spirituel

---

140. Je dois à Jean-François Pitet (Hi de Ho Blog) la découverte de ce document, ainsi que de nombreux autres concernant le sujet.

141. *Jazz Magazine* n° 589, 2008.

dans sa jeunesse à Chicago. Les francs-maçons et les rosicruciens arrivent en première place de ce paysage au premier abord hétéroclite. Dans la même interview, il éclaire un peu plus qu'il ne le fait d'habitude, sa conception de l'ésotérisme, et de l'utilisation des symboles et des chiffres. Il semblerait dans son cas que l'environnement maçonnique et ésotérique ait eu une influence prépondérante sur ses conceptions musicales, comme chez Sun Ra. De la référence à l'Égypte au *All-Seeing Eye*, en passant par l'initiation, les échos sont en tout cas évidents chez ces deux artistes – mais ne nous permettent pas pour autant d'en conclure qu'ils aient été francs-maçons[141bis]. Dans une autre interview[142], Steve Coleman nous éclaire un peu plus sur son initiation aux mystères ésotériques, et sur la nature particulière de cette transmission. Évoquant un livre dont lui avait fait cadeau Anthony Braxton, il raconte :

> « C'est la première fois que j'entendais parler des mystères de l'Égypte ancienne, une direction que j'ai finalement empruntée depuis. Mais il ne voulait pas m'en parler, alors je suis devenu très curieux sur le sujet. Braxton en avait entendu parler par Muhal [Richard Abrams] (…). Le fait de mélanger des prin-

---

141bis. Même si, dans le cas de Steve Coleman, son appartenance à la confrérie m'a été maintes fois signalée par des musiciens new-yorkais lors de mes entretiens avec eux. Pour autant, je préfère toujours avoir confirmation par preuve documentaire ou par confirmation de l'intéressé lui-même dans ce cas de figure.

142. S.Coleman, « Steve Coleman cite ses sources », *Jazzman* n° 71, 2001.

cipes anciens avec des nouvelles technologies me vient de ces gens-là et cela se pratiquait déjà avec Sun Ra, John Coltrane, Cecil Taylor… Lorsque vous lisez des articles sur eux, ils ne l'évoquent jamais. J'en parle probablement plus que la plupart de ces musiciens. Et après la sortie de mon disque, Muhal m'appela pour me demander d'être prudent. Je ne tiens pas trop à en parler, mais il doit sûrement avoir raison car il en sait davantage que moi.

INTERVIEWER : Mais qu'est-ce qui peut être si dangereux ?

COLEMAN : Nous manipulons des informations qui peuvent être utilisées à des fins beaucoup plus sombres (…). Le IIIe Reich en est l'exemple le plus récent (…)[143]. »

Le culte du secret, tel que l'évoque déjà Milt Hinton, résonne ici d'une manière plus occulte, la connaissance ésotérique étant vue comme un trésor dangereux, donc à protéger. La transmission devient capitale et elle implique les grands noms d'une musique considérée comme vecteur d'une tradition primordiale et primitive. Nous pourrions convenir alors d'une étrange similitude entre ce secret bien gardé et le témoignage de Mezz Mezzrow concernant le jive, ce langage cryptique propre aux jazzmen, noctambules et Afro-Américains d'avant-guerre : « Avec le jive, les gars peuvent discuter politique, religion, science, guerre, danse, business, amour, économie, et sciences occultes[144]. »

---

[143]. *Ibid.*
[144]. Dan Burley, cité par Mezz Mezzrow et Bernard Wolfe, *La Rage de vivre,* cit.

Le jive a toujours été vu comme un outil de cryptage des informations face aux autorités morales et policières dominantes, un langage codé propre aux parias et malfrats de la société de l'époque. Mezzrow nous apprend qu'il sert aussi à parler de tout, même de « sciences occultes », confirmant le statut de société secrète et informelle de cette communauté volatile mais pugnace, où les sujets les moins profanes ont aussi droit de cité. Cette notion de « secret » apparaît centrale dans la constitution d'un imaginaire afrocentrique : il fait sens avec le jazz – comme avec la pensée d'intellectuels afro-américains aussi significatifs que Zora Neale Hurston ou Ishmael Reed – et l'accompagne dans son évolution.

Enfin, nombre de textes insistent sur le rôle majeur de la maçonnerie dans un des berceaux mêmes du jazz : la Nouvelle-Orléans au tout début du XXe siècle. Donald Marquis, dans son livre consacré à Buddy Bolden [145], décrit ainsi l'importance des loges et des temples maçonniques, et notamment du *Masonic and Odd Fellows Hall*, dans l'organisation régulière de bals et de concerts qui deviendront vite les lieux de rencontre, de compétition et d'apprentissage des musiciens. La biographie de Jelly Roll Morton par Alan Lomax évoque « l'amour du rituel et de l'association » des néo-orléanais. L'un des ouvrages sur le jazz les plus populaires des années 1950, *The Story of Jazz* de Marshall Stearns[146] consacre un chapitre entier à la relation entre vie des orchestres néo-orléa-

---

145. D. M. Marquis, *Buddy Bolden, le premier musicien de jazz*, Denoël, 1989.
146. M. Stearns, *The Story of Jazz*, Oxford University Press, 1956.

nais, funérailles, parades et sociétés fraternelles et secrètes. Il est d'ailleurs rare qu'une interview ou une biographie d'un musicien de l'âge d'or de la Nouvelle-Orléans fasse l'impasse sur le rôle déterminant de ces sociétés fraternelles – parmi lesquelles la maçonnerie tient une place d'honneur – dans la vie culturelle, artistique et musicale de la *Crescent City* – nous y reviendrons.

Ainsi, à travers ces différents témoignages se dessinent des lignes communes. Et notamment l'obligation de solidarité maçonnique, dont on peut bénéficier au-delà des barrières raciales, qu'on peut détourner ou qu'on peut concevoir comme la base d'un code moral et d'une manière de vivre collectivement. On découvre que la vie maçonnique continue en tournée, et que même la loge où l'on est venu se produire (assez souvent si l'on en croit Marquis) peut, suivant les circonstances, se transformer immédiatement pour les musiciens en lieu de réunion rituelle[147].

Le fait maçonnique afro-américain nous apparaît comme partie prenante du paysage professionnel, spirituel et politique des musiciens de jazz américains tout au long du XXe siècle – ne rendant que plus frappante l'ignorance dont il a été l'objet jusque-là. Mais il s'agit d'abord de comprendre que l'appartenance maçonnique ne représente pas la même chose aux États-Unis si l'on est un esclave affranchi du XVIIIe siècle, un musicien des années glorieuses de la swing *era*, ou un artiste moderne.

---

147. *Cf.* G. Bushell, & M. Tucker, *Jazz from the Beginning*, cit.

2.
L'histoire clandestine des loges de Prince Hall

Mais enfin, s'écriera-t-on, quel lien peut-il bien exister entre un ordre occidental, héritier des constructeurs de cathédrales du Moyen Âge, et la communauté noire américaine d'où surgira le jazz au XXe siècle ? Cet évident paradoxe nécessiterait sans doute un détour par l'histoire de la maçonnerie, afin de démêler les légendes de la réalité, concernant notamment la vraisemblance, toute relative, d'une continuité sans heurts entre les confréries de métiers de constructeurs du Moyen Âge et la franc-maçonnerie spéculative apparue à la fin du XVIIe siècle. Malgré tout, une telle tentative, pour notre propos, serait vaine tant la littérature sur le sujet est hétéroclite et vaste. Nous pourrions presque affirmer qu'il existe autant d'hypothèses sur l'origine de la maçonnerie qu'il y a de francs-maçons, et ceci depuis les premiers écrits officiels du XVIIIe siècle : les *Constitutions* d'Anderson de 1723 – œuvre fondatrice de la maçonnerie moderne[148] – évoquant déjà les origines adamiques de

---

148. Il existe deux éditions françaises commentées des *Constitutions d'Anderson* : celle de Bruno Étienne aux éditions de l'Aube en 2007 et celle de Daniel Ligou chez Lauzeray International, Paris, 1978. Citons également .l'édition de Georges Lamoine : *Les Constitutions d'Anderson*, traductions sur les textes de 1723 et 1738, Paris, SNES, 1995.

l'ordre maçonnique. Nous aurons vite compris qu'il serait oiseux et fastidieux de tenter de relater, même succinctement, une histoire générale de l'ordre maçonnique. Même si certains points méritent cependant d'être soulevés.

Tout d'abord, la réunion en 1717 de quatre loges londoniennes en Grande Loge d'Angleterre semble convenir à tout le monde comme date de naissance officielle de la maçonnerie spéculative – c'est-à-dire non directement liée au métier de maçon. D'où un sentiment de supériorité de la maçonnerie anglaise encore palpable de nos jours. Mais il faut se rendre à l'évidence, suite aux travaux de David Stevenson[149] : un autre territoire peut se prévaloir du titre de terre mère de la maçonnerie : l'Écosse. Un subtil mélange écossais entre maçons opératifs – dignes héritiers des confréries de métiers de l'Europe médiévale – et honnêtes hommes – avides de mystères et de nouvelles sensations initiatiques venus frapper à la porte des loges tout au long du XVIIe siècle –, associé à une tenace, mais curieuse légende de survivance templière en terre des Highlands, donnera à l'Écosse une solide réputation de terre de traditions préservées, de forteresse abritant jalousement une filiation initiatique primordiale face aux assauts de la modernité. Une réputation qui traversera les siècles et les océans, jusqu'aux États-Unis, et jusque, nous le verrons, chez les Afro-Américains, maçons ou non[150].

---

149. D. Stevenson, *The Origins of Freemasonry : Scotland's Century, 1590 to 1710*, Cambridge University Press, 1990.

150. Dans un tout autre registre, mais significatif en l'occurrence, Michel Meurger a pu démontrer magnifiquement comment le statut fantasmatique de l'Écosse vue comme une

Par ailleurs, il nous faut prendre la mesure de l'incroyable succès que l'ordre maçonnique a rencontré dès ses débuts dans l'ensemble du monde occidental. Des quatre loges londoniennes, l'ordre essaime rapidement à travers l'Europe entière, bientôt dans les colonies américaines. Et nous laisse songeur par sa capacité à contaminer des classes sociales alors parfaitement compartimentées – bourgeoisie, noblesse, clergé, plus rarement classes populaires. Dès le milieu du XVIIIe siècle, presque plus aucune ville européenne n'est étrangère à l'expansion des loges – qui frappent l'imaginaire populaire, savant et spirituel de l'Occident, au point d'inspirer à peine dix ans après leur création officielle, pamphlets, révélations, comédies, condamnations, exégèses, opéras, spectacles ou tracts. Dans la civilisation socialement sclérosée d'Ancien Régime, l'émergence de la franc-maçonnerie apparaît comme un phénomène radicalement novateur. Son succès inédit est porté par trois motifs qui, en France, formeront la devise de la maçonnerie comme de la République : Liberté, Égalité, Fraternité.

Il y a bien d'abord une liberté maçonnique. Elle est à la fois fondée par le principe de secret qui, au sein de la loge, libère la parole. Et par le réseau d'entr'aide et de reconnaissance, qu'elle invente, et qui offre une liberté de circuler nouvelle dans l'Europe du XVIIIe siècle. L'égalité quant à elle se vit ne

---

terre de traditions préservées, de cultes magiques, de légendes ancestrales fausse la vision des chercheurs sur l'histoire du Loch Ness, véritable légende scientifique et moderne. Le parallèle est frappant avec l'édification d'une légende maçonnique écossaise ! Michel Meurger, « Le Monstre du Loch Ness », *Scientifictions* n° 1 vol. 2, Encrage, 1997.

serait-ce que par le simple port rituel de l'épée, arme réservée normalement à la noblesse, et par un fort sentiment de tolérance, notamment religieuse. Protestants, catholiques, plus tard juifs et musulmans « maçonnent » ensemble, ce qui peut largement expliquer l'anathème quasi-immédiat que lance le Vatican sur une pratique jugée bien trop relativiste[151]. Fraternité enfin, puisque la franc-maçonnerie se revendique, comme l'affirme Anderson dans ses *Constitutions*, « la religion propre à tous les hommes ».

Cet humanisme affiché, qui s'accorde parfaitement à l'élan philosophique des Lumières, va rapidement susciter un réseau transfrontalier a-religieux et inédit, favorisant l'échange des idées, des biens, des concepts. Et formuler ainsi les prémices d'une entr'aide sociale. Autant d'éléments qui expliqueront la réussite de l'idée maçonnique au sein de la société américaine en général, et de la communauté afro-américaine en particulier.

Les principes maçonniques face à l'esclavage

Reste que le premier grand paradoxe auquel est confronté le chercheur, lorsqu'il se penche sur la franc-maçonnerie américaine, c'est son rapport ambivalent à l'esclavage et au commerce triangulaire. D'un côté, l'institution esclavagiste se révèle grandement représentée au sein des loges des colonies et des ports négriers. Mais d'un autre côté, de nombreux

---

151. *Cf.* Charles Porset et Cécile Révauger, *Franc-maçonnerie et religions dans l'Europe des Lumières*, Champion, 1998. En 1738, première bulle papale condamnant la maçonnerie.

francs-maçons font partie des cercles abolitionnistes qui apparaissent dès le XVIIIe siècle. Comment des francs-maçons, partageant le même idéal de liberté, d'égalité et de fraternité, ont-ils pu s'opposer entre eux sur la question de l'esclavage ?

Car l'idéal maçonnique, au XVIIIe siècle, sert autant de tremplin à l'institution que de faire-valoir aux entreprises les plus diverses. Il contribuera à la fois à saper la société d'Ancien Régime, et à favoriser les échanges économiques entre commerçants, colons et navigateurs de cultures différentes. Et puis comment une si vaste organisation aurait-elle pu être étrangère au système qui supportait l'ensemble de l'édifice colonial, à savoir la traite négrière ? Car si les premières déportations d'Africains dans les colonies américaines précèdent de plus d'un siècle la création de la Grande Loge d'Angleterre – les premiers esclaves noirs arrivent à Jamestown, Virginie, en 1619 –, le commerce des esclaves se généralise parallèlement à l'expansion de la maçonnerie dans toutes les colonies françaises, espagnoles, portugaises, hollandaises et anglaises tout au long du siècle des Lumières[152]. Il n'y a évidemment pas lieu d'y voir un lien direct de cause à effet. Mais ce qui frappe, c'est le nombre ahurissant de capitaines négriers francs-maçons[153]. Ne nous étonnons pas alors que de nombreux propriétaires d'esclaves,

---

152. Première loge créée en Martinique en 1738, selon Guy Monduc, *Essai sur l'origine et l'histoire de la franc-maçonnerie en Guadeloupe*, Presses Alcha, 1985.

153. Un fait mis en lumière par la loge maritime de recherche *The Link*, devenue la loge La Pérouse. J.-M. Van Hille, *Dictionnaire des marins francs-maçons : Gens de mer et professions connexes aux XVIIIe, XIXe et XXe siècles*, Le Phare de Misaine, 2008.

représentants d'une nouvelle bourgeoisie et aristocratie de ce Nouveau Monde, aient appartenu à l'ordre. Dans son ouvrage, *La Traite des Noirs*, Hugh Thomas livre ainsi le portrait d'un esclavagiste franc-maçon cubain et importante personnalité locale, Joaquin Gomez. Il fait également apparaître un lien inattendu entre Église et franc-maçonnerie – les deux institutions ayant largement contribué à l'organisation de la traite, jésuites d'un côté, initiés de l'autre. Et précise même : « dans le Bordeaux de la fin du XVIIIe siècle, il semble que la plupart des francs-maçons aient été négriers[154]. » À Nantes, on peut avec stupéfaction constater le nombre de capitaines négriers appartenant à la loge Mars et les Arts aux XVIIIe et XIXe siècles[155]. On peut lire avec émotion le témoignage du capitaine négrier repenti Yves Le Meur, qui, devant les frères de cette loge, évoque les souvenirs terribles qui le hantent. Comme pour se justifier, il parle de la haute figure que représentait pour tous ces marins le capitaine Joseph Crassous de Médeuil, républicain, négrier et membre de la loge L'Union Parfaite de La Rochelle[156].

Le réseau maçonnique international inédit que nous décrivions favorisait donc l'échange au-delà de toute considération religieuse et géopolitique. Et le Nouveau Monde qui s'offrait aux explorateurs, voyageurs, et entrepreneurs, devenait par là même un terrain privilégié pour les membres d'un ordre épris de

---

154. H. Thomas, *La Traite des Noirs 1440-1870 : Histoire du commerce d'esclaves transatlantique*, Robert Laffont, 2006.
155. *Cf.* www.rllaperouse.org, « La loge nantaise Mars et les Arts, une loge de capitaines au long cours ? »
156. *Cf.* www.rllaperouse.org/yveslemeur.htm.

liberté, d'esprit d'entreprise et d'aventures. Mais cet élan aura en quelque sorte amplifié une organisation économique fondée sur l'assujettissement d'êtres humains par d'autres êtres humains. En effet, loin du système féodal aristocratique, les colons inventaient une nouvelle société fondée sur la liberté d'entreprendre, qui impliquait des rendements, des engagements et des bénéfices jusque-là inconnus, et qu'il fallait bien nourrir d'une main-d'œuvre efficace. Moralement, le constat serait accablant si, parallèlement, l'organisation esclavagiste n'avait pas rapidement développé contre elle un fort mouvement de contestation abolitionniste, dont les rangs ont largement été rejoints par des personnalités franc-maçonnes d'envergure[157]. En France, la Société des Amis des Noirs voit Mirabeau, Lafayette, ou le Chevalier de Saint-Georges (un des premiers Noirs initiés à la maçonnerie) offrir à la cause abolitionniste une dimension intellectuelle et politique décisive[158]. En face, le Club Massiac qui défendait activement les intérêts des propriétaires d'esclaves comptait en son sein d'autres personnalités maçonniques d'importance, tels Moreau de Saint-Méry et Bacon de la Chevalerie. L'esclavage

---

157. Il faut citer malgré tout l'existence d'une des personnalités les plus influentes de l'abolitionnisme américain, Jonathan Blanchard, président du Wheaton College, et candidat à la présidentielle américaine sous la bannière de l'Anti-Masonic Party, créé après l'affaire Morgan. John Quincy Adams, sixième président des États-Unis, et abolitionniste notoire, sera à la fin de sa carrière politique un membre actif de l'Anti-Masonic Party.

158. La question de l'appartenance à la maçonnerie de l'Abbé Grégoire, un des grands *leaders* de la cause abolitionniste, fait toujours débat.

avait ses défenseurs et ses adversaires, et l'idéal maçonnique nourrissait les uns comme les autres.

Il y aura donc, à l'âge d'or de la maçonnerie française, un « pavé mosaïque » de frères opposés, pour reprendre l'image d'un symbole important de la franc-maçonnerie. C'est la Convention qui, en 1794, abolira une première fois l'esclavage, sous l'impulsion des idées humanistes défendues notamment par certains francs-maçons. Mais ce sera aussi Napoléon qui le rétablira en 1802, sous l'influence de la paix d'Amiens, mais aussi des propriétaires et commerçants des colonies, dont de nombreux représentants sont maçons, à commencer par les Beauharnais. Le dernier mot reviendra à l'un des francs-maçons les plus illustres, Victor Schœlcher, qui parviendra à faire abolir définitivement l'esclavage en France en 1848.

Le Rite écossais ancien et accepté, sans doute le plus répandu des rites maçonniques dit « de perfection[159] », est le fruit édifiant de cette histoire coloniale : le résultat de pérégrinations voulues ou subies, telles qu'elles se pratiquaient à l'époque dans les Antilles. Le négociant français Étienne Morin, répondant au milieu du XVIIIe siècle à l'appel du Nouveau Monde, emporte dans ses bagages l'un des premiers rites de perfection européens. Quelques décennies plus tard, Auguste de Grasse Tilly, propriétaire de plantation et fils de l'amiral de Grasse, héros de la révolution américaine, contraint de quitter Saint-

---

159. Les rites de perfection concernent les grades qui vont au-delà des trois premiers grades « universels » de la franc-maçonnerie : apprenti, compagnon, maître. Les trois premiers degrés sont communément appelés « bleus » dans le jargon maçonnique.

Domingue lors de la révolte des esclaves, implante à Charleston, Caroline du Sud, un rite nouveau, issu de celui de Morin. Ce rite déterminera en 1801 la création aux États-Unis du premier Suprême Conseil du Rite écossais ancien et accepté et – retraversant l'Atlantique avec de Grasse Tilly – du Suprême Conseil de France en 1804. Le Suprême Conseil américain de Charleston sera rapidement un centre névralgique de la maçonnerie mondiale par son activisme. Au point de s'imposer dans l'imaginaire des cercles antimaçonniques catholiques et d'extrême droite comme la capitale occulte du grand complot judéo-maçonnique : le centre de « l'église de Satan » qu'extrapole le mystificateur marseillais Léo Taxil[160].

Or Charleston incarne paradoxalement ce lien trouble et inattendu entre maçonnerie et esclavage. Elle est la capitale culturelle d'un Sud qui refuse catégoriquement, sous l'injonction du nord du pays, de se départir de ses esclaves. Jusqu'à la guerre de Sécession qui éclate en 1861. Et qui voit les Américains, citoyens contre citoyens, frères contre frères, s'affronter dans le combat le plus meurtrier de leur histoire, pour savoir si oui ou non le pays peut conserver cette « institution particulière ».

---

160. Personnage haut en couleur, mystificateur de génie, le marseillais Léo Taxil fut tour à tour anticlérical et antimaçon, toujours dans un souci du canular remarquablement construit. Même s'il a avoué lors d'une conférence de presse restée fameuse avoir totalement imaginé et affabulé les relations entre satanisme et franc-maçonnerie qu'il décrivait dans ses best-sellers, ses textes sont toujours cités par les sites et les auteurs de l'antimaçonnisme moderne, au même titre que l'Abbé Barruel.

La Prince Hall Masonry : *fondation d'un système initiatique noir américain*

Mais voilà : c'est à cette même époque que notre enquête sur les racines maçonniques du jazz trouve son passionnant point de départ. Parmi les premiers francs-maçons apparaissent bientôt quelques frères noirs qui, par leur combat, contribueront à émanciper leurs semblables. Descendants putatifs de ceux qui, lors des insurrections d'esclaves, notamment haïtiennes sous la houlette de Toussaint Louverture, avaient brûlé les temples maçonniques comme symboles de la suprématie blanche[161], ces frères noirs américains avaient cependant repris à leur compte l'idéal maçonnique dans lequel ils voyaient un évident symbole d'émancipation et d'éducation. Et auront su créer l'un des mouvements maçonniques les plus dynamiques et les plus passionnants de l'histoire : la maçonnerie dite de Prince Hall. Du nom du premier Noir américain affranchi et initié en 1775, ce mouvement maçonnique afro-américain devint rapidement une obédience à part entière. C'est qu'il n'y avait pas d'autre choix face à l'hostilité généralisée des francs-maçons blancs qui ne voulaient sous aucun prétexte retrouver d'anciens esclaves dans leurs temples – pre-

---

161. D'après Georges Odo dans *La Franc-maçonnerie dans les colonies : 1738-1960* (Éditions Maçonniques de France, 2001), les temples maçonniques furent incendiés durant l'insurrection en tant qu'« un des symboles de la domination des Grands Blancs » et certains francs-maçons furent tués. Sur Toussaint Louverture et Haïti, les *Mémoires du général Toussaint Louverture, écrits par lui-même,* Joseph Saint-Rémy, 1853 sont consultables sur le site de la BNF. Sur l'appartenance de Toussaint Louverture à la franc-maçonnerie, on peut consulter un article de l'excellent blog de Jiri Pragman : www.hiram.be.

nant appui sur les *Constitutions* d'Anderson qui interdisent l'initiation « aux femmes, serfs, handicapés et esclaves ». La maçonnerie noire de Prince Hall évolua donc indépendamment d'une maçonnerie blanche – exemple concret d'une ségrégation qui aux États-Unis s'institutionnalise jusqu'aux cercles initiatiques.

C'est ainsi que la franc-maçonnerie – qui historiquement a pourtant favorisé l'esclavagisme –, obtient bientôt le même succès auprès de la jeune société de Noirs affranchis qui, au milieu du XVIIIe siècle sur la côte Est, est en train de s'organiser. La poignée de Noirs initiée par une loge militaire irlandaise en garnison à Boston en 1775 va donner naissance à un mouvement d'envergure nationale : jusqu'au Dixieland, où l'on verra l'essentiel de la gent masculine noire émancipée rejoindre la franc-maçonnerie. En Alabama, par exemple, où l'on compte encore actuellement la plus forte proportion d'Afro-Américains francs-maçons[162].

Parmi cette poignée originelle de francs-maçons noirs, c'est un certain Prince Hall, qui porté par son autorité naturelle deviendra le premier Grand Maître de la maçonnerie noire, et ce par la force des choses. Car le but premier des francs-maçons qui l'accompagnent est la reconnaissance par la Grande Loge d'Angleterre – un fait authentifié par l'enregistrement de l'*African Lodge* à Boston en 1784, qui portera officiellement le n° 459 dans la liste des loges reconnues par Londres. Mais le tollé suscité par l'apparition de cette

---

162. Pour une cartographie et géographie historique précise de la maçonnerie américaine et afro-américaine, voir le site très complet de Paul W. Bessel, ancien bibliothécaire du musée maçonnique George Washington : www.bessel.org.

loge sera tellement grand que Londres aura rapidement recours à un fallacieux argument de non-paiement de cotisation pour rejeter l'*African Lodge* dans la clandestinité. On peut gloser sur l'hypocrisie anglaise – d'autant qu'au départ Londres, en pleine crise d'indépendance américaine, souhaitait apparemment faire un cadeau empoisonné aux indépendantistes en favorisant ainsi l'émergence d'une société noire affranchie[163]. Prince Hall et les membres de l'*African Lodge* auront donc toute latitude pour initier de nouveaux frères – enfreignant une règle protocolaire stricte qui stipule que ce droit n'est dévolu qu'à une loge reconnue. Et par là même pour définir les règles de fonctionnement d'une obédience afro-américaine indépendante : la *Prince Hall Freemasonry*.

Il faudra attendre le lendemain de la Seconde Guerre mondiale pour que, imperceptiblement, État par État, les grandes loges américaines *mainstream*[164], c'est-à-dire officielles et à très grande majorité blanche (et représentant démographiquement la plus grande force maçonnique mondiale), reconnaissent la

---

163. N'oublions pas que de très nombreuses personnalités de la Révolution américaine étaient franc-maçonnes, à commencer par George Washington. La fameuse *Boston Tea Party* de 1773, si elle n'a pas été une action purement maçonnique, a été largement suivie par les francs-maçons de la ville, la loge bostonienne ayant fermé ses portes pour l'occasion. Voir « En Amérique et en France, le franc-maçon dans la cité », par Cécile Révauger, dans *L'Amérique et la France, deux révolutions*, Publications de la Sorbonne, 1990.

164. Je reprends ici l'expression de Paul Bessel pour définir les grandes loges et loges officielles et régulières (reconnues par la Grande Loge Unie d'Angleterre, et obéissant aux « *old landmarks* »).

légitimité des grandes loges de Prince Hall. Ces dernières initient désormais toutes races confondues. Quant aux loges *mainstream*, elles sont de plus en plus ouvertes aux Afro-Américains, si l'on en croit de nombreux documents, officiels ou non, de la vie maçonnique américaine. Si l'on en croit aussi une dépêche de septembre 1990 reprise dans de nombreux journaux américains, et qui relate un service maçonnique extraordinaire : à Norwalk, des maçons noirs et blancs des deux grandes loges du Connecticut se sont réunis sous la houlette du jazzman et chef d'orchestre Lionel Hampton. « Cet événement illumine mes cinquante-deux ans de maçonnerie » aurait-il déclaré à l'occasion – révélant ainsi qu'il a été initié vers 1938[165].

Malgré tout, en 2009, il reste une fracture parfaitement visible si l'on examine la carte des grandes loges d'États *mainstream* qui ne reconnaissent toujours pas les grandes loges de Prince Hall : de façon édifiante elle correspond presque exactement à la carte des États qui en 1861, alors qu'éclate la guerre de Sécession, continuent à légaliser l'esclavage[166].

Toujours perceptible, la blessure de l'esclavage est d'autant plus flagrante si l'on décortique le rôle inspirateur qu'a pu avoir le cérémonial maçonnique pour les créateurs du Klu Klux Klan. Là, l'apparat, le choix des symboles, le secret, la hiérarchie, l'organisation résonnent de manière étrangement familière à l'esprit de l'usager du rituel maçonnique. Nathan Bedford Forrest, le créateur du KKK, fut maçon,

---

165. *The Dispatch*, 11 septembre 1990.
166. http://bessel.org/masrec/phamapshistorical.htm.

certes peu assidu, et de nombreux membres et dignitaires de l'organisation raciste ont été également maçons, parfois à des postes importants. Dans ce Sud épris de cérémonials et de sociabilité, la collusion supposée entre franc-maçonnerie et pratiques rituelles racistes et criminelles peut encore faire débat. Mais il n'y a plus de doute sur l'influence, certes indirecte, qu'a pu exercer la franc-maçonnerie sur le KKK[167].

Morales, dogmes et particularités de la Prince Hall Masonry[168]

Arborant fièrement les témoignages de la légitimité de leur démarche, de la force de leur parcours, de leur place évidente dans le patrimoine historique d'un pays qui affiche clairement ses racines maçonniques[169], exposant ostensiblement dans le temple Prince Hall de Boston la patente originale de l'Afri-

---

167. Cécile Révauger, *L'Amérique et la France, deux révolutions,* cit.

168. Ce titre de chapitre est un clin d'œil au livre *Morals and Dogma* d'Albert Pike (1857), qui fut le grand maître à penser de la maçonnerie écossaise et dont l'ouvrage est sans doute le livre maçonnique le plus vendu et distribué dans le monde. Son influence se ressent sur l'ensemble des franc-maçonneries écossaises du monde entier, y compris chez les maçons de Prince Hall, ce qui peut sembler étonnant lorsque l'on sait que Pike était un confédéré militant, ouvertement hostile à l'abolition de l'esclavage et à l'initiation des Noirs, même s'il concédera parfois une certaine légitimité à la maçonnerie de Prince Hall. Au point qu'on a voulu souvent le voir, à tort si l'on en croit les spécialistes de Pike, comme un des inspirateurs et dignitaires occultes du KKK.

169. *Cf.* Lauric Guillaud, *Histoire secrète de l'Amérique, op. cit.*

can Lodge – l'une des plus anciennes encore existantes aux États-Unis –, les maçons de Prince Hall vivent depuis deux cents ans dans le paradoxe de la ségrégation et la clandestinité. Au croisement des richesses intellectuelles, morales, spirituelles héritées de la tradition maçonnique européenne et de l'âpre lutte d'émancipation menée par la communauté africaine américaine. Explorer leur histoire, nous le comprenons maintenant, jette ainsi une lumière nouvelle sur la grande histoire de la libération du peuple noir américain. Elle en éclaire l'un de ses moteurs secrets.

C'est que les principes de liberté et de fraternité si chers à Prince Hall et ses compagnons n'ont pas empêché leur exclusion du temple par leurs semblables de race blanche. Isolée du reste du monde maçonnique – excepté quelques relations amicales qu'elle entretint avec d'autres obédiences, notamment françaises[170], dites libérales ou latines, et subissant

---

170. Il s'agit essentiellement de la Grande Loge de France (GLDF) et du Grand Orient de France (GODF). Un fait intéressant, qui contredit la règle supposée immuable de l'obligation d'une unique Grande Loge par État : selon l'annuaire de la Grande Loge de France, de nombreuses grandes loges d'États américaines entretenaient des liens d'amitié avec la GLDF jusqu'en 1974, en même temps qu'avec la Grande Loge Nationale de France, reconnue régulièrement par Londres (en 1936 : Alabama, Californie, Iowa, Kentucky, Orégon, Rhode Island, Texas, Louisiane, Maine, Minnesota, Nevada, South Dakota, Utah, New Jersey). L'agenda-annuaire du Suprême Conseil et de la Grande Loge de France de 1912 montre quant à lui une confédération des suprêmes conseils dont les deux S.C., nord et Sud des États-Unis. En 2008, une délégation de la Grande Loge Prince Hall de Géorgie fut reçue avec les honneurs dans le temple de la GLDF (*Le journal de la GLDF* n° 86, 2008).

également l'anathème de Londres –, la *Prince Hall Masonry* va donc se développer indépendamment du système officiel. Et jouir par là même d'une importante liberté d'action. Qui lui permettra de peser d'un poids certain sur l'évolution de la société américaine et afro-américaine.

C'est en effet à l'aune de son militantisme politique et de son investissement social que l'influence de la *Prince Hall Masonry* s'observe le plus clairement. Prince Hall lui-même était un militant de tout premier ordre[171]. Il est ainsi l'instigateur et le signataire d'une des premières pétitions demandant l'arrêt de l'esclavage, auprès de la Chambre des représentants du Massachusetts, en janvier 1777. D'une magnifique tenue littéraire et d'un profond sens de la concision, ce texte ne cache rien de la forte personnalité de Prince Hall. Nous pouvons imaginer alors l'influence morale et intellectuelle qu'il a pu exercer sur ses frères, ses proches et ses semblables[172]. La revendication par la pétition fut un outil important pour Prince Hall, puisqu'il réitérera l'action à de très nombreuses reprises, notamment en 1787 pour demander aux mêmes représentants une aide financière pour la constitution d'une colonie d'anciens esclaves en Afrique. Ainsi, la franc-maçonnerie noire américaine

---

171. Les querelles incessantes concernant ses origines exactes et son état civil montrent l'énergie déployée pour discréditer l'image et le statut de Prince Hall, ou au contraire pour le glorifier à la limite de la mystification, comme dans le cas de son biographe William Grimshaw.

172. Le texte de la pétition, ainsi qu'une belle traduction, sont lisibles en annexe dans l'étude de Cécile Révauger, *Noirs et francs-maçons*, Éditions maçonniques de France, 2003.

qui est considérée, souvent à juste titre, comme une institution intégrationniste – c'est-à-dire travaillant à l'intégration des Noirs dans la société américaine –, n'aura pas seulement un rôle déterminant dans l'émergence de l'idée abolitionniste, mais aussi dans l'émergence de l'idée séparatiste, qui milite pour la séparation des communautés noire et blanche, voire pour le retour en Afrique.

Les exemples sont innombrables qui montrent l'action militante, souvent courageuse, de francs-maçons de Prince Hall pour l'interdiction de l'esclavage. Il semble même que, dans les villes de la côte Est, la création des premières sociétés abolitionnistes noires ait souvent été consécutive de la création des premières loges de Prince Hall. C'est en tout cas un fait : la maçonnerie de Prince Hall est la première organisation noire constituée par et pour les Noirs, et non plus sous la houlette de Blancs philanthropes et humanistes. Précédant ainsi les églises, les clubs, les partis politiques et les syndicats dans la lutte pour l'émancipation.

Abolition – Underground Rail Road

Un même phénomène gémellaire entre loges et institutions apparaît à travers la création des premières églises noires. À Philadelphie en 1787, les Noirs qui demandaient la même place à l'office que les Blancs sont exclus, physiquement, de l'église méthodiste de la ville. Les Noirs libres de Boston créent dans la foulée, la *Free African Society* – pour défendre l'intérêt des leurs –, et l'*African Methodist Episcopal Church* (AMEC), la première église noire de l'histoire des États-Unis[173]. Ses fondateurs – dont son premier évêque Richard Allen – étaient également compagnons de route de Prince Hall et, à l'instar de nombre de fidèles, membres de l'*African Lodge*. Prince Hall le leur rendra bien en devenant à son tour membre et prédicateur de l'AMEC.

Toutes ces institutions – sociétés abolitionnistes, loges, églises – joueront un rôle décisif dans l'organisation de l'*Underground Railroad,* ce fameux réseau clandestin qui permettait de faire passer les esclaves fugitifs sur des terres plus propices, le Canada faisant office alors, à défaut d'Afrique, de Terre promise. Les maçons de Prince Hall américains et canadiens n'ont de cesse depuis de commémorer le souvenir de l'esclavage et du rôle qu'ils ont joué dans son abolition, en fêtant la mémoire par exemple du Grand Maître du Massachusetts durant la guerre de Sécession, Lewis Hayden, organisateur de l'*Underground Railroad* dans cet État, ou de J. Walker Hood, évêque de l'*African Methodist Zion Church* (église indépendante de l'AMEC) en Caroline du Nord et Grand Maître de la *Grand Lodge Prince Hall. Of N. C.* Pensons évidemment à Josiah Henson – l'inspirateur de Harriet Beecher Stowe pour *La Case de l'oncle Tom* – esclave fugitif, réfugié en Ontario, responsable de l'*Underground Railroad*, pasteur méthodiste et franc-maçon de Prince Hall.

Et comment ne pas évoquer Martin R. Delany, franc-maçon, combattant les confédérés à la demande d'Abraham Lincoln, appelant ouvertement les esclaves

---

173. E. Lincoln, & L. H. Mamiya, *The Black Church in the African American Experience*, Duke University Press, 1990. L. G. Murphy, J. G. Melton, *Encyclopedia of African-American Religion*, Garland publishing, 1993.

à la révolte et militant ardemment pour le séparatisme? Ou David Walker, l'auteur en 1829 d'*An Appeal to the Colored Citizens of the World*, véritable brûlot révolutionnaire d'un franc-maçon qui, avant de théoriser la révolution noire, participa en 1822 à la tentative d'insurrection de Denmark Vesey – autre grande figure insurrectionnelle méthodiste. Outre son appartenance maçonnique, on connaît également l'activisme de David Walker au sein de l'AMEC, soulignant à nouveau le lien étroit entre activisme politique, franc-maçonnerie et activité religieuse dans la société noire libre du XIX siècle. Comment ne pas voir dans cet environnement politique et religieux l'un des fondements essentiels de la lutte des droits civiques qui émergera juste après la Seconde Guerre mondiale?

C'est d'ailleurs à l'intérieur même de la maçonnerie noire, que surgit dès le XVIII siècle l'ambivalence politique qui dans les années 1960, opposera Martin Luther King à Malcolm X, ou au début du XX siècle, Booker T. Washington et W. E. B. Du Bois. À savoir, le dilemme entre intégrationnisme et séparatisme, dialogue et radicalité. Rappelons-nous alors à quel point la maçonnerie de Prince Hall fut combattue par les mouvements radicaux tels que *Nation of Islam*[174] ou les *Black Panthers*. D'abord comme représentants d'une bourgeoisie masculine noire compromise, ce qui du point de vue de l'analyse sociale est assez juste. Mais aussi comme une institution « oncletomiste » singeant

---

174. Voir le fascicule d'Elijah Muhammad « The Secrets of Freemasonry » édité en 1948, qui illustre bien la tentative du leader de *Nation of Islam* de diaboliser la maçonnerie tout en lui reconnaissant de fait une antériorité dans l'édification des masses noires.

la société blanche et demeurant ainsi sous sa coupe, ce qui est, nous l'avons vu, pour le moins inexact.

Quelle est donc la place de la franc-maçonnerie noire américaine dans le paysage idéologique et politique des luttes pour les droits civiques ? Institution discrète ou au contraire revendicatrice ? La maçonnerie a, de fait, suscité des points de vue nombreux et souvent opposés. Reste que par-delà les tenants d'une théorie de l'aliénation – adopter une appartenance totalement assujettie à l'identité coloniale et occidentale, dans l'espoir d'user des outils d'émancipation, de symbolisme et de liberté qu'elle propose – et les défenseurs d'une théorie de la continuité entre l'Afrique et les Amériques, reprise en substance et transformée par les afrocentristes, les tenants de la thèse de la créolisation auront pour leur part un regard attentif à une organisation née du contexte multiculturel de l'Amérique esclavagiste.

Il faudrait se tourner alors vers Édouard Glissant pour trouver un juste espace théorique à notre réflexion. Lui reprend, actualise, affine l'idée de la créolisation. Se délestant de la question de l'origine, Glissant conçoit le phénomène de créolisation comme issu des rencontres et des échanges propres à la mondialisation en marche. La créolisation, affirme-t-il, produit de l'imprévisible, hors de tout problème identitaire, là où le métissage, lui, produit du prévisible. La créolisation du monde, dans ce qu'elle a de plus surprenant, se cristallise selon Glissant sur l'Atlantique. Il s'approche ainsi du récit d'un Paul Gilroy[175] embras-

---

175. P. Gilroy, *L'Atlantique noir : Modernité et double conscience*, Kargo-L'éclat, 2003.

sant cet « Atlantique noir » comme un continent à part entière, né de l'expérience de la traite négrière, et précurseur d'un avenir où la notion de race ne signifierait plus rien. Le jazz, ajoute Glissant, est la manifestation de ce phénomène : « Ce va-et-vient par-dessus l'Atlantique est incroyable. À mon sens, l'Atlantique est un continent et le Nouveau Monde est constitué des archipels : la Caraïbe, le Brésil… Et les États-Unis vont "s'archipéliser". Quand j'écris : "C'est une rumeur de plusieurs siècles et c'est le chant des océans", c'est une définition possible du jazz. »

La franc-maçonnerie noire américaine n'est-elle pas également une émanation évidente de ce transfert perpétuel par-dessus l'Atlantique ? De ce bruissement général qui « archipélise » les États-Unis ? Ne partage-t-elle pas avec le jazz l'honneur d'être né de l'Atlantique créole défendu par Glissant et Gilroy ? Fruits inattendus de la domination coloniale, recyclant les principes fondamentaux de l'Occident européen, et visant la réinvention d'une identité africaine-américaine qui sourd de manière imprévisible au beau milieu d'une société blanche dirigeante, la franc-maçonnerie noire et l'épopée jazz témoignent parmi les premiers de la créolisation du monde : vers ce « Tout-Monde » que Glissant appelait de ses vœux.

La politique par l'éducation

Au-delà de l'abolitionnisme affiché par les maçons de Prince Hall dès la fin du XVIIIe siècle, c'est leur effort d'éducation des populations noires en esclavage, libres ou nouvellement affranchies qui demeure saisissant. Tous ses leaders, à commencer par Prince Hall lui-même, furent d'ardents animateurs de la transmission des savoirs et de l'émancipation par l'éducation. Les créations d'écoles pour enfants, des premières universités noires, de sociétés littéraires, des premiers journaux noirs, sont souvent le fait de francs-maçons qui ont justement expérimenté la vitalité de la transmission de leur ordre. Car la Loge elle-même peut être vécue comme une université de substitution avec son évolution en grade dans le savoir initiatique, son rituel de la prise de parole et de l'écoute attentive, la transmission d'un savoir dit ancestral par l'utilisation de symboles à la fois mystérieux et utilisables par tous. Cette transmission de nature initiatique, sur la base d'une hiérarchie semble-t-il ésotérique qui met en valeur l'expérience et le savoir, a pu rappeler aux descendants d'esclaves la logique des sociétés initiatiques d'Afrique de l'Ouest. Elle s'avère ainsi être un vecteur du succès de la maçonnerie auprès de la communauté afro-américaine[176].

L'attachement à l'éducation défendue par les francs-maçons de Prince Hall s'illustre également par l'appartenance des deux éducateurs les plus connus de l'histoire afro-américaine : Booker T. Washington et W. E. B. Du Bois. Opposés dans les faits et dans l'action, l'un défendant une intégration discrète, l'autre militant volontiers pour des revendications plus

---

[176]. Craig Steven Wilder met en valeur ainsi quelques éléments sociaux plus spécifiquement africains dans le contexte urbain de la communauté afro-américaine new-yorkaise, et les loges maçonniques y ont de ce point de vue un rôle important. C. S. Wilder, *In the Company of Black Men: The African Influence on African American Culture in New York City*, New York University Press, 2001.

franches, les deux activistes pédagogues ont pourtant accepté, à la demande de francs-maçons de Prince Hall, de devenir *masons at sigth*, c'est-à-dire francs-maçons *honoris causa* pour leurs activités militantes[177]. Signalant ainsi l'estime réciproque des deux militants et de l'institution maçonnique.

Mutualisation, entr'aide, fraternités: les prémices d'une organisation du travail[178]

La glorification du travail, slogan maçonnique universel, est affichée par les maçons noirs américains. Ils entendent ainsi démontrer aux Blancs l'inanité de l'image oisive et paresseuse qu'ils leur associent systématiquement. De ce militantisme du labeur émancipateur va naître une organisation du travail spécifique qui met en scène loges, sociétés d'entr'aide fraternelle telles que *Odd Fellows*, *Knights of Pythias*,

---

177. J'ai pu en juin 2011, lors de mon passage au Tuskegee Institute (Alabama) avec Emmanuel Parent, consulter la correspondance de Booker T. Washington relative à ses relations avec les organisations fraternelles, dans le cadre du travail militant. Que ce soit dans les notes préliminaires du Comité des Treize, ou dans la correspondance avec W. L. Taylor, responsable de l'organisation fraternelle *Grand Fountain* U.O.T.R., l'importance de l'organisation maçonnique pour Booker T. Washington ne fait guère de doute. Je remercie vivement Dana Chandler, responsable des archives du Tuskegee Institute, pour son accueil et son aide.

178. Pour une étude de l'histoire de la maçonnerie afro-américaine et de son implication sociale et politique, lire *All Men Free and Brethren – Essays on the History of African American Freemasonry* sous la direction Peter P. Hinks et Stephen Kantrowitz, Cornell University Press, 2013.

Knights of Colombus et syndicats pour pallier l'absence totale de protection sociale. Les prémices d'une sécurité sociale et d'une assurance-maladie propres à la communauté, les premiers réseaux bancaires qui soutiendront la création d'entre-

Battle of Music © Franz Hoffmann, *Jazz Advertised*, Germany 1989

prises noires, voient ainsi le jour au XIXe siècle.

Pour les musiciens eux-mêmes, la franc-maçonnerie représente un employeur de tout premier ordre. Afin d'asseoir leur image au sein de la communauté, mais aussi pour lever des fonds au bénéfice de leurs actions sociales, mutualistes ou d'entraide professionnelle, les loges maçonniques et les *Odd Fellows* organisent sur l'ensemble du territoire un nombre impressionnant de concerts, bals, rencontres, permettant d'engager tout aussi généreusement les artistes qui animeront les soirées et en feront le succès. On s'arrache donc les meilleurs musiciens, et la nouvelle musique qui émerge au début du XXe siècle aura une place privilégiée dans ce contexte. De plus, les temples et les *masonic halls* sont généralement plus abordables à la location et moins ségrégués que les salles de concert, surtout dans le Sud.

Nous avons vu avec Garvin Bushell, Cab Calloway et Milt Hinton l'importance du temple comme lieu de travail, et nous reviendrons plus tard sur Buddy Bolden et la Nouvelle-Orléans. Mais il suffit dans un premier temps de regarder la feuille de route d'un big band dans les années 1930 pour voir à quel point le temple maçonnique ou le *masonic hall* est un lieu de concert et de travail primordial[179]. Encore maintenant, la plupart des grandes villes américaines accueillent leurs musiciens dans des *masonic halls*, et Wynton Marsalis enregistre certains de ses disques dans le grand temple de New York, à l'acoustique boisée réputée parfaite. On peut aussi recueillir comme illustration les nombreux tracts et affiches qui relatent ces concerts, comme ici pour Cab Calloway.

Cab Calloway au Pythian Temple © Franz Hoffmann, *Jazz Advertised*, Germany 1989

Il est donc aisé de comprendre l'intérêt professionnel que représente l'appartenance maçonnique pour des musiciens qui, voyageant sur d'immenses distances de ville en ville, s'assurent la possibilité d'une entr'aide spontanée. Ils sont en cela finalement assez proches du musicien gentilhomme voyageur de l'Europe des Lumières – cette autre période

---

179. On peut distinguer quelques temples et auditoriums maçonniques dans lesquels l'orchestre de Duke Ellington a joué dans les années 1930 sur le site de la Duke Ellington Music Society : http://www.depanorama.net/dems/051b.htm.

de connivence entre musiciens et franc-maçonnerie. Entre le contemporain de Mozart (et Mozart lui-même) – qui voyait dans l'appartenance maçonnique un excellent moyen, par-delà le périlleux contexte religieux de l'époque, de trouver asile, aide, réconfort dans n'importe quelle ville européenne – et le jazzman nomade de la première moitié du XXe siècle, il y a un parallèle évident : une fraternité antidatée en quelque sorte !

Lynn Abbott et Doug Seroff, dans leur remarquable étude sur les artistes noirs itinérants des *traveling*

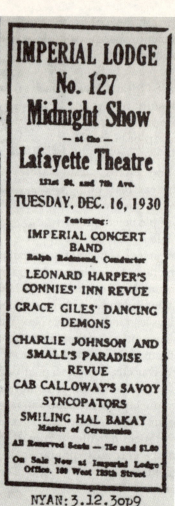

Concert à l'Imperial Lodge © Franz Hoffmann, *Jazz Advertised*, Germany 1989

shows[180] démontrent l'importance de l'initiation fraternelle. L'épisode de Ma Rainey (la « mère du blues ») et Clara Smith initiées à la *Majestic Lodge* de la *Court of Calanthe* (sororités proches des *Knights of Pythias*) est, à ce titre, évocateur. *The Freeman*, un journal noir créé en 1888 à Indianapolis, dans son édition du 8 août 1915 raconte dans le détail cette initiation qui a lieu dans le cadre de la tournée du *Tolliver's Big Show*. L'article informe également le lecteur de l'initiation à la *Langston Lodge* n° 182 d'Alexander Tolliver, Aaron Tolliver, Arthur William, Frank Jackson et Al Wells, soit une grande partie masculine de la troupe.

Lynn Abbott et Doug Seroff sont aussi les auteurs d'un article de référence sur la vie de Butler « String Beans » May, artiste itinérant prodige[181]. Les témoignages sur le jeu de String Beans sont unanimes : c'était un musicien proprement incroyable, chacun de ses passages faisait sensation. Pourtant, nous n'aurons jamais l'occasion d'entendre String Beans, il mourut à près de vingt-quatre ans le 17 novembre 1917 avant de pouvoir enregistrer. Les circonstances de sa mort sont édifiantes : le soir du 10 novembre il est initié dans une loge maçonnique de Jacksonville, Floride, mais lors de la cérémonie, la manipulation de l'impétrant échappe aux organisateurs, et String Beans se retrouve la nuque brisée. Totalement paralysé, il meurt donc à l'hôpital quelques jours plus tard des suites d'une initiation ratée.

---

180. L. Abbott, & D. Seroff, *Ragged but Right: Black Traveling Shows, Coon Songs, and the Dark Pathway to Blues and Jazz*, University Press of Mississipi, 2007.

181. L. Abbott, & D. Seroff, « The Life and Death of Pioneer Bluesman Butler "String Beans" May », *Tributaries, Journal of the Alabama Folklife Association,* n° 5, 2002.

L'appartenance maçonnique ne représente pas toujours un danger, bien au contraire. C'est très souvent une échappatoire bien pratique pour éviter des situations critiques. W. C. Handy, « *the father of the blues*[182] », nous en donne la plus émouvante illustration dans son autobiographie. Suite à un concert qui dégénère en plein Mississippi, il est poursuivi par un groupe de Blancs qui veulent clairement sa peau : « Toute la nuit je me suis caché dans les champs. En début de matinée, frigorifié, j'ai frappé à la porte de la cuisine d'un vieil homme blanc et lui ai expliqué dans quelle situation je me trouvais. Il était franc-maçon. Après m'avoir servi un petit-déjeuner, il s'arma d'un fusil à deux coups et me conduisit à la gare dans son Buggy. »

L'initiation maçonnique n'est pas qu'un genre de protection sociale. C'est en l'occurrence une protection tout-court, qui dépasse largement la barrière des races. Si les institutions maçonniques blanches sont inflexibles sur la question raciale, les individus reconnaissent le sens de la fraternité au-delà de la couleur de peau, particulièrement dans un Sud certes ségrégationniste, mais qui a toujours cultivé une proximité officieuse entre Blancs et Noirs. C'est pourquoi nous ne sommes pas d'accord avec le biographe David Robertson lorsqu'il affirme : « Handy a été extraordinairement chanceux que le fermier franc-maçon de Batesville ait été disposé à reconnaître le signe secret de la fraternité de la part d'un maçon noir[183]. » Les exemples sont nombreux qui démontrent la capacité

---

182. W. Handy, & A. W. Bontemps, *Father of the Blues: An Autobiography*, Da Capo Press, 1991.
183. D. Robertson, *W. C. Handy: The Life and Times of the Man Who Made the Blues*, Knopf, 2009.

de la franc-maçonnerie à protéger ses initiés, artistes ou non, dans leurs pérégrinations, leurs rencontres, leurs déboires.

Afrocentrisme et oralité [183bis]

Il nous faut enfin pointer l'afrocentrisme avant la lettre que les maçons de Prince Hall cultivent dès le début. Et auquel, sans doute, les jazzmen ont été sensibles : eux qui revendiquaient dans leurs œuvres une nouvelle fierté noire, et la mettaient en scène de manière originale à travers leur virtuosité et leurs façons de se présenter leur concert. Entendons ici par afrocentrisme, ou pré-afrocentrisme, un mouvement intellectuel et spirituel qui tendait à replacer l'Afrique – terre mère – au centre de l'histoire mondiale, à réhabiliter une vision noire de l'Antiquité égyptienne, à développer une fierté noire qui s'affiche dès le XIXe siècle dans les références aux civilisations africaines – Égypte, Éthiopie, Abyssinie. Et la maçonnerie de Prince Hall semble en effet un précurseur de ce mouvement qui prendra son essor officiel au tournant des années 1970, en déployant un activisme inédit pour l'époque. Ainsi, l'idée du retour à l'Afrique sera très tôt défendue par certains maçons de Prince Hall qui tenteront d'implanter leur loge sur le continent noir, notamment au Libéria. En Haïti également, île symbole de la lutte que Prince Hall lui-même reconnaît comme déterminante, les maçons – héritiers

---

183bis. Sur ces questions voir mon article « "Masonic Inbor" Jazz, sociétés initiatiques et afrocentrisme » dans les *Cahiers d'Études africaines*, LIV (4), 216, 2014, p. 999-1026.

d'une maçonnerie coloniale florissante depuis la révolution – entretiendront des relations durables avec les maçons noirs américains.

Le prosélytisme afrocentré des maçons de Prince Hall aura d'ailleurs des conséquences nouvelles sur l'histoire d'un territoire important pour la musique et la spiritualité afro-américaines : la Jamaïque. L'un des créateurs du rastafarisme, Joseph Nathaniel Hibbert, est initié en 1924 au Costa Rica à l'*Ancient Mystic Order of Ethiopia*, organisation maçonnique liée à la *Prince Hall Masonry*. À son retour en Jamaïque, Hibbert s'inspirera de son expérience initiatique pour orienter le culte de l'Église copte éthiopienne, qu'il crée. Et pour y implanter en 1941, avec Leonard Howell et Archibald Dunkley[184], une branche maçonne « mystique et éthiopienne », prêchant le règne sacré d'Haïlé Selassié et mêlant culture biblique, logique initiatique et mythologie salomonique. David Williams Spencer dans *Dread Jesus*[185] pousse l'analogie maçonnique encore plus loin : le mot rastafarien « *Jah* » (Dieu) proviendrait du nom maçonnique de Dieu « *Jahbulon* », présent dans le rituel maçonnique du Royal Arch, populaire en Amérique du Nord ! La revendication de la beauté de la culture noire est un leitmotiv des francs-maçons de Prince Hall. Et elle entre en parfaite résonance sonore avec le jazz.

De toute manière, Prince Hall et les fondateurs de la maçonnerie noire américaine sont sans aucun doute parmi les fondateurs des principes nationalistes noirs

---

184. M. Smith, R. Augier & R. Nettleford, « The Rastafari Movement in Kingston, Jamaica », *Caribbean Quarterly* n° 13, 1967.

185. W. D. Spencer, *Dread Jesus*, SPCK, 1999.

aux accents pré-afrocentriques, ne serait-ce qu'en tant que première institution sociale noire de l'histoire. Joanna Brooks démontre, dans son analyse des discours de Prince Hall et John Marrant à l'intention des francs-maçons de Boston, la primauté d'une pensée nationaliste et afrocentriste propre aux fondateurs de la maçonnerie noire, mais aussi à l'Église méthodiste et au militantisme émancipateur[186]. De l'éthiopianisme à la relecture de la Bible, les fondamentaux d'une pensée revendicatrice afro-américaine se lisent dans leurs propos, développés par le symbolisme maçonnique, et précurseurs d'une filiation intellectuelle et politique qui explosera près de deux cents ans plus tard.

Les francs-maçons de Prince Hall revendiquent aussi depuis le début de leur existence, comme preuve ultime de leur légitimité face aux maçons blancs, l'origine africaine de la franc-maçonnerie universelle. D'abord en cherchant du côté du Roi Salomon, roi du Temple de Jérusalem, premier temple franc-maçon selon la tradition, et du côté de sa descendance éthiopienne avec la Reine de Saba. Ensuite, en regardant plus précisément du côté de l'Égypte ancienne, à laquelle sont liés, dans l'imaginaire collectif, des rituels pseudo-maçonniques, et qui fournit donc les racines de l'afrocentrisme moderne – comme un prélude aux recherches de Cheikh Anta Diop, Molefi Kete Asante, et aux revendications de James Mona Georges. L'Égypte est africaine, l'Égypte est noire, elle est au fondement des civilisations antiques occidentales, et elle continue de vivre par le biais de l'Éthiopie. Ce

---

186. J. Brooks, « Prince Hall, Freemasonry, and Genealogy », *African American Review* n° 34, 2000.

credo afrocentriste semble déjà convenir aux maçons de Prince Hall comme Martin Delany lorsqu'il déclare en 1853 : « Je pense que tous les orateurs et écrivains de bon sens admettent et reconnaissent que le monde est redevable à l'Afrique pour sa connaissance des mystères de la franc-maçonnerie ancienne[187]. » Pour Delany, « l'Afrique a produit l'Égypte, l'Égypte a produit la connaissance maçonnique, la connaissance maçonnique a produit le monde[188] » constate l'historien Scott Trafton. Il théorisera, près d'un siècle avant l'émergence d'un afrocentrisme officiel et intellectuel, le lien vigoureux entre Égypte ancienne et Éthiopie, civilisations noires primordiales, dans un ouvrage fondateur : *Principia of Ethnology : The Origin of Races and Color, with an Archeological Compendium of Ethiopian and Egyptian Civilization, from Years of Careful Examination and Enquiry*[189], où il tentera même de proposer sa propre traduction hiéroglyphique.

Une littérature pléthorique défend dorénavant les origines africaines de la franc-maçonnerie, venant de la part de chercheurs et militants afro-centristes de tous

---

187. « The Origin and Object of Ancient Freemasonry », in Cécile Révauger, *Noirs et francs-maçons*, cit.

188. Scott Trafton : *Egypt land : race and nineteenth-century American Egyptomania*, Duke University Press 2004. L'ouvrage de Scott Trafton est aussi un excellent outil pour comprendre la relation que la maçonnerie noire entretient avec l'Égypte, et le rôle qu'elle prendra dans la vague égyptomaniaque américaine du XIXe siècle.

189. Publié chez Harper & Brother en 1880. On peut consulter avec profit le receuil très complet édité par l'Université de Caroline du Nord : *Martin Delany, a documentary reader*, University of North Carolina Press, 2003. Tous les textes originaux de Delany cités ici y sont édités.

bords, notamment de membres du *Moorish Science Temple of America* fondé par Noble Drew Ali en 1913. Culte revendiquant un islam syncrétique qui stipule l'existence sur terre de deux seules races, les Maures et les Blancs maléfiques, la religion prophétique de Noble Drew Ali met en place aux États-Unis l'idée d'un islam spécifiquement afro-américain, en regardant du côté des mystères de la franc-maçonnerie vue comme un témoin actuel de la plus ancestrale tradition africaine. Le *Nation of Islam* d'Elijah Muhammad, tout aussi hérétique que le *Moorish Science Temple* vis-à-vis de l'orthodoxie islamique, mais moins afrocentriste dans les faits, aura un regard beaucoup moins bienveillant envers la maçonnerie de Prince Hall, considérée autant comme concurrente que comme une imitation à peine voilée des us et coutumes de la bourgeoisie blanche (cf. *infra* p. 120 *sqq*). Malgré tout, à travers les écrits d'Elijah Muhammad, nous pouvons constater que le symbole d'une maçonnerie centrale dans la vie initiatique des Afro-Américains demeure important dans l'argumentaire de *Nation of Islam*. Il s'agit alors de dénoncer cette place usurpée pour mieux la revendiquer dans le cadre de sa mission de prosélytisme.

Ce rapport nouveau d'amour-haine entre islam afro-américain et maçonnerie de Prince Hall nous rappelle que, contrairement à ce qui a lieu en France, la maçonnerie américaine entretient des rapports étroits avec la religion, chrétienne et méthodiste d'abord, jusqu'à l'islam[190] – pensons d'ailleurs aux shriners,

---

190. K. G. Bassiri, *A History of Islam in America: From the New World to the New World Order*, Cambridge University Press, 2010. R. B. Turner, *Islam in the African-American Experience*, Indiana University Press, 2003.

para-maçonnerie très active socialement reposant exclusivement sur un symbolisme oriental et islamisant. L'afrocentrisme supplanta l'islam dans les années 1980 comme outil de lutte intellectuelle et théorique contre le pouvoir hégémonique blanc, notamment en contestant radicalement le statut de religion de la libération que l'islam semblait s'arroger[191]. L'islam afro-américain ayant de la même manière remplacé la maçonnerie noire dès les années 1950, le succès intellectuel de l'afrocentrisme depuis trente ans peut être vu comme un étonnant retour des choses, réhabilitant presque la place du christianisme et de la maçonnerie noire comme l'un des constituants majeurs de l'identité afro-américaine.

Mais plus que toute autre chose, il existe un élément qui pourrait expliquer à lui seul le succès et le développement de la maçonnerie auprès d'une communauté noire en quête de ses racines africaines. Un élément qui nous intéresse tout particulièrement puisqu'il touche à ce que pourrait être un argument ontologique de la nature du jazz. Je veux parler de l'oralité affichée de la franc-maçonnerie[192]. En effet, la franc-maçonnerie est une institution de transmission orale, particulièrement dans les pays anglo-saxons où les rituels sont appris par cœur. Les livres publiés au XVIIIe siècle sont le fait de divulgations à but lucratif ou de dénonciation. Mieux : la franc-maçonnerie est la seule institution occidentale à mettre l'oral au-dessus de l'écrit. C'est ainsi qu'elle a eu

---

191. P. Guedj, « Des Afro-Asiatiques et des Africains : Islam et afrocentrisme aux États-Unis », *Cahiers d'études africaines* XLIII vol. 4, 2003.

192. C. Révauger, *Noirs et francs-maçons*, cit.

un impact original sur les communautés américaines – de nombreux Indiens, notamment des chefs de tribus, furent initiés[193]. Institution européenne singulière, la franc-maçonnerie sera ainsi vue dans le même temps comme un lieu phare de la hiérarchie blanche au pouvoir, et comme une pratique familière pour une communauté afro-américaine toujours habitée par une culture orale ancestrale. Pour le jazzman, figure de proue du retour à l'oralité dans la civi-

---

193. *Cf.* D. Ligou, *Dictionnaire de la franc-maçonnerie*, PUF, 1987. Il est curieux de noter que l'intégration des Amérindiens n'a pas vraiment posé de problèmes aux francs-maçons blancs *mainstream*. Il existe des loges amérindiennes spécifiques mais parfaitement reconnues par les grandes loges *mainstream*, qui auront par contre les plus grandes difficultés à reconnaître les francs-maçons noirs de Prince Hall. L'archéologue et folkloriste d'origine iroquoise Arthur C. Parker écrira quant à lui *American Indian Freemasonry* en 1919, y posant la question d'une franc-maçonnerie indienne pré-colombienne. Un « nativocentrisme » comparable à l'afrocentrisme dans son utilisation des symboles et mythes maçonniques. Notons enfin que le grand-oncle d'Arthur, Ely S. Parker, héros de la guerre de Sécession, sera l'ami intime de l'anthropologue Lewis Henry Morgan et son introducteur à la société iroquoise. Morgan lui dédicacera son premier ouvrage ethnologique sur les Iroquois, et il prendra part activement à la création du *Grand Order of the Iroquois*, société secrète qui proposait à ses membres, par l'étude et l'imitation, de vivre selon le modèle de la société iroquoise. Il y a une « nativophilie » symbolique et mythologique qui s'opère aux États-Unis par le biais de sociétés initiatiques plus ou moins paramaçonniques, qui n'auront malgré tout pas d'influence sur le funeste destin des peuples amérindiens. N'est-ce pas ce que l'on peut voir à l'œuvre dans l'opération du *Boston Tea Party*, où les protagonistes, habillés en Indiens, et majoritairement membres de la loge maçonnique de Boston, poseront la première pierre de l'indépendance américaine ?

lisation occidentale selon Christian Béthune[194], la pratique maçonnique aura sans doute offert un accompagnement intellectuel parfaitement adapté au langage musical qu'ils étaient en train de forger.

Ainsi, nous voyons à travers cette conjonction originale entre franc-maçonnerie, jazz et afrocentrisme, une illustration inédite et méconnue de l'Atlantique Noir cher à Paul Gilroy[195]. Institution européenne et occidentale par excellence, la franc-maçonnerie est totalement réinventée par les membres de Prince Hall tout en préservant l'intégrité des rites d'origines. Cette maçonnerie illustre d'une manière inédite les échanges mythologiques et symboliques qui ont contribué à l'édification d'une identité afro-américaine spécifique. La manière dont les musiciens de jazz – dont on doit rappeler ce qu'ils représentent d'essentiel dans ce dialogue transatlantique symbolique – se sont d'abord rendus redevables de cette tradition maçonnique, pour ensuite exprimer au grand jour une pensée et une fierté afro-américaine inédite, est la manifestation du rôle qu'ensemble ces acteurs culturels, spirituels, politiques et intellectuels ont eu sur l'histoire américaine. Il ne s'agit évidemment pas de démontrer contre toute logique que les jazzmen ont porté ou créé intellectuellement et politiquement l'idée afrocentrique. Mais nous commençons à entrevoir ce lien insoupçonné et fertile qui unit musiciens, militants et frères dans une vision originale de la place de l'Afrique dans la société, par le prisme de racines

---

194. C. Béthune, *Le Jazz et l'Occident. Culture afro-américaine et philosophie*, cit.

195. Paul Gilroy, *L'Atlantique noir*, cit.

spirituelles et initiatiques communes. Certes, cette idée afrocentrique évoque plus un imaginaire fantasmatique qu'une réalité historique circonstanciée. Mais elle a le mérite de démontrer une dynamique intellectuelle responsable et forte face à l'hégémonie de toute une société. De plus, là où les intellectuels afrocentristes modernes n'auront évidemment jamais totalement évacué la question de la scientificité de leur théorie, les jazzmen auront fait de cet imaginaire afrocentriste un objet culturel et esthétique universel, et les francs-maçons une mythologie parfaitement applicable à l'expérience afro-américaine. Plus encore, cette conjonction entre l'artiste, le franc-maçon et l'idée afrocentriste démontre que jazz et société initiatique afro-américaine n'auront pas été à la traîne des idées novatrices de leur époque. Le jazzman, influencé par le contexte spirituel et politique de sa culture initiatique, sera finalement un précurseur sans étiquette des idées qui allaient remettre en question plusieurs siècles d'histoire « officielle » et de vision du monde, s'offrant le luxe (c'est l'apanage de l'artiste) de ne pas tomber dans les travers des débats polémiques de l'afrocentrisme intellectuel.

3
Who's Who ?

Mais qui sont, durant les deux siècles d'existence de la maçonnerie de Prince Hall, les membres qui constituèrent et continuent de constituer cet ordre initiatique ? Ou plutôt, quelles en sont les figures de proue et que représentent-elles ?

Dans le cas de la *Prince Hall Masonry*, les personnalités qui ont œuvré pour l'émancipation de la communauté noire – intégrationnistes comme radicaux, politiques comme éducateurs, artistes comme sportifs – sont particulièrement sollicitées. L'image, l'histoire, le fonctionnement de la maçonnerie noire leur offre à la fois une plus-value sociale et un espace de réflexion et d'évolution. Inversement, l'énergie revendicatrice de ces personnalités rejaillit sur les loges de Prince Hall. Ainsi les politiciens et militants Thurgood Marshall, Adam Clayton Powell, Ralph Abernathy, A. P. Randolph, Jesse Jackson, Andrew Young, Kweisi Mfume, Al Sharpton, les pédagogues et historiens W. E. B. Du Bois, Booker T. Washington, A. A. Schomburg, Charles Wesley, les sportifs R. P. Metcalfe, Sugar Ray Robinson, Jack Johnson, Scottie Pippen[196], jusqu'à la star actuelle du basket Shaquille O'Neal, auront

---

196. J. Cox, *Great Black Men of Masonry*, Universe, 2002. Beaucoup de musiciens sont cités précisément, avec « pedigree », dans cet ouvrage.

« maçonné » sans problème dans des loges de Prince Hall pour leur propre édification et pour la gloire de l'obédience.

Mais les arts étant un domaine recherché pour la vitrine des loges, les jazzmen semblent bien tenir le haut du pavé – avec certains bluesmen. Constatons, en consultant la liste des jazzmen dont j'ai pu certifier l'appartenance maçonnique : Duke Ellington, Count Basie, Lionel Hampton, Nat « King » Cole, Cab Calloway, Milt Hinton, Kenny Clarke[197], Oscar Peterson, Luis Russell, Bunk Johnson, George Lewis, Eubie Blake, W. C. Handy, Ben Webster, Johnny Hodges, Doc Cheatham, Garvin Bushell, Oscar « Papa » Celestin, Earl Hines, Bill « Bojangles » Robinson, Shadrack Lee, Keg Johnson, Paul Robeson, Butler « String Beans » May, Herbert Hall, Will Vodery, Willie Gant, Chester Perry, Jimmy Rushing, Jonah Jones, Cozy Cole, Lem Johnson, Lester Boone, Albert « Happy » Caldwell, Alfred Bell, Charles Frazier, Lawrence Lucie, Robert Cheek, Vernon Moore, Buddy Johnson, Edward Noon Johnson, Jerome Darr, John Brown, George Grant, Kenneth Roane, Carroll Ridley, James « Bob » Robinson, Johnny Russell, Bob Ysaguirre, Andrew Brown, Harry Dial, Noble Sissle etc.[197bis]

197. De nombreux musiciens français qui ont joué avec lui m'ont confirmé qu'il affichait avec ostentation son appartenance.

197bis. Il faut signaler l'appartenance de l'immense Joséphine Baker à l'ordre maçonnique, dans son obédience féminime et française, puisqu'elle fut initiée à la loge La Nouvelle Jérusalem de la Grande Loge Féminime de France en 1960. Elle n'y fut pas très assidue, mais le fait illustre l'importance que l'Ordre revêt dans la culture afro-américaine, malgré sa mysoginie évidente. Aux USA, il n'y a pas officiellement de

À ces membres avérés, nous pourrions ajouter, sans certitude, mais grâce à des déductions, recoupements circonstanciés, témoignages, photographies : Jimmie Lunceford, Chick Webb, Alphonse Picou, Danny Barker, Zutty Singleton, Henry Zeno (*cf.* Armstrong), Louis Armstrong.

La liste des bluesmen francs-maçons est également parlante : T-Bone Walker, Fred McDowell, Sammy Price, Son House, Memphis Slim, Champion Jack Dupree, Howlin' Wolf (Chester Arthur Burnett).

Pensons aussi aux frères « blancs » du jazz et de Broadway : Joe Morello, Paul Whiteman, Irving Berlin, Jerome Kern, Al Jolson, Glenn Miller, Clyde McCoy. Sans oublier les frères de la *country music* : Roy Acuff, Gene Autry, Chet Atkins, Eddie Arnold, Mel Tillis, Roy Clark, Brad Paisley, Carl Perkins[198].

Les jazzmen, nous le voyons, auront amplement participé à ce mouvement intellectuel, spirituel et politique décisif, engagé dans la construction de l'identité afro-américaine.

Ainsi Paul Robeson fut déclaré *mason at sight* par la loge Beta Kappa. Cette tradition d'*honoris causa*

---

franc-maçonnerie féminine, mais une ribambelle d'ordres féminins paramaçonniques, dont de nombreuses artistes ont fait partie. L'histoire de la contribution des femmes à l'histoire du jazz (et l'oubli volontaire de cette contribution) reste à écrire largement, comme celle de ces ordres particuliers.

198. C'est Johnny Cash, dans son autobiographie, qui nous parle de Carl Perkins en tant que maçon. Carl souhaite parrainer Cash dans sa propre loge, mais l'entretien avec les frères tourne court. Ils ont encore l'image du chanteur drogué qui a eu des problèmes de justice. Cash ne veut plus en entendre parler mais conclut : « Je ne sais pas. Peut-être aurais-je fait un bon maçon. » J. Cash, *Cash : The Autobiography*, Harper One, 2003.

maçonnique spécifiquement américaine montre qu'un artiste militant communiste et *persona non grata* pouvait être considéré officiellement comme un « frère » par l'ensemble des maçons de Prince Hall, au regard de son travail et de son action. Tel fut le cas aussi de W. E. B. Du Bois, autre grand militant socialiste (au sens américain du terme, c'est-à-dire proche du communisme) de la cause des droits civiques – ce qui permet de relativiser la réputation de conservatisme politique des francs-maçons de Prince Hall[199].

Duke Ellington, W. C. Handy, Lionel Hampton, en accédant aux plus hauts degrés du Rite écossais ancien et accepté, montrent la force de leurs engagements personnels. Lionel Hampton et W. C. Handy ont accédé au 33e degré, dit « Grand Inspecteur Général », le sommet de la pyramide initiatique. Duke Ellington fut 32e degré du même rite, initié à la Social Lodge de Washington et actif à la loge Acacia du district de Columbia. Certes, il est vrai que, moyennant finance, les trente-trois grades peuvent être attribués en une seule journée aux États-Unis ! Mais il s'agit là d'une pratique propre à certaines loges *mainstream* trahissant l'évolution d'une certaine maçonnerie américaine vers le « club de classe », et dont les loges Prince Hall semblent éloignées. Et les reportages des funérailles maçonniques de W. C. Handy nous le montrent comme une figure incontournable, dans ses hautes fonctions symboliques, initiatiques et administratives[200].

---

199. *Cf.* Révauger, *Noirs et francs-maçons*, cit.
200. *Life* 14 avril 1958 ; *New York Times* 2 avril 1958 ; *Jet* 17 avril 1958.

Oscar Peterson était, jusqu'en décembre 2008, le dernier témoin vivant de cet âge d'or, qui a pris fin avec l'avènement du syncrétisme spirituel et du radicalisme politique des années 1960. Oscar Peterson rappelle le nombre important de francs-maçons dans la petite communauté noire canadienne, issue originellement du fameux réseau clandestin qui mettait en sécurité les esclaves fugitifs au Canada, et révélatrice d'une sorte de gratitude envers le rôle majeur des frères dans l'organisation du « chemin de fer souterrain ». Sa bande-son pour le film *Fields of Endless Day* consacré à l'histoire de l'Underground Railroad n'en est que plus émouvante. Évocatrices, aussi, sont ses compositions *Eastern Suite* ou *Blues for Big Scotia*.

4.
La Nouvelle-Orléans de Louis Armstrong

Le cas de Louis Armstrong est intéressant : longtemps en tête de gondole des grands artistes francs-maçons, aux côtés de Mozart ou Goethe, un débat récent d'historiens maçons de Prince Hall[201] a remis en cause l'appartenance de « Satchmo » à la fraternité. En effet, la Montgomery Lodge qui l'a supposément initié n'existe pas dans les registres de Prince Hall.

Ce débat ne cache rien des paradoxes de la maçonnerie de Prince Hall concernant les problèmes de reconnaissance et plus encore de régularité. « Plus royalistes que le roi », les francs-maçons de Prince Hall qui ont eu à subir l'anathème durant deux siècles, se montrent intransigeants en ce qui concerne l'orthodoxie maçonnique afro-américaine. La *Phylaxis Society*, organe officiel de recherche et d'histoire de Prince Hall, fondé par Jospeh A. Walkes, montre un zèle redoutable à dénoncer les faux frères et les *bogus masonries* (maçonneries bidons) – n'hésitant pas à publier, avec noms, adresses, téléphones, les noms des responsables de ces organisations à leurs yeux héré-

---

201. Il s'agit d'un avis épistolaire d'une sommité de l'histoire de la *Prince Hall Masonry*, fondateur et président de la *Phylaxis Society*, Joseph A. Walkes, cité sur le très bon site, parfaitement documenté, de la Grande Loge de Colombie britannique et du Yukon : www.freemasonry.bcy.ca.

tiques. Ce faisant, ils démontrent l'attractivité de la symbolique maçonnique auprès des populations noires américaines. Il y a là un élément important pour comprendre l'état d'esprit des maçons de Prince Hall, avides d'une régularité et d'une reconnaissance qui leur est refusée encore aujourd'hui par certains de leurs « frères blancs ». Mais l'objectivité du chercheur indépendant n'est pas celle du maçon érudit. Une personne peut être déclarée non maçonne, alors qu'elle appartient à groupe initiatique et fraternel, parfois même spécifiquement maçonnique – de même que les organisations écossaises, mixtes ou para-égyptiennes, considérées en France comme régulières, sont cataloguées comme clandestines aux États-Unis. Ce qui semble, selon Walkes, être le cas d'Armstrong et justifie de le classer parmi les « fameux maçons non-maçons ».

Reste que Louis Armstrong parle assez facilement des « frères », de son club, et des « loges » – notamment dans son autobiographie[202] où pas moins de

---

The Masonic Philatelic Club Magazine, n° 72, 1996. Extraits de lettres de Joseph A. Walkes, concernant l'appartenance de Louis Armstrong à une loge maçonnique. La première, de 1992, précise : *No such Lodge under the jurisdiction of the Prince Hall Grand Lodge of New York under the name of Montgomery Lodge No. 18. There is a Hiram Lodge No. 18, and this jurisdiction does not assign the same number twice to any other Lodge in its history.*

Dans une lettre ultérieure adressée à Maurice Beazley en 1996, Walkes ajoute :

Armstrong may have very well belonged to one of the many « bogus » groups operating in New York City, and there are scores of them, at least six Grand Lodges, none recognized by the Prince Hall Grand Lodge, he was not a member of the regular Prince Hall family.

202. L. Armstrong, *Ma vie à la Nouvelle-Orléans*, Coda, 2006.

vingt-deux organisations fraternelles sont citées. Aux États-Unis, et particulièrement à la Nouvelle-Orléans, une multitude de sociétés initiatiques très diverses existaient indépendamment de la *Prince Hall Masonry*, mais proches de l'univers maçonnique. Dans le cas d'Armstrong, il semblerait qu'il s'agisse des *Knights of Pythias*[203], ordre fraternel non spécifiquement maçonnique prônant la vertu, la fraternité, et l'abstinence alcoolique. La société des *Odd Fellows*, plus tournée vers l'entraide sociale et professionnelle – une des premières sociétés fraternelles à avoir accepté, non sans tension, Noirs et Blancs ensemble – est aussi une des plus importantes et influentes auprès des musiciens, par l'organisation de concerts et bals, mais aussi par l'aide financière apportée aux membres et à leurs familles lors des décès[204]. Le père d'Armstrong appar-

---

203. In *Satchmo, op. cit.* C'est assez clair : *All the big, well known Social Aid and Pleasure Clubs turned out for the last big parade I saw in New Orleans. They all tried to outdo each other and they certainly looked swell. Among the clubs represented were The Bulls, The Hobgoblins, The Zulus, The Tammanys, The Young Men Twenties (Zutty Singleton's club), The Merry-Go-Rounds, The Deweys, The Tulane Club, The Young Men Vidalias, The Money Wasters, The Jolly Boys, The Turtles, The Original Swells, The San Jacintos, The Autocrats, The Odd Fellows, The Masons, The Knights of Pythias (my lodge), and The Diamond Swells from out in the Irish Channel.(…) One day a member of my club, The Tammany Social Aid and Pleasure Club, died.* Le fait est bien acté par Marshall Stearns, dès 1956, dans *The Story of Jazz*, Mentor Book.

204. Pour un panorama et un historique des nombreuses sociétés initiatiques et fraternelles anglo-saxonnes, lire *Les Sociétés secrètes actuelles en Europe et en Amérique* par Albert Lantoine, PUF (livre édité en 1940, avec les idées propres à l'époque). Plus actuel, *Les Sociétés fraternelles : Essai d'histoire globale*, de Jean-Pierre Bacot, Dervy, 2007. Dans ces essais, un paysage complet

tenait aux *Odd Fellows*, et il n'est pas rare que franc-maçonnerie et *Odd Fellows* partagent bâtiments, temples, manifestations, concerts, parades, et que les membres de l'une appartiennent également à l'autre.

Si Louis Armstrong n'a pas été maçon – et peut-être l'aurait-il été dans une loge indépendante et clandestine telles qu'elles pullulaient à la Nouvelle-Orléans – sa vie, son témoignage et son récit autobiographique nous éclairent sur l'importance capitale pour notre étude de la Cité du Croissant. Rituels funéraires, parades de clubs, sociétés secrètes viennent donner une lumière nouvelle sur la Nouvelle-Orléans, berceau légendaire du jazz, et nous servent de fil conducteur dans notre exploration d'une ville d'histoire, de musique, de fraternité et d'initiation.

Marshall Stearns[205] consacre ainsi un chapitre, « Jazz begins », aux spécificités de la Nouvelle-Orléans vis-à-vis des sociétés secrètes et des musiciens qui inventent le jazz entre 1890 et 1910. Il rappelle d'abord que la prégnance du culte vaudou[206] en Louisiane, et la scénographie musicale présente à Congo Square[207] apparaissent comme autant d'éléments de

---

des différentes sociétés fraternelles américaines est visible, entre *Odd Fellows, Shriners, Knigths of Pythias, Eastern Star*. Dans *La Franc-maçonnerie anglo-saxonne et les femmes* (Guy Trédaniel, 1998) Andrée Buisine décrit la multitude d'ordres para-maçonniques féminins, notamment affiliés à Prince Hall.

205. M. Stearns, *The Story of Jazz*, Oxford University Press, 1956.

206. Alfred Métraux souligne d'ailleurs quelques rares points de convergence entre vaudou et maçonnerie en Haïti. A. Métraux, *Le Vaudou haïtien*, Gallimard, « Tel », 1977.

207. Congo Square est le parc, toujours existant sous le nom de Louis Armstrong Park, qui fait office de lieu légen-

la survivance de traditions africaines sur cette partie du sol américain. Et plus que partout ailleurs, cette survivance va contribuer à l'émergence d'une nouvelle musique : par la popularité des *marching bands* hérités de la présence française et espagnole, et l'adoption progressive des instruments européens par les musiciens noirs. Il précise d'ailleurs que cette popularité ne se cantonne pas qu'à la seule Cité du Croissant. Relatant son voyage dans le Sud des États-Unis en 1853, F. L. Olmsted affirme que partout dans le Sud, il y a des orchestres noirs de grande qualité, qui sont très demandés pour les parades militaires. Mais la Nouvelle-Orléans restera synonyme d'excellence sur ce terrain – ainsi, selon le clarinettiste Ed Hall, le fameux *Onward Brass Band* aurait déjà gagné un concours à New York en 1891. Pas moins de treize organisations noires de la Nouvelle-Orléans sont représentées par leurs propres orchestres aux funérailles du président Garfield en 1881[208].

Il y a un lien évident entre le grand nombre d'orchestres noirs à la Nouvelle-Orléans et le rôle important des tout aussi nombreuses organisations fraternelles de la ville[209]. Un rôle important d'abord d'un

---

daire de naissance du Jazz. Le parc servait en tout cas de lieu de danse et de joutes musicales pour les esclaves africains de la ville où tous les dimanches ils pouvaient, fait unique aux États-Unis, jouer des instruments traditionnels et pratiquer les danses rituelles.

208. Et non pas 1871 comme indiqué dans Stearns.

209. Joachim E. Berendt donne sur ce sujet son impression, dans *Jazz Life* (Taschen) : *Quand je pense aux innombrables associations, sociétés, groupuscules, sectes et autres groupes d'intérêts à la Nouvelle-Orléans, et dans les régions des États-Unis où il y a une forte concentration de Noirs, cela me rappelle qu'on dit souvent de nous autres*

point de vue professionnel, par l'organisation des bals et concerts de charité, et des lieux maçonniques comme le *Perseverance Hall* et le *Odd Fellows & Masonic Hall* (Eagle Saloon). Le *National Park Service* cartographie et recense pas moins d'une dizaine de bâtiments maçonniques et fraternels comme monuments témoins de la naissance du jazz pour l'ensemble de la ville (Algiers y compris, de l'autre côté du fleuve) dont le fameux Eagle Saloon, le *Perseverance Hall* et l'Étoile Polaire n° 1, première loge de Louisiane, francophone jusque dans les années 1960[210].

Le bâtiment maçonnique classé monument historique
qui abritait le Eagle Saloon. La Nouvelle-Orléans, 2010.
© Raphaël Imbert

Allemands que nous sommes particulièrement friands de regroupements communautaires. C'est possible, mais il n'existe nulle part autant d'associations et de sociétés que parmi les nègres américains et, nulle part, on n'observe une telle conscience du standing et du statut social.

210. *New Orleans Jazz, Louisiana,* National Park Service, United States Departement of the Interior, 1993.

Dans son ouvrage de référence sur les musiciens noirs de la Nouvelle-Orléans, Samuel Charters[211] compte aussi le Masonic Hall parmi les salles de bals les plus populaires de la ville. L'historien recense les musiciens et les orchestres qui participent activement et professionnellement aux événe- ments des loges et clubs fraternels. Ainsi, apprend-on que Charles Galloway, guitariste infirme parmi les pionniers du jazz (né en 1865), dirigea dès 1894 l'orchestre de danse du *Masonic Hall* au sein duquel nous retrouvons de nombreux compagnons de Buddy Bolden. Charters nous conte les mésaventures éthyliques de Joe Howard, tubiste de la première heure, obligé lors d'une parade de loge d'être maintenu debout par le col par un frère pour pouvoir jouer. Il agrémente son ouvrage d'une magnifique photo du Tuxedo Brass Band avec Oscar « Papa »

L'étoile polaire n°1, un des nombreux bâtiments maçonniques historiques marqués par le *National Park of History of Jazz*, comme étant un des lieux de la naissance du jazz. La Nouvelle-Orléans, 2011.
© Raphaël Imbert

---

211. S. B. Charters, *Jazz, New Orleans, 1885-1963: An Index to the Negro Musicians of New Orleans*, Oak Publications, 1963.

Celestin lors de la pose de la première pierre d'un temple maçonnique, vers 1919. Sont également énumérés les *brass bands* historiques de la ville, tel l'*Eureka Brass Band* – qui est bien un *lodge band* qui passera des *Hobgoblins* aux *Odd Fellows* –, ou le *lodge brass band Lions Brass Band*. Charters nous dévoile même l'existence du *Masonic Brass Band*, dans lequel a joué le tromboniste Joseph « Red » Clark vers 1930.

Surtout, l'importance des sociétés fraternelles et secrètes s'explique selon Stearns par « une singulière tradition qui faisait bon accueil aux *brass bands* à de très nombreuses occasions[212] ». Les orchestres sont ainsi mis en avant, et même en compétition puisque rattachés à une loge, un temple ou un club qui tous sont déterminés à montrer leur puissance et leur importance par le biais de la musique – ce que Alan Lomax exprime ainsi : « Une musique qui parle d'une histoire fière et militante[213]. » Même le fameux mardi

---

212. M. Stearns, *An unusual tradition that welcomed their presence on a wide range of occasions*, cit.

213. Plus précisément, Lomax explicite le lien entre clubs, loges, orchestres, et fierté affichée : *These artisans, home-owners, and shopkeepers knew that they were better off than the mass of Southern Negroes. Lodge members and union members, their parades voiced the strength and solidarity of their working-class organizations. Their bands poured out a joyful and triumphant kind of music, music much safer to sing through instruments than to put into words, down in Dixie; music that spoke of a proud and militant history.* Plus loin il souligne l'importance de la communauté créole dans ce contexte, et particulièrement sa capacité à se constituer également en sociétés littéraires, musicales, et à créer les premiers journaux noirs de la ville. A. Lomax, *Mister Jelly Roll : The Fortune of Jelly Roll Morton, New Orleans Creole and « inventor of Jazz »*, University of California Press, 1973.

gras voit son organisation entièrement dévolue à une société secrète, la *Mystick Krewe of Comus*, créée en 1857 – cette institution *a priori* blanche qui stipule le strict secret de l'appartenance de ses membres, préférera d'ailleurs abandonner la parade du mardi gras qu'elle avait pourtant créée, plutôt que de révéler l'identité de ses membres, comme une ordonnance de la Ville de la Nouvelle-Orléans le stipulait, en 1979, afin de lutter contre les discriminations. Parmi les sociétés secrètes qui ont rejoint la parade du mardi gras, Le *Zulu Social Aid & Pleasure Club*, créé en 1916 – et dont Louis Armstrong fut le *King of Zulu* lors du mardi gras de 1949 – représente le pendant afro-américain des *Comus*. Encore une fois, une institution blanche fait l'objet d'une imitation-recréation afro-américaine. Ce mouvement bilatéral, affirment Christian Béthune ou W. T. Lhamon, est de fait caractéristique de la culture américaine[214]. On le voit à l'œuvre dans l'imitation/recréation/re-imitation des vaudevilles américains, et des minstrels, où l'on ne sait plus qui, du danseur noir, du Blanc grimé en *blackface*, du *minstrel* noir, imite qui.

---

214. Béthune, *Le jazz et l'occident*, cit.; Lhamon, *Peaux blanches, masques noirs*, cit.

5.
Jazz funerals, un berceau ?

Le point nodal, l'égrégore alchimique, si j'ose dire, d'une symbiose supposée entre maçonnerie, sociétés secrètes et ce premier jazz en devenir reste le moment des funérailles, si particulières, de la Nouvelle Orléans. Ne parle-t-on pas de « jazz funerals » à propos de ces cérémonies funéraires organisées en présence d'un ou plusieurs orchestres de jazz de parades ? Bien connus des touristes et des amateurs, ces *jazz funerals* sont surtout l'une des manifestations les plus significatives de la fierté fraternelle et initiatique des loges et clubs de la ville.

Ainsi Thomas Brothers explique que les clubs fraternels, comme les *Odd Fellows* et les loges maçonniques, sont la manifestation d'une fierté noire masculine, au-delà des contingences religieuses, selon un principe qu'il exprime ainsi : « Il y a trois groupes de personnes qui n'étaient jamais enterrés en musique – les femmes, les prêcheurs, les catholiques[215]. » Quelques documents que nous présenterons viennent contredire cette affirmation, mais il est judicieux de noter avec l'auteur qu'il existe alors un réel conflit entre organisations religieuses et organisations fraternelles, et que dans ce cadre, les funérailles de la Nouvelle-Orléans échappaient, par le pouvoir des clubs, à l'autorité religieuse.

---

215. T. Brothers, *Louis Armstrong's New Orleans*, W.W. Norton & Company, 2007.

Le corps pouvait être récupéré par la procession funéraire directement à la maison du défunt pour être transféré, en grande pompe, au cimetière sans passer par l'église. Il cite même le cas du musicien Eddie Dawson, qui quittera l'Église catholique lorsqu'il rejoindra une organisation fraternelle. Il ajoute : « Spécialement pour les funérailles, on comptait sur la musique pour produire une manifestation publique de dignité virile. Ce rituel célèbre, comme une icône immuable de la Nouvelle-Orléans et du premier jazz, était entièrement contrôlé par les clubs fraternels. »

Sous l'influence des clubs et sociétés secrètes, les funérailles deviennent donc le terrain d'un rituel funèbre qui, non régenté religieusement, est pourtant vécu comme une manifestation du sacré. La musique y trouve une place indispensable, et les particularités du rite funéraire favorisent même la création d'un langage spécifique, lié à l'oralité, l'improvisation, la scénographie et la compétitivité du moment. Dans son acte de naissance, nous pourrions donc affirmer que le jazz possède une accointance avec le sacré qui échappe au culte liturgique et au pouvoir religieux, et qui détermine sa théâtralité, sa dramaturgie et son rapport à la mort et à l'au-delà.

Par contre, notons l'information selon laquelle les maçons refusent la musique lors des funérailles avant le cimetière. Les funérailles de « Papa » Celestin en 1954 sont parfaitement maçonniques si l'on en croit les reportages des magazines *Ebony*, *Life* et *Jet Magazine*. Aucun jazz n'y sera joué « par respect pour Papa[216] ».

---

216. M. Stearns, *The Story of Jazz*, Oxford University Press, 1956.

Malgré tout l'*Eureka Brass Band* sera bien présent aux funérailles du maître[217]. Thomas Brothers note enfin que les funérailles néo-orléanaises mêlent des antécédents africains du culte de l'ancêtre avec une pratique anglaise des processions musicales funéraires déjà présente au XIXe siècle.

Marshall Stearns voit aussi dans ce conglomérat de sociétés fraternelles une résurgence des sociétés initiatiques africaines – s'appuyant sur la comparaison que fait M. J. Herskovits des sociétés gbê du Dahomey aux loges américaines, pour leur utilisation commune de rituels initiatiques secrets. Une comparaison pertinente également en ce qui concerne l'importance de l'entr'aide fraternelle, l'assistance financière qui s'exprime aussi au moment des funérailles, et l'affichage de cette fierté évoquée précédemment, qui se manifeste dans les deux cultures par la procession, les bannières, et les rituels funéraires[218].

Effectivement, il semble opportun de souligner à nouveau le rôle précurseur des loges et des clubs pour ce qui est de l'assistance médicale et sociale. Mais à la Nouvelle-Orléans, pour des raisons que Stearns considère liées aux survivances de traditions africaines, cette assistance se manifeste avant tout et de manière spectaculaire au moment des funérailles. C'est un moment clef de la vie sociale et culturelle de la cité, décrit par tous les musiciens comme celui où s'exprime la verve musicale la plus spectaculaire et la plus

---

217. Le site de la Louisiana Digital Library relate l'événement très précisément et ne laisse aucun doute sur son aspect maçonnique.

218. M. J., Herskovits, *The Myth of Negro Past*, Harper & Brother, 1941.

variée, allant de l'affliction funèbre la plus profonde à la joie la plus intense. C'est aussi, pragmatiquement, un moment où l'on peut trouver nourritures, musiques et boissons gratuitement – pensons au pique-assiette Sweet Child décrit par Armstrong dans son autobiographie. On voit apparaître alors les fameuses *second lines*, rassemblement de personnes incapables de jouer d'un instrument, mais bien décidées à offrir le spectacle d'une danse endiablée derrière l'orchestre au retour du cimetière. C'est le royaume du *brass band*, fanfare mobile qui participe activement et officiellement au rituel funéraire – unique exemple dans l'histoire du jazz d'une musique rituelle fonctionnelle –, et accompagne l'invention du nouveau langage jazzistique.

Ce qui ne doit pas occulter un moment musical important du rituel, où le *brass band* ne semble pas avoir sa place : le moment des cantiques, chantés dans la chambre funèbre ou dans la loge avant le départ au cimetière, lors de la veillée. Là encore le souvenir de Sweet Child nous revient en mémoire, lorsqu'Armstrong relate les funérailles du grand batteur Henry Zeno en 1917 : « Sweet Child assista aussi à la veillée et chanta comme s'il appartenait à la même loge que Zeno. »

Mais l'originalité propre aux funérailles de la Nouvelle-Orléans reste le moment de cette parade funèbre, vers et après le cimetière, que B. H. B. Latrobe évoque déjà en 1819 : « La parade funèbre demeurera toujours une chose propre à la Nouvelle-

---

219. B. H. B. Latrobe, *Impressions Respecting New Orleans*, Columbia University Press, 1951. Latrobe ne parle néanmoins que d'art vocal dans ce cas.

Orléans[219]. » La musique y a un rôle non seulement primordial, mais nécessaire, si l'on en croit le batteur Baby Dodds, qui s'exprimait avec fierté sur l'importance de jouer à la caisse claire les roulements adéquats au bon moment du rituel funéraire, particulièrement à la fin de la mise au tombeau : « Ils avaient l'habitude de m'engager parce que je savais parfaitement quand arrêter et démarrer la "machine" – *"the real jazz home"* ». Bunk Johnson – dont les biographes Mike Hazeldine et Barry Martyn montrent l'importance de son appartenance maçonnique dans ses relations de travail, avec un autre chef d'orchestre franc-maçon, Luis Russell, ou avec les *Musicians' Unions*[220] – décrit mieux que quiconque les funérailles néo-orléanaises, dans les *liners notes* de l'album *New Orleans Parade*[221] :

> « Sur la route du cimetière avec un défunt Odd Fellows ou un maçon – ils enterraient toujours leur mort avec de la musique – nous utilisions ces morceaux très lents comme *Nearer My God to Thee*, *Flee as a Bird to the Mountains*, *Come Thee Disconsolate*. Nous utilisions n'importe quel 4 temps, joué très lentement et eux marchaient également très lentement derrière le cercueil. Nous arrivions au cimetière et après que cette personne eut été mise en terre, l'orchestre s'avançait, devant le cimetière et la loge sortait et faisait l'appel nominal, bien aligné. Ensuite, nous marchions loin du cimetière avec juste la caisse claire pour musique, jusqu'à ce que nous

---

220. B. Martyn, & M. Hazeldine, *Bunk Johnson, Song of the Wanderer*, GHB Jazz Fondation, 2000.
221. Cité dans Stearns, *The Story of Jazz*, cit.

soyons arrivés à un bloc ou deux. C'est là que nous attaquions un ragtime – ce que les gens appellent aujourd'hui le swing. Nous jouions *Didn't He Ramble*, ou nous prenions tous ces hymnes et spirituals pour les transformer en ragtime, en 2/4, vous savez, ce mouvement qui prend tout le monde aux tripes. *Didn't He Ramble*, *When the Saints Go Marching In*, ce bon vieux *Ain't Gonna Study War No More*, et plusieurs autres que nous aimions jouer juste pour donner cet effet. Nous avions alors une *second line* qui était équivalente à celle du King Rex de la parade du Mardi Gras. La police était incapable de garder la *second line* en place – elle était dans la rue, sur les trottoirs, en face de l'orchestre, derrière et en face de la loge. Nous avions des foules immenses qui nous suivaient. Ils le faisaient depuis le cimetière juste pour respirer un peu de ce ragtime. Certaines femmes avaient des canettes de bière dans les bras. Ils s'arrêtaient alors et prenaient une demi-canette de bière pour se rafraîchir et suivre le groupe sur des kilomètres dans la poussière, dans la saleté, dans la rue, sur le trottoir, et la police ne cherchait pas à bloquer la voie, mais juste à leur laisser le chemin libre. Il n'y avait pas de bagarre ou quoi que ce soit de ce genre, ils voulaient simplement danser dans la rue. Même les chevaux de la police montée dansaient. La musique leur faisait tout le bien du monde. C'était ça le genre de musique que nous jouions aux funérailles. »

Pour Bunk Johnson, il ne fait aucun doute que les francs-maçons représentaient l'un des employeurs primordiaux pour les musiciens lors des funérailles. Le phénomène social, spirituel, musical et rituel des funérailles est ici parfaitement décrit, et l'on observe concrètement l'interaction créée par ce rituel original entre l'audience, les musiciens et les protagonistes des funérailles.

On peut citer quelques-uns des *brass bands* historiques qui ont fait les grands moments des parades et des funérailles de la Nouvelle-Orléans : le *Onward Brass Band*, le *Tuxedo Brass Band*, le *Eureka Brass Band*, le *Olympia Brass Band*, le *Excelsior Brass Band*, et aussi le *Treme Brass Band*, toujours en activité, et dont j'ai pu admirer durant le New Orleans Jazz Festival en 2011 l'écusson maçonnique ornant son véhicule[222]. Dans ces célèbres *brass bands*, on retrouve des francs-maçons musiciens illustres, si l'on en croit les nombreuses annonces funèbres dans les journaux, qui sont souvent une excellente source pour connaître l'appartenance de quelqu'un à une fraternité[223] :

222. En bonne place figurait aussi le sigle de la NRA, l'association nationale pour le port d'arme ! Durant notre conversation *backstage*, Eddie King, le tromboniste du *Treme Brass Band*, m'a confirmé son appartenance à la *Prince Hall Masonry* et l'importance encore actuelle de cette appartenance pour de nombreux musiciens de la ville.

223. C'est ainsi que l'on peut apprendre l'appartenance de Shadrack Lee – un temps contrebassiste chez Lionel Hampton et Count Basie – à la NAACP, l'Athenian Masonic Lodge n° 24, au DeMolay Consistory n° 1 (hauts grades templier) et à l'Union Philadelphia Musicians Local n° 77, dans le *Daily News* du 5 décembre 1992 pour l'annonce de ses obsèques. Il y a, comme pour les autres annonces publiées ici, souvent convergence entre l'appartenance maçonnique et syndicale, comme avec l'appartenance religieuse, très souvent avec l'Église méthodiste, plus rarement avec l'Église baptiste, comme c'est le cas chez Shadrack Lee.

Anderson Minor Brass Band (Parade maçonnique) : Andrew Jefferson, Avery "Kid" Howard, Manuel Paul, Edward "Noon" Johnson, George "Kid Sheik" Colar, Louis Nelson, Harold Dejan, Anderson Minor (souba), Eddie Summers (tb). Photo William Russell.

Eureka Brass Band (Parade maçonnique)
Albert Warner, Charles "Sunny" Henry (tb), Manuel Paul (sax ténor), Percy Humphrey (tp), Joseph "Red" Clark (souba), George "Kid Sheik" Colar (tp), Reuben Roddy (sax alto), Robert Lewis, bd, Willie Pajaud (tp), été 1952, à l'angle de Dryades Street et Philip Street
© Hogan Jazz Archive, Tulane University. http://jazz.tulane.edu/

Oscar « Papa » Celestin : trompettiste leader du *Tuxedo Brass Band,* à la grande époque d'Alphonse Picou, membre de la Prince Hall Aff. of Richmond Lodge n° 1 ; de l'Eureka Consistory n° 7, A. S. R. F. M. (hauts grades écossais) et du Radiant Chapter n° 1, R. A. M. (hauts grades de la Royal Arch) selon le *Times-Picayune* du 17 décembre 1954. Les obsèques maçonniques de Celestin ont été relatées dans un magnifique reportage photographique de *Life,* ainsi que par *Jet Magazine.*

George Lewis : clarinettiste membre un temps de l'*Eureka Brass Band*[224], membre de PHA Axion Lodge

---

224. L'*Eureka Brass Band* est mis en valeur par les magnifiques photos de William Claxton, en 1960, lors de funérailles, dans *Jazz Life*. On voit d'ailleurs l'orchestre jouer devant la loge des Elks, autre fraternité très importante dans la communauté afro-américaine. Le nom de l'*Eureka Brass Band* ne semble pas d'origine maçonnique ou ésotérique, puisque Willie Parker, son fondateur, avoue s'être inspiré d'un orchestre antillais qui portait ce nom, d'après Richard H. Knowles (*Jazzology Press*, 1996). Mais il faut tout de même souligner la présence importante de ce mot dans la tradition maçonnique afro-américaine, témoin d'une antique filiation. Rappelons-nous le Eureka Consistory n° 1 à la Nouvelle-Orléans, organisme des hauts grades écossais dont faisait partie « Papa » Celestin. Rappelons-nous aussi l'affirmation étonnante de Martin Delany dans « *The Origins and Objects of Ancient Freemasonry ; its Introduction into the United States and Legitimacy among Colored People ; A Treatise Delivered before St Cyprian Lodge* », n° 13, June 24th 1853, cité dans Cécile Révauger, *Noirs et francs-maçons,* cit. : « *Dois-je hésiter à dire au monde entier que, en ce qui concerne la franc-maçonnerie, le mot "Eureka" fut prononcé pour la première fois en Afrique ? Mais allons bon, je viens de révéler le secret maçonnique et je dois m'arrêter là.* » On en revient à l'afrocentrisme ancestral affiché par certains dignitaires de Prince Hall ainsi qu'au culte du secret déjà évoqué.

n° 216 et de Musicians Union Local 496, selon le *Times-Picayune* du 1ᵉʳ janvier 1969.

Et Bunk Johnson donc, influence majeure pour Louis Armstrong, membre des *Superior Orchestra* et *Eagle Orchestra* dès 1906[225].

Ouvrons une parenthèse : il est troublant, et pour tout dire étrangement émouvant de découvrir ici que le jazz naît véritablement autour d'un art funéraire : comme s'il se rejouait ici l'origine même de l'art qui a vu les premières œuvres parer les plus anciennes sépultures d'*Homo sapiens*, comme un renouveau cyclique.

Cette tradition particulière des funérailles musicales semble disparaître, note Marshall Stearns en 1956, au fur et à mesure du durcissement des lois Jim Crow. Pourtant, les obsèques de « Papa » Celestin, spécifiquement maçonniques, en 1954, et celles d'Alphonse Picou, le célèbre créateur du solo de *Hugh Society*, en 1961, attirent plusieurs milliers de personnes dans la plus pure tradition, avec la présence obligatoire des fraternités et clubs[226]. Nous pourrions nous demander si désormais les parades et funérailles à la Nouvelle-Orléans ne sont pas un élément muséographique et touristique de la ville du jazz, sans plus de lien social unissant musique et rituel funéraire. Richard Brent Turner énumère les nombreux articles de la presse locale qui, à partir des années 1960, prédisent la mort du véritable et traditionnel *jazz funeral*[227].

---

225. *Cf.* Martyn & Hazeldine, *Bunk Johnson, Song of the Wanderer*, cit.

226. « New Orleans bids good-bye to Alphonse Picou », *Jet*, mai 1961.

227. R. B. Turner, *Jazz Religion, the Second Line, and Black New Orleans*, Indiana University Press, 2009.

Il cite également les propos du trompettiste Gregg Stafford :

> « Je suis arrivé à une époque où je jouais pour les *Knights of Pythias*, les *Odd Fellows*, et toutes sortes de loges maçonniques. Je voyais les membres s'étaler sur cinq ou six blocs. Des années plus tard, quand l'appartenance aux clubs a commencé à décroître, j'ai vu le nombre de blocs diminuer, le mode de vie avait changé avec l'émergence des compagnies d'assurances, de sorte qu'il n'était plus nécessaire d'appartenir à une organisation de ce genre. J'ai adoré ça. Je me souviens combien j'étais fier et comme je me sentais bien de porter un uniforme et une casquette au nom de l'orchestre. »

À travers ce témoignage qui se poursuit ensuite sur le sentiment de dégénérescence des traditions du *brass band*, nous obtenons confirmation du rôle d'assurances sociales officieuses des clubs ou sociétés secrètes, un statut mis à mal par le développement des compagnies d'assurances commerciales. Mais peut-on réellement parler d'un déclin de la tradition du *brass band*, du *second line*, et des clubs et fraternités dans la Nouvelle-Orléans contemporaine ? Il semble que non, surtout après Katrina, qui a provoqué un véritable réveil créatif et identitaire à Crescent City. Mes observations lors de mon séjour de recherche pour le compte du projet IMPROTECH[228], et mes rencontres

---

228. Projet financé par l'ANR, et en partenariat avec l'EHESS, le LAHIC, le CNRS, l'IRCAM. Le propos porte sur l'improvisation et les nouvelles technologies. Dans ce cadre, le Laboratoire d'Anthropologie et d'Histoire de l'Institution de la

notamment avec Bruce « Sunpie » – *ranger* pour le National Park of History of Jazz, membre d'un Social and Pleasure Club et du North Side Skull & Bones Gang –, et avec Eddie King – membre du *Treme Brass Band* et maçon de Prince Hall –, m'ont confirmé la persistance et la vitalité de la tradition des parades. C'est, d'après « Sunpie » et de nombreux témoins, ce qui maintient musicalement la ville, puisque, grâce aux *brass bands*, aux parades, au travail social des clubs et mutuelles, la musique peut encore être transmise sans frais et hors l'Université, à la Nouvelle-Orléans.

Ce qui persiste aussi, c'est l'accusation permanente de non-respect par les jeunes des valeurs traditionnelles formulées par les anciens. « Sunpie », par ailleurs remarquable chanteur de Zydeco, reprochait aux jeunes de jouer trop fort et loin des rythmes ancestraux des *brass bands* historiques. Mais le *bounce* – ce rythme créole spécifique qui généralement accentue en croches 3/3/2 une mesure en 4/4 – est toujours selon lui présent chez tous les orchestres, jeunes ou historiques[229]. Le bounce rap désigne même le rap de la Nouvelle-Orléans, friand de rythmes créoles et de fanfares, qui détonne dans le paysage machiste et homophobe du rap américain en valorisant des MC transsexuels ou *drag-queens*. On peut donc aussi considérer cette récupération des rythmes funk et des usages hip-hop par les jeunes musiciens de *brass bands* néo-orléanais comme le

---

Culture (LAHIC) nous a missionnés, Emmanuel Parent et moi-même, sous la direction de Jean Jamin, pour un voyage d'étude sur improvisation, technologies et tradition dans le Dixieland, dont la Nouvelle-Orléans.

229. Interview avril 2012, dans le cadre d'IMPROTECH.

témoignage de la capacité de renouvellement et de créativité de la tradition musicale louisianaise.

Emmanuel Parent, également missionné par IMPROTECH, a pu observer non seulement la vitalité des *second lines* contemporaines et des jeunes orchestres de fanfare, mais aussi la présence  affichée des sociétés secrètes et des loges maçonniques durant les parades, comme le prouve cette photographie qu'il a prise en juin 2011 durant l'une d'elles.

Il est étonnant de noter que le rôle essentiel des sociétés secrètes dans la constitution d'une spécificité musicale à la Nouvelle-Orléans fut peu à peu oublié dans les historiographies plus contemporaines du jazz alors que le fait paraissait évident jusque dans les années 1960, et qu'il est encore identifiable à l'heure actuelle. Nous éclairant ici sur le sens de l'improvisation et le goût de la théâtralisation propres à cette musique.

Le berceau du jazz, mythe et réalité

La Nouvelle-Orléans est-elle la ville qui a vu naître le jazz ? Nous sommes passés peu à peu, en la matière, du fait incontestable au mythe quasiment fantasmatique. Il est vrai qu'à la lecture du livre de Gérard Herzhaft[230], nous ne pouvons que constater la

---

230. G. Herzhaft, *Americana : Histoire des musiques de l'Amérique du Nord, de la préhistoire à l'industrie du disque*, Fayard, 2005.

diversité des origines ethniques, géographiques et sociologiques des musiques qui se développent sur l'ensemble du territoire américain, celui-ci servant même de refuge aux cultures traditionnelles qui, sur leurs terres d'origines, comme l'Irlande ou la Pologne, se meurent.

Il semblerait même que toutes les grandes régions et centres urbains des États-Unis avaient déjà développé leurs propres jazz au début du XXᵉ siècle. On connaît à titre d'exemple la rivalité, dès le XIXᵉ siècle, des *brass bands* de Saint Louis face à ceux de la Nouvelle-Orléans. Se connaissant et s'affrontant par le biais des liaisons fluviales du Mississippi, chacun cultivait sa propre marque de fabrique, l'un plus doux et civilisé, l'autre plus chaud et affirmé, donnant naissance ainsi à deux écoles esthétiques de trompette et de cuivres.

De plus, le lien entre musique, communauté afro-américaine, sociétés fraternelles et maçonniques et parades funèbres ou festives n'est pas une exception néo-orléanaise, loin de là. En 1923, cinquante mille maçons défilent dans les rues de New York, et le *New York Times* affirme que les délégations et orchestres noirs sont particulièrement appréciés pour leurs défilés « légers sur airs de jazz ». Les Elks et les loges Prince Hall sont visiblement dotés d'orchestres particulièrement swinguants[231]. En 1958, les funérailles de W. C. Handy, auxquelles près de trente mille personnes assistent, donnent à voir un spectacle très « Dixie » dans les rues de Harlem, avec une fanfare de la loge de Prince Hall qui fait sensation, et un

---

231. *New York Times* 24 juin 1923.

Cootie Williams interprétant seul *Holy City* dans l'Abyssian Baptist Church. La veille, mille cinq cents francs-maçons assisteront à Harlem à la veillée funèbre maçonnique dirigée par le Grand Maître en personne[232]. New York n'est d'ailleurs pas en manque de manifestations funéraires maçonniques et musicales : le *New York Times* fait état dès le XIXᵉ siècle de la Grand Lodge of Sorrow, tenue funèbre annuelle en mémoire des frères disparus (il s'agit là de maçonnerie blanche *mainstream*), qui a lieu généralement à l'Académie de musique, avec un dispositif choral important[233]. En 1922, la tenue funèbre maçonnique en l'honneur de Bert Williams, le fameux acteur afro-américain de Broadway, sera la première manifestation maçonnique consacrée à un Noir au grand temple *mainstream* de la 22ᵉ rue, avec musique évidemment[234]. Les colonnes maçonniques des journaux *Washington Bee* et *Colored American* sont des sources d'informations précieuses sur la vie musicale et sociale des communautés maçonniques noires de Washington D.C., permettant de suivre notamment la vie de la Social Lodge, qui a initié Duke Ellington[235].

---

232. *New York Times* 2 avril 1958 ; *Life*, 1958.

233. *New York Times* 18 février 1878 ; 30 décembre 1884.

234. *New York Times* 9 mars 1922. Il semble bien que le cas de Bert Williams, en tant que Noir appartenant à la franc-maçonnerie *mainstream* new-yorkaise, illustre un esprit d'ouverture local rare chez des maçons américains de l'époque. On pense également à l'existence d'une loge noire régulière du New Jersey, l'Alpha Lodge, travaillant sous la houlette de la Grande Loge *mainstream* du New Jersey.

235. La Librairie du Congrès met à disposition sur son site de très nombreux journaux américains, de 1880 à 1922, dont le *Colored American*, qui a une rubrique maçonnique fournie.

Mais si l'on observe plus attentivement la vie musicale de la Nouvelle-Orléans, on ne manquera pas de noter des particularités sensibles dans l'exercice musical et ses relations aux fraternités. D'abord, le nombre et la proportion n'ont rien à voir avec les autres villes des États-Unis. Les articles et recensions de parades ou de manifestations maçonniques dans les grands centres urbains relatent souvent la présence d'une, voire plusieurs loges. À la Nouvelle-Orléans, un cauchemar pour les amateurs d'orthodoxie, même maçonnique, la grande parade décrite par Armstrong met en scène pas moins de vingt-trois clubs et fraternités, dont les maçons et les *Odd Fellows*. Il ajoute : « Ces parades de clubs, c'était une expérience absolument unique et fascinante ; les membres étaient tous en habit, et avec les chatoyantes banderoles de soie aux couleurs de leur loge flottant sur leurs épaules, ils offraient un spectacle inoubliable. En tête, caracolaient les assistants, montés sur de beaux chevaux à la tête enrubannée. Derrière eux venait la fanfare du club dont les musiciens exécutaient une marche au swing vigoureux qui faisait trépigner tout le monde de joie. »

Cette pléthore de clubs, sectes, fraternités, loges, tous reliés à un orchestre ou un événement musical, doit s'analyser dans deux sens distincts. Le fait d'être membre d'un club ou initié d'une loge assure une sorte de sécurité sociale, et des funérailles mémorables, nous l'avons vu. Ce qui, à la Nouvelle-Orléans, reste un moment primordial de la vie d'un citoyen : réussir sa vie, c'est aussi réussir sa mort ! Plus on est affilié à de loges et à de fraternités, plus on a d'orchestres et de spectacle à ses funérailles. Ce qui est parfaitement expliqué par une certaine Sister Johnson :

« Une femme doit appartenir à sept sociétés secrètes au moins si elle espère avoir des funérailles dignes de ce nom… Et plus tu appartiens à de loges, plus tu as de musique lorsque tu pars à la rencontre de ton Créateur[236]. » Ainsi, lorsque le Major Adolphe J. Osey, membre de plus de vingt-deux sociétés secrètes, meurt en 1937, il est veillé pendant cinq jours et cinq nuits, et treize orchestres accompagnent le cercueil vers sa dernière demeure.

À l'inverse, le musicien qui doit une part importante de son travail aux parades, bals et funérailles organisés par les loges et les clubs, se doit d'y appartenir également, créant un cercle vertueux d'émulation initiatique entre gens d'origines sociales et professionnelles différentes. Le cercle vertueux fonctionne aussi à l'égard de la qualité des propositions scéniques et musicales, chacune des funérailles devant être plus intense, plus flamboyante, plus « baroque », adjectif pas si déplacé, en ce qui concerne cette ville de culture catholique, à laquelle se mêle une influence africaine relativement préservée. Pour Richard Brent Turner, c'est justement au sein de la *second line*, qui ne pourrait être qu'un divertissement profane aux yeux des observateurs, que s'opère la relation paradoxale entre performances séculaires, rituels religieux orthodoxes (catholiques ou autres) et traditions spirituelles africaines, afro-américaines, afro-caribéennes d'origine haïtienne ou ouest-africaine. Les parades et les *second lines* sont la mise en scène des moments forts de la vie collective, et prennent des proportions incon-

---

236. L. Saxon, E. Dreyer, & R. Tallant, *Gumbo Ya Ya, Folks Tales of Louisiana*, H. M. Company, 1945.

nues ailleurs aux États-Unis. Cette mise en scène « baroque », qui s'allie à un sentiment de fierté de classe également peu habituel, pousse chaque intervenant à se surpasser. Les orchestres vivent une saine, mais active émulation qui les invite à l'opportunisme, à la vigueur, à l'inventivité, bref à la créativité. Le mariage unique de cultures savante et populaire, de résurgence africaine et de culture latine ou anglo-saxonne, de confrontation communautaire entre Blancs, Créoles et Noirs, entre artistes éduqués et instinctifs, entre académisme et oralité, donne un résultat évident où la précision de l'exécution ouvre aux fastes de l'improvisation.

Aux racines de l'improvisation

Improvisation : le mot est lâché. Dans ce contexte très particulier, apparaît en effet une nouvelle façon d'interpréter. Bunk Johnson, Jelly Roll Morton et Armstrong l'ont très bien décrit, notamment en évoquant la rivalité teintée d'admiration réciproque entre orchestre improvisateur lisant sans partition et orchestre académique, souvent issu d'une longue tradition d'apprentissage musical européen. Ici, le va-et-vient entre rigueur et liberté devient vite une manière d'afficher, comme les membres des clubs et loges durant les parades, une fierté, et une personnalité qui se veut marquante, unique, originale, mais néanmoins nourrie de l'apport des aînés, des maîtres et des plus aguerris. L'improvisation devient alors non pas un saut dans le vide, mais une manière de paraphraser les thèmes les plus connus, en quelque sorte de leur apposer une signature spontanée de créateur.

La singulière nature du jazz, qui est un équilibre subtil et fragile entre des dimensions contradictoires – rigueur et liberté, jeu collectif et individualisme actif, rapport agonistique et respect fraternel, originalité du propos et opportunisme de l'imitation – trouve ici son lieu de naissance et d'épanouissement, avant d'envahir le pays, puis le monde. L'oralité n'est pas une particularité exclusive de la Nouvelle-Orléans. Le blues, le work song, les chants celtiques et européens des paysans des terres agricoles, les negro-spirituals résonnaient déjà sur l'ensemble du territoire lorsque les *brass bands* commençaient leur émancipation. Mais ici plus qu'ailleurs, dans ce creuset louisianais, l'ensemble de ces traditions a pu s'amalgamer et s'épanouir pour créer la nouvelle musique. Les traditions de parades, notamment maçonniques, que nous décrivions précédemment dans d'autres villes américaines, étaient jusque-là le fait d'orchestres académiques, c'est-à-dire jouant à la lettre la partition. Sous l'influence des orchestres néo-orléanais qui remontent le Mississippi, des musiciens néo-orléanais qui émigrent dans les grandes villes du Nord, aidés aussi par l'avènement du disque et de la radio, ces mêmes orchestres vont rapidement adopter cette nouvelle façon de jouer et d'interpréter la musique, associant au répertoire habituel paraphrase, solo, improvisation, ainsi que leur propre tradition musicale.

Il est finalement logique que cette manière de jouer et d'associer oralité et académisme soit facilement, et plutôt rapidement, adoptée par l'ensemble des orchestres américains. Si la Nouvelle-Orléans peut être vue à nouveau comme le point de chauffe de l'alchimie musicale, la tradition de la parade et de la théâtralisation musicale des fraternités est un élément central de la vie sociale américaine dans son ensemble. Le langage musical est certes nouveau, mais il semble provenir de racines communes, qu'elles soient musicales, sociales ou fraternelles. Nous pouvons d'ailleurs éclairer grâce à cela le passage de relais qui semble s'opérer entre orchestre de tradition Dixieland et *big band* des années 1930, le succès de la démarche maçonnique auprès des musiciens des deux tendances n'étant que l'illustration d'une filiation finalement beaucoup moins chaotique que l'on imagine généralement. De plus, rappelons le point de convergence majeur que représente la maçonnerie pour les communautés blanche, noire, amérindienne, en tant que seule institution européenne prônant l'oralité comme principe majeur. Ainsi, malgré la ségrégation, la maçonnerie peut être vue comme une passerelle entre les communautés, d'autant plus que la musique, langage sinon universel en tout cas passant outre bien des barrières, y joue un rôle important. L'oralité partagée des communautés américaines dans les traditions initiatiques décrites ici, se lit aussi dans une oralité musicale commune, dans un pays qui a toujours su conserver une identité orale de ses traditions musicales (celtique, afro-américaine, européenne, latine, etc.) et que semblent partager country, old time, blues, gospel, bluegrass, jazz et consorts.

Fiertés, codes, secrets, gestes : le théâtre du jazz

Cette attitude profondément ancrée dans une fierté de classe et de race, largement répandue sur le territoire, peut être observée comme un élément de compréhension de l'attitude du musicien de jazz du

XXᵉ siècle aux États-Unis. Le musicien adopte également, pour lui-même, cette attitude à la fois festive, théâtrale, dramatique, fière de son standing qui, des *minstrels* aux *big bands*, fera la marque de fabrique de cette musique, jouant parfaitement de l'ambiguïté entre humour, fierté, dérision et création.

Effectivement, le jazz est la musique du paradoxe visible entre l'humour de ses bravades, l'opportunisme de ses emprunts, la corporalité de son mouvement, la fierté de son attitude, l'originalité de sa démarche, la profondeur de son inspiration. Le jazzman échappe en cela aux lectures trop réductrices : il est à la fois pur produit d'un *entertainment* décomplexé et étranger à toutes récupérations commerciales ou intellectuelles intempestives. Collectivement, il représente, à travers l'orchestre et particulièrement le *big band*, une utopie sociale qui peut nous ramener à l'utopie fraternelle du temple et de la loge. Observons-le jouer, remarquons son aisance à être en représentation et à représenter quelque chose ; notons sa distance, son altitude dans l'attitude, amicalement fière ; assistons au jeu qui se noue entre lui et ses confrères, fraternelle compétition où personne n'est intrus, pas même le spectateur ; étonnons-nous de son sens du secret qui ne transige pas sur ses réponses allusives, la préservation d'une technique personnelle, d'un culte profane des maîtres, et d'une filiation mythique et mystique[237]. Le jazz et son histoire sont

---

237. Rappelons au passage que « mystique » partage avec « muet » et « mystère » une origine étymologique venant du verbe grec *muô* qui signifie « garder les lèvres fermées », « se taire ». Les notions de secret, de silence et d'initiation sont ici étroitement liées.

issus d'un contexte propre à favoriser dans le même temps la parade, la fête, la représentation comme la méditation, la distance et le secret. Il y a chez le jazzman un art de l'ellipse, du double langage, du paradoxe, du *signifying* cher à Henry Gates, qui confirme son appétence pour une démarche que l'on pourrait décrire comme initiatique et noble.

Il serait oiseux de voir un quelconque lien direct entre les fameux surnoms aristocratiques du jazz (« Duke », « Count », « King ») et l'appartenance maçonnique des musiciens concernés. Mais il est évident que cette tradition de la désignation aristocratique plonge ses racines aussi dans cette histoire fraternelle et initiatique. Renouvelant notre vision de la Nouvelle-Orléans comme vecteur privilégié d'une nouvelle musique, pensons à la formule d'Alan Lomax : le jazz est une musique qui parle d'une histoire fière et militante. Il est aussi la manifestation d'un sentiment de noblesse démocratique et populaire.

Le rôle de l'apparat, de l'élégance, d'un art de la mise en valeur collective et individuelle trouve, là aussi, à mieux s'élucider. Nous avons constaté l'importance de la mise en scène des funérailles néo-orléanaises par la musique et l'usage des banderoles, des habits, des objets et bijoux de cérémonie, affichant les noms des clubs, loges et fraternités. Il semble que ce geste se retrouve dans l'application des musiciens à exhiber leur appartenance ou leur simple amour-propre par le port de bijoux et objets, *a priori* incongrus. Pensons à Thelonious Monk et ses fameux rubis, sans parler des chapeaux ! Mais, comme le souligne Jean-Michel Borello, l'affichage de ses bijoux, pin's et bagues est souvent un excellent moyen de connaître l'appartenance maçonnique d'un musicien, tels, en l'occurrence, Howlin' Wolf ou T-Bone Walker[238].

Dans le même numéro de *Soul Bag*, Jean-Michel Borello montre une photographie devenue célèbre de Champion Jack Dupree posant en habit de maître maçon. Il avait néanmoins demandé à son ami photographe de publier cette image seulement après sa mort. Toujours la même ambivalence entre fierté de l'appartenance et culte du secret !

Le phénomène du bijou, du pin's, du port visible mais symbolique des signes secrets d'une société fraternelle, peut bien sûr être interprété comme une résurgence des signes d'appartenance cultivés par les sociétés initiatiques de l'Afrique de l'Ouest. Mais plus encore, nous y voyons la manifestation d'un phénomène profondément américain. Les témoignages de Jelly Roll Morton et Garvin Bushell résonnent avec d'autres où il est question d'une utilisation du pin's et du bijou qui intervient dans les relations interraciales ou communautaires. Ainsi, ce raciste mais significatif article du *St. Paul Daily News* de 1880 qui décrit un ouvrier noir arborant un important insigne maçonnique et essayant de faire valoir son droit au secours fraternel, malgré sa couleur et son langage[239].

Plus problématique, mais tout aussi significative, demeure la question de l'affichage des symboles et des codes secrets de la maçonnerie par le biais des banderoles, fanions, des rituels « tapis » de loges, que l'on retrouvera plus tard reconvertis dans les concerts de

---

238. J.-M. Borello, « Blues et franc-maçonnerie », *Soul Bag* n° 155, 1999.
239. « Didn't affiliate ? », *St. Paul Daily News*, 7 novembre 1880.

Sun Ra. Et plus précisément des kilts et autres canevas qui font la fierté des communautés rurales afro-américaines du Sud des États-Unis. Étonnant mélange de culture européenne, notamment écossaise, et d'artisanat africain, le populaire et fameux kilt louisianais arbore une symbolique souvent maçonnique.

La légende prétend que la bonne connaissance de ces symboles permettait aux esclaves fugitifs de décrypter les codes secrets connus des seuls initiés pour échapper à leurs poursuivants par le biais de l'*Underground Railroad*[240] – de la même manière que les negro-spirituals véhiculaient dans leurs paroles les instructions codées pour le bon déroulement du voyage clandestin.

On déclare généralement en France que la franc-maçonnerie américaine a pignon sur rue parce qu'elle n'a pas connu les mêmes troubles et les mêmes attaques

---

240. Dans un livre controversé : *Hidden in Plain View, The Secret Story of Quilts and Underground Railroad* (Doubleday), Jacqueline Tobin et Raymond Dobard racontent à travers l'expérience de la *quiltmaker* Ozella McDaniels l'histoire du *quilt code* utilisé par les fugitifs et les organisateurs de l'*Underground Railroad* pour donner des informations géographiques codées et secrètes, à travers des symboles dessinés qui doivent autant à la franc-maçonnerie qu'aux symboles africains fondamentaux. Que l'on croie ou non à la réalité de la filiation souterraine du *quilt code* d'Ozella McDaniels, cette histoire illustre bien l'existence d'une mythologie maçonnique et américaine concernant l'Underground Railroad, alors même que les similitudes entre symboliques africaines, européennes, celtiques et maçonniques présentes dans la tradition du *quilt* afro-américain ont été maintes fois signalées. De hautes figures de l'émancipation afro-américaine ont, nous l'avons vu, marqué autant la maçonnerie de Prince Hall que l'organisation de l'Underground Railroad par leur activisme, tels Moses Dickson, Richard Allen, le Grand Maître du Massachussetts Lewis Hayden ou David Jenkins.

(catholiques, fascistes ou nationalistes) que la maçonnerie européenne. C'est oublier d'une part que les États-Unis ont eu leur propre moment d'anti-maçonnisme avec l'affaire Morgan[241]. Et c'est faire peu de cas des particularités ségrégationnistes de la maçonnerie américaine. En effet, nous le voyons, l'appartenance maçonnique ne possède pas la même signification si l'on est un franc-maçon blanc, membre d'une loge *mainstream*, et peu ou prou emblématique d'un certain conservatisme, ou franc-maçon noir membre d'une loge Prince Hall, mais emblématique dans ce cas d'une filiation et d'une histoire militante résolument résistante et illicite.

Il y a aussi une histoire clandestine de la franc-maçonnerie noire américaine. Une histoire qui n'a rien à voir avec les théories du complot qui verraient les francs-maçons noyauter les sphères de l'État. Mais qui raconte le rôle important d'une société par essence secrète, qui convenait parfaitement à l'action militante tout au long des XVIIIe, XIXe et début XXe siècles, quand le combat pour les droits civiques ne pouvait se dérouler que dans l'ombre.

Ishmael Reed, dans son extraordinaire *Mumbo Jumbo*[242] s'approprie cette dualité initiatique. L'histoire

---

241. On peut lire avec intérêt l'article de Roger Dachez sur le site de la Loge de recherche William Preston : « Sources et histoire de l'anti-maçonnisme aux États-Unis ». Suite à la disparition mystérieuse en 1826 du frère repenti William Morgan, accusé de divulgation de secret maçonnique, de nombreux Américains crurent au meurtre rituel de ce dernier par ses anciens frères. Une folie complotiste s'empara du pays, au point de justifier la création d'un parti politique antimaçonnique qui eu quelques succès électoraux.

242. I. Reed, *Mumbo Jumbo*, Éditions de l'Olivier, 1998.

repose sur la lutte immémoriale entre l'Ordre de la Fleur de Muraille (*The Wallflower Order*), représentant la voie atoniste – les disciples d'Aton, premier monothéisme de l'histoire – et Djeuze Grou (*Jes Grew*), émanation sacrée de la véritable religion africaine, originaire des cultes polythéistes noirs d'Osiris qui sacralisent le corps, la danse et l'amour. L'Ordre de la Fleur de Muraille s'allie avec les Templiers et d'autres ordres initiatiques blancs et occidentaux (dont la maçonnerie) pour mener la lutte finale. Mais à la fin du roman, ce sont des francs-maçons noirs qui viennent finalement au secours des adeptes voodoo de Djeuze Grou. Chacun, maçons et voodoo, recherche le Livre sacré de Thot, disciple d'Osiris, qui vitalise la force de Djeuze Grou et prouve les origines africaines de la franc-maçonnerie, réceptacle secret des enseignements et des mystères antiques de l'Afrique ancestrale dévoyés par la franc-maçonnerie « caucasienne », blanche.

Tour à tour, la franc-maçonnerie est décrite par Reed comme garante de l'ordre oppresseur et protectrice des secrets africains de la Tradition. Papa LaBas, personnage central du roman, protecteur du Djeuze Grou et sorcier voodoo, reconnaît comme initié le Grand Maître de la première Grande Loge Boyer de Prince Hall, Buddy Jackson, protecteur du Livre sacré, par « l'ancienne poignée de main africaine : la vulve enserrant le phallus ». Soit, en somme, l'attouchement maçonnique ! Ce dernier décrit ainsi les mesures de protection langagière secrètes et traditionnelles qu'eux, maçons noirs de Prince Hall, réactualisèrent pour éviter les attaques des frères blancs, et protéger leur savoir initiatique ancestral :

« Nous avions inventé nos propres textes, nous avions notre argot dont leurs érudits se gaussaient. Tout cela est pourtant bien vivant, semble faire partie de nous, ne manque pas d'apparaître dans nos fêtes et cérémonies. La Charte des Filles de l'Étoile d'Orient (*Eastern Star*) est, comme vous le savez, rédigée dans cette langue du mystère qu'ils qualifient d'argot ou de dialecte. Je me souviens que l'un de nos frères nous révéla une nuit que le rituel de leur messe reprend également celui d'une cérémonie de l'ancienne Égypte noire. »

De la langue maçonnique rituelle aux secrets jalousement gardés par les membres de l'AACM mais partiellement révélés par Steve Coleman[243], en passant par le jive si cher à Mezz Mezzrow, jazz et franc-maçonnerie semblent s'unir en un même objectif : protéger par la transmission initiatique, une tradition ancestrale, jamais figée mais en perpétuelle création, loin des regards profanes et des intérêts vénaux. Comparons à la citation de Reed, ce témoignage de Sadik Hakim, pianiste de Lester Young, ce maître du jive. Il dit qu'il mit plusieurs mois avant de le comprendre :

« Il appelait la police "Bob Crosbys". Si quelque chose traînait en longueur, il l'appelait un "Von Hangman". Sa plus fameuse expression, "Je sens un courant d'air" voulait dire qu'il avait détecté une discrimination raciale, ou qu'il était en colère si vous ne

---

243. S. Coleman, « Steve Coleman cite ses sources », *Jazzman* n° 71, 2001.

vouliez pas boire ou fumer avec lui! (...). Il appelait le pont d'un morceau "George Washington" [244]. »

Jazz et franc-maçonnerie partagent bien le même monde clandestin et secret. L'un dans les marges interlopes de la société. L'autre sous les lustres plus ou moins clinquants des cérémonies initiatiques. Et ils témoignent ensemble d'une même capacité à vivre et à se développer à l'abri de l'oppression dominante. Notre propos ici ne visait évidemment pas à démontrer, contre toute logique, que le jazz s'est réalisé grâce au caractère maçonnique de son histoire, ou de sa musique – un raccourci que beaucoup de *jazzfans* amateurs d'insolite n'hésitent pas à employer, voyant, comme je l'ai déjà dit, dans les accords de 7e et le ternaire du swing autant de preuves occultes. Nous pouvons malgré tout comprendre d'autant mieux le caractère ambivalent de cette musique que l'on aime à définir comme la « plus savante des musiques populaires, et la plus populaire des musiques savantes », si l'on prend plus précisément conscience du *background* historique d'une communauté qui, par la force des choses, a cultivé un caractère bicéphale, que d'aucuns considéreraient comme schizophrénique et d'autres comme parfaitement maçonnique : une fierté affichée nourrie d'un culte effréné du secret. Jazz et franc-maçonnerie ont partagé le même idéal de liberté, de développement, d'estime de soi et d'éducation. Une même capacité à faire progresser, clandestinement, la société contre vents et marées. Une même mythologie de la grandeur ancestrale de l'Afrique, malgré une

---

244. B. Crow, *Jazz Anecdotes*, Oxford University Press, 1990.

traversée sans retour de l'Atlantique – et une mythologie de son aptitude à faire siennes les cultures qu'elle rencontre.

Jazz et franc-maçonnerie noire américaine partagent évidemment une concordance d'intérêts pratiques. Mais plus avant, ils sont la manifestation, ou mieux encore le moteur, d'un même phénomène d'activisme discret mais efficace, d'émancipation initiatique, de fierté noble et populaire, de prise en main d'une communauté pour son propre développement et son édification, et qui conduira à la transformation politique, spirituelle et culturelle de la société moderne dans son ensemble. Louis Armstrong déclarait : « Our music is secret order. » Jazz et maçonnerie noire ont procédé de ce même ordre secret qui a contribué à changer le monde : à le créoliser. À maintenir haut le désir de dépasser tous les clivages : par-delà l'universalisme abstrait en déclin et les régressives tentations identitaires.

6.
« *Masonic inborn* » :
les symboles immémoriaux à l'avant-garde

Reste la question cruciale de la musique. Et donc d'une éventuelle influence de la maçonnerie sur les œuvres des jazzmen. Là, le constat est étonnant par l'absence de références véritablement explicites, de preuves directes. Il n'y a pas, du moins à notre connaissance, de « Prince Hall Blues », de « Junior Warden Rag » et autres flûtes enchantées jazzistiques. Et encore moins de « jazz maçonnique ». L'engagement initiatique, œcuménique, utopique et fraternel de Duke Ellington se devine dans nombre de compositions, notamment dans les concerts sacrés (*United Nation of Brotherhood*, *New World a Comin'*, *Every Man Prays in his own Language*, etc.) comme dans les compositions de la période *jungle* qui valorise la *black beauty* et un certain afrocentrisme (*Menelik, the Lion of Judas* avec Rex Stewart). En tout cas plus clairement que dans son *I'm Beginning to See the Light*, outrageusement présenté par de nombreux maçons peu scrupuleux comme étant le témoignage de l'initiation du Duke. Tapez « Ellington/freemason » sur n'importe quel moteur de recherche et vous apprendrez immédiatement que cette chanson encapsule ses impressions éprouvées lors de son initiation. Il suffit pourtant de lire les paroles pour comprendre qu'il s'agit simplement d'une belle chanson d'amour, et qu'il faudrait faire preuve de beaucoup d'imagination pour y trouver une signification ésotérique, même au énième degré. Pour preuve, voici les paroles :

> *I never cared much for moonlit skies*
> *I never wink back at fireflies*
> *But now that the stars are in your eyes*
> *I'm beginning to see the light*
> *I never went in for afterglow*
> *Or candlelight on the mistletoe*
> *But now when you turn the lamp down low*
> *I'm beginning to see the light*
> *Used to ramble through the park*
> *Shadowboxing in the dark*
> *Then you came and caused a spark*
> *That's a four-alarm fire now*
> *I never made love by lantern-shine*
> *I never saw rainbows in my wine*
> *But now that your lips are burning mine*
> *I'm beginning to see the light.*
> (Je ne me suis jamais soucié du clair de lune
> Je n'ai jamais fait de clin d'œil aux lucioles
> Mais maintenant que les étoiles sont dans tes yeux
> Je commence à voir la lumière
> Je n'ai jamais été amateur des dernières lueurs du jour
> Ou des chandelles sur le gui
> Mais maintenant, lorsque l'éclat de la lampe diminue
> Je commence à voir la lumière
> J'étais habitué à errer dans le parc
> Luttant dans le vide et dans l'obscurité
> Puis tu es venue et as allumé l'étincelle
> C'est une alarme d'incendie aujourd'hui
> Je n'ai jamais fait l'amour sous l'éclat d'une lanterne

Je n'ai jamais vu d'arc-en-ciel dans mon vin
Mais maintenant que tes lèvres font brûler les miennes
Je commence à voir la lumière.)

Je laisse chacun juger de la teneur initiatique ou maçonnique de cette magnifique romance, devenue un des grands standards du jazz. À mon sens, il ne fait aucun doute qu'elle n'a strictement rien à voir avec le parcours maçonnique de Duke Ellington, et il est bien dommage que, par facilité, ce tube auréolé de fantasmes pseudo-maçonniques vienne cacher les indices initiatiques beaucoup plus probants d'autres œuvres ellingtoniennes, notamment dans les concerts sacrés. Néanmoins, son statut de chanson maçonnique est largement diffusé, nous donnant un bel exemple de *web hoax*, tant la formulation de l'information est semblable au fil des sites, la source première se perdant dans les méandres de la toile.

Mais il y a une exception cependant. La seule référence explicite de l'histoire du jazz à la franc-maçonnerie vient d'un musicien et d'une époque que l'on ne soupçonnait sans doute pas. Lorsque, en août 1969, Albert Ayler entre en studio pour enregistrer son magnifique album *Music is the Healing Force of the Universe*, sur le fameux label Impulse, personne ne semble faire attention au morceau *Masonic Inborn*. Tout juste remarque-t-on l'iconoclasme de la cornemuse jouée par Ayler. Mais rien n'est dit à propos du titre pourtant explicite, et de la présence d'un emblème de la culture écossaise.

Terre d'origine mythique de la franc-maçonnerie, nous l'avons vu, l'Écosse, par sa capacité de résistance à l'occupation anglaise et ses supposés liens à de nombreuses traditions initiatiques ancestrales, a représenté un symbole anticolonial et traditionnel important pour l'ensemble des frères noirs américains – en Afrique même, rappelons-nous la fascination qu'exerçait l'Écosse sur le dictateur Amin Dada. L'Écosse sert également, nous le savons, d'appellation mythologique à plusieurs rituels maçonniques, dont le Rite écossais ancien et accepté, en trente-trois degrés[245], et le rite dit, en France, « écossais rectifié », qui correspond plus ou moins aux États-Unis aux rites templiers. Ainsi, l'utilisation de la cornemuse écossaise sur un titre « maçonnique » montre qu'Ayler, loin de tout folklorisme, connaissait bien ce pan aujourd'hui méconnu de l'histoire afro-américaine. Mais ce qui est vécu par lui comme une filiation n'implique pas

---

245. Une nouvelle fois, précisons les choses concernant les rituels et les grades. Toutes les organisations maçonniques reposent fondamentalement sur les trois premiers grades, apprenti (*Entered apprentice*), compagnon (*Fellowcraft*), maître (*Master Mason*). Libre aux différents rites d'imaginer une suite à cette base immuable, mais la Grande Loge Unie d'Angleterre a toujours préconisé une attention particulière aux trois grades fondamentaux, et cultivé une saine méfiance pour des degrés supplémentaires, jugés trop élitistes ou fantaisistes. Elle mettra au point le rite Émulation pour parfaire l'organisation des loges dites « bleues » qui organisent les trois premiers grades. Aux États-Unis, ce rite a pris le nom de Rite d'York et il est toujours largement utilisé par les maçons américains, noirs et blancs. Mais l'appel des hauteurs se faisant sentir, la plupart s'affilient à d'autres organisations de hauts-grades, dites « de perfection », souvent d'obédiences écossaises. Ainsi, on peut être, comme Papa Celestin, membre d'une loge bleue de Prince Hall, membre d'une loge de perfection écossaise, et membre d'une loge de perfection de la Royal Arch, plus spécifiquement anglaise.

qu'il ait souhaité faire partie de l'ordre maçonnique. Nous l'avons dit, le radicalisme des luttes afro-américaines des années 1960 porte un coup fatal aux effectifs de la maçonnerie noire, qui pourtant aura été l'un de leurs points de départs. Entre 1960 et 1980, c'est une véritable catastrophe qui voit loges et temples fermer les uns après les autres. Et les musiciens ne sont pas en reste, qui abandonnent les loges au profit de causes plus radicales et pragmatiques.

L'exotérisme Free
Autant le jazzman franc-maçon d'avant-guerre tente de vivre son engagement maçonnique dans le secret de sa conscience et dans l'application profane de son travail collectif, autant le musicien d'après-guerre subtilise, parmi le vaste pot-pourri syncrétique qui caractérise la musique des années 1960 et la contre-culture, le message fraternel et symbolique pour le diffuser auprès de tous. C'est le grand paradoxe du free jazz, fer de lance d'un mouvement qui ringardise les références historiques de la culture afro-américaine militante et fraternelle d'avant-guerre, mais qui révèle au regard profane, ses symboles et son impact. Le free jazz et le jazz moderne, dans leurs quêtes de symboles, d'idées, de spiritualités propres à rassembler les nouveaux fidèles, n'hésitent pas à recycler des concepts maçonniques, initiatiques et fraternels qui jusque-là étaient restés dans le giron des initiés. Le syncrétisme est à l'œuvre, qui d'ailleurs montre l'efficacité des références maçonniques évoquant l'Égypte (Pyramide), l'Antiquité (Pythagore, *Eurêka*, le temple), le déisme panthéiste (*All-Seeing Eye*, « L'œil qui voit tout », titre d'un album de

Wayne Shorter), l'afrocentrisme, l'ésotérisme, les filiations traditionnelles et le langage spirituel symbolique. Une étude plus poussée des *covers* d'albums de jazz de l'époque[246] montre bien la prégnance d'un paysage sémantique redevable à la symbolique fraternelle :

De Steve Coleman à Muhal Richard Abrams, en passant par Wayne Shorter, Sun Ra, William Hooker et Steve Reid, c'est tout un pan du jazz moderne expérimental qui semble s'approprier les us, coutumes et symboles de l'ésotérisme occidental et afro-américain : symbole de l'Afrique, de l'Égypte Antique, de l'afrocentrisme, de la mythologie, de la numérologie, de l'occultisme, voire du para-scientifique et du para-maçonnique.

Nous pouvons lire cette intention nouvelle de relier démarche ésotérique et acte musical dans cette interview d'Anthony Braxton, où il explique sa relation aux mathématiques (« Albert Ayler était mathématicien ») :

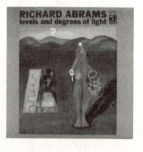

246. Le livre *Freedom Sound and Rhythm* de Gilles Peterson et Stuart Baker (SJR publishing, 2009) est une excellente source pour constater la richesse du paysage symbolique des illustrations d'albums de l'époque. Ashley Kahn (W. W. Norton & Co., 2007) dresse aussi un remarquable paysage des productions spirituelles du label Impulse particulièrement actif de ce point de vue.

« Je suis intéressé par l'étude de la musique, la discipline de la musique, l'expérience de la musique et par la musique comme un mécanisme ésotérique me permettant de poursuivre mes véritables intentions[247]. »

Dans ce phénomène de vases communicants, nous pouvons donc observer les caractéristiques paradoxales d'un jazz « premier » qui opère dans un cadre musicalement populaire et retient le secret de son développement initiatique, politique et spirituel, et d'un jazz « d'avant-garde » qui, en symbiose initiatique avec les prédécesseurs, mais en rupture politique et spirituelle avec leur démarche, « exotérise » et

---

247. F. Jung, « A Fireside Chat With Anthony Braxton », in AllAboutJazz : www.allaboutjazz.com/iviews/abraxton.htm, 2001.

popularise l'ésotérisme des anciens pour une direction musicale plus savante, du moins plus complète.

La Seconde Guerre mondiale marque une transition cruciale. L'engagement victorieux d'un pays de forte culture ségrégationniste dans un conflit planétaire qui se joue aussi autour de la question raciale, provoque un éveil des consciences. L'implication de la communauté noire dans l'effort de guerre – particulièrement dans le travail et l'industrie, mais aussi sur le champ de bataille – contre des ennemis combattus au nom de la liberté et d'idéaux humanistes va immédiatement rétroagir sur l'atmosphère américaine. Il est hors de question de retourner à l'ancien temps, celui de la séparation, de l'oppression, de l'asservissement, et de l'enfermement régional. L'Église noire américaine – baptiste, mais aussi méthodiste et pentecôtiste – participe très activement à la lutte nationale des droits civiques autour de son héros Martin Luther King. Elle met ainsi en pratique une lutte politique qu'elle préparait depuis près de deux siècles. Avec le soutien, nous l'avons vu, des fraternités et sociétés initiatiques, qui accompagnent la création des grandes organisations de luttes pour l'émancipation, comme la *National Association for the Advancement of Colored People* (NAACP) ou la *Southern Christian Leadership Conference* (SCLC). Mais dans le même temps, églises et sociétés fraternelles se voient dépasser par l'émergence d'une radicalité contemporaine, répondant mieux aux attentes des nouvelles générations face aux problèmes que posent la guerre du Vietnam et la révolution contre-culturelle. Elles sont fortement concurrencées par un ensemble de mouvements qui, unissant judicieusement idéologie révolutionnaire internationaliste et fondamentaux culturels et spirituels afro-américains, contestent le bilan de leur action. Elles se retrouvent ainsi dépassées, tant d'un point de vue politique (le *Black Panther Party* ou le *Revolutionary Action Movement* de Bobby Seale), générationnel (le *Student Nonviolent Coordinating Committee* qui devient en 1969, sous l'impulsion de Stokely Carmichael, le *Student National Coordinating Committee*), que religieux (*Nation of Islam* et le rayonnement formidable de Malcolm X auprès de toutes les générations d'activistes à venir).

Et pourtant, c'est bien sur les bases solides d'une longue lutte clandestine menée conjointement par les églises et les sociétés fraternelles que ces nouveaux mouvements de luttes – généralement rassemblés sous le terme de « nationalisme noir » – construiront leur action. Martin Delany préfigure Malcolm X et les afro-centristes triomphants des années 1980. Denmark Vesey et David Walker sont aussi les prédécesseurs de Bobby Seale, Huey P. Newton et Eldridge Cleaver. Il n'y a évidemment pas de génération spontanée de l'activisme noir nationalisme, pas plus qu'il n'y a de jazz mystique et révolutionnaire apparaissant, comme par miracle, dans les années 1960. Une histoire commune, politique et spirituelle, donne naissance aux mouvements radicaux politiques, culturels et artistiques. Avec pour conséquence, pourtant, une mise à l'index des aînés soupçonnés d'« oncletomisme », de frilosité militante et d'impuissance politique. Une accusation vis-à-vis des églises chrétiennes et des sociétés fraternelles que l'on retrouve, outre les écrits d'Elijah Muhammad sur la franc-maçonnerie[248], dans ce discours de Malcolm X en 1963 à Detroit :

248. E. Muhammad, *The Secrets of Freemasonry*, Secretarius Memps Publications, 1997.

« Ce que, vous et moi, nous avons besoin de faire, c'est d'apprendre à oublier nos différences. Lorsque nous nous rassemblons, nous ne venons pas en tant que baptistes ou méthodistes. Vous n'êtes pas opprimés en tant que baptistes et vous n'êtes pas opprimés en tant que méthodistes… Vous n'êtes pas opprimés en tant que démocrates ou républicains, vous n'êtes pas opprimés en tant que maçons ou elks, et vous n'êtes sûrement pas opprimés en tant qu'Américains, parce que si vous étiez Américains, vous ne seriez pas opprimés. Vous êtes opprimés parce que vous êtes noirs… Nous avons ceci en commun : nous avons le même oppresseur, le même exploiteur, et le même discriminateur (…) et ce que nous avons par-dessus tout en commun, c'est ce même ennemi – l'homme blanc[249]. »

Les organisations religieuses, fraternelles et politiques traditionnelles sont mises par Malcolm X sur le même plan et présentées comme des facteurs de divisions. Au-delà de l'éloquence magnifique de l'orateur, c'est sans aucun doute l'intelligence de son propos, visant à démontrer les raisons de l'unité afro-américaine, qui aura été une des causes de son divorce avec Elijah Muhammad – ce dernier voyant là les possibilités de prosélytisme en faveur de *Nation of Islam* totale-

---

249. Cité dans Richard Brent Turner, *Islam in the African-American Experience*, cit. On retrouve chez Malcolm X souvent cette thématique de l'unité noire face aux congrégations, notamment fraternelles. Une scène fameuse du film de Spike Lee, *Malcolm X* (1992), le montre utilisant les mêmes références, notamment maçonniques, pour exprimer l'unité face à l'oppresseur commun.

ment dépassées par la teneur beaucoup plus ambitieuse du discours de Malcolm X[250]. Nous voyons finalement ici à l'œuvre la même récupération « exotérique » que chez les musiciens free, des idées des aînés par les nouveaux activistes. Cette similitude nous pousse d'ailleurs à revoir le rôle de l'un sur l'évolution de l'autre. Les musiciens, en effet, et particulièrement les jazzmen, accompagnent le mouvement d'émancipation politique. Ils lui proposent un soutien actif, à la fois intellectuel et pratique, si l'on en croit les nombreux concerts et manifestations musicales militantes[251]. Depuis le début de l'ère swing, le refus de jouer dans les lieux ségrégués, la lutte pour imposer des orchestres mixtes, les concerts de charité au bénéfice des organisations des droits civiques, sont autant de manifestations claires du positionnement souvent délicat de très nombreux artistes célèbres. Parmi eux, outre les acteurs blancs de cette lutte déjà amorcée dès la fin des années 1930, comme Benny Goodman et Norman Granz, il y en a quelques-uns dont nous avons déjà croisé le nom : Paul Robeson, Cab Calloway, Lionel Hampton, Duke Ellington, Nat King Cole. Autant d'actes militants qui seront pour-

250. Sémantiquement, on notera également la parfaite utilisation par Malcolm X de la répétition assumée des phrases et des slogans. Une rhétorique propre à la narrativité orale afro-américaine, utilisée par tous désormais, et qui se traduit musicalement par la même manipulation du motif répété chez les improvisateurs, dans un souci de clarté narrative et de construction sémantique héritées du *call and response*.

251. Pour une étude exhaustive des relations entre luttes pour les droits civiques et milieu du jazz, voir I. Monson, *Freedom Sounds ; Civil Rights Call Out to Jazz and Africa*, Oxford University Press, 2007.

suivis et transformés par la jeune garde, bop d'abord, comme Max Roach et sa *Freedom Now Suite*, et free jazz ensuite, comme Archie Shepp évidemment, et bien d'autres. Ce parallèle évident entre politique et musique nous montre leur influence réciproque, jusqu'au phénomène d'extériorisation et d'amnésie des racines initiatiques qui nous intéresse désormais.

Reste qu'une différence fondamentale sépare musique et politique. Les mouvements nationalistes font volontiers table rase du passé, dans une position révolutionnaire qui se veut fondamentalement tournée vers l'avenir. Ce qui laisse songeur si l'on se remémore la classification proposée, dans un cadre certes musical, par George Lewis, sur ce qui relève de l'afrologique (le rapport à l'histoire, à la narration et à la mémoire) et de l'eurologique (le refus du passé, la *tabula rasa* qui fonde toute créativité). Les mouvements musicaux, même ceux d'essence clairement révolutionnaire, font volontiers référence quant à eux à une ancestralité qui ne conteste pas finalement l'Antiquité supposée de la maçonnerie, l'ancienneté de l'Église noire, ou la richesse d'un regard musical tourné vers les aînés. Écoutons Anthony Braxton :

« À l'AACM (*Association for Advancement of Creative Musicians*), nous avons estimé vital de réhabiliter le passé, les fanfares de la Nouvelle-Orléans par exemple. J'ai imité le saxophoniste John Coltrane. Pour trouver ma propre syntaxe, je me suis tourné vers les autres continents afin de chercher les ressorts qui reliaient les musiques d'Occident et d'Asie. La démarche marqua le début de la *Tri-Centric Thougt Unit*. L'objet de cette musique ? Combiner le connu, l'inconnu et l'intuition. En clair : la partition, l'improvisation et le symbolique. Ma musique est nouvelle, mais construite pour intégrer la tradition. Je suis un enfant de Stockhausen *et aussi* de Fats Waller [252]. »

Jazz Janus : les réciprocités d'une action commune et d'un paradoxe temporel

Nous entendons parfaitement s'exprimer ici la volonté de créer en explorant la mémoire commune et en s'obligeant à une recherche symbolique plus personnelle. Le jazz est un mouvement musical qui voit son avenir à travers son passé – réel ou mythique – et qui associe quête collective et cheminement individuel. Un fait lisible dans le rapport qu'un esthète aussi indépendant et versatile que Sonny Rollins entretient avec le rosicrucianisme, mouvement ésotérique qui propose l'apprentissage d'une science hermétique héritée des Égyptiens et de cultes secrets antiques, et qui aura un succès certains aux États-Unis à la suite des ouvrages publiés par Harvey Spencer Lewis. Joe Goldberg remarque chez Rollins les ouvrages de la Rose-Croix, et celui-ci témoigne :

« J'ai fait plus que pratiquer. J'ai fait beaucoup d'exercices physiques, j'ai pris quelques cours, principalement de philosophie, et je suis devenu rosicrucien. Saviez-vous que Benjamin Franklin était rosicrucien ? C'est une science, pas une religion, et elle m'a donné

---

252. B. Pfeiffer, « Les générations spontanées d'Anthony Braxton », sur le blog « Ça va jazzer ».

beaucoup de force et d'atouts, peut-être même en a-t-elle développé que je n'avais pas auparavant [253]. »

Connaissant les relations amicales qu'entretenaient Rollins et Coltrane, et leurs échanges avérés en matière de philosophie et de spiritualité [254] on devine l'influence d'un certain discours ésotérique sur les grands noms du jazz moderne d'après-guerre. Car ce rosicrucianisme, notons-le, a aussi une tonalité égyptomoniaque et donc afrocentriste. De fait l'une des grandes figures du rosicrucianisme américain n'est autre que l'Afro-Américain Paschal Beverly Randolph (1825-1875).

Mouvements religieux et fraternels, tout comme les parties les plus militantes du jazz afro-américain, sont ainsi les précurseurs d'un mouvement théorique et intellectuel, l'afrocentrisme, qui triomphera dans les années 1980, et qui lui aussi lit son futur dans les témoignages de la plus haute antiquité. Une idéologie qui, revendiquant sa nouveauté et sa modernité, s'épanouira finalement en opposition aux mouvements islamiques ou révolutionnaires. Pauline Guedj le souligne lorsqu'elle parle de ce courant qui prend actuellement le rôle de *leader* intellectuel dans la défense d'une identité afro-américaine : « Ce courant, c'est l'afrocentrisme qui, bien qu'apparu aux États-Unis dans les années 1980, s'inscrit dans une tradition de lutte pour la sauvegarde d'une histoire africaine/afro-américaine bien plus ancienne[255]. »

253. J. Goldberg, *Jazz Masters of the Fifties*, Da Capo, 1983.
254. L. Porter, *John Coltrane, sa vie, sa musique*, cit.
255. P. Guedj, « Des Afro-Asiatiques et des Africains : Islam et afrocentrisme aux États-Unis », *Cahiers d'études africaines*, XLIII vol. 4, 2003.

En ce sens, le jazz n'accompagne plus les mouvements d'idées de son temps, il en est l'un des précurseurs, comme le montrent les œuvres de valorisation de la beauté noire de Duke Ellington, les références à l'Égypte Ancienne et à l'Afrique chez John Coltrane, l'Art Ensemble of Chicago ou le MJQ, jusqu'à l'Antiquité gréco-latine que l'on devine notamment chez George Russell. Le jazz n'est ni une musique du passé, ni une musique de l'avenir, ou alors il est la musique qui s'entend à joindre les deux. Sa relation inédite à la culture initiatique, que nous découvrons, nous enseigne en fait qu'il est résolument une musique du présent, qui est le « moment » initiatique par excellence. L'initiation, comme le jazz, ne subit en aucun cas le poids du passé ou l'obligation de la nouveauté, mais en joue sans ambages pour créer dans l'instant. Véritable Janus (divinité romaine aux deux visages, gardien des commencements et des fins, dieu initiateur et initiatique) de l'histoire et du temps, le jazz joue encore une fois avec nos réflexes manichéens. Les jazzmen, adeptes de ce jeu de dupe initiatique, ont beau jeu alors de dire, sans hésitation, que leur musique est immémoriale, et en même temps résolument présente. Son passé la nourrit en toute conscience, et son avenir est, depuis l'instant de sa création – c'est-à-dire depuis l'Égypte antique, si l'on en croit les plus fervents improvisateurs épris d'afrocentrisme – sans cesse mis en question. Frank Zappa avait peut-être trouvé la plus juste formule : « Le jazz n'est pas mort, c'est juste qu'il sent bizarre[256]. » En

---

256. Dans « Be-bop Tango (of the Old Jazzmen's Church) », dans l'album *Roxy and Elsewhere*, 1974.

fait, le jazz a toujours senti bizarre, de tout temps, en toutes circonstances, à force notamment d'invoquer les sources les plus singulières, très anciennes ou très actuelles. Le jazz est passé, présent et avenir, et en plus, il cite ses sources : l'Égypte, l'Éthiopie, l'Afrique, Dieu, les dieux, la danse, le corps, le sexe, la mort, l'espace, l'Atlantique, l'Église, le Temple, la Loge, le club, la rue, l'âme, l'esprit.

Sun Ra encore !
L'artiste qui représente le mieux ce Janus temporel et intemporel demeure sans aucun doute Herman Poole Blount, dit Sun Ra. Il fut à la fois aède prophétique, gourou putatif, amateur de science-fiction et de nouvelles technologies, explorateur sonique d'avant-garde et digne représentant d'une longue lignée traditionnelle de *leaders* de *big band*. Surtout, il fut certainement le plus convaincu par la modernité du passé, tant musical que mythologique, et le plus actif des rénovateurs de cette symbolique ésotérique et afrocentrique ancrée dans l'imaginaire afro-américain. Auteur d'un syncrétisme totalement original qui fait appel autant à l'ufologie qu'à l'Égypte ancienne, Sun Ra n'en reste pas moins tributaire des sources symboliques, ésotériques, initiatiques qui irriguent son environnement social. Né en 1914, bien avant la plupart des héros du be-bop, dans le Birmingham (Alabama) fortement ségrégué d'avant-guerre, il connaît un contexte sociologique afro-américain spirituellement et politiquement virulent, et un milieu riche en sociétés et organisations fraternelles et secrètes. Selon Paul Bessel, l'État d'Alabama

détient le plus grand nombre – et la plus grande proportion par rapport à la population noire de l'État –, de francs-maçons de Prince Hall des États-Unis (3 %, statistique de 1997)[257]. Il semble que l'Alabama ait toujours détenu ce record. Sun Ra ne fut pas, que l'on sache, maçon. Il n'appartenait pas non plus aux *Knights of Pythias*, comme on peut le lire partout sur Internet. La confusion vient sans doute de la biographie de John F. Szwed [258] qui montre que Sun Ra fut admis à dix ans dans la section junior des *Modern Woodmen of America*. Les réunions de la section se déroulaient dans le temple des *Knights of Pythias*, et une mauvaise ou peu scrupuleuse lecture de ce passage fait finalement basculer Sun Ra parmi les « *famous pythians* ». Ceci étant, son initiation aux *Woodmen* n'est pas anodine, et elle révèle un même souci du drame initiatique et rituel que toutes les autres sociétés fraternelles de l'époque. Société d'entr'aide mutualiste particulièrement efficace en ce qui concerne l'assurance vie et l'assurance santé, les *Modern Woodmen of America* n'en possèdent pas moins un rituel imposant, et une symbolique embrassant le travail forestier et une certaine sacralisation de la nature, qui pourrait se comparer en France à certains rites maçonniques d'inspiration forestière. Pour John F. Szwed, ce rituel démonstratif aura eu le mérite de plonger le tout jeune Sun Ra dans un environnement symbolique panthéiste et écologiste qui l'inspirera durablement. Alors que la bibliothèque

---

257. *Cf.* page internet de Paul M. Bessel: http://www.bessel.org.

258. J. F. Szwed, *Space is the Place: The Lives and Times of Sun Ra*, Da Capo Press, 1988.

publique est quasiment inaccessible aux Noirs, le jeune et curieux Sun Ra trouve à la bibliothèque maçonnique du temple afro-américain de Birmingham, un ensemble d'ouvrages ésotériques, symboliques et mythologiques. Il nourrit ainsi son appétit pour l'Égyptologie, le rosicrucianisme, les relectures afrocentristes des mythes bibliques et antiques. Et se rapproche donc d'un certain nationalisme noir.

Et puis, le *Masonic Temple* de Birmingham est, comme toujours, le lieu privilégié des rencontres musicales du moment. Le bâtiment, conçu par un architecte afro-américain et construit par la communauté, est un haut lieu de la fierté noire de la ville. C'est aussi pour Sun Ra le lieu d'un de ses premiers engagements hebdomadaires en tant que chef d'orchestre. Il étrenne, de plus, avec ses *Nightawks of Harmony*, les clubs fraternels des Elks et des Owls. Ce dernier n'est-il pas surnommé « Little Masonic » pour sa capacité à concurrencer efficacement le *Masonic Temple* avec ses événements culturels inventifs ?

Par nature curieux d'hermétisme, d'occultisme et de mystique, Sun Ra trouve dans les traditions initiatiques fortement implantées dans sa ville natale un terreau fertile à la constitution de son univers si singulier. Pour le spectateur profane américain ou européen qui voyait pour la première fois l'Arkestra de Sun Ra débarquer sur scène, en costume d'apparat, en procession rituelle, arborant symboles solaires et égyptophiles, déroulant de grands tapis brodés ornés d'allégories spatiales, tout cela accompagné d'une exploration sonique ultime ou d'un vieux thème de Fletcher Henderson, l'expérience relevait d'un magnifique cauchemar sans repères. Pour celui qui connaît désormais les racines de son imaginaire, les métaphores scéniques et musicales paraissent tout aussi originales, mais connectées à l'histoire spirituelle de la société afro-américaine. Cependant, Sun Ra poussera plus loin que tout autre l'art du recyclage syncrétique et la création d'un univers personnel capable de déjouer les pièges de l'industrie musicale et du réductionnisme médiatique. Si les références au nationalisme noir sont évidentes, et en accord avec la volonté de dérégionaliser le problème racial par une vision panafricaine et internationaliste, il les transcende en faisant appel directement à l'Univers et au voyage spatio-temporel. De toute manière, écrit-il, « cette planète est condamnée » et l'avenir du peuple noir, tout comme son origine, sont à trouver du côté de Saturne, ainsi que sa « rencontre » avec les extra-terrestres le lui a révélé. En maniant mythologie égyptienne et science-fiction ufologique, il recrée le lien entre passé et futur qu'il démontre en musique durant ses concerts.

On peut convenir avec John F. Szwed d'un certain révisionnisme biographique lorsque Sun Ra affirme que sa rencontre du troisième type date de 1936 – c'est-à-dire bien avant les premières vagues de soucoupes volantes (1947 avec Kenneth Arnold) et les premiers récits de rencontres et d'enlèvements (1952 pour l'affabulateur George Adamski et 1961 pour l'enlèvement des époux Hill, première expérience d'abduction, qui plus est d'un couple mixte). Mais il faut admirer le tour de force narratif accompli par Sun Ra. Car c'est à partir de 1953 qu'il évoque sa rencontre – antidatée donc – avec les extraterrestres. Soit juste après le retentissement énorme des « faits » rapportés par George Adamski, qui prétend entretenir une relation régulière avec les « Vénusiens », grands et blonds, véritable fantasme d'un surhomme blanc venu de l'espace voisin. En embrassant d'abord la mythologie égyptienne et ensuite l'ufologie, en en réalisant une synthèse toute personnelle, Sun Ra, avant tout le monde, s'approprie un mythe moderne – selon la lecture psychologique archétypale que Carl Gustav Jung fait du phénomène OVNI –, une pure invention de la civilisation américaine au même titre que le jazz, et relie ce futurisme mythologique à toute la filiation mythologique de l'histoire humaine. De plus, il s'inscrit dans une démarche afrocentrique assumée, même si totalement réactualisée, qui vient contester radicalement la vision d'Adamski : les extraterrestres sont noirs, musiciens, génies et civilisateurs. Et ils inspirent Sun Ra – qui, dans une évidente posture gnostique, se faisait auparavant nommer Lucifer – dans la mise en scène de ses performances spatiales et scéniques. Plus encore, à défaut de remporter la bataille médiatique avec Adamski, toujours largement cité par les nombreux amateurs américains d'ufologie, il le détrône au panthéon des génies iconoclastes de la culture alternative américaine. Laissant ce dernier à son statut d'imposteur, il transforme un récit supposément délirant en une vision personnelle qui fait sens et œuvre collective, intégrée dans l'histoire du jazz de son temps.

À partir de là, il peut se permettre à peu près tout. En affirmant d'abord la primauté du Noir sur la vérité biblique : les Noirs sont les vrais juifs adorant le vrai Dieu vivant, le seigneur Jésus-Christ[259]. Puis en réactua-

---

259. C'est ce que révèle l'édition récente des textes et prêches de Sun Ra de la première époque : Sun Ra & John

lisant certains principes gnostiques pour affirmer que le Dieu de la Bible n'est qu'un démon démiurge responsable de l'esclavage et de l'asservissement du peuple noir. De plus, loin de perdre l'auditeur, un tel agencement symbolique et hermétique dans le cadre de la création scénique et musicale offre une structure précise à la dramaturgie en cours, une grille de lecture codée pour l'auditeur qui devient par essence initié[260]. Le rituel, le scénario et la scénographie de l'Arkestra permettent l'expérience sonique la plus avancée, tout en maintenant une cohérence narrative, poétique et chronologique. Ce faisant, Sun Ra réinvente la ritualisation des parades funèbres de l'ancienne *New Orleans*. Il remet en avant la force théâtrale de l'improvisation et de l'empirisme jazzistique. Il incarne en quelque sorte le triomphe de l'extériorisation d'un savoir occulte, initiatique mystérieux qui fut l'apanage d'un mouvement socioculturel afro-américain. Fort de son indiscutable appartenance à l'âge d'or des *big bands*, et par ailleurs poète influencé par le prêche noir, Sun Ra sera le grand ordonnateur d'un culte nouveau et éphémère qui lie tradition et futurisme, pour l'édification d'une foule passionnée mais le plus souvent incrédule[260bis].

Corbett, *The Wisdom of Sun Ra; Sun Ra's Polemical Broadsheets and Streetcorner Leaflets*, WhiteWalls, 2006.

260. De très nombreuses vidéos de concerts de l'Arkestra rendent compte de l'originalité scénographique et rituelle qui est à l'œuvre. J'ai un faible pour le concert de la Fondation Maeght, hélas peu diffusé, qui montre l'utilisation des tapis, objets symboliques, et danses dans la mise en scène du mythe propre à Sun Ra.

260bis. Mon ami Jean-François Pitet, qui a tant contribué à documenter le présent chapitre, est désormais le responsable des archives du très regretté Cabu, grand amateur de jazz s'il en est.

Le secret et l'activisme

Nous revenons ici à la notion de secret, élément qui se révèle moteur dans notre étude. Si l'extériorisation d'une tradition initiatique est à l'œuvre dans le jazz moderne, le culte du secret n'a pas disparu, loin s'en faut. Sur les traces de Zora Neale Hurston, l'auteur Ishmael Reed définit le rapport étroit du jazz avec les secrets gardés d'une mémoire africaine persécutée, interdite mais résistante. Le vaudou, le hoodoo, le blues, le jazz, le rap, les sociétés fraternelles et secrètes sont les gardiens d'un feu sacré qui naît en Afrique, et sont les manifestations de la pérennité de cet esprit qui survit, se développe, s'épanouit dans le secret de pratiques spirituelles et musicales ésotériques. Dans son roman *Mumbo Jumbo* déjà évoqué, le jazz est la manifestation palpable du Djeuze Grou ancestral (ou *Just Grew* soit *en plein développement*) : l'émanation de l'authentique âme africaine qui revient, après des siècles de sommeil, hanter les corps et les mœurs de l'Occident. Le jazz est un phénomène qui date des débuts de la civilisation humaine, et qui s'épanouit caché dans les bars, les loges, les rues, les temples, les maisons closes. Quel que soit l'endroit où l'esprit du Djeuze Grou se cache, il met le sacré partout, même dans les bas-fonds de l'âme et de l'entreprise humaine. Protégé du regard profane, sa manifestation musicale, le jazz,

---

Il me confirme que Cabu a plusieurs fois assisté à des concerts de Sun Ra. Cabu, qui était peu moderne dans ses goûts jazzistiques, écrit à son propos dans *Carnets de Jazz* (2004) : « Le Jazz est un spectacle : Sun Ra est théâtral ! (…) Mysticisme : je n'ai jamais rien compris, mais la musique de Sun Ra n'est pas sectaire, d'ailleurs il joue très bien Duke Ellington. » Une opinion qui marque l'originalité des deux artistes !

est par définition sacrée, qu'il soit musique de bordel ou d'église, de rue ou de club.

Nous l'avons vu avec Steve Coleman, les héritiers putatifs d'une tradition africaine occulte et savante, comme les membres de l'AACM, ou les activistes de la *Great Black Music*, aiment à cultiver le mystère de leur filiation. Le langage ésotérique de la maçonnerie noire américaine convient alors à la communication cryptique d'un savoir furtif, clandestin. Et l'habillage symbolique maçonnique peut sans problème devenir un détournement utile à la transmission du mythe, afrocentriste par nature. D'ailleurs, acceptant avec Melville Herskovits ou Craig Steven Wilder l'idée d'une parenté – liée notamment à l'oralité – entre les mondes initiatiques afro-américain et africain, nous pouvons établir avec Jean Jamin une raison, propre aux sociétés lignagères africaines, au silence imposé par l'initiation[261]. La notion de secret maintient en effet une hiérarchie sociale : elle impose à ses adeptes une loi du silence, dont l'enjeu repose non pas sur l'importance de ce qu'il est réellement défendu de dire, mais surtout sur le fait de *ne pas dire*. L'oralité, fer de lance putatif de la société lignagère, n'est pas « forcément source d'égalité » et le secret a « une fonction distanciatrice et une valeur hiérarchique (…). Il démultiplie les lieux sociaux de reproduction culturelle, soit en réservant certains savoirs à certaines catégories sociales, soit en censurant leur expression ». Lors de l'initiation, en rejouant ou extrapolant le moment de sa propre mort, au même titre que les rites de passage africains, le franc-maçon

---

[261]. J. Jamin, *Les Lois du silence. Essai sur la fonction sociale du secret*, Hal-SHS, 2009.

afro-américain sait qu'il édifie ses propres frontières sociales et qu'il accentue son appartenance à une élite supposée d'initiés qui ont vu la mort en face et vécu la joie d'une renaissance symbolique. Fier de cette appartenance et de cet état, l'initié sait qu'en gardant le secret de son savoir, somme toute assez commun, mais âprement gagné, il accède à une forme de pouvoir qui le protège de l'adversité par une multitude de pare-feu symboliques. En extériorisant les symboles et les manières de la maçonnerie et des sociétés initiatiques, les jazzmen modernes n'ont finalement rien dévoilé, puisque le secret repose uniquement sur son statut d'indicibilité. Mais ils ont confirmé l'attitude initiatique propre au jazz et à son histoire.

C'est donc toute l'histoire du jazz qui est influencée hermétiquement par le contexte initiatique afro-américain. De l'effervescence louisianaise au syncrétisme contre-culturel, se dévoile à nous une source d'inspiration essentielle, mais camouflée de l'imaginaire des musiciens. Nous voilà face à un fait de société qui éclaire de manière inédite la singularité du jazz et de son évolution sans pour autant avoir de répercussion directe sur la musique. Voilà pourquoi la seule musicologie ne peut en rendre compte. Cela nous invite donc à persévérer dans une démarche pluridisciplinaire sans quoi nous passerions irrémédiablement à côté d'un phénomène qui éclaire pourtant très concrètement les ressorts du militantisme politique et de l'esprit artistique des musiciens de jazz : de manière ésotérique et collective pour les jazzmen d'avant-guerre ; plus ouverte et individuelle pour ceux d'après-guerre. Mais toujours dans une quête de filiation, d'antiquité et de racines singulières.

7.
Une musique d'initiés ?

L'étude du fait spirituel, et plus particulièrement de ses ressources maçonniques, éclaire désormais singulièrement l'inspiration du jazzman. Car l'inspiration ne fait pas la fonction. Le rôle du jazzman a longtemps consisté en un simple *entertainment* – accompagner la piste de danse ou assurer l'ambiance des lieux de loisirs populaires – ce qui compromettait radicalement l'affichage d'un quelconque message spirituel. Les sources d'inspiration et d'émancipation étaient bien là, mais elles ne pouvaient mettre en péril le gagne-pain du musicien.

Ainsi, entre l'environnement inspirant l'artiste et la production économique liée à la fonction de son métier, il y a un hiatus qui débouche sur l'absence de musique maçonnique spécifiquement jazz. Pas d'enregistrement à analyser, de partitions à disséquer, de relevé à proposer, pas de rituel maçonnique jazzistique à observer. Et même lorsque le jazz s'émancipera de sa fonction première pour accéder à une pleine reconnaissance artistique, le jazzman moderne, par mépris et ignorance, refusera de rendre compte musicalement, à de rares exceptions près, de l'expérience initiatique des aînés – tout en recyclant ouvertement dans ses improvisations les symboles et le langage attachés à l'initiation.

Pour le musicologue, l'ethnomusicologue ou l'ethnologue, l'organe créant la fonction, cette pénurie de matériel musical justifie l'absence de recherche. Le processus d'amnésie qui est ici à l'œuvre rappelle celui qui opère plus généralement sur le spirituel dans le jazz. Il n'y a pas de musiques maçonniques de jazz, comme il n'y a pas, ou si peu, de musiques sacrées de jazz – du moins au sens strict du terme. Donc, il n'y a pas de raison d'étudier l'occurrence. Au-delà du simplisme de la réflexion, c'est tout un pan de l'imaginaire américain et de son interaction avec la musique qui se dérobe à nos yeux. Sans aucun doute le jazz est le domaine musical dont l'obscurité des constituants, « dans les marges de son histoire », demeure le sujet d'étude le plus significatif et le plus prometteur. Il y a ici un cas d'école : l'absence de matériel musical montrant que le domaine de recherche pluridisciplinaire autour de ce phénomène musical reste néanmoins ouvert et passionnant.

Les interrogations suscitées par notre étude ouvrent également de nouvelles perspectives quant à la compréhension du phénomène culturel jazzistique. Nous l'avons vu, le jazz divise par son ambiguïté, entre tenants d'une modernité avant-gardiste et supporters d'une vision populaire, voire populiste, d'une musique pervertie par les intentions intellectuelles de musiciens en mal de reconnaissance. Les uns soulignent les aspects les plus sophistiqués du jazz pour répondre aux attentes esthétiques savantes de la musique occidentale – oubliant que le jazz a été considéré comme un élément exogène, voire dangereux, par des représentants significatifs de la culture dominante[262]. Les autres riva-

---

262. *Cf.* Theodor Adorno commenté par Christian Béthune : *Adorno et le jazz : Analyse d'un déni esthétique*, cit.

lisent d'imagination pour transformer ce langage musical équivoque en esthétique populaire limpide, abordable et sans aspérités – annihilant des pans entiers de l'histoire d'une musique tissée de doutes, de questions, de recherches, d'explorations tous azimuts.

En France, cette confrontation trouvera ses racines et son climax dans le conflit entre « raisins aigres et figues moisies », opposant Hugues Panassié, Boris Vian, Charles Delaunay, André Hodeir. Elle perdura, menant à l'impasse des générations de critiques, d'amateurs, et de musiciens contrariés par un futile débat, plus politique que musical, et qui finalement n'aboutira qu'à unir les accusateurs : le jazz est à la fois une « musique d'ascenseur » et une « musique d'élite ». Face à ces accusations, j'ai pour ma part l'habitude de répondre que le jazz est une musique d'initiés. Il concerne des auditeurs qui ont un parcours à accomplir avec lui, une histoire à poursuivre, un désir à assouvir. J'ai été frappé de constater, dans le récit autobiographique de musiciens, les témoignages de mes étudiants ou les confessions des spectateurs, que le jazz est toujours affaire de déclic. Une rencontre, un disque, une émission radio, un concert, tout le monde raconte sa première fois avec émotion et sidération. Et c'est toujours un souvenir décisif et immarcescible, qui représente un avant et un après dans la vie de celui qui découvre cette musique. Il s'agit alors pour l'impétrant d'effectuer le parcours de son perfectionnement, comme une quête qui a tout d'initiatique.

On peut retrouver, bien sûr, ce rapport à la première fois dans de nombreux témoignages concernant le rock ou la pop. Qui ne se souvient pas de sa première fois avec Elvis, les Beatles, ou Michael Jackson ?

Mais les dimensions générationnelles et collectives du rock sont assez marquées pour faire la différence avec l'expérience plus individuelle et initiatique du jazz. Quant à la musique classique occidentale, elle fonde essentiellement sa transmission sur un facteur social de classe et une pédagogie de masse au point que de nombreux amateurs ou musiciens ne se souviennent finalement plus de leur première fois. Le musicien classique voit ses souvenirs souvent perdus dans les limbes d'un apprentissage précoce, son attention et ses capacités cognitives se trouvant alors libérées pour une meilleure maturité de l'écoute. Il en est souvent de même dans le cadre des musiques populaires ou industrielles : l'apprentissage et la transmission dépendent trop du contexte familial ou médiatique pour ne pas échapper à la mémoire lucide de ses protagonistes. Le jazzman est quant à lui très rarement un enfant prodige. Il pratique un art de l'adolescence tardive, qui mûrit avec les années, mais le maintient ainsi dans un perpétuel questionnement immature et une distanciation alors nécessaire, ayant toute la conscience de son initiation au jazz. Il aura alors tout loisir de recréer sur scène le contexte de cette initiation, laissant planer le mystère nécessaire à son exécution, pour un public en recherche d'orientation.

Lors des funérailles néo-orléanaises ou des cérémonies de l'Arkestra, la dimension initiatique du spectacle évoque une forme de rite de passage : la formation d'une *communitas* chère à l'anthropologue Victor Turner[263] capable de préserver un ordre social et

---

263. Victor Turner, *Le Phénomène rituel. Structure et contre-structure*, PUF, 1990.

culturel que menacent l'environnement (les *second lines*), la narration (mythe ufologique et égyptologique) et la société (l'oppresseur blanc). Pour autant, il serait excessif d'évoquer un rituel propre au jazz et à sa mise en scène en général. Le rite implique anthropologiquement des notions systémiques transgressives qui ne sont pas à l'œuvre dans le concert, l'enregistrement ou la répétition en jazz. Surtout, le rite se définit par son caractère indispensable, pour le sujet qui l'effectue. La simple répétition d'un fait cérémonial, d'une manie coutumière ou d'un usage routinier ne fait pas le rite. Ainsi, le rite maçonnique est indispensable à l'événement maçonnique, et la croyance religieuse nécessite indubitablement un rite qui n'est pourtant pas religieux en soi. Mais les tics cérémoniels et les réitérations de la vie quotidienne, s'ils assoient souvent le caractère de l'individu, ne constituent pas eux-mêmes des rituels. Pas plus que les habitudes sociales, scéniques et professionnelles du jazz – *jam sessions*, drogues, *gimmicks* de l'improvisation et mise en scène du solo.

Parlons plutôt, donc, d'une théâtralisation propre au jazz : une dramaturgie qui invoque autant sa représentation – l'habit, l'uniforme, l'apparat, l'attitude – que sa mise en scène relationnelle – l'ordre de passage des solos, le rapport au public, l'organisation scénique, l'accueil de l'autre. C'est cette théâtralité qui, en un sens, instaure un protocole d'interdépendance entre artistes et public. Et convenons que s'il n'y a pas de rituel propre au jazz, il y a néanmoins porosité et filiation entre sa théâtralité et la ritualité des parades et des funérailles louisianaises à l'origine de cette musique. Cette prégnance du rite, voire cette prévalence du rite sur le mythe, propre aux sociétés jeunes, s'accorde parfaitement aux exigences sociétales américaines appelant à la construction d'un « vivre ensemble » *a priori* problématique. Si, à la suite de Jean Gagnepain[264], nous pouvons considérer le rite comme l'outil d'écriture des mythes des sociétés de traditions orales, alors l'improvisation musicale qui s'opère et se réinvente dans la création du jazz peut être vue comme un phénomène d'adhésion à une direction culturelle commune : une invention mythologique collective de la part d'une société américaine disparate linguistiquement, politiquement, et même spirituellement.

Ainsi, le jazz ne peut voir le jour sans l'inventivité, l'influence et l'imagination de la communauté afro-américaine. Mais cette musique d'interaction, de transgression, d'échanges, de cérémonial était fatalement portée à transcender toutes limites ethniques. Si l'éruption du jazz se lit comme un retour inédit de l'altérité et de l'oralité au sein d'une civilisation occidentale qui s'est édifiée sur leur refoulement, le rapport de l'initiation et du rituel à la société américaine exprime les mêmes revendications de réinvention d'un lien social, spirituel, politique et intellectuel ouvrant, tant bien que mal, à un rassemblement autour de motifs contradictoires tels l'oralité et la modernité, l'universalisme et le communautarisme. Les vains efforts de l'Amérique blanche pour enrayer l'essor de la communauté noire, pour demeurer occidentale en quelque sorte, démontre par l'absurde le

---

264. Jean Gagnepain, *Leçons d'introduction à la théorie de la médiation*, Peeters 1994.

caractère inéluctable d'une société américaine indéfectiblement liée à sa population afro-américaine, à son prolétariat, à ses communautés. Le jazz n'est pas seulement l'illustration éclatante de ce phénomène. Il en est aussi l'acteur le plus original. Il n'a eu de cesse d'afficher son mépris des lois sociales dominantes, et de réinventer son propre cadre vital. Le jazzman, quant à lui, a dû surmonter assez d'obstacles professionnels, quotidiens ou existentiels pour se considérer de fait membre d'une communauté minoritaire et agissante, une confrérie initiatique, secrète et peu encline au prosélytisme, qui se soucie plus de l'intelligence de ses adeptes que de leur nombre. Alternant les grandes scènes des festivals avec les audiences parfois éparses des clubs plus ou moins respectables, il forge un langage (jive entre autres) propre à distinguer les initiés – « *cats* », « *brothers* » – des non-initiés, des profanes – « *square* », qui désigne couramment un parc, une place, une équerre, mais qui en argot signale quelqu'un de cintré, ennuyeux, hors du coup.

Mais l'esprit initiatique du jazz va évidemment au-delà de ce simple sens du secret. Il s'inscrit certes dans ce moment initial du « déclic » qui « illumine ». Mais il est surtout la marque d'une orientation nouvelle où le voyage désormais compte bien plus que tout point d'arrivée. Le jazz est la musique d'une construction perpétuelle, et sans cesse renouvelée, de soi. Loin d'être seulement musical, il est d'abord éthique. Le jazzman est ainsi en quête d'une émancipation spirituelle qui vient prendre appui sur les puissances d'un corps de réjouissance et sur la fraternité des échanges authentiquement improvisés avec ses confrères et le public. Il est l'artisan d'un parcours toujours en mouvement qui le mène d'instants présents en instants présents. Et gageons que la culture initiatique mise à jour dans la deuxième partie de cet essai éclaire d'une lumière non pas autre, mais sans doute plus profonde, les propos *a priori* énigmatiques des grands jazzmen pour qui l'art se confond avec la vie même. Ainsi Louis Armstrong qui signale qu'au sein de cet « ordre secret », « ce que nous jouons est la vie » (cf. *supra*, p. 46).

Jazz et franc-maçonnerie noire ont évolué ensemble. Et ont ainsi forgé un singulier esprit de fraternité, à la fois ésotérique et fier, masqué et efficace, dont ils sont encore, d'une manière ou d'une autre, les plus manifestes représentants. Par la création et le déploiement d'une philosophie anhistorique qui sourd dans les marges et les méandres de la société dominante, loin de l'officiel et de l'autorité, jazz et franc-maçonnerie ont actualisé une façon de se jouer du monde, d'en réinventer sans cesse les us et coutumes, d'en questionner la légitimité ou l'existence, pour créer une autre réalité : une alter-réalité qui survit par son jeu et son esprit, qui coexiste par nécessité et par désir avec toutes les autres formes de réalité sociale, politique et spirituelle. Les rituels funéraires de la Nouvelle-Orléans, les images afro-futuristes du Sun Ra Arkestra, les honneurs mondains et les hymnes sacrés dont se joue et s'éprend Duke Ellington, et d'abord la mythologie propre aux jazzmen francs-maçons, sont autant d'affirmations de cette secrète vérité du jazz : indissociablement vivant, joueur et spirituel. Une vérité qui trouvera son apogée dans la mystique solitaire et pourtant fraternelle de John (William) Coltrane.

John Coltrane/A Love Supreme, 1964
Impulse. Stereo A-77
(Photo: Bob Thiele. Maquette de couverture: George Gray/Viceroy)

TROISIÈME PARTIE

« The Father, The Son and The Holy Ghost » : John Coltrane, la foi et la communauté

Nous sommes tous des êtres humains. Notre spiritualité peut s'exprimer partout, de quelque façon que ce soit ; vous pouvez trouver le religieux dans un bar ou une boîte de jazz autant que dans une église. A Love Supreme est toujours une expérience spirituelle, quel que soit l'endroit où vous l'entendez.
Elvin Jones

Le jazz – appelons-le ainsi – est selon moi une expression des idéaux les plus élevés. Par conséquent, il contient de la fraternité. Et je crois qu'avec de la fraternité il n'y aurait pas de pauvreté, il n'y aurait pas de guerre.
John Coltrane

Sacré contre profane, gospel contre blues, la musique de Dieu contre celle du diable, le paradigme afro-américain classique toujours efficient qui maintient les affaires religieuses et la culture populaire en situations diamétralement opposées, qui sépare la vraie spiritualité de la musique comme le jazz, n'a aucune prise sur le système érigé par Coltrane. Comment pourrait-il en être autrement, alors qu'il avait trouvé le salut par le biais d'un saxophone ? Avec la clarté de la jeunesse, il devinait ici une source commune et un objectif commun.
Ashley Kahn

Prélude

Le Père, le Fils, et le Saint-Esprit! Ils sont là, ensemble, sur la scène du Lincoln Center en ce mois de février 1966. Pensez donc, John Coltrane, Pharoah Sanders, Albert Ayler, enfin réunis, il y a de quoi devenir mystique! Et ce n'est pas tout: pour cette soirée consacrée au saxophone ténor, on compte aussi la présence de Sonny Rollins, Yusef Lateef, et du maître Coleman Hawkins, l'inventeur du ténor! Comme si J. C. lui-même avait besoin de son paternel! Pour certains, le jazz qui sort de ce régiment de soufflants est bon pour les aliénés. Mais beaucoup ne s'y trompent pas, la musique est peut-être incompréhensible, hiératique, à la limite parfois du supportable, mais elle est aussi indubitablement charnelle et captivante. Ce sont des cascades incandescentes qui jaillissent de la scène, des illuminations sonores inédites, un magma qui préfigure une nouvelle création du monde, peut-être aussi sa fin. Il ne suffit pas d'être sincère pour jouer « libre ». Coltrane conserve une maîtrise technique toujours inégalée, Sanders tente à chaque note la rupture sonore radicale, Ayler convoque, avec une amplitude sonore surnaturelle, les mânes d'ancêtres jazzistiques dont on ne soupçonnait pas l'existence. Pas de doute, il y a bien quelque chose de sacré qui se trame dans l'instant: qui dépasse l'entendement de l'auditeur, mais le laisse vibrant d'émotion. La preuve? Ce concert a été enregistré, mais jamais personne n'a pu le réentendre. Qui le possède ? Qui le conserve à l'abri des curieux ? Qui décide de cacher un tel document ? Mais après tout, le monde est-il prêt à écouter cela ?

Si l'on en croit Albert Ayler – et les *liner notes* de l'album de John Coltrane, *Meditations* –, John Coltrane, Pharoah Sanders et Albert Ayler avaient l'habitude de se dénommer eux-mêmes « The Father » pour Coltrane, « The Son » pour Sanders et « The Holy Ghost » pour Ayler. Ce qui évidemment dit beaucoup, à la fois, de la profonde complicité qui les unissait, du tempérament de chacun, et de leur commun attachement à l'esprit biblique.

Par là, la geste de ces trois extraordinaires saxophonistes va nous permettre de nous orienter à travers l'hétéroclite et touffu paysage spirituel de ces années 1960 et 1970 qui – par rejet, comparaison, approbation – continuent tant à influencer esthétiquement et politiquement notre époque. Ainsi après avoir, dans une première partie, précisé les enjeux de notre recherche, et dans une deuxième partie, mis à jour les racines initiatiques de l'afro-américanité moderne, nous pouvons maintenant sereinement nous atteler à cette tâche ingrate : tenter de saisir les développements mystiques, métaphysiques et religieux du free jazz et des musiques d'avant-garde.

John Coltrane est sans aucun doute un musicien central, en pratique et en théorie, dans ce paysage culturel, au-delà même du jazz – pensons à l'héritage coltranien revendiqué par les minimalistes américains comme Steve Reich, Terry Riley, Philip Glass, ou à l'hommage rendu en 2005 par la chorégraphe Anne Teresa De Keersmaeker au compositeur de *A Love*

Supreme. Pour autant, nous tenterons de démontrer que d'un point de vue spirituel, John Coltrane est source de malentendus et d'incompréhension. C'est qu'il est dans l'histoire du jazz l'un des très rares – et peut-être le seul – véritables « mystiques » : solitaire par essence de par l'absence de descendance spirituelle. Ses relations denses avec ses aînés (Thelonious Monk, Coleman Hawkins, Duke Ellington), ses employeurs de luxe (Dizzy Gillespie, Miles Davis), ses frères d'armes et d'anches (Jimmy Heath, Sonny Rollins, Benny Golson) ou ses jeunes disciples (Pharoah Sanders) et maîtres (Ornette Coleman, John Gilmore, Albert Ayler), témoignent pourtant d'une émulation collective qui doit autant à l'incroyable créativité de cette génération qu'à son goût prononcé pour la réflexion intellectuelle et la méditation spirituelle.

Il est donc généralement admis que le mouvement free jazz des années 1960 porte, à travers son histoire et ses revendications, ce que l'on a pu désigner comme un « discours mystique ». J'avais ainsi eu l'occasion de participer à un colloque à la Cité de la Musique à Paris en 2008 autour d'un cycle « Jazz Mystique[265] ». En tant que musicien, j'y avais joué les musiques sacrées de Duke Ellington, Albert Ayler, Sun Ra, Pharoah Sanders, John Coltrane. En tant que chercheur, j'avais insisté sur le caractère inadéquat de l'intitulé. Car l'expression « jazz mystique » suggère d'abord une image péjorative de « jazz exalté » – réduisant les expérimentations du free jazz à des élucubrations d'illuminés. C'est que le terme

---

265. Je remercie vivement Vincent Anglade et Vincent Bessières de cette invitation.

« mystique », utilisé de manière générique par Jean Echenoz, est trop souvent, et surtout en France, synonyme d'irrationnel – au mépris d'une compréhension plus rigoureuse du phénomène. L'idée de « jazz mystique » induit ensuite qu'il n'y aurait qu'une seule manière d'envisager le spirituel dans le jazz. Toutes les nuances des influences spirituelles qui animent les artistes se trouvent ainsi écrasées sous une notion décidément trop vague. Enfin, parler de « jazz mystique » circonscrit la question du spirituel à la seule période du free jazz – insinuant par là que le jazz d'avant aura su échapper à ces dérapages jugés délirants. Notre enquête, en mettant à jour une filiation autrement plus souple, démontre le contraire.

Mais, surtout, ce qui se dessine ici, c'est une meilleure compréhension de l'inédite condition spirituelle de notre temps – celui de la « mort de Dieu » prophétisée par Nietzsche – et qu'auront su porter haut les jazzmen. Un état d'esprit à la fois très neuf et très ancien qui trouve en la figure de John Coltrane – centre de gravité fraternel et intellectuel d'un mouvement artistique aux conséquences décisives – sa porte d'entrée privilégiée.

I.
La déclaration mystique[266]

En toi-même, celui qui voit et celui qui est vu ne sont qu'un.
Jalal ad-Din Rumi, *Odes mystiques V*

Aujourd'hui comme hier le mot « mystique » sonne mal : on rougit ou on s'offusque en recevant cette appellation. La bonne société des philosophes n'accueille pas parmi ses membres quelqu'un qui porte ce nom, et le proscrit pour des raisons d'étiquette. Même les plus libres, comme Nietzsche et Schopenhauer, refusaient une telle désignation. Pourtant « mystique » signifie simplement « initié », celui qui a été introduit, par d'autres ou par lui-même, dans une expérience, ou une connaissance qui n'est pas celle de tous les jours, qui n'est pas à la portée de tous. Il est évident que tout le monde ne peut pas être artiste, on ne trouve rien d'étonnant à cela. Pourquoi alors tout le monde pourrait être philosophe ? La possibilité même d'une communication universelle, en tant que caractère de la raison, est un préjugé, une illusion. Après vingt-quatre siècles, les méandres les plus subtils, les plus tortueux et les plus pénétrants de la raison, chez Aristote, n'ont pas encore été explorés, saisis. Même le rationalisme est mystique. Et, en règle générale, il faudrait revendiquer l'épithète de « mystique » comme un honneur.
Giorgio Colli, *Après Nietzsche*

266. Ce chapitre sur John Coltrane est la suite logique de mon article paru dans les *Cahiers du Jazz* n° 6 en 2009 (« John Coltrane, mystique solitaire ») et issu d'une présentation effectuée à l'EHESS en 2008 dans le cadre du séminaire « Jazz et anthropologie » animé par Jean Jamin et Patrick Williams. J'ai également résumé mon point de vue, à la demande de Franck Médioni, dans le livre *John Coltrane, 80 musiciens de jazz témoignent* (Actes Sud, 2007).

L'auteur de *A Love Supreme* et de *Dear Lord* n'est-il pas l'archétype du musicien spirituel ? Plus que tout autre, dans l'histoire du jazz, John Coltrane n'a-t-il pas manifesté la plus concrète aspiration à la transcendance ? Oui, bien sûr. Reste que sa place dans notre étude s'avère à la fois évidente et complexe. Évidente, car peu de jazzmen ont aussi clairement revendiqué une filiation religieuse et exprimé une foi aussi vive par la musique et l'improvisation[267]. Complexe, parce que la nature même de la foi coltranienne échappe radicalement à toute catégorisation : elle met ainsi mal à l'aise aussi bien le croyant, le religieux, le musicologue, l'ethnologue, que l'athée, amateur ou non de Coltrane. Il est donc opportun et primordial désormais de comprendre la nature de ce message, de cerner plus intimement le sens du projet coltranien – et la manière dont la prière, la méditation, la quête spirituelle y trouvent une nouvelle modalité d'être. Ce faisant, nous établirons plus clairement la place de cet immense musicien dans l'espace historique du jazz en général, et des années 1960 en particulier. Nous approcherons plus sereinement la fonction musicale du message coltranien. Mais avant cela, nous chercherons à saisir l'originalité de la foi coltranienne, et nous tenterons de répondre ensemble à la question essentielle : Coltrane n'est-il pas le seul véritable mystique de l'histoire du jazz ?

---

267. Voir le très bel article de François-René Simon, « John Coltrane : Et Dieu dans tout ça ? » à propos de *A Love Supreme*, *Jazz Magazine* n° 534, février 2003.

Meditations, *ou la vision sacrée*

L'inspiration spirituelle dans l'œuvre de John Coltrane aura eu droit à toutes sortes d'interprétations, des plus fantasmatiques aux plus pertinentes, mais qui presque toutes pèchent par unilatéralisme : orthodoxie chrétienne jusqu'à la sanctification pour les adeptes de la St. John Church de San Francisco, syncrétisme *new age* pour J.-C. Thomas[268], syncrétisme universaliste pour François-René Simon[269], quintessence des pratiques musicales de l'Église pentecôtiste noire pour Harvey Cox[270] ou plus largement afro-américaine selon Leonard Brown[271] ou Lewis Porter[272]. Aucune pourtant ne prend réellement en compte le témoignage biographique qui, nous l'avons dit, rend compte de l'expérience spirituelle de John Coltrane. Une herméneutique à la fois sensible et concrète de son œuvre fait en ce sens défaut. Si nous lisons les textes, les témoignages, et les signes que nous a laissés le musicien, un terme, dont nous allons maintenant préciser la teneur, semble convenir plus justement pour décrire cette expérience personnelle : mystique.

L'expérience mystique est par essence incommunicable. C'est qu'elle outrepasse souvent le champ sémantique du mystique lui-même – et donc *a fortiori* celui de son entourage. L'extrême et concrète singula-

---

268. J.-C. Thomas, *Chasin' the Trane*, Denoël, 1984.
269. F.-R. Simon, *art. cit.*
270. « Jazz et pentecôtisme », in *Archives des sciences sociales des religions* n° 84.
271. L. Brown, *John Coltrane and Black America's Quest for Freedom Spirituality and the Music*, Oxford University Press, 2010.
272. L. Porter, *John Coltrane, sa vie, sa musique*, cit.

rité de cette « rencontre » unique et parfois subie, rend toutes approches théoriques plus dérisoires et vaines pour celui qui a « vu », et condamne à la vacuité toute tentative rationnelle – qu'elle soit théologique ou métaphysique – de restituer ce phénomène. C'est pourquoi le mystique, s'il ne s'impose pas purement et simplement la loi du silence – mais auquel cas il deviendrait un ermite, ce qui n'est pas la même chose – se tournera alors vers les expressions les plus sensibles, les moins assujetties aux lois de la logique, de la matière et de la perception. Car le mystique – pensons à Thérèse d'Avila, Hafez, Maître Eckhart –, s'il sait dorénavant que rien ne peut être expliqué, brûle malgré tout de dire sa vision. Ce n'est en rien du prosélytisme puisqu'il n'a plus rien à prouver. Mais il sait que son expérience vaut d'être manifestée, non pas pour ce qu'elle a d'édifiant, mais bien justement parce que, dénuée de tout but, elle est désormais un ineffable vecteur d'amour, de création et de beauté.

Témoin paradoxal d'une expérience incommunicable, le mystique en vient ainsi à élaborer une méthode somme toute originale, et qui le distingue de l'illuminé et du fou. Ces derniers ne se sont-ils pas brûlé les ailes d'avoir « trop vu » ou « cru voir » ? La poésie, la littérature, la musique et le chant ont alors les faveurs de ceux qui cherchent à dire l'indicible, de saint Jean de la Croix[273] jusqu'à Jalal ad-Din Rumi[274]. Ces deux hautes figures du mysticisme universel nous

---

273. Saint Jean de La Croix (1542-1591), saint, poète et mystique espagnol, qui réforma l'ordre des carmélites masculins.

274. Jalal ad-Din Rumi (1207-1273), poète soufi et mystique perse, connu pour avoir fondé l'ordre des mevlevis, les fameux derviches tourneurs.

font nous poser une autre question : n'y a-t-il pas deux sortes de mystiques ? Celui qui a d'abord vu, qui a fait l'expérience du divin, et peut en concevoir ensuite une méthode de vie et d'extase – plus ou moins transmissible. Et celui qui, par la force d'une méthode spirituelle – qui lui a été transmise par un maître ou qu'il a lui-même conçue –, touche peu à peu à l'intimité souhaitée avec le divin, de façon plus initiatique.

Incontournable tout autant que profondément suspect au regard du dogme religieux, le mysticisme est-il d'ailleurs circonscrit au seul fait religieux ? Loin s'en faut, puisque l'attitude mystique peut finalement témoigner de toute expérience d'ultime union entre l'acteur et sa quête. N'a-t-on pas parlé de « mysticisme profane » voire « athée », ou de « mystique du verbe » ? Moyennant quoi, le mystique établit une connexion entre l'ineffable et le réel, en une attitude qu'universellement les hommes reconnaissent comme un signe du sacré.

Ascension, *ou l'énergie poétique*

A-t-on bien compris John Coltrane à ce sujet ? Que n'a-t-on pas dit, démontré ou démenti à propos de la dimension spirituelle de l'incontournable compositeur de *A Love Supreme* ? N'a-t-on pas réduit son inspiration à une simple velléité religieuse due, semble-t-il, à son éducation familiale ? De ce point de vue, l'emploi des termes de « mystique » et de « religieux » a souvent paru impropre aux exégètes de Coltrane[275].

---

275. Dans les notices biographiques conclusives de *Free Jazz Black Power* (Champ Libre, 1971), Philippe Carles et Jean-Louis Comolli réduisent la religiosité de Coltrane à sa portée poli-

D'une part, l'expérience coltranienne ne pourrait-elle se prévaloir d'une certaine rationalité, au moins comme garde-fou, contre les prétentions spirituelles de nombre d'artistes ? D'autre part, la dimension spirituelle de l'œuvre coltranienne ne risquerait-elle pas d'occulter la véritable envergure révolutionnaire de celle-ci, tant du point de vue musical que politique ?

À nouveau, nous sommes confrontés à cette méfiance qui prévaut de la part des médias quant au fait spirituel dans le jazz. Pourtant, que peut-on imaginer de plus clair à ce sujet que l'œuvre de John Coltrane ? Et finalement, à bien y regarder, John Coltrane ne représente-t-il pas un cas unique de mystique dans l'histoire du jazz ? Tel semble, en effet, être le cas au regard de notre explicitation de l'expérience mystique. Et le comprendre vraiment, c'est définitivement l'éloigner des exaltés, des idolâtres et des illuminés. Observons. D'abord, il a vu Dieu. Il le dit, l'écrit : « *I have seen God/I have seen ungodly/None can be greater/None can compare to God*[276]. » Le contexte de cette expérience singulière est circonstancié : plusieurs membres de son entourage ont témoigné d'un événement extraordinaire vécu par Coltrane en 1957 – pensons à l'exclamation prêtée à sa mère, lors de la sortie de *A Love*

---

tique et afrocentrique. Dans *Le Cas Coltrane* (Parenthèses, 1985), consacré, il est vrai, à la période moins « spirituelle » des albums Atlantic, Alain Gerber élude quelque peu le problème (« Dieu pour tous, et, pour Lui, la musique coltranienne »). Contredisant leurs propres visions du jazz en général, et du free jazz en particulier, la religiosité coltranienne semble gêner ces trois auteurs.

276. Texte tiré du poème éponyme de l'album *A Love Supreme*.

Supreme : « Mon fils a vu Dieu. Il n'aurait pas dû. Celui qui a vu Dieu va mourir[277]. » Mais à ce stade de notre réflexion, levons une ambiguïté : que, nous autres, observateurs, chercheurs, amateurs, musiciens, croyions ou non à la réalité factuelle de ce témoignage, que nous nous placions dans la catégorie des athées, agnostiques ou croyants n'a strictement aucune importance. Tout juste pourrions-nous débattre de sa sincérité[278]. Parmi les laudateurs ou les critiques de Coltrane, beaucoup sont naturellement suspicieux vis-à-vis de ce genre de témoignage – et, c'est moins connu, beaucoup de croyants dogmatiques sont très méfiants face à l'hétérodoxie du message mystique en général, et donc coltranien en particulier. Au point d'imaginer, dans un camp comme dans l'autre, et de façon plus ou moins avouée, que le témoignage de Coltrane relèverait plus d'une tentative de positionnement spirituel, en vogue à cette époque, que d'une manifestation réelle. Ou même découlerait des problèmes de drogues dont il cherchait à se débarrasser. D'ailleurs, la date de la vision mystique de Coltrane semble correspondre, selon les témoignages, à la période où il se débarrasse de la drogue, faisant *cold turkey*, en 1957. Le fait que c'est en 1957 que Coltrane rencontre et travaille avec Thelonious

---

277. Cité dans J. C. Thomas, *Coltrane, Chasin' the Trane*, cit.
278. Il semble opportun de signaler que, tant dans le domaine de la psychologie que de l'anthropologie religieuse (Rudolf Otto), la notion de « phénoménologie du vécu subjectif » demeure essentielle à la compréhension du témoignage religieux et/ou mystique. La croyance objective en un témoignage ou un fait circonstancié dans ce domaine ne vient pas ici influer sur sa prise en compte sérieuse.

Monk, pourrait pour certains souligner mieux encore le caractère « miraculeux » pour lui de cette période.

Malgré toutes nos interrogations[279], comment pourrions-nous passer à côté de l'importance de ce témoignage dans l'édification de *A Love Supreme*, l'œuvre majeure du mysticisme coltranien ? En l'occurrence la « rencontre » avec Dieu, plus encore que l'épine dorsale de l'œuvre, en est sa raison d'être. Pour ainsi dire, Coltrane lève toute équivoque à ce sujet. La musique est un sublime véhicule de la beauté et une parfaite illustration de la plus profonde inspiration. Mais à ce niveau, elle ne suffit plus. Le lyrisme poétique doit prendre la relève afin de porter l'œuvre vers son absolu – esthétique et spirituel –, dans un style littéraire propre au mysticisme, où l'amour, la joie, l'exaltation et la compassion sont les maîtres-mots. La teneur du texte de *A Love Supreme*, d'un authentique lyrisme psalmodique – et dont Lewis Porter a souligné le lien avec la musique du dernier mouvement, « Psalm[280] » – peut être comparée aux textes des grands mystiques chrétiens, musulmans, juifs, mais aussi hindous et bouddhistes. Pen-

---

279. Après tout, le fait que l'expérience mystique de Coltrane résulte d'une affaire de drogue entrave-t-il l'intérêt et l'importance de celle-ci ? Plus précisément, l'utilisation du L.S.D., que visiblement Coltrane consomma, n'était-il pas préconisé, sous l'influence d'Aldous Huxley et Timothy Leary, comme le chemin chimique sur la voie de l'illumination, mystique par certains aspects ? De plus, il est judicieux de se poser la question suivante : pourquoi les phénomènes de conversion de Paul Claudel et Olivier Messiaen, si déterminants dans l'histoire culturelle occidentale, ne suscitent pas les mêmes interrogations passablement suspicieuses ?

280. L. Porter, *John Coltrane, sa vie, sa musique*, cit.

sons à saint Jean de la Croix, Rumi ou saint François d'Assise pour ce rapport à l'amour éternel et suprême. Il est frappant de constater d'ailleurs que celui qui a toujours été montré comme un homme discret, voire taiseux, peu prolixe sur son art et ses méthodes, avait finalement un sens profond de la sémantique : une maîtrise certaine des mots, de leurs significations et de leurs poids.

Évidemment la musique de *A Love Supreme* se suffit à elle-même pour l'auditeur. Mais si Coltrane relate, sous forme écrite, poétique, presque psalmodique, son expérience mystique, c'est pour manifester aux yeux du monde l'incroyable force et la singulière originalité de l'inspiration dont il a joui pour sa musique. *A Love Supreme* ne peut être, à ce moment, une œuvre comme les autres. L'œuvre témoin de l'expérience mystique de Coltrane représente ainsi la quintessence du projet coltranien. Car projet il y a, si l'on en croit les textes, titres et paroles que Coltrane nous a laissés[281]. François-René Simon a raison de proposer *Alabama* comme point de départ de ce que j'appelle pour ma part le projet coltranien. En effet, cette œuvre marque un tournant dans son répertoire. De sources d'inspiration quotidienne (*Naima*, *Mister P C.*, etc.) ou mythique (*Dahomey Dance*, *Fifth House*, *Equinox*), Coltrane passe à partir de ce moment-là à un niveau de

---

281. Dans l'article « Manifeste pour le projet » (*Jazzman* n° 102, mai 2004) dans lequel je répondais à une tribune de Laurent Cugny. Il faisait état de ses interrogations et son irritation face à la manie française du « projet ». Il se demandait ainsi, ironiquement, si l'on s'était posé la question de savoir si Coltrane avait un projet. En ce qui me concerne, la réponse était évidente : bien sûr que oui !

conscience différent. D'abord comme témoin et acteur de son époque – avec *Alabama*, dédiée en 1963 aux quatre fillettes noires mortes dans un attentat raciste la même année à Birmingham, et plus tard *Reverend King*. Mais aussi comme transmetteur de sa propre expérience mystique, dans une position paradoxalement personnelle (*A Love Supreme*) et universelle (*Peace on Earth*).

Mais le point central du mysticisme coltranien demeure *A Love Supreme*, pris dans l'intégralité de son message. Voyons le poème *A Love Supreme* déclamé sur le quatrième mouvement de l'album, « Psalm », et le texte publié par Coltrane dans les *liner notes* de l'album, et entendons-les en français – dans la traduction de François-René Simon, qui nous paraît la plus proche de l'esprit d'origine –, de manière à ne plus nous réfugier derrière la barrière virtuelle d'une langue qui ne nous est pas maternelle :

A LOVE SUPREME
Je ferai tout mon possible pour être digne de toi Ô Seigneur.
Tout doit faire de même.
Merci Seigneur.
Paix.
Il n'y en a pas d'autre.
Dieu est. C'est si beau.
Merci Seigneur. Dieu est tout.
Aide-nous à surmonter nos peurs et nos faiblesses.
Merci mon Dieu.
En Toi tout est possible.
Nous le savons.
Dieu nous a faits ainsi.
Garde un œil sur nous Seigneur. Dieu est. Il a toujours été.

Il sera toujours.
Aucun doute… C'est Dieu.
Il est la grâce et le pardon.
Il est de la plus haute importance de Te connaître.
Les mots, les sons, les paroles,
les hommes, la mémoire, les peurs et les émotions – le temps – tout
est en relation… tout vient de l'un…
et tout va à l'un.
Béni soit Son Nom.
Les ondes de pensées – de chaleur – toutes les vibrations
    – tous les chemins mènent à Dieu.
Merci Seigneur.
L'Univers est plein de merveilles.
Dieu est tout.
Son chemin… c'est merveilleux.
Les pensées – les actes – les vibrations, etc.
Tout retourne à Dieu et il assainit tout.
Il est la grâce et le pardon. Merci Seigneur.
Gloire à Dieu. Dieu est tellement la vie.
Dieu est.
Dieu aime.
Puissé-je être accepté dans Son sein. Nous ne faisons
    qu'un dans Sa grâce.
Le fait que nous existions bel et bien est ta reconnaissance,
    Ô Seigneur.
Merci Seigneur.
Dieu effacera nos larmes…
Il l'a toujours fait…
Il le fera toujours.
Recherche-le chaque jour.
Tous les jours cherche Dieu, chaque jour.
Chantons tous nos chants pour Dieu. À qui toute louange est due.
Loué soit le Seigneur.

Aucune voie n'est facile, mais toutes ramènent à Dieu.
Nous partageons tout en Dieu.
Tout est Dieu.
Tout est Toi.
Obéis au Seigneur.
Loué soit-Il.
Nous venons tous d'une chose… La volonté de Dieu…
Merci Seigneur.
J'ai vu Dieu – je l'ai vu de façon impie [282] *–*
      personne ne peut être
plus grand – personne ne peut être comparé à Dieu.
Merci Seigneur.
Il nous modifiera… Il l'a toujours fait et le fera toujours.
Cela est vrai – loué soit Son nom –. Merci Seigneur.
Dieu respire en nous si intensément. Nous sentons Sa bonté
      si profondément,
déjà c'est
notre tout. Merci Seigneur. JOIE-ÉLÉGANCE-EXALTATION.
Tout vient de Dieu.
Merci Seigneur. Amen.
J. C. (décembre 1964)

---

282. Ici nous préférons la traduction de François-René Simon à celle de Vincent Cotro – qui a traduit de manière par ailleurs très habile le livre de Lewis Porter. Ce dernier propose « j'ai vu l'impiété » pour « *I have seen ungodly* ». Or il semble que la phrase ait été soustraite à son contexte « *I have seen God – I have seen ungodly* ». Dans cet ensemble, on comprend avec François-René Simon : « J'ai vu Dieu, je l'ai vu de manière impie », apportant peut-être de l'eau au moulin de ceux qui pensent que Coltrane a fait cette expérience dans un contexte bien profane, notamment de désintoxication.

Extraits des *liners notes* de *A Love Supreme* :

« Vous qui allez écouter, LOUÉ SOIT DIEU À QUI TOUTE LOUANGE EST DUE. Suivons-le dans le vertueux chemin. Oui, cela est vrai : « Cherche et tu trouveras. » Ce n'est qu'à travers lui que nous trouvons le plus merveilleux des accords.

Au cours de l'année 1957, j'ai fait l'expérience, grâce à Dieu, d'un éveil spirituel qui m'a mené à une vie plus riche, plus pleine, plus productive. À cette époque, pour pouvoir le remercier, j'ai humblement demandé que me soient donnés les moyens et le privilège de rendre les gens heureux à travers la musique. Je crois que cela m'a été accordé à travers Sa grâce. DIEU SOIT LOUÉ.

Ensuite, une période d'indécision a prévalu. J'ai traversé une phase contraire à mon vœu, mais grâce lui soit rendue, à travers l'aide infaillible de Dieu, j'ai vraiment perçu SA TOUTE-PUISSANCE et j'en ai été convaincu, comme de notre besoin de lui, comme de notre dépendance de lui. À présent, je voudrais vous dire PEU IMPORTE AVEC DIEU. IL EST GRÂCE ET MISÉRICORDE. SON CHEMIN PASSE PAR L'AMOUR, DANS LEQUEL NOUS SOMMES TOUS. C'EST RÉELLEMENT – UN AMOUR SUPRÊME.

Cet album est une humble offrande à Son intention. Une tentative de le remercier par notre travail, comme nous le faisons par le cœur et la bouche. Puisse-t-Il aider et renforcer tous les hommes dans chacun de leurs efforts (...).

Pour finir, j'aimerais remercier les musiciens dont j'apprécie et estime le talent qui ont contribué à la réalisation de cet album et d'engagements antérieurs. Elvin,

James et McCoy, j'aimerais vous remercier pour tout ce que vous donnez chaque fois que vous jouez. Je voudrais remercier également Archie Shepp (ts) et Art Davis (b) qui l'un et l'autre ont enregistré une plage qui hélas ne peut être publiée cette fois-ci ; mon estime la plus profonde pour votre contribution à la musique passée et présente. Dans un proche avenir, j'espère que nous pourrons approfondir le travail commencé ici.
Merci au producteur Bob Thiele ; à l'ingénieur du son Rudy Van Gelder et à toute l'équipe d'ABC/Paramount (...).
Puissions-nous ne jamais oublier qu'au soleil de notre vie, à travers vents et marées – tout est Dieu, de toute manière et pour toujours. DIEU SOIT LOUÉ.
Avec mon amour à tous, je vous remercie. »
John Coltrane [283]

Je dois signaler, à titre d'anecdote, que lors des premiers concerts qui ont suscité la naissance du projet « Bach Coltrane[284] », nous avions collaboré avec un narrateur, ou un slameur. Ceci afin d'évoquer les motifs communs aux textes de J. S. Bach – qui faisait lui-même œuvre mystique en se réappropriant et en transformant les textes des psaumes et des cantiques de la tradition luthérienne, nous y reviendrons – et de Coltrane. Beaucoup de spectateurs, même parmi les fans anglophones, se retrouvaient ainsi gênés par

---

283. Traduction François-René Simon (*Jazz Magazine*, cit.).
284. Album sorti chez Zig Zag Territoires en 2008 et enregistré à Bouc Bel Air (13) en juillet 2007, avec André Rossi à l'orgue (un orgue Jean Daldosso), le Quatuor Manfred, Michel Péres à la contrebasse et Jean-Luc Difraya au chant et aux percussions.

l'écoute, en français, du texte de *A Love Supreme*. Certains s'étonnaient de la tonalité sermonnaire du texte, alors même qu'ils côtoyaient l'œuvre depuis longtemps. L'écoute dans la langue maternelle de l'auditeur exclut sans doute tout exotisme qui pourrait, dans notre cas, dédouaner celui-ci d'une compréhension plus sensible.

Il convient d'ailleurs maintenant de pousser l'exercice en comparant le poème de *A Love Supreme* à des textes dont la nature mystique est pleinement reconnue. Le motif de l'amour, suprême car mystique, et signifiant l'intimité du pratiquant avec son sujet de méditation et de prière, est le plus évident à souligner. Ainsi le théologien Carl A. Keller dans son *Approche de la mystique dans les religions occidentales et orientales*[285], insiste-t-il sur l'« amour fou », comme caractéristique de la nature mystique d'une expérience. L'amour de Dieu est même un commandement :

« Tu aimes le Seigneur, ton Dieu, de ton cœur, de toute ta vitalité et de toute ta force. »
(Matthieu, 22.37)
« Tu aimeras le Seigneur ton Dieu de tout cœur, de toute ton âme, de toute ta force et de tout ton esprit, et ton proche comme toi-même. »
(Luc 10.27)

Il est identique en cela au commandement hébraïque du Deutéronome (6.5) mais présenté par l'Évangile comme commandement principal.

Cet amour est même comparé à l'amour charnel dans les traditions hébraïques (*Cantique des cantiques*) et

---

285. Albin Michel, 1996.

soufies (*cf.* Ahmad Ghazali). Même la tradition chrétienne, avec notamment saint Jean de la Croix, en analogie au poème courtois espagnol, ainsi que ses dix degrés de l'amour pour Dieu, aura tendance à rapprocher l'union avec Dieu de l'union charnelle. Maxime le Confesseur (580-662) se fera le chantre d'une assimilation de l'Éros de la tradition philosophique hellénistique dans « l'idée d'une universelle unification par l'énergie de l'amour ». Ce motif souligne également la distinction que le mystique tente d'opérer entre son expérience et celle de religieux ou initiés qui revendiquent la possession, si j'ose dire froide et concrète, de la connaissance. Ainsi, Paul dans la Première épître aux Corinthiens :

« La connaissance enfle, mais l'amour édifie. » (I Corinthiens 8.1)

L'amour est ici à entendre au sens de l'*agapê* grec, parfois traduit par charité, mais qui signifie cependant la singularité de l'amour chrétien en tant que conséquence naturelle, presque naïve, de la foi. Aussi :

« Celui qui aime Dieu est connu de Lui. » (I Corinthiens 8.3)

Cette démarcation a le mérite, en ce qui nous concerne, de faire la différence entre le Coltrane de la connaissance, féru d'ésotérisme, de culture, de savoir, et le Coltrane de l'amour suprême, le mystique empirique.

D'autres textes soulignent admirablement ces similitudes, et ils nous amènent très naturellement à l'idée d'universalité, conséquence de l'amour mystique. Sur le thème de l'Amour :

Mon âme est le voile de Son amour
Mon âme est le voile de Son amour,
mon œil est le miroir de Sa grâce,
ni devant la terre, ni devant le firmament, ne me prosternai-je;
mais Ses bienfaits ont un esprit trop fier pour s'abaisser.
Ce temple de la vénération, que nul péché mais seul le zéphyr
peut approcher, qui suis-je
donc pour m'y aventurer?
Et pourtant: bien souillée est ma robe:
cela blessera-t-il le Très-Pur, le Très-Haut?
Il est passé près de la rose,
elle lui déroba son parfum, sa couleur.
Ô bienheureuse étoile qui révéla
le secret de la nuit et du jour:
à mes yeux, Son visage,
à mon âme, Son amour!
Hafez (1315-1390) [286]

Somme de la Perfection
Oubli du créé,
Mémoire du créateur,
Attention à l'intérieur,
Et rester en l'amour de l'Aimé.
Saint Jean de la Croix

Sur le thème, aussi, de l'universalité :

Nul mortel n'a pu Te voir
Nul mortel n'a pu Te voir,
mille amoureux Te désirent pourtant;
il n'est pas de rossignol qui ne sache

---

286. E. De Vitray-Meyerovitch, *Anthologie du soufisme*, Albin Michel, 1995. Les citations des poètes soufis sont pour la plupart tirées de cet ouvrage.

> que dans le bouton dort la rose,
> L'amour est là où la splendeur
> vient de Ton visage : sur les murs du monastère et
> sur le sol de la taverne,
> la même flamme inextinguible,
> Là où l'ascète enturbanné
> célèbre Allah, nuit et jour,
> où les cloches de l'église appellent à la prière, où se trouve
> la croix du Christ.
> Hafez

Hafez, qui nous permet ainsi dans le même texte d'opérer la transition entre l'amour et l'universalité.

> Un Seul je cherche
> Que faire, Ô musulmans ? Car je ne me reconnais pas moi-même.
> Je ne suis ni chrétien, ni juif, ni guèbre, ni musulman ;
> (…)
> Un seul je cherche, Un seul je sais, Un seul je vois,
> Un seul j'appelle.
> Il est le Premier, Il est le Dernier, Il est le Manifeste,
> Il est le Caché ;
> (…)
> Je suis enivré de la coupe de l'amour, je n'ai que faire
> des deux mondes ;
> Je n'ai d'autre fin que l'ivresse et l'extase. (…)
> Rumi (1207-1273)

> L'impiété et la Foi courent toutes deux sur le chemin de Dieu.
> Sanâ'i

Peace on Earth *ou l'universalisme*

L'intérêt de Coltrane pour les cultures du monde entier, notamment religieuses, spirituelles et musicales, tel qu'on peut le constater dans de nombreux titres de ses œuvres[287], doit moins à un phénomène de mode *sixties* qu'à la réalité de son expérience mystique. Coltrane n'y cherche pas une réponse, mais en tant que quelqu'un qui « a vu », il cherche les similitudes. Hors de tout prosélytisme, le mystique entend la vérité de sa propre expérience dans le récit des autres mystiques. « Les mystiques se lisent entre eux, s'imitent » selon la juste formule de Guy Fau, qui l'utilise dans un contexte surprenant pour notre sujet d'étude, celui d'un dictionnaire rationaliste[288]. Coltrane saisit l'expression d'une expérience intime avec Dieu dans d'autres traditions et d'autres mysticismes. La question reste pourtant : le Dieu de Coltrane est-il un Dieu sans nom, déiste, universel, africain, chrétien, occidental ? François-René Simon donne son avis : « Coltrane fait référence à Dieu prioritairement de façon chrétienne : il l'appelle *God*, *Father* ou *Lord*[289] ». Il souligne malgré tout la multiplicité des sources spirituelles chez Coltrane, le menant à l'idée d'un « Dieu principe ». La question de la nature exacte de la religion de Coltrane et de son Dieu est visiblement problématique chez tous les auteurs coltranophiles – de Marion Brown à J. C. Thomas, en passant par Simpkins ou Porter. Il nous semble d'ailleurs qu'il y a généralement, chez ces

---

287. *Om*, *Selflessness* fait référence aux religions orientales, *Kulu Se Mama* et *Ogunde* à l'Afrique, *Olé* à l'Espagne.

288. *Dictionnaire rationaliste*, Paris, 1964.

289. F.-R. Simon, « John Coltrane : Et Dieu dans tout ça ? », *cit.*

auteurs, amalgame entre les dires de Coltrane en interview, volontiers prolixe sur son attrait pour l'islam en particulier, et toutes les religions en général, et la réalité de son expérience mystique. Nous le voyons, l'universalité réelle de la foi de Coltrane ne relève ni d'un syncrétisme ni d'une nouvelle religion coltranienne, comme beaucoup d'auteurs, à commencer par Porter, ont voulu s'en convaincre. Elle dénote, à travers le : « Je crois en toutes les religions », mis en exergue dans *Meditations*, l'universalité propre aux mystiques. Ainsi, cette question *a priori* difficile à trancher au regard des mythes et des informations disponibles – l'entourage de Coltrane, à commencer par Alice, cultivant un syncrétisme oriental quelque peu différent[290] –, trouve sans doute à travers notre hypothèse une réponse plus satisfaisante. Le mystique tend au dialogue ultime et intime avec Dieu, témoignant d'une forme particulière de monothéisme, du moins une évidente quête de l'unité. D'ailleurs les références premières de Coltrane demeurent judéo-chrétiennes. Nous l'avons vu, le mystique (et Coltrane ne déroge pas à la règle avec ses références hindouistes, bouddhistes, africaines) s'ouvre au monde et aux autres, par la grâce de sa propre expérience. Il n'en reste pas moins fidèle à sa tradition religieuse. Ainsi rien n'indique que Coltrane ait créé sa propre religion. Nous pourrions donc constater que là où Pharoah Sanders, recherche entre autres choses le *Tauhid* – titre d'un

290. J'ai eu la chance de tomber, au Schomburg Center à New York, sur quelques-uns des livres d'Alice Coltrane, édités dans les années 1970 : il s'y affiche un prosélytisme hindouiste très prononcé quoiqu'hétérodoxe (Alice Coltrane-Turiyasangitananda, *Endless Wisdom*, Avatar Book Institute, 1979).

album sorti en 1966 –, c'est-à-dire l'unification des soufis, Coltrane quant à lui l'a vécue.

Nous pouvons également nous interroger sur la nature exacte de l'intérêt que Coltrane porte aux autres traditions musicales et qui s'affiche par exemple dans *India* (l'Inde), *Olé* (l'Espagne et l'Orient), *Ogunde* (l'Afrique et ses mythes), *Brazilia* (l'afro-américanité du continent sud-américain), mais aussi dans ses emprunts à la musique occidentale – tel le pont d'*Impressions* reprenant la *Pavane pour une infante défunte* de Ravel. Coltrane n'entre-t-il pas dans le même rapport fraternel avec d'autres cultures musicales à la tonalité spirituelle avérée, sans qu'il soit besoin pour l'expliquer de convoquer un attrait pour « l'exotisme » ?

Le travail musical effectué dans le cadre du projet « Bach Coltrane » m'a permis de m'immiscer très concrètement dans ce rapport *a priori* peu évident entre le Cantor de Leipzig et le saxophoniste de New York. C'est qu'une fois démontrés, ces liens ont le mérite d'illustrer musicalement, s'il le fallait, ce même phénomène de compréhension de l'altérité religieuse, culturelle, esthétique par le Coltrane mystique. Et si le lien entre culture africaine et œuvre coltranienne a souvent été souligné[291], il semble également opportun

---

[291]. Ne serait-ce que par la place prépondérante de la batterie, des percussions, et le dialogue privilégié entre Coltrane et Elvin Jones – batteur puissant, intarissable et génial souvent décrit comme « africanisant » voire « primitif ». À l'inverse, à l'écoute du *Bach Coltrane*, il m'a été souvent reproché de « désafricaniser » ou « débluéséifier » la musique de Coltrane. J'espère que ces lignes contribueront à préciser mes intentions : reconnaître l'importance de l'art africain pour Picasso n'occulte pas pour autant les racines académiques européennes de l'artiste.

de faire la lumière sur les racines liturgiques de sa musique.

Crescent, *ou la figure du compositeur*

Je me souviens de la devise que nous avions trouvée lors de notre enregistrement du *Bach Coltrane* : « Réhabiliter Bach comme improvisateur et Coltrane comme compositeur. » Et sans doute l'acception du terme d'« œuvre » – lourd de sens en musique occidentale – qui nous permettra d'appréhender les aspects les plus conceptuels de la musique de Coltrane, doit-elle en passer par ce genre de confrontation. Mais commençons par nous concentrer sur un point de détail édifiant pour notre réflexion. À savoir, le peu d'études consacrées à l'utilisation des tonalités chez Coltrane. Les techniques d'improvisation, – les « coltranismes » et autres « *Coltrane changes*[292] » – ont été largement diffusées sous forme de méthodes théoriques dans les conservatoires du monde entier. Les compositions sont alors presque ramenées au rang de mélodies prétextes, sans que l'on se pose la question du choix des tonalités et de leurs fonctions. C'est bien parce que la force de

---

292. Principe coltranien de développement harmonique complexe sur la base du fondamental II-V-I qui trouve son apogée dans les titres tels *Giant Steps*, *Countdown* ou *26-2*. François Jeanneau, dans *Coltrane, 80 musiciens de jazz témoignent* (Actes Sud), explique de manière simple et ludique ces « Coltrane changes ». Branford Marsalis, dans *Jazz Magazine* (n° 603, mai 2009), fustige quant à lui l'interprétation répétée des compositions à « Coltrane changes » (*Giant Steps*, *Central Park West*, *Countdown*), alors que Coltrane lui-même les avait abandonnées rapidement pour ne plus les jouer ni en studio, ni en concert.

travail surhumaine de Coltrane lui a permis d'être à l'aise dans toutes les tonalités que le choix de celles-ci dans l'écriture n'est pas anodin. *Equinox* n'est pas écrit en *do* dièse mineur simplement pour montrer qu'il était capable de jouer un blues dans cette tonalité réputée difficile. L'exemple de *Welcome* est édifiant : il use d'une tonalité rare – *si* majeur – et délivre un message mystérieux. Car la mélodie lumineuse a une clarté blanche et brillante que seule cette tonalité pouvait rendre de manière aussi frappante. Cette mélodie composée en 1965 qui nous interpelle sur la signification de ce message de « bienvenue ». Ne s'agit-il pas d'une vision d'espoir dans la mort que cet homme sait ou devine imminente[293] ? Cette tonalité, peu commode pour l'ensemble des instrumentistes, est pourtant la seule qui puisse transmettre cette vision.

Ainsi, chez Beethoven, compositeur particulièrement sensible au choix des tonalités, la luminosité, l'accueillante brillance du *si* majeur est utilisée dans un contexte similaire à celui de *Welcome*. Par exemple dans le final de la symphonie n° 9, mesures 834 à 842, *poco adagio* :

Joie, étincelle des Dieux,
fille de l'Élysée, nous pénétrons avec un ardent
enthousiasme – Ô céleste – dans ton sanctuaire.

---

293. Le rapport à la mort chez Coltrane reste pour moi un mystère. On lui connaît un certain défaitisme lucide, par exemple, lors de son célèbre dialogue astrologique en 1961 avec Louis-Victor Mialy : « Je ne vivrai pas vieux ! » Mais deux semaines avant son décès, alors que les séquelles de sa maladie ne laissaient aucune ambiguïté quant à l'issue de son calvaire, il cherchait encore une maison pour pouvoir accueillir famille, amis, musiciens.

> *Ton enchantement unit de nouveau ce que les*
> *conventions séparaient ; tous les hommes*
> *deviennent frères là où plane ton aile si douce.*

Ou dans le lieder *Sehnsucht* (Nostalgie) opus 83 n° 2, en *si* mineur, mais dont la fin en *si* majeur illustre la « délivrance », et « l'astre lumineux ».

De fait, la tradition musicale occidentale, à l'époque de Bach en particulier, faisait grand cas de l'expression de chaque tonalité : chacune y est considérée comme un « personnage » à part entière, ce que les Italiens nommeront *affetti*, les Français *ethos, affect* ou *énergie des modes*, les Allemands *Affekten*. Marc-Antoine Charpentier dans ses *Règles de compositions* (1690) définira ainsi l'énergie des modes :

Ré mineur = grave et dévot
Ré majeur = joyeux et très guerrier
Mi mineur = effemmé (efféminé), amoureux et plaintif
Fa majeur = furieux et emporté
Sol mineur = sévère et magnifique
Sol majeur = doucement joyeux
La mineur = tendre et plaintif

Notons que, logiquement, les tonalités et leurs fonctions caractéristiques évolueront encore jusqu'à l'invention du tempérament égal, permettant enfin l'utilisation complète des douze tons. De Johann Mattheson à Christian Friedrich Daniel Schubart, en passant par Werckmeister, les affects de chaque tonalité changent alors – certaines interdites du temps de Charpentier trouvant alors une nouvelle « affectation » dans le tableau des affects tonaux. Le cas de

Rameau est d'autant plus intéressant qu'il embrasse, avec son *Traité de l'harmonie réduite à ses principes naturels* (1722), les recherches physiques et acoustiques de son temps (notamment sur la découverte des harmoniques) et une définition des affects renvoyant autant à Pythagore qu'à ses propres recherches musicales. Quant à Coltrane, son intérêt pour les affects de chaque mode et tonalité est confirmé par une illustration manuscrite que l'on doit à Carl Grubbs, et qui montre le lien entre différents modes indiens et certaines émotions[294].

On ne constate donc pas seulement l'intérêt que portait Coltrane aux perspectives modales offertes par la musique indienne. Mais aussi son attention au rôle sensible joué par chaque mode, selon une échelle comparable à celle, baroque, de Charpentier. Le « grave et dévot » du *ré* mineur offre ainsi une tonalité de deuil et de lamentations à *Song of Praise* de Coltrane. Le *do* mineur, tonalité de la psalmodie et de la trinité (trois bémols à la clef), est à l'œuvre dans *Alabama*, *Attaining* et *Lonnie's Lament*, ou plus tard *Psalm*. L'exercice n'est pas exhaustif, il n'a pas non plus vocation à pousser l'analogie plus que de raison. Il montre simplement que le choix des tonalités par le Coltrane compositeur ne saurait être le fruit du hasard ou de la simple démonstration technique, mais dénote la profonde connaissance de l'histoire de la musique et l'intelligence musicale des jazzmen pour qui la composition représentait un but et non pas un moyen : Duke Ellington, Wayne Shorter, Jelly Roll Morton, Charles Mingus, Thelonious Monk, Mary Lou Williams. Le principe ne se révèle-t-il pas

---

294. L. Porter, *John Coltrane, sa vie, sa musique*, cit.

semblable lorsque, inversement, des solistes remarquables avouent sincèrement leurs préférences et leurs dégoûts en matière de tonalité[295] ? Plus qu'un problème technique, ne s'agirait-il pas d'une véritable conscience des tonalités les plus efficaces selon les personnalités et les desiderata de chacun ?

Cette question ouvre en fait des perspectives inédites concernant le rapport problématique entre compositions et improvisations. L'hégémonie de la culture écrite musicale met habituellement le jazz en porte-à-faux avec les grandes œuvres du répertoire classique occidental, qui ont su se débarrasser du risque improvisé et spontané. Tout au plus, les thèmes du jazz sont vus comme d'aimables prétextes à la réelle créativité du jazzman qui s'exprimerait avant tout dans l'improvisation.

Pourtant à partir du moment où l'on comprend que la sensibilité tonale et modale du musicien s'impose dans un tout, et que les contingences mélodiques, harmoniques et rythmiques d'un moment musical sont irréductiblement liées entre elles en un *ethos* unique, les compositions de John Coltrane – comme l'utilisation par les jazzmen de certains standards de Broadway – ne peuvent plus être seulement considérées comme des

---

295. Dans *Jazz Magazine*, n° 563, octobre 2005, David Sanborn réagit à l'écoute d'un *King Porter Stomp* par l'orchestre de Gil Evans, dans lequel il officie en soliste : « Oh ! Je me déteste dans ce morceau ! C'est un des pires moments de ma discographie ! Je suis nul quand je joue dans cette tonalité ! Stop ! » Franchise rare dans un milieu pétri de perfectionnisme quant à la pratique générale des tonalités, mais qui témoigne d'une vérité qui fâche : on peut être meilleur dans certaines tonalités qu'en d'autres, on peut surtout en préférer une plutôt que l'autre.

prétextes à l'improvisation. Je me permets de poser le problème de manière plus actuelle : à force de pousser la maîtrise technique à son paroxysme, en souhaitant la meilleure exécution de toutes les tonalités selon un tempérament égal, l'apprentissage académique du jazz depuis trente ans n'a-t-il pas occulté ce qui constituait un des éléments essentiels de l'improvisation idiomatique de cette musique, à savoir le rôle (l'affect) de chaque tonalité ? Coltrane nous montre de la manière la plus évidente, comme en son temps J. S. Bach, que la maîtrise technique s'accompagne nécessairement d'une connaissance profonde des fonctions sensibles des tonalités. Notons pour conclure que la connaissance de Coltrane en la matière se trouve démontrée par ceux qui, tel Michel Delorme, ont pu consulter sa bibliothèque personnelle, où effectivement religions et philosophies orientales, africaines, ésotérismes sont largement représentés mais aussi histoires et traités de musiques occidentales. Le recours systématique aux méthodes classiques de pratique instrumentale (Slonimsky, Hanon, Czerny, etc.[296]) dans son travail quotidien le souligne plus encore.

Spiritual *ou les racines liturgiques*

Autre aspect significatif mis en exergue par mon expérience du *Bach Coltrane*, c'est la présence des musiques liturgiques protestante, anglicane et luthérienne dans les fondamentaux du corpus musical de

---

296. On connaît la pratique de Coltrane du *Thesaurus of Scales and Melodic Patterns* de Slonimsky, qui influencera la composition de *Giant Steps*, et des méthodes pianistiques de Hanon et Czerny.

nos deux artistes. Non pas que le luthéranisme joue un rôle décisif sur l'ensemble des musiques sacrées américaines. Les États-Unis restent, historiquement, un pays d'influence calviniste, par le puritanisme et le congrégationalisme des pères pèlerins, et de ses différentes émanations (le baptisme notamment). Les cent mille luthériens d'Europe du Nord fuyant au XVIIe siècle les persécutions religieuses auront une influence certaine sur la tolérance religieuse des États, comme la Pennsylvanie, où ils s'installent. Mais, encore maintenant, ils ne représentent guère plus de 5 % de la population. Malgré tout, force est de constater que la musique jouera un rôle fédérateur envers les différentes « dénominations » protestantes américaines, alors même qu'elles auront une fâcheuse tendance à l'anathème religieux réciproque. Le calvinisme ayant toujours cultivé une « sainte méfiance » de toutes représentations artistiques, les pasteurs et les clercs iront chercher ailleurs les moyens musicaux propres à rassembler des fidèles de langues et de cultures très différentes. La musique comme langage universel, nous l'avons déjà souligné, n'est alors pas un vain mot. Les fidèles respectent la règle calviniste du psaume strictement chanté – le premier livre publié aux États-Unis, en 1660, est un psautier –, mais ils font rapidement appel aussi aux éléments musicaux chers à l'anglicanisme, au méthodisme et au luthéranisme. À savoir, le choral à quatre voix, les hymnes, et les instruments d'accompagnement, à commencer par l'orgue et ses « ersatz », l'harmonium, le piano et autres instruments harmoniques, bannis du temple calviniste. L'anglican Isaac Watts, le plus influent des compositeurs d'hymnes du XVIIIe siècle, puisera dans cet ensemble de traditions liturgiques. Le but avoué est de s'appuyer sur le tronc commun à l'ensemble des fidèles, qui doivent pouvoir s'identifier aux mots par le biais du chant et, à l'inverse de la liturgie romaine où seuls les clercs chantent à l'office – être tous capables de chanter.

Cette révolution musicale et liturgique doit beaucoup à Martin Luther lui-même. Il croit, contrairement à Calvin, que la musique représente le meilleur vecteur du message divin : « Dieu annonce l'Évangile aussi par la musique. » Il est un compositeur liturgique remarquable et prolifique, mettant en avant l'écriture de mélodies simples qui s'enrichissent en harmonie à quatre voix, et démocratisent l'orgue comme accompagnateur privilégié du chant du peuple. Son entreprise fait appel à un mélange subtil et rare de simplicité, de compréhension, de clarté et d'excellence. En rupture avec la musique catholique de son temps, beaucoup plus savante, Luther opère aussi un retour aux sources, notamment vers le chant grégorien. La musique luthérienne dépassera le cadre de l'Église, notamment par l'action des grands compositeurs liturgiques comme J. S. Bach en Europe. Et elle inspirera de nombreux compositeurs par sa puissance édifiante. Les États-Unis, d'une certaine manière, seront le creuset d'une rencontre musicale miraculeuse, entre les traditions liturgiques et les cultures profanes des immigrés – volontaires ou esclaves. En quelque sorte, les États-Unis sont le pays où les calvinistes chantent luthérien, sous influence anglicane, celtique, amérindienne et africaine !

Coltrane est méthodiste de naissance, donc issu d'une « secte » protestante influencée par l'anglicanisme et les idées du théologien Arminius (1560-1609), qui oppose à la doctrine calviniste du « déterminisme de la prédestination » (Dieu, de toute éternité, a choisi ses élus), l'idée de la « grâce divine » et du *sola gratia*[297]. Première grande organisation religieuse noire, l'*African Methodist Episcopal Church* sera fondée en 1793 à Philadelphie par Richard Allen et Absalom Jones – ceux-là mêmes qui, avec Prince Hall, rédigeront les premières pétitions abolitionnistes et les premières plaintes déposées par des Afro-Américains, et prendront une part active à l'*Underground Railroad*. L'*African Methodist Episcopal Zion Church* naît d'une démarche similaire à New York en 1796. C'est l'église dans laquelle Coltrane a été éduqué, avec un grand-père maternel pasteur, animé, semble-t-il, par la même veine militante que ses fondateurs. Pas à proprement parler luthérien, le méthodisme est néanmoins une doctrine affichant des divergences importantes avec le calvinisme dominant, et qui a cultivé une attention toute particulière pour la musique. On a même pu résumer l'exigence des méthodistes à l'égard des compositeurs ainsi : « Donnez-nous la meilleure musique possible, mais rendez-vous amicaux envers les gens[298]. » Une injonction que semblent suivre Richard Allen et son successeur à l'*A.M.E. Church*, Daniel A. Payne, qui auront tous deux une influence considérable sur l'évolution de la musique sacrée afro-américaine. Le premier, pionnier du mouvement d'indépendance de l'Église noire,

---

297. « Par la grâce seule » en latin. Notion selon laquelle Dieu offre son salut par amour des hommes, quels que soient leurs fautes et leurs mérites.
298. B. Reymond, *Le Protestantisme et la musique*, Labor et Fides, 2002.

publiera l'un des premiers recueils d'hymnes à l'attention des Noirs américains, *A Collection of Spiritual Songs and Hymns Selected from Various Authors* en 1801. Il privilégiera la facilité des textes et des mélodies à être interprétés, vécus, dansés par le plus grand nombre de la manière la plus naturelle, voire la plus physique – ce que Luther lui-même n'aurait pas renié. Le second, en contradiction avec son illustre prédécesseur, estimera que la parole de Dieu mérite mieux que les approximations et les gesticulations de la foule en prière, et introduira des chœurs professionnels et des instruments d'accompagnement dans le temple[299]. L'un comme l'autre semblent préfigurer ce que sera la grande tradition musicale liturgique afro-américaine, liberté de ton et d'interprétation, chœur imposant jusqu'à la démesure, interpénétration de la voix et de l'instrument, du son et du corps, simplicité, efficacité autant que rigueur, dévotion et excellence. Une définition qui convient à Coltrane, son *Spiritual* résumant à lui tout seul cette ascendance. Ce magnifique thème résonne comme un manifeste non pas d'une expérience mystique, mais d'une filiation. Et il est sans doute issu, démontre Lewis Porter, d'une version rare du célèbre negro-spiritual *Nobody Knows the Trouble I've Seen*.

Et n'oublions pas un fait important : les funérailles de John Coltrane eurent lieu à l'église luthérienne de New York, la St. Peter's Church, que l'on a pu qualifier d'« église des jazzmen ». De nombreuses funérailles de grands musiciens y furent célébrées, les *jazz vespers* y résonnent, encore maintenant, quotidiennement, et les

---

299. L. G. Murphy, J. Gordon Melton & G. L. Ward, *Encyclopedia of African-American Religion*, Garland Publishing, 1993.

révérends organisent très régulièrement des cérémonies à la mémoire des grands noms de l'histoire du jazz et des disparus de l'année. L'attention particulière des pasteurs et révérends de la St. Peter's Church aux artistes de jazz de la ville explique sans doute le succès de l'église. Mais, pour l'avoir vécu, le mélange de traditions musicales luthériennes qui y est pratiqué, et qui représente déjà un mix original de plain-chant modal, d'harmonie tonale et d'improvisation jazzistique, déploie aussi un environnement créatif et fertile.

Ce que Martin Luther avait déjà réalisé, à savoir opérer un retour aux sources du chant liturgique grégorien pour renouveler, moderniser et révolutionner le langage musical religieux, peut ici nous éclairer. N'est-ce pas ainsi que de nombreux créateurs ont assis leurs démarches créatives – pensons au retour de Kandinsky aux sources spirituelles de l'art pour expliquer la révolution abstraite ? N'est-ce pas la musique luthérienne qui permit à Bach de trouver les bases de sa maîtrise tonale ? George Russell n'a-t-il pas plongé dans la symbolique antique pour définir sa révolution modale ? Nous pouvons nous demander si la révolution coltranienne ne trouve pas ses fondements dans un même retour aux sources : africaines, orientales, afro-américaines, religieuses, mais aussi européennes et liturgiques. C'est ce qui me permet de défendre sur scène le rapport qui existe entre Bach et Coltrane par le biais de la musique protestante et luthérienne, source de fertilisation tonale et harmonique pour le premier, source d'inspiration antique, grégorienne, liturgique pour le second. L'exécution du choral luthérien *Mit Fried und Freud ich fahr dahin* lors de nos concerts *Bach Coltrane*, introduit de façon modale par l'orgue puis joué au saxophone, résonne alors comme un pur thème coltranien.

Nous pourrions désormais établir que, si l'approche de la composition chez Coltrane relève d'un intérêt profond pour la liturgie européenne, la modalité orientale et asiatique, les traditions africaines, et la théorie occidentale, son langage, ou plutôt ses habitudes d'improvisation sont redevables quant à elles essentiellement à la musique liturgique américaine et à la *black music* – et donc particulièrement à la *black church music*. Soit aux codes et motifs qui ont émergé aussi bien dans les églises noires (shouting, gospel, negro-spiritual) que dans les rues des villes et les villages de la campagne sudiste (work song, blues) : *call and response*, répétitions et interprétations, interprétations et exaltations, dimension agonistique du jeu. John Coltrane, quand il improvise, quels que soient la période et le style, est un authentique bluesman et *preacher* : il use de systèmes de motifs répétitifs traditionnellement afro-américains pour enrichir la cohérence, et donc l'intensité, de ses expérimentations les plus osées. Le Coltrane compositeur répond au Coltrane improvisateur par un sens aigu de l'architecture sonore et de la construction musicale.

L'ensemble de l'œuvre coltranienne trouve donc son unité dans une association inédite de sentiments, de moyens et de cultures. Unité provenant, nous l'avons dit, de son expérience mystique, mais aussi de son attention toute particulière au son. Ben Ratliff et Emmett G. Price[300] ont raison de réhabiliter le son

---

300. Ben Ratliff, *John Coltrane : The story of a Sound*, cit. Et Emmet G. Price III, « The Spiritual Ethos in Black Music and

instrumental comme l'élément qui constitue et unifie l'univers coltranien : ce son qui, des expérimentations de *Om* jusqu'au sublime album *Ballads*, reste le même.

Mais si la présence du corpus musical religieux noir est évidente chez Coltrane, il n'est pas pour autant ce représentant moderne et innovant de la liturgie extatique baptiste, pentecôtiste et sanctifiée, que de trop nombreux auteurs ont voulu voir en lui. Ce raccourci, semble-t-il courant, repose sur une approximation esthétique et historique. Esthétique d'abord, quand les phénomènes de transes observés dans les églises sanctifiées, pentecôtistes, plus tard baptistes sont arbitrairement rapprochés du supposé extatisme de John Coltrane improvisant. Car John Coltrane est tout sauf un illuminé ou un possédé, mais bien un musicien explorateur possédant la pleine conscience de son jeu et de sa quête. La formidable intensité de sa musique puise non pas dans une traque désespérée de la transcendance et de l'illumination (ne l'a-t-il pas d'ailleurs de toute façon atteinte ?) mais plutôt dans une profonde recherche intérieure, consciente de son expérience mystique et du chemin qui reste à parcourir. L'attachement réel que Coltrane affichait pour la méditation est dès lors parfaitement compréhensible : elle propose une méthode d'amélioration personnelle évidente, même si, encore une fois, ignorée, la radicalité du jeu coltranien semblant disconvenir au silence et au calme de la méditation. Pourtant, la discipline intérieure de l'acte

---

its Quintessential Exemplar, John Coltrane » in Leonard Brown, *John Coltrane and Black America's Quest for Freedom Spirituality and the Music,* Oxford University Press 2010.

méditatif ne provoque pas nécessairement ces océans de sérénité qu'une vision *new age*, et désormais médicale, a imposés. Elle engendre aussi le cri, la joie, le bruit, la fureur, l'intensité, comme nous le montrent les religions bouddhistes et hindouistes. L'exaltation coltranienne est issue de cette démarche, beaucoup plus que d'un attrait pour la transe et l'abandon – un malentendu qui provoque bien des dégâts chez certains jeunes musiciens en quête d'identité. Convenons de toute manière, avec Gilbert Rouget[301], que le musicien n'est jamais la victime de la transe qu'il contribue à ritualiser. Et quand bien même la transe pentecôtiste, baptiste et sanctifiée aurait un rôle dans la constitution d'un langage improvisé propre au jazz, il faut concéder à ce phénomène de possession et de « *speaking in tongue* » un certain degré de théâtralité – ce qu'a démontré Erwan Dianteill dans le cas des églises spirituelles de la Nouvelle-Orléans[302].

L'approximation historique ensuite : à nouveau il y a confusion et amnésie quant au *background* religieux et familial de John Coltrane. Il en parle lui-même sans ambiguïté et avec précision :

« BLUME : Dans quelle religion avez-vous été élevé ?
COLTRANE : Méthodiste.
BLUME : Méthodiste ? C'était strict, au plan religieux, ou bien… ?

---

301. G. Rouget, *La Musique et la transe : Esquisse d'une théorie générale des relations de la musique et de la possession*, Gallimard, « Tel », 1990.
302. E. Dianteill, *La Samaritaine noire. Les Églises spirituelles noires américaines de la Nouvelle-Orléans*, Éditions de l'EHESS, 2006.

Coltrane : En fait, non, ce n'était pas trop strict, mais c'était présent. Mes deux grands-pères étaient pasteurs. Ma mère, elle, était très religieuse. Par exemple, quand j'étais petit j'allais à l'église tous les dimanches et des choses comme ça, sous l'influence de mon grand-père – c'était lui qui dominait la famille. Il était très occupé, très actif politiquement (…). Mon grand-père, c'était un militant, vous savez. Engagé politiquement et tout. La religion, c'était son domaine, vous voyez. Voilà ce que c'était, j'ai grandi là-dedans[303]. »

Nous voyons ici, au-delà des inextricables liens entre religion et politique, que le méthodisme, indubitablement lié à l'histoire du christianisme afro-américain, n'est pas un culte du *shouting*, de la transe et du cri. La fameuse « Cousin Mary », très proche de Coltrane, se rappelle les services de son enfance : « Il y avait de la bonne musique, mais pas tous ces cris. C'était plus conventionnel. » Et Lewis Porter souligne que la comparaison entre le jeu de Coltrane et le prêche baptiste se heurte à ce détail important : « Son grand-père, le révérend Blair, était méthodiste et semble avoir été un orateur énergique, mais pas un *shouter*. »

J'ai pu pour ma part expérimenter les subtilités du culte méthodiste dans le Sud des États-Unis avec Emmanuel Parent lors de notre mission pour le compte d'IMPROTECH en 2011. Nous étions en Caroline du Nord, l'état de naissance de John Coltrane, en compagnie du chanteur et guitariste de blues folk Big

---

303. L. Porter, *John Coltrane, sa vie, sa musique*, Outre Mesure, 2007.

Ron Hunter, un des bluesmen affiliés à la *Music Maker Relief Foundation*, pour une session particulièrement endiablée de blues un samedi soir dans un club de *bikers* et de lesbiennes (!) fêtant l'anniversaire de la chanteuse Pat Cohen, autre artiste phare de la MMRF. Belinda, la compagne de Big Ron, nous convie pour le lendemain au service religieux dominical de sa *shouting church*. Big Ron trouve l'initiative excellente, mais il a ses obligations auprès de son église méthodiste dans laquelle il officie comme chanteur et guitariste tous les dimanches. Nous irons donc à l'église méthodiste le lendemain, au grand dam de Belinda, qui reproche un peu aux méthodistes leur froideur, leur génuflexion et leur statisme : « *They praise the Lord; we shout the Lord*[304] *!* » Effectivement, participant au service dominical avec Big Ron qui m'avait invité au sein de l'orchestre liturgique – un jazz combo d'excellente facture –, j'ai pu constater le climat de retenue et de méditation qui régnait dans cette église, mixte et fière de l'être – un pasteur noir, un pasteur blanc, même rapport parmi les fidèles. Et qui entretenait une subtile mise en scène musicale tout au long du service, très loin des frénésies baptistes et même catholiques auxquelles nous étions habitués à la Nouvelle-Orléans. Un des sermons du pasteur noir était même contraire aux attendus de ce genre d'exercice : un long decrescendo accompagné de manière sophistiquée au piano vers le silence le plus total et le plus profond. Un moment d'intense

---

304. Cela rappelle l'affirmation de Ted Joans, se distinguant des chanteurs et slameurs dans une interview de 2001 à la National Public Radio : « *I do not sing the words, I swing the words, which is different.* »

émotion poétique qui illustre une conscience plus personnelle et intérieure du sacré. Ainsi, ce culte introspectif provoquait chez Belinda les mêmes réactions que celui de sa *shouting church* (*Thank You Jesus, Praise the Lord, Yes Jesus, God is Good, all the time*[305]) sans que cela dérange une assemblée beaucoup plus silencieuse.

Les exégètes qui veulent à tout prix voir dans l'intensité du jeu de Coltrane la marque du culte baptiste et pentecôtiste commettent donc une double approximation dommageable pour la compréhension de son imaginaire, de ses racines, et de ses ambitions. Il ne s'agit pas de surligner l'influence de la liturgie musicale méthodiste. Mais nous pouvons nous demander si l'art du *preaching* et de la réitération chez Coltrane ne prend pas racine dans un contexte beaucoup plus profane que les traditions baptistes et pentecôtistes : les traditions du *bar walking* et du *honking*, qu'il pratiqua intensément dans sa jeunesse, et qui consistent à marcher sur le comptoir en répétant des sons hurlés et énormes pour la plus grande joie des auditeurs. L'art de la répétition, si caractéristique du langage musical afro-américain, doit autant à l'église qu'au night-club et au *honky-tonk*. Vouloir à tout prix relier le jeu de Coltrane à la transe et au *shouting* des seules traditions liturgiques relève donc d'une incompréhension du phénomène musical afro-américain – et de l'universalisme de John Coltrane.

C'est bien une osmose d'univers musicaux et culturels supposés antagonistes à laquelle parvient John

---

305. Emmanuel Parent livre un récit détaillé de cet épisode à l'église méthodiste de Winston-Salem, sur mon site www.raphaelimbert.com.

Coltrane. Et nous comprenons désormais plus précisément en quoi consiste son universalisme concret, qui loin d'être fantasmatique, repose sur la force de son travail, de ses convictions, de ses recherches et de sa singulière expérience spirituelle. Coltrane n'est pas la quintessence d'un pentecôtisme larvé, d'un panthéisme sublimé, d'un méthodisme enraciné, d'un islamisme putatif, ou d'un orientalisme exotique. Il est tout cela et rien de cela à la fois. Il use à dessein des usages musicaux des églises et des clubs noirs pour l'improvisation, et des modes de jeu d'occident et d'orient pour la composition. Atteignant ainsi à l'universalité par la force du son et l'union mystique.

A Love Supreme *ou la sublime rhétorique*

Un dernier point essentiel éclaire le rapport entre deux musiciens, J. S. Bach et John Coltrane, que plus de deux siècles séparent. C'est le rapport au texte – qui, nous l'avons vu, témoigne de la nature mystique de leurs recherches. Ainsi Bach n'aura de cesse de s'approprier les écritures, de les faire siennes, d'user de rhétorique – un des arts du trivium médiéval, dont il était un passionné, au dire de son professeur en la matière, Johannes Abraham Birnbaum – pour édifier son œuvre musicale, et y inscrire ainsi concrètement sa relation à Dieu. La fameuse signature musicale du « B.A.C.H. » – B : *si* bémol, A : *la*, C : *do*, H : *si* bécarre – et sa transposition numérique : 14, qui est la somme de ces cinq notes (2+1+3+8), est présente dans la majorité des compositions du Cantor de Leipzig. Elle illustre ce lien intime entre musique et rhétorique. Loin de tout égocentrisme, la présence du nom du compositeur à des moments cruciaux de son œuvre sacrée et profane démontre l'incroyable unicité de son propos artistique, et l'intimité toute mystique de son expérience. De fait, la stupéfiante utilisation des écritures, dont il détourne même parfois la forme ou le sens premier pour servir l'œuvre, a amené nombre d'exégètes à considérer Bach comme le « cinquième évangéliste[306] ». Le prédicateur par excellence, qui use du plus universel des langages, la musique, sans pour autant s'éloigner de la base constitutive du prêche, le texte.

Si l'on se penche sur *A Love Supreme*, œuvre témoin du mysticisme de Coltrane, de nombreuses analogies apparaissent alors. D'abord, l'architecture de l'œuvre en quatre mouvements. La forme en arche, décrite par Porter, y déploie une construction comparable à celles de nombreuses œuvres liturgiques. Chez Bach, pensons à certaines cantates, et particulièrement au motet *Jesu meine Freude* BWV 227[307], qui dessinent dans l'utilisation des instruments et même leurs effectifs une parfaite ligne d'arche, symbole universel d'élévation spirituelle et de quête mystique. L'analogie se manifeste également au niveau des tonalités : l'effet d'arche est accentué par l'utilisation des tonalités de chaque mouvement (*fa-mi* bémol-*si* bémol-*do*), tout en étant rattachée à leur plus petit dénominateur commun, le grou-

---

306. Nous privilégierions, face aux études trop fantasmatiques, celles de Philippe Charru et Christoph Theobald, notamment : *La Pensée musicale de Jean-Sébastien Bach : Les chorals du catéchisme luthérien dans la « Klavier-Übung »*, Éditions du Cerf, 1993, et *Bach en son temps* de Gilles Cantagrel, Fayard, 1997.

307. Voir la parfaite analyse du Motet BWV 227 par Christophe Chazot, en ligne.

pement de quatre notes qu'utilise Coltrane pour écrire les thèmes des trois premiers mouvements (*do-mi* bémol-*fa-si* bémol). Une unité du macrocosme et du microcosme qui signe en quelque sorte l'œuvre en sa fonction mystique. L'introduction et le dernier mouvement semblent alors contredire cette architecture, mais il n'en est rien : ils scénarisent en fait plus encore l'enjeu liturgique de l'œuvre. D'une part, le premier accord de *mi* sus4 illumine, avec la présence unique du gong d'Elvin, le propos introducteur. Et d'autre part, le *Psalm* (psaume) affirme la dimension rhétorique du discours mystique de Coltrane. L'analyse de ce quatrième mouvement par Lewis Porter met en évidence l'irréfutable lien entre le texte et la musique, confirmant ainsi son affiliation à la tradition du psaume. Le poème de Coltrane représente les paroles du psaume composé par Coltrane. La forme récitative – notamment la récitation à la quinte, typique de la psalmodie juive et grégorienne – et le choix de la tonalité – *do* mineur – ne laisse aucun doute sur l'intention de Coltrane. À ce goût prononcé pour la rhétorique qu'il partage avec Bach, s'ajoute leur intérêt commun pour la symbolisation musicale. Pour preuve, un schéma que Yusef Lateef nous a transmis : la symbolisation des *Coltrane changes* de *Giant Steps* telle que Coltrane la lui a lui-même dessinée[308].

Et si nous sommes logiquement méfiants à l'égard des interprétations numérologiques outrancières – les 19 « A Love Supreme » chantés par Coltrane ne signi-

---

308. L. Porter (*John Coltrane, his life and his music*, cit.) précise même : « *Surely Coltrane was interested in the mystical as well as aural implications of third relations.* »

fient pas forcément le chiffre de Dieu, comme aimerait le croire J. C. Thomas –, nous pouvons méditer sur le schéma rythmique tracé par Coltrane en 1967, dans le cadre – très ouvert – d'une session studio avec Rashied Ali : les chiffres et les énumérations numérologiques présentés par Coltrane pour son batteur donnent une direction capable de s'émanciper de la pulsation régulière[309]. L'intérêt que porte à l'œuvre de Coltrane un ésotériste et numérologue comme Steve Coleman, n'en est que plus compréhensible.

Enfin, n'oublions pas que si *A Love Supreme* rend directement compte de l'expérience mystique de Coltrane, d'autres compositions viennent admirablement compléter l'ample corpus de sa recherche spirituelle : sa méthode (*Meditations*, *First Meditation*, *Suite*, *Transition*, etc.), sa quête (*Ascension*, *Om*, *Sunship*, *Evolution*) et ses références (*Reverend King*, *Selflessness*, *Ogunde*, *The Father and the Son and the Holy Ghost*). Certaines de ces compositions font d'ailleurs également appel au texte et à la poésie – même si de façon beaucoup moins explicite. Michel Delorme a été le seul, lors de sa fameuse interview à Antibes en 1965, à recueillir des informations capitales sur ce sujet[310]. Le musicien lui a alors confirmé utiliser des textes et des poèmes personnels pour la composition de thèmes tels que ceux de *Crescent*, *Wise One*, ou *Lonnie's Lament*. *Alabama* semblerait, quant à lui, calqué sur un discours de Martin Luther King, même si Porter conteste cette analogie.

---

309. C. O. Simpkins, *Coltrane, a biography*, Black Classic Press, 1975.
310. J. Coltrane, *Je pars d'un point et je vais le plus loin possible. Entretiens avec Michel Delorme*, Éditions de l'éclat, 2011, p. 61.

Reste que ses intentions étaient clairement exprimées dans les *liner notes* de *A Love Supreme* : « L'œuvre en question se présente en quatre parties. La première partie est intitulée *Acknowledgment*, la seconde *Resolution*, la troisième *Pursuance*, la quatrième et dernière partie est une narration musicale sur le thème de *A Love Supreme*, qui est écrit dans le contexte. Elle s'intitule *Psalm*. Il y a bien un poème intitulé *A love Supreme*, précise-t-il, dans le contexte. » Donc, rien n'était mystérieux : Coltrane composait par poèmes, dans une attitude mystique singulièrement favorable à l'association du verbe et de la musique. C'était marqué noir sur blanc, mais encore une fois, a-t-on réellement lu et écouté l'artiste ?

2.
My Favorite Things
ou le subterfuge rituel

Le compositeur et influent musicologue français André Hodeir pensait ne pas s'y être trompé. Il voyait dans « l'immobilité giratoire » du free jazz et particulièrement « chez Coltrane, un caractère incantatoire proche de celui de certaines musiques traditionnelles très anciennes, probablement lié dans l'inconscient collectif à une conception mystique du monde[311] ». Nous serions heureux de trouver, chez un si prestigieux analyste, une préfiguration de nos réflexions sur le mysticisme de Coltrane. Mais il ne faut pas se leurrer : chantre d'un évolutionnisme matérialiste, savant et écrit du jazz, Hodeir entend ici dénoncer ce qu'il considère comme un passéisme régressif et un symbolisme religieux de pacotille qu'il voit sourdre dans le free jazz naissant[312]. Il s'effraie du retour du cérémonieux, du modal, du désordre dans une musique dont il aura tant combattu les tentations commerciales et les artifices grossiers. Et il se retrouve ainsi pas si éloigné d'un Theodor Adorno, militant active-

---

311. A. Hodeir, *Jazzistiques*, Parenthèses, 1984.
312. Il est fait mention dans le recueil de correspondances entre Pierre Boulez et John Cage (Christian Bourgois éditeur) d'un concert de « musique concrète » le 21 mai 1952 où est donné, en plus d'œuvres de Boulez, Messiaen, Schaeffer, un *Jazz et Jazz* d'André Hodeir.

ment contre ce jazz qui menacerait à lui seul l'édifice musical occidental.

Le dodécaphonisme d'Adorno et le jazz moderne d'Hodeir sont les sommets d'une évolution savante de la musique, qui doit tout à l'individu créateur luttant seul contre les instincts des masses, les communautarismes, la rapacité du *business* et la censure réactionnaire de la religion. John Coltrane revenant à une musique de messe, c'est donc un échec cuisant du jazz — et un danger quasi mortel pour son avenir. Ainsi, ce ne serait plus l'individu créateur qui se met en scène dans ce free jazz, mais son instinct, ses peurs, ses attentes. C'est en quelque sorte l'âme contre l'esprit, l'extase sans issue contre l'intellect constructif, le retour confortable au discours d'espoir religieux et sociétal du passé contre l'invention de son avenir par l'humanité elle-même. André Hodeir, au-delà de ses propres conceptions politiques qui s'affichaient déjà deux décennies auparavant contre le passéisme réactionnaire, réel celui-là, d'Hugues Panassié, trahit cette fois-ci sa totale ignorance des caractéristiques de la communauté artistique et culturelle qu'il est censé analyser.

Reste que John Coltrane semble effectivement confirmer les soupçons que l'on pourrait nourrir quant à la dimension incantatoire et cérémoniale de sa musique : longue improvisation litanique, réitérations du motif, centralité modale confinant à la fixité harmonique, et, en conséquence, durée illimitée des solos. Notre enquête sur l'architecture musicale et sur l'invention d'une prosodie instrumentale spécifique — au sens d'une œuvre instrumentale qui repose sur la forme d'un texte sous-jacent — nous impose donc maintenant de nous intéresser plus avant à la question de la ritualité et de l'incantation de la musique de John Coltrane. Or il est un thème du répertoire coltranien qui symbolise à lui seul la problématique de l'incantation et de la fixité modale cérémonielle, dénoncée par André Hodeir. Il s'agit de *My Favorite Things*. Étrangement, ce n'est pas une composition personnelle, même si un grand nombre de gens semble le croire. « Beaucoup de gens s'imaginent, à tort, que *My Favorite Things* est une de mes compositions : j'aurais bien aimé l'avoir écrite, mais elle est de Rogers et Hammerstein. » C'est donc une chanson issue du répertoire populaire de Broadway qui deviendra le thème le plus joué de la carrière de John Coltrane – en faisant un emblème de la musique coltranienne, au même titre, sinon plus, qu'*Impressions* ou *A Love Supreme*. Une chanson à succès avant même l'interprétation de John Coltrane, puisqu'issue de la célèbre comédie musicale *The Sound of Music,* qui triomphera également au cinéma en 1965 avec la magnifique prestation de Julie Andrews. La première réalisation de ce thème par Coltrane, qui est aussi la seule version studio, est enregistrée lors des célèbres sessions Atlantic d'octobre 1960 – trois journées qui donneront naissance à trois albums parmi les plus caractéristiques de l'artiste à cette époque, *My Favorite Things* (paru en 1961), *Coltrane Plays the Blues* (paru en 1962), *Coltrane's Sound* (paru en 1964). Trois jours particulièrement rentables pour Atlantic puisqu'ils permettent de distiller la musique de Coltrane bien après son passage, en 1961, chez Impulse, bénéficiant de la remarquable visibilité dont jouit un musicien sous la houlette du producteur Bob Thiele. Mais rentables aussi car l'album *My Favorite Things* obtient un succès remarquable pour un disque de jazz moderne, avec une version courte du titre éponyme très souvent diffusée par les juke-box et les radios. Avec *A Love Supreme* – vendu à plus de cinq cent mille exemplaires la première année, pour une journée de studio –, nous pourrions considérer que *My Favorite Things* est l'un des produits les plus rentables de l'histoire de la discographie. Un statut qu'il peut partager avec *Kind of Blue* de Miles Davis ou *Concert by the Sea* d'Errol Garner, autres grands succès discographiques peu gourmands en production, au contraire des succès du rock et de la variété, certes plus importants, mais autrement plus coûteux.

Le succès de l'album *My Favorite Things* est à mettre au crédit des choix artistiques de Coltrane lui-même et de son traitement de chansons populaires, telles que le titre éponyme, mais aussi *Summertime, Every Time We say Goodbye* et *But not for Me.* C'est un exemple d'équilibre entre reprises de thèmes à haute valeur commerciale et choix artistiques révolutionnaires. Chaque reprise est l'occasion pour Coltrane de montrer à la fois son respect de la forme des chansons et un aspect important de ses recherches.

Every Time We Say Goodbye met en scène Coltrane comme remarquable interprète de ballade, très fidèle à la mélodie, mais aussi comme arrangeur préoccupé par les possibilités modales d'un thème pourtant tonal, avec l'apport de pédales et de *vamps* inédits. *But not for Me* et *Summertime,* deux grands tubes de George Gershwin, traduisent également ce moment crucial et charnière pour Coltrane, qui passe de sa période surtonale (*Giant Steps*) à cette période modale qui fera sa marque de fabrique de la décennie qui commence. Réminiscence de *Coltrane changes* et usage de pédales et de *vamps* modaux, la transition est parfaitement audible.

Mais la révélation du disque demeure l'interprétation de *My Favorite Things*. Plus de treize minutes d'une valse qui ne sort jamais de son centre tonal de *mi*, sans modulation, et avec une fixité de l'accompagnement de piano, de la basse, une prolixité du jeu de batterie et du tout nouveau saxophone soprano qui font, dans un même morceau, autant d'éléments inédits dans le paysage du jazz et de la musique improvisée : durée inhabituelle, modalité totalement assumée, métrique relativement rare, instrument « inhabituel ». Avec, à la clef, pourtant, un engouement public et critique inédit pour Coltrane. Lui-même, pourtant avare d'autocongratulation, déclare à propos de ce morceau :

> « C'est ce *My Favorite Things* qui est, de tous ceux que nous avons enregistrés, mon morceau préféré. Je ne pense pas que j'aimerais le refaire d'une autre façon, alors que tous les autres disques que j'ai faits auraient pu être améliorés par quelques détails. Cette valse est fantastique : lorsqu'on la joue lentement, elle a un côté gospel qui n'est pas du tout déplaisant ; lorsqu'on la joue rapidement, elle possède aussi certaines qualités indéniables. C'est très intéressant à découvrir, un terrain qui se renouvelle selon l'impulsion qu'on lui donne ; c'est d'ailleurs la raison pour laquelle nous ne jouons pas cet air toujours sur le même tempo[313]. »

313. L. Porter, *John Coltrane, sa vie, sa musique*, cit.

Que comporte de si particulier cette mélodie pour qu'elle domine ainsi le répertoire coltranien, au-delà même de ses propres compositions ? Ce n'est certes pas la détestation d'une mélodie que d'aucuns jugeront mièvre ou simpliste qui pousse Coltrane à la transformer formellement. Bien au contraire, Coltrane éprouve une véritable attraction pour son pouvoir évocateur. Richard Rogers est, de toute manière, l'un des plus grands compositeurs de mélodies américaines, dans cette tradition de la chanson de Broadway qui mixe si intelligemment science harmonique et orchestrale héritées de l'écriture savante européenne, sens mélodique populaire, et attrait pour les nouveaux rythmes, accentuations et intonations du jazz et du blues. Avec Jerome Kern, Irving Berlin et George Gershwin, il est l'un des principaux pourvoyeurs de mélodies que les jazzmen ont coutume de transformer en standards – c'est-à-dire en éléments du répertoire commun à tous les jazzmen, susceptibles de devenir un tremplin efficace à l'émulation, la réappropriation et l'improvisation. *My Funny Valentine*, *I Could Write a Book*, *Spring is Here*, *It Never Entered My Mind*, *Little Girl Blue*, *Where or When*, *Falling in Love with Love* et bien d'autres sont autant d'exemples du génie de Richard Rodgers – qui fonda avec Lorenz Hart et Oscar Hammerstein parmi les plus fameux duos d'auteurs-compositeurs de l'histoire de Broadway – et de son impact sur l'imaginaire musical américain. Les qualités de sa musique sont celles qu'apprécient particulièrement les jazzmen : ses mélodies directes et touchantes ont un impact fort sur l'auditeur et les autres musiciens, son ingénieuse sophistication formelle et harmonique permettent aux joueurs de jazz de mettre en valeur leurs propres capacités d'invention. Certains deviendront de véritables tubes dont les musiciens se disputent l'interprétation d'anthologie : *My Funny Valentine* résonne avec émotion sous le souffle de Miles Davis, Chet Baker, Gerry Mulligan, Art Farmer, Sarah Vaughan. Mais jamais sans doute un standard n'aura été aussi identifié à un interprète que le *My Favorite Things* de John Coltrane, ne laissant même aucune possibilité à d'autres de « transformer l'essai », ou simplement de tenir la comparaison, malgré les efforts louables d'Al Jarreau, Dave Liebman, Sarah Vaughan ou de Tony Bennet. *My Favorite Things* n'est plus joué par Coltrane, il est John Coltrane.

Comment comprendre la nature particulière de cette association féconde et quasi exclusive ? La structure générale de la chanson imaginée par Rodgers peut se résumer ainsi : AAA'B. La section A représente la mélodie principale – « *chorus* » en anglais, que l'on pourrait traduire par « refrain », plus ou moins proprement dans la mesure où la répétition est ici exclusivement mélodique, ne concernant pas forcément les paroles. Quant au B, c'est pratique, il désigne le *bridge* (pont), une mélodie qui contraste avec le chorus et permet usuellement le retour du chorus, ce qui n'est pas tout à fait le cas ici, le B ayant à la fois le rôle de contraste et de conclusion. Cette section A comporte 16 mesures, la section B, 24 mesures : autant d'éléments de forme et de structure qui font l'originalité de cette chanson, loin des traditionnels AABA et des sections en 8 mesures. Le coup de génie de Rodgers est d'avoir imaginé une mélodie, du moins sur les 8 premières mesures du A, qui puisse se jouer en mineur et en majeur sans changer la fondamentale ni moduler : fixité et stabilité mélodique avec mouvement harmonique total. Pour ce faire, il faut éviter les tierces, qui définissent la qualité mineure ou majeure des accords. Rodgers invente, sur une métrique de valse qui ajoute à l'impression de mouvement cyclique de la chanson[314], un ensemble mélodique répétitif de 8 mesures qui use intelligemment des toniques, secondes et quintes, donnant à entendre un carillon d'intervalles de quartes, quintes, secondes très efficaces dans ce contexte, et déjà en tant que tel parfaitement assimilable à un contexte modal :

Les 8 dernières mesures du A sont quant à elles tonales et conventionnelles, mais elles ont le mérite de relancer efficacement la mélodie. Les deux premiers A sont en mineur, le troisième A (ou A') laisse entendre, lumineusement et abruptement, la mélodie avec un remarquable accompagnement majeur, créant ainsi la surprise. La section B, où certains moments négatifs sont évoqués dans les paroles, est un long développement en *mi* mineur qui se conclut dans une

---

314. De nombreux auteurs considèrent l'interprétation de Coltrane comme un 6/8, pour mieux accentuer sa couleur rythmique africaine. Mais il s'agit bien d'un 3/4 originellement, et Coltrane continue de la considérer telle, comme nous le voyons avec la citation précédente : « Cette valse est fantastique. »

allégresse bienvenue en *sol* majeur – le ton relatif à *mi* mineur, et inédit dans la chanson jusque-là.

Rythmes ternaires de valse, répétition de motifs, effets d'intervalles larges « carillonnants », possibilité modale de la mélodie, effets de surprise tonale, modale et mélodique : on voit ici tout ce qui pouvait déjà intéresser Coltrane, notamment dans ces 8 premières mesures de la section A : elle est une sorte de folk song universelle qui attire le curieux avide d'ouverture sur le monde. En ce sens, *My Favorite Things* représentent sans doute, par ses qualités intrinsèques, un idéal musical pour celui qui déclarait en 1962, à propos de ses affinités avec la musique indienne, Ravi Shankar, et les musiques africaines :

> « J'aime en effet beaucoup Ravi Shankar. Lorsque j'entends sa musique, j'ai envie de la copier, non pas note pour note, bien sûr, mais *dans son esprit*[315]. Ce qui me rapproche le plus de Ravi c'est l'aspect modal de son art. Actuellement, au stade particulier où je me trouve, j'ai l'impression de traverser une phase modale. Je suis passé par plusieurs périodes, vous savez. Il fut un temps où je traversais une phase accords, c'était à l'époque où j'enregistrais *Giant Steps* ; maintenant j'en suis à ma période modale. Il y a beaucoup de musique modale qui est jouée chaque jour de par le monde. Elle est particulièrement évidente en Afrique mais, que vous vous tourniez vers l'Espagne ou l'Écosse, vers l'Inde ou la Chine, c'est encore elle que vous retrouvez à chaque instant. Si vous voulez bien regarder au-delà des différences de

---

315. Je souligne.

style, vous constatez qu'il existe une base commune. Ça c'est très important. Certes, la musique populaire de l'Angleterre n'est pas celle de l'Amérique du Sud, mais ôtez leurs caractéristiques purement ethniques, c'est-à-dire leur aspect folklorique et vous vous trouverez en présence d'une même sonorité pentatonique, de structures modales comparables. C'est cet aspect universel de la musique qui m'intéresse et m'attire, c'est vers lui que je veux aller[316]. »

C'est en conservant *l'esprit* que Coltrane compte accéder à l'universalisme. *My Favorite Things*, mélodie issue de la tradition multiculturelle de Broadway mais non réductible à une tradition musicale en particulier – une folk song sans folklore donc –, possède ainsi les qualités requises par John Coltrane pour servir cette quête d'universalité et d'intemporalité par la modalité, qui pourtant semble contrarier les attentes et nourrir les suspicions d'un André Hodeir. Encore faut-il, pour Coltrane, opérer sur la chanson des transformations assez radicales, formellement et fondamentalement.

Coltrane respecte de nombreux éléments constitutifs de la chanson originale – le ton de *mi* mineur et majeur est conservé, comme la valse et l'effet harmonique mineur/majeur. Mais il joue avec la structure et l'ordre des sections en donnant l'impression qu'il les aurait tirés aux dés. La structure AAA'B n'est plus prétexte à cadrer cycliquement l'improvisation (comme la répétition *ad libitum* des 32 mesures des AABA très répandus, ou les 12 mesures du blues moderne, tout aussi populaires)

---

316. J. Coltrane, *Je pars d'un point et je vais le plus loin possible*, cit., p. 45.

mais plutôt à jalonner l'ensemble du morceau. L'impression cyclique qui semble prépondérante à son écoute est pourtant issue d'une déstructuration et d'une dé-cyclisation volontaire de sa forme globale.

La section B, qui possède cette qualité conclusive, n'est jouée systématiquement qu'une seule fois par Coltrane pour clôturer l'interprétation du morceau qui, suivant l'inspiration des parties improvisées, a une durée étonnamment variable – la première version en studio de 1960 dure 13 minutes et demie, la version du *Live in Japan* de 1966 près de 58 minutes ! De plus, Coltrane, sans changer la mélodie, conserve la conclusion de section B en *mi* mineur, oubliant le *sol* majeur un peu hollywoodien de l'original.

Le reste du morceau consiste à alterner, dans un ordre totalement personnalisé par rapport à l'original, les sections majeures et mineures du A. Cela aboutit à un étirement de l'espace-temps du morceau dans le but visiblement précis d'effacement de la notion de temps. Effacement accentué harmoniquement durant les solos par la répétition – « *vamp* » dans le jargon jazz –, réalisée par McCoy Tyner, d'un même motif rythmique-harmonique, assez strictement dans l'original de 1960, de plus en plus librement suivant ses interprétations live. Le rôle de la contrebasse semble encore plus basique, Steve Davis ne sortant que très rarement du rôle de carillon de la basse *mi* et de sa quinte *si* dans la version originale. Reggie Workman et surtout Jimmy Garrison prendront ensuite plus de liberté, tout en conservant fortement le rôle de pédale nécessaire à la couleur du morceau.

La chanson passe donc d'une interprétation usuelle de standard – que nous pourrions symboliser ainsi : x fois AABA – à un encadrement plus ouvert du morceau, avec les sections comme éléments de construction – dans notre cas : (x fois A, x fois A') conclusion B. Ce procédé inédit ne sera réutilisé que bien plus tard – Herbie Hancock joue désormais son thème fétiche *Dolphin Dance* comme un seul thème étiré où chaque section devient un moment à part entière du morceau. Wayne Shorter fait de même avec certaines de ces compositions. En popularisant et systématisant le procédé de l'étirement structurel et de l'ostinato modal – c'est-à-dire la répétition d'un motif d'accompagnement modal au service de l'improvisation – Sun Ra, Bill Evans, Miles Davis, George Russell l'avaient déjà théorisé et/ou réalisé ; John Coltrane et son *My Favorite Things* donne une impulsion primordiale à l'ensemble de la musique de son temps. Dans la pop music déjà : rappelons-nous la réflexion de Ray Manzarek à propos de l'influence de Coltrane, et de son *My Favorite Things*, sur l'écriture de *Light My Fire* des Doors. Mais aussi dans le domaine de la musique savante, avec Steve Reich et Terry Riley qui n'ont jamais caché leur dette envers Coltrane dans la découverte du minimalisme, de l'utilisation de la répétition, de la modalité et de l'ostinato[317].

Il est assez rare – pour reprendre les catégories de George Lewis – que des compositeurs eurologiques rendent ainsi hommage à leurs prédécesseurs jazzmen afrologiques. Et évitent ainsi l'« exnomination » : la critique méprisante qu'adressent volontiers certains

---

317. *Cf.* les entretiens avec Terry Riley (p. 108) Steve Reich, (p. 111) ou Phil Glass (p. 130) dans Daniel Caux, *Le silence, les couleurs du prisme et la mécanique du temps qui passe*, Éditions de l'éclat, 2009.

compositeurs dits contemporains – Cage, Boulez, Bryars, Messiaen – au jazzman, cet « autre épistémologique », ceci leur permettant d'asseoir leur propre entreprise sans pour autant avoir à la justifier. Coltrane reconnaissant l'influence de Debussy, de Sun Ra, de Miles Davis sur son rapport à la modalité, et Steve Reich témoignant de l'influence déterminante de Coltrane sur son propre travail : il y a là une filiation qui dépasse largement et heureusement les habituelles frontières musicales. *My Favorite Things* a non seulement servi de charnière dans l'évolution de Coltrane, entre tonalité et modalité, formalisme et liberté, mais a aussi déclenché une réflexion musicale post-stylistique qui aura permis au dernier quart du XXe siècle musical de trouver sa voie.

Pour autant, *My Favorite Things* n'est pas qu'une succession de sections majeure et mineure qui ne se servirait de la chanson que comme prétexte à la plus incandescente improvisation. Beaucoup d'auteurs, à commencer par Lewis Porter, ont pourtant ainsi plus ou moins résumé la structure du morceau. Or ce qui retient notre attention, c'est que de nombreux moments donnant l'impression d'improvisations libres, voire débridées, sont en fait des attendus de l'interprétation coltranienne, de véritables clefs de voûte de l'édifice thématique et improvisé. En nous penchant sur l'analyse précise de ces moments de *My Favorite Things* nous pourrons comprendre l'incroyable longévité et popularité de ce morceau dans la carrière de John Coltrane, jusqu'à sa mort – et son impact sur l'imaginaire coltranien.

Une réinterprétation, huit versions

Nous allons maintenant explorer un élément à la fois essentiel mais peu étudié de la musique coltranienne : son aspect incantatoire, cyclique et cérémoniel. Ce qui nous amènera à formuler l'idée de « subterfuge rituel » mis en œuvre par John Coltrane – avec des conséquences musicales, et plus encore spirituelles, passées inaperçues jusque-là. Logiquement, la première version studio nous servira de base pour une analyse que nous allons effectuer en privilégiant la symbolisation de la structure globale de chaque morceau dans ses différentes sections – sous forme de schémas donc – plutôt que la musicographie académique sous forme de partitions de relevé – qui nous servira plus loin, concernant certains détails. Ainsi nous pourrons repérer efficacement les réels points communs aux différentes versions, ainsi que les éléments évolutifs. De 1960 à 1967, quelques mois avant sa mort, ce sont huit interprétations de *My Favorite Things* qui serviront notre démonstration : la première en studio, la deuxième en quintet avec Eric Dolphy, les trois suivantes de la période du quartet dit classique et les trois dernières de la dernière période dite d'avant-garde ou « free ». C'est un pan essentiel de la carrière fulgurante de John Coltrane qui s'offre à nous, par l'entremise d'un seul et unique thème.

Dans les huit schémas ci-dessous, les sections mineures sont en lettres romaines, les sections majeures en italiques. Les moments spéciaux du morceau – que nous explicitons plus loin – sont signalés par des symboles pour mieux souligner leur présence ou leur absence dans les versions ultérieures. Nous aurons ainsi :

φ : leitmotiv introductif avec *vamp*
A : thème de la section A
B : thème de la section B
MeP : mise en place
♒ : improvisation
♍ : trait volubile
♑ : trait de transition
Aπ : thème de la section A, mais joué avec une harmonie spécifique et parfois sans la mélodie d'origine
♄ : trait d'appel du thème
℈ : trait de « dégringolade de noire pointée »
Ω : trait de conclusion.

Version 1 : « My Favorite Things » de l'album *My Favorite Things* (Atlantic, enregistré le 21 octobre 1960) John Coltrane (sax soprano) ; McCoy Tyner (piano) ; Steve Davis (bass) ; Elvin Jones (Drums) durée 13'44" (tempo normal original : noire à 174 pm environ)

SECTION || DESCRIPTION || MUSICIEN || SYMBOLES
Φ Introduction || piano+basse+ cymbales sur 1ᵉʳ temps sur leitmotiv introductif (φ) puis improvisation introductive sur vamp 8 mesures || rythmique || φ
Thème sectionA+ || thème joué avec mise en place (MeP) sur la dernière note du thème, avec 8 mesures de vamp en + || Coltrane || A+MeP
Thème section A || Thème joué avec MeP || Coltrane || AMeP
Impro ♒ || Improvisation relativement courte, de transition || Coltrane || ♒
Thème section A || Thème joué avec MeP || Coltrane || AMeP
Thème section A || Thème joué avec MeP, et avec un trait volubile (♍) de Coltrane en double croche sur la fin du thème || Coltrane || AMePc
Transition || Trait de transition (♑) de 16 mesures, sur un motif de trille || Coltrane || ♑
Thème section Ω || thème avec MeP avec harmonie spécifique piano (Aπ : pédale de re à partir de la 5ème mesure) || McCoy Tyner || Aπ MeP

Impro ♒ || Solo de McCoy Tyner, très proche du leitmotiv du vamp, relativement court || McCoy Tyner || ♒

Thème section Aπ || thème avec MeP avec harmonie spécifique piano (Aπ : pédale de ré à partir de la 5ème mesure) || McCoy Tyner || Aπ MeP

Impro ♒ || solo plus long très proche d'abord du vamp, puis jeu d'octave, enfin solo sur motifs répétés || McCoy Tyner || ♒

Transition thématique A || Seul les harmonies du thème sont jouées avec MeP, sans la mélodie de départ (Aπ) || McCoy Tyner || (Aπ)

Impro ♒ || McCoy Tyner || ♒

Thème section Aπ || thème avec MeP avec harmonie spécifique piano || McCoy Tyner || Aπ

Vamp de transition || Coltrane pose un si légèrement trillé et octavié || Coltrane

Thème section A || Thème joue avec MeP || Coltrane || AMeP

Impro ♒ || Solo de Coltrane, quelques phrases et motifs préfigurent des traits récurrents dans les versions futures, mais il n'y a pas de trait d'appel du thème (voir versions ci-après) || Coltrane || ♒ (♄)

Thème section A || avec MeP || Coltrane || AMeP

Impro ♒ || Solo de John Coltrane, plus long, avec aussi des phrases préfiguratrices, notamment un début de ce qui deviendra le trait d'appel du thème (♄) pour aller au thème | Coltrane || ♒ ♄

Thème section A || avec MeP || Coltrane || AMeP

Final : Thème Section B || Conclusion en mi mineur || Coltrane || B

Coda || Sur résonance finale point d'orgue, trait de conclusion (Ω) || Coltrane || Ω

Version 2 : « My Favorite Things » (Live) album *The European Tour* 18 novembre 1961 à Paris, John Coltrane (sax soprano) ; Eric Dolphy (flûte) ; McCoy Tyner (piano) ; Elvin Jones (drums) ; Reggie Workman (Bass) 25'11'' (tempo normal : noire à 170 bpm environ)

Cette version illustre bien la période du quartet + Eric Dolphy, qui suit directement l'enregistrement original de *My Favorite Things*, un ajout qui, de l'aveu même de John Coltrane, change quelque peu la forme du morceau

SECTION || DESCRIPTION || MUSICIEN || SYMBOLES

Φ Introduction || piano+basse+cymbales sur 1er temps sur leitmotiv introductif (φ) puis improvisation introductive sur vamp || 8 mesures || rythmique || φ

Thème section A+ || thème joué avec mise en place (MeP) sur la dernière note du thème avec 16 mesures de vamp en + || Coltrane || A+MeP

Thème section A || Thème joue avec MeP || Coltrane || AMeP

Impro ♒ || Impro très enjouée, espiègle, avec trait d'appel du thème majeur ♓ || Coltrane || ♒♓

Thème section A || Thème joue avec MeP || Coltrane || AMeP

Thème section A || Thème joue avec MeP, et avec un trait volubile (♍) de coltrane en double croche sur la fin du thème || Coltrane || AMePᴍ

Transition || Trait de transition (♑) de 16 mesures, sur un motif de trille || Coltrane || ♑

Thème section Aπ || thème avec MeP avec harmonie spécifique piano (Aπ) || McCoy Tyner || AπMeP

Impro ♒ || Solo de McCoy Tyner, proche d'abord du leitmotiv du vamp, puis plus prolixe, avec un travail de 9ème qui tend une ambiguïté mineure/majeure || McCoy Tyner || ♒

Thème section Aπ || thème avec MeP avec harmonie spécifique piano (Aπ : pédale de ré à partir de la 5ème mesure) || McCoy Tyner || AπMeP

Impro ♒ || solo long d'abord noire pointée puis prolixe || McCoy Tyner || ♒

Transition thématique A || Seul les harmonies du thème sont jouées avec MeP, sans la mélodie de départ (Aπ) || McCoy Tyner || (Aπ)

Impro ♒ || Solo essentiellement en noire pointée || McCoy Tyner || ♒

Thème section Aπ || thème avec MeP avec harmonie spécifique piano || McCoy Tyner || Aπ

Vamp de transition || Eric Dolphy pose une transition prolixe de 16 mesures || Dolphy || (♑)

Thème section A || Thème joue avec MeP || Dolphy || AMeP

Impro ♒ || Solo tres prolixe et assez out de Dolphy. Il ne joue pas de trait d'appel du thème || Dolphy || ♒

Thème section A || avec MeP || Dolphy || AMeP

Impro ♒ || Solo très flûte « harmonique », plus long, sans trait d'appel du thème || Dolphy || ♒

Thème section A || avec MeP, rejoint par Coltrane || sur la dernière phrase du thème || Dolphy || AMeP

Transition || Trait de transition (♑) de 16 mesures, sur un motif de trille || Coltrane || ♑

Thème Section A || avec MeP || Coltrane || AMeP

Impro ♒ || Solo avec des effets de glissando assez rares chez Coltrane, lent decrescendo puis crescendo, jusqu'au Trait d'appel du thème mineur ♄ || Coltrane || ♒♄

Thème section A || Thème joue avec MeP || Coltrane || AMeP

Impro ♒ || Solo avec aussi de grands contrastes et les glissandos, trait d'appel du thème majeur ♄ || Coltrane || ♒ ♄

Thème section A || Thème joue avec MeP || Coltrane || AMeP

Thème section A || Thème joue avec MeP, et avec un trait volubile (♍) de coltrane en double croche sur la fin du thème || Coltrane || AMeP♍

Final : Thème Section B || Conclusion en mi mineur, avec certain trait volubile (♍) || Coltrane || B♍

Coda || Sur résonance finale point d'orgue, trait de conclusion (Ω) || Coltrane || Ω

Version 3 : « My Favorite Things » (Live) album *The European Tour* 22 octobre 1963 à Stockholm John Coltrane (sax soprano) ; McCoy Tyner (piano) ; Elvin Jones (drums) ; Jimmy Garrison (bass) 13'57'' (tempo rapide noire à 200 bpm environ)

Une des rares versions live qui s'approche du timing de la version originale de studio (environs 13 minutes), sur un tempo particulièrement rapide, ceci expliquant peut être cela.

SECTION || DESCRIPTION || MUSICIEN || SYMBOLES

Φ Introduction || Coltrane lance l'intro (au ténor ?) puis rythmique sur leitmotiv introductif (φ) puis improvisation introductive sur vamp 16 mesures || Coltrane & rythmique || φ

Thème section A+ || thème joué avec mise en place (MeP) avec 16 mesures, avec trait d'appel du thème || Coltrane || A+MeP♄

Thème section A || Thème joue avec MeP || Coltrane || AMeP

Impro ♒ || Solo avec Trait d'appel du thème majeur ♄ || Coltrane || ♒♄

Thème section A || Thème joue avec MeP || Coltrane || AMeP

Thème section A || Thème joue avec MeP, et avec un trait volubile (♍) en double croche sur la fin du thème || Coltrane || AMeP♍

Transition || Trait de transition (♑) de 16 mesures, sur un motif de trille || Coltrane || ♑

Thème section Aπ || thème avec MeP avec harmonie spécifique piano (Aπ : pédale de ré à partir de la 5ème mesure) || McCoy Tyner || AπMeP

Impro ≋ || Solo de McCoy Tyner, directement prolixe || McCoy Tyner || ≋
Thème section Aπ || thème avec MeP avec harmonie spécifique piano (Aπ) ||
   McCoy Tyner || AπMeP
Impro ≋ || solo directement prolixe || McCoy Tyner || ≋
Transition thématique A || Seules les harmonies du thème sont jouées
   avec MeP, sans la mélodie de départ (Aπ) || McCoy Tyner || (Aπ)
Impro ≋ || McCoy Tyner || ≋
Thème section Aπ || thème avec MeP avec harmonie spécifique
   piano || McCoy Tyner || Aπ
Transition || Trait de transition (♑) de 16 mesures, sur un motif de
   trille || Coltrane || ♑
Thème section A || Thème joue avec MeP || Coltrane || AMeP
Impro ≋ || Solo de Coltrane, avec trait d'appel du thème mineur
   || Coltrane || ≋♄
Thème section A || avec MeP || Coltrane || AMeP
Impro ≋ || Solo de Coltrane, avec trait de dégringolade de noire pointée ♎ et
   trait d'appel du thème majeur ♄ || Coltrane || ≋♎♄
Thème section A || avec MeP || Coltrane || AMeP
Final : Thème Section B || Conclusion en mi mineur || Coltrane || B
Coda || Sur résonance finale point d'orgue, trait de conclusion (Ω) ||
   Coltrane || Ω

Version 4 : « My Favorite Thing » (Live) de l'album *Coltrane at Newport* 20 juillet 1963 à Newport. John Coltrane (sax soprano et ténor) ; McCoy Tyner (Piano) ; Roy Haynes (batterie) ; Jimmy Garrison (bass) 17'20" (tempo un peu *up*, noire à 184 bpm environ)

Dans cette version Roy Haynes remplace Elvin Jones à la batterie, ce dernier séjournant dans un établissement spécialisé pour des problèmes d'addiction. Le jeu très ludique de Haynes, contrastant avec celui plus profond d'Elvin, donne à cette version une couleur claire et aérée différente des autres versions.

SECTION || DESCRIPTION || MUSICIENS || SYMBOLES
Φ Introduction || Coltrane lance l'intro || Φ au ténor puis rythmique sur leitmotiv introductif (φ) puis improvisation introductive sur vamp 16 mesures (Coltrane reste au ténor, puis prend le soprano), avec trait d'appel du thème ♄ || Coltrane & rythmique || φ♄

Thème section A+ || thème joué avec mise en place (MeP) avec 16 mesures, avec trait d'appel du thème || Coltrane || A+MeP♮
Thème section A || Thème joue avec MeP || Coltrane || AMeP
Impro ♯ || Solo avec Trait d'appel du thème majeur ♮ || Coltrane || ♯♮
Thème section A || Thème joué avec MeP || Coltrane || AMeP
Thème section A || Thème joué avec MeP, et avec un trait volubile (𝕄) en double croche sur la fin du thème || Coltrane || AMeP𝕄
Transition || Trait de transition (♭) de 16 mesures, sur un motif de trille || Coltrane || ♭
Thème section Aπ || thème avec MeP avec harmonie spécifique piano (Aπ : pédale de ré à partir de la 5ème mesure) Coltrane entame le thème et s'éloigne || McCoy Tyner (Coltrane) || AπMeP
Impro ♯ || Solo de McCoy Tyner, vamp puis prolixe, assez inspiré rythmiquement par le jeu de Haynes, très ludique, moins emphatique || McCoy Tyner || ♯
Thème section Aπ || thème avec MeP avec harmonie spécifique piano (Aπ) || McCoy Tyner || AπMeP
Impro ♯ || Solo prolixe et lyrique, restant dans l'esprit ludique || McCoy Tyner || ♯
Transition thématique A || Seul les harmonies du thème sont jouées avec MeP, sans la mélodie de départ (Aπ) || McCoy Tyner || (Aπ)
Impro ♯ || McCoy Tyner || ♯
Thème section Aπ || Thème avec MeP avec harmonie spécifique piano, rejoint par Coltrane || McCoy Tyner-Coltrane || Aπ
Transition || Trait de transition (♭) de 16 mesures, sur un motif de trille || Coltrane || ♭
Thème section A || Thème joué avec MeP || Coltrane || AMeP
Impro ♯ || Solo de Coltrane, avec trait d'appel du thème mineur ♮ || Coltrane || ♯♮
Thème section A || avec MeP || Coltrane || AMeP
Impro ♯ || Solo de Coltrane, avec trait de dégringolade de noire pointée ♩ et trait d'appel du thème majeur ♮ || Coltrane || ♯♩♮
Thème section A || avec MeP et trait volubile (𝕄) || Coltrane || AMeP𝕄
Final : Thème Section B || Conclusion en mi mineur || Coltrane || B
Coda || Sur résonance finale point d'orgue, trait de conclusion (Ω)
*(Coltrane enchaîne directement au soprano le thème d'*Impression*, dans la résonance)* || Coltrane || Ω

Version 5 : « My Favorite Things » (*live*) de l'album *Coltrane at Newport* 2 juillet 1965 à Newport. John Coltrane (sax soprano); McCoy Tyner (piano); Jimmy Garrison (bass); Elvin Jones (drums) 15'14'' (tempo normal noire à environ 178 bpm)

C'est une des dernières versions enregistrées du thème par le quartet « classique » de John Coltrane, deux après la version précédente, au même festival. Les héros sont-ils fatigués ? Malgré des magnifiques solos, poignants et violents, Coltrane est assez bas, et on peut ressentir un peu de flottement (une lassitude ?), qui préfigure sans doute le départ d'Elvin Jones et de McCoy Tyner. Une impression qui ne se ressent pas pourtant dans les versions *live* en Europe quelques semaines plus tard, à Comblain-La-Tour (magnifique vidéo) et Antibes.

section || Description || Musicien || symboles

Φ Introduction || rythmique sur leitmotiv introductif (φ) puis improvisation introductive sur vamp 16 mesures || Coltrane & rythmique ||φ

Thème section A+ || thème joué avec mise en place (MeP) avec 16 mesures, avec trait d'appel du thème ♄ || Coltrane || A+MePh

Thème section A || Thème joue avec MeP || Coltrane || AMeP

Impro ♒ || *Solo avec Trait d'appel du thème majeur* ♄ || *Coltrane* || ♒♄

Thème section A || *Thème joue avec MeP* || *Coltrane* || *AMeP*

Thème section A || Thème joue avec MeP, et avec un trait volubile (♍) en double croche sur la fin du thème || Coltrane || AMePM

Transition || Trait de transition (♑) de 16 mesures, sur un motif de trille || Coltrane || ♑

Thème section Aπ || thème avec MeP avec harmonie spécifique piano (Aπ : pédale de ré à partir de la 5ème mesure) || McCoy Tyner || AπMeP

Impro ♒ || Solo de McCoy Tyner, prolixe mais assez ténébreux, long, il ne jouera de solo que sur cette section, mineure || McCoy Tyner || ♒

Thème section Aπ || thème avec MeP avec harmonie spécifique piano (Aπ) rejoint par Coltrane || McCoy Tyner Coltrane || AπMeP

Transition || Trait de transition (♑) de 16 mesures, sur un motif de trille || Coltrane || ♑

Thème section A || Thème joue avec MeP || Coltrane || AMeP

Impro ♒ || Solo de Coltrane, poignante, || violente, avec trait d'appel du thème mineur || Coltrane || ♒♄

Thème section A || avec MeP || Coltrane || AMeP

Impro ✲ || Solo de John Coltrane, sur le cri, avec trait de « dégringolade de noire pointée » ℑ et trait d'appel du thème majeur ♄ || Coltrane || ✲ℑ♄

Thème section A || avec MeP et trait volubile (𝄪) || Coltrane || AMeP𝄪

Final : Thème Section B || Conclusion en mi mineur || Coltrane || B

Coda || Sur résonance finale point d'orgue, trait de conclusion (Ω) || Coltrane || Ω

Audience || Le public semble réclamer à grand cri le retour de Coltrane sur scène. Le père Norman O'Connor met fin aux protestations. || Audience et O'Connor. ||

Version 6 : « My Favorite Thing » (*Live*) de l'album *Live at Village Vanguard again!* 28 mai 1966. John Coltrane (sax soprano, clarinette basse), Pharoah Sanders (sax ténor, flûte, percussions), Rashied Ali (drums), Alice Coltrane (piano), Jimmy Garrison (bass), Emmanuel Rahim (percussions) 20'21'' (Tempo aléatoire, format rubato)

Premier enregistrement du thème par le nouveau groupe de Coltrane, qui fait suite au quartet « classique ». La forme et la couleur s'en trouvent radicalement transformées, avec malgré tout des équivalences qui sont intéressantes à analyser.

SECTION || DESCRIPTION || MUSICIEN || SYMBOLES

Introduction || Le morceau commence à la fin du solo de Garrison, qui lance un riff de basse en 4/4 || Garrison ||

Introduction2 & Impro ✲ || La rythmique entre, suivi de Coltrane au soprano et des percussions (tambourins, grelots, sonnailles) dans un registre rythmique sans pulsation régulière. Impro autour du Mi mineur, avec beaucoup de modulations. Coltrane suggère vers 2'30'' le rythme ¾ en évoquant les traits d'appels du thème ♄ || *Tutti* & Coltrane

Thème section A || Thème joue sans Mep || Coltrane || A

Impro ✲ || Impro autour de mi mineur qui évoque le trait de transition et le trait d'appel du thème || Coltrane || ✲(♄ƁƷ)

Thème section A || Thème || Coltrane || A

Impro ✲ || Solo avec trait d'appel du thème majeur ♄ || Coltrane || ✲♄

Thème section A || Thème || Coltrane || A

Thème section A || avec trait volubile (♍) || Coltrane || A♍
Impro ♯ || Sanders au ténor autour de mi mineur mais très free, sur le cri et la texture. Coltrane participe à la flûte, plus tard à ce qui semble être la clarinette basse, en cri simplement. Quand Sanders cite le thème, Coltrane le rejoint au soprano, puis prend le relais pour jouer un solo intense, très ouvert, mais moins sur « le cri » avec de nombreux retours à la modalité, au 3/4 et réminiscence du trait d'appel du thème ♑ || Sanders & Coltrane || ♯(♑)
Thème section A || avec trait volubile (♍) || Coltrane || A♍
Final : Thème Section B || Conclusion en mi mineur, Sanders apparaît à la flûte || Coltrane Sanders || B
Coda || Sur résonance finale point d'orgue, trait de conclusion (Ω) || Coltrane Sanders || Ω

Version 7 : « My Favorite Things » (*Live*) album *Live in Japan* 22 juillet 1966, Sankei Hall, Tokyo. John Coltrane (sax alto et soprano) ; Pharoah Sanders (sax ténor, percussions) ; Rashied Ali (drums) ; Jimmy Garrison (basse) ; Alice Coltrane (piano) 57'19'' (Tempo aléatoire, format rubato)

La plus longue version existante (plus de 57 minutes) et une rareté due à l'utilisation du saxophone alto par Coltrane, instrument qui lui a été confié par la firme Yamaha durant la tournée japonaise pour des raisons évidentes de marketing, lui qui a toujours été un amateur de Selmer.

SECTION || DESCRIPTION || MUSICIENS || SYMBOLES
Introduction || Longue introduction de Garrison qui conclut son solo par un tempo up en 4/4, vite rejoint par piano et batterie || Garrison ||
Introduction 2 & impro ♯ || John Coltrane arrive, longue improvisation à l'alto en mi mineur sur tempo up non régulier, avec suggestion du 3/4 en fin de solo, et suggestion du trait d'appel du thème || rythmique & Coltrane || ♯(♑)
Thème section A || Thème joue sans Mep || Coltrane || A
Impro || sax alto autour du mi mineur, mélange suggéré de tempo up et 3/4 non régulier, Sanders rejoint au loin le solo, avec sons saturés

et cloches. Forte suggestion du ¾ en fin de solo (21') avec note pivot de mi (do# à l'alto) suggestion de trait d'appel du thème || Coltrane (Sanders) || ♺(♭)

Thème section A || Thème || Coltrane || A

Impro ♺ || sax alto en mi majeur. Sax et piano sont plutôt dans le ¾ et batterie/basse entre tempo up non régulier et ¾. Suggestion de « dégringolade de noire pointée »ℑ et du trait d'appel du thème majeur ♭ || Coltrane || ♺(ℑ♭)

Thème section A || Thème || Coltrane || A

Thème section A || Thème || Coltrane || A

Impro ♺ || long solo de Sanders (ténor) en mineur puis free, sur métrique suggérant ¾ et différents tempos up non réguliers ; différentes citations du thème. Suggestion de trait d'appel du thème et du thème. Coltrane se fait entendre parfois au loin à l'alto, au début, puis aux percussions || Sanders (Coltrane) || ♺(♭)

Thème section A || Thème || Sanders || A

Impro ♺ || solo piano mi mineur en ¾ puis suggestion de la pulsation. Polymodalité, réminiscence modale indienne (ex : raga todi, penta Eb majeur sur Mi mineur) || Alice Coltrane || ♺

Transition || Retour Coltrane au soprano, sur trille, puis Trait de transition (♒) de +/- 16 mesures, sur un motif de trille || Coltrane || ♒

Impro ♺ || Solo Sax soprano mineur (Sanders au tambourin) +/- ¾. À l'issue d'un jeu de modulation, l'impro passe en mi majeur, plus rapide. Trait d'appel du thème♭ || Coltrane || ♺♭

suite Impro || À l'issue d'un jeu de modulation, l'impro passe en mi majeur, plus rapide. Trait *dégringolade de noire pointée* ℑ et trait d'appel du thème majeur ♭ Trait d'appel du thème ♭ || Coltrane || ♺ℑ♭

Thème section A || avec trait volubile (𝄞) || Coltrane || A𝄞

Final : || Thème Section B || Conclusion en mi mineur. Jeu en morse et saut d'octave sur la phrase finale. || Coltrane || B

Coda || Sur résonance finale point d'orgue, trait de conclusion (Ω) || Coltrane || Ω

Version 8 : « My Favorite Things » (*Live*) dans l'album *The Olatunji Concert : the last live recording* 23 avril 1967 Olatunji Center NYC, John Coltrane (sax soprano) ; Pharoah Sanders (sax ténor, percussions) ; Rashied Ali (drums) Jimmy Garrison (basse) ; Alice Coltrane (piano) ;

Algie DeWitt (percussions); Juma Santos (percussions).
34'37'(Tempo aléatoire, format rubato)
C'est le dernier enregistrement de John Coltrane, qui disparaîtra trois mois plus tard. La qualité sonore de l'enregistrement ne permet pas de distinguer les subtilités du concert, mais rend parfaitement de l'intensité hallucinante de ce moment unique.

SECTION || DESCRIPTION || MUSICIEN || SYMBOLES
Introduction || Longue Introduction à la contrebasse || Garrison ||
Introduction2 & Impro ⚌ || John Coltrane rentre avec la rythmique au sax soprano, improvisation autour de mi mineur, d'une grande intensité || Coltrane & rythmique || ⚌
(Thème section A) || Vers 10'25'' des réminiscences du trait d'appel du thème débouche curieusement sur la partie finale du Thème A, qui est donc tronquée de sa première partie! || Coltrane || ♄(A)
Impro et thème || pour enchaîner à nouveau sur une impro en mi mineur de plus en plus intense. Rappel du thème et du trait d'appel du thème || Coltrane || ⚌(A♄)
Impro ⚌ || Solo de Sanders free, avec beaucoup d'effets multiphoniques et harmoniques. L'intensité du cri sandersien (vers 22'50'') est tel qu'il ne trouve peu ou pas de comparaison avec d'autres enregistrements similaires. || Sanders ||
Impro ⚌ || Sanders cite le thème pour donner le relais à Coltrane, qui enchaîne avec une série de trille dans l'esprit du trait de transition et du trait conclusif. Coltrane continue son solo, avec au passage, une citation étonnante et fugace de « Joy Spring » à 26'16'' (un effet très peu usité par Coltrane pourtant) dans des développements très éloignés du mode initial. Sanders le rejoint au ténor vers 32'20''. || Coltrane Sanders || ⚌(♌Ω)
(Thème section A) || Encore une fois, vers 33'00'', le thème est tronqué, juste les dernières mesures du A sont jouées pour enchaîner directement sur la partie B || Coltrane Sanders || (A)

Trois grands points communs

Que constatons-nous lorsque nous comparons nos huit schémas? D'abord, observons trois éléments communs à toutes les interprétations.

Premier point commun : le matériel original de la chanson de Richard Rodgers reste minoritaire, et de plus en plus à mesure que l'on s'approche des dernières versions, au point de disparaître presque complètement – dans la version 8, il ne reste que des bribes de thème. Évidemment, le jazz a généralisé la pratique du solo sur les structures de standards, qui dans la plupart des cas minorent le thème mélodique d'origine. Mais dans le cas du *My favorite Things* de Coltrane, c'est la structure elle-même qui est totalement changée pour privilégier la diffusion obsessionnelle des couleurs mineures et majeures de la tonalité. Non pas que Coltrane méprise le standard ou son compositeur. Au contraire, il intensifie la mélodie en la raréfiant, et en la distillant tout au long du thème. *My Favorite Things* vu par Coltrane n'est plus, dès la première version, l'élément d'un *Rodgers Song Book*, ou l'énième interprétation d'un jazz standard par un jazzman, mais devient la signature réminiscente d'un projet musical à long terme : une persistance auditive issue du souvenir commun d'une mélodie sans âge et sans attache, fruit du génie d'un compositeur (Rodgers) et d'un inventeur (Coltrane). On dit de quelqu'un qui découvre un trésor qu'il en est l'inventeur. Coltrane est l'inventeur de *My Favorite Things* !

Deuxième point commun : le seul élément qui se retrouve sur toutes les versions disponibles, c'est la conclusion. C'est-à-dire la section B du thème de Rodgers – qui arrive, enfin, à la suite de tous les développements essentiellement issus des sections A – et de la Coda Ω. Notons d'ailleurs que la section B est transformée également par Coltrane puisqu'elle demeure en *mi* mineur – contrairement à l'original qui module au relatif majeur *sol* – pour se prolonger sur une mélodie de la composition de Coltrane, en mode mineur naturel, contrastant avec la couleur dorienne (*mi* mineur avec un *do* dièse) assez présente durant les sections en mineur du morceau. Par contre, la coda Ω insiste, lors du point d'orgue final, sur le dorien en faisant résonner le *do* dièse et le *fa* dièse par un trait trillé qui se termine enfin sur la quinte (*si*). Non seulement cette section B recomposée et la coda Ω concluent toutes les versions existantes, mais elles sont immuables dans leur forme et leur dynamique, malgré la disparité des groupes et des interprétations, signalant par là une volonté de conclure distinctement et intelligiblement. La narration d'un moment musical aussi singulier et prolifique ne peut trouver son fil conducteur que dans sa conclusion.

Troisième point enfin : l'élément instrumental commun à toutes les versions s'avère être le piano – peut-être plus que le saxophone soprano, qui pourtant reste la marque de fabrique du morceau. Rappelons-nous le rire de Coltrane quand Michel Delorme lui demande s'il pouvait jouer ce thème au ténor. Pourtant, pour des raisons essentiellement pratiques, Coltrane commence quelquefois le morceau au ténor (versions 3 et 4), parfois entame le premier vamp sur ce même instrument (version 4), et s'autorise, lors de la dernière période, d'autres instruments plus inhabituels, alto, flûte, clarinette basse (versions 6 et 7). Alors que l'ensemble du lustre que Coltrane passe en compagnie de son pianiste fétiche McCoy Tyner – suivi à ce poste par sa seconde épouse, Alice Coltrane – est marqué par son étrange propension à se débarrasser assez souvent de sa présence, aucune version de *My Favorite Things* ne laisse ne serait-ce qu'une seconde le piano s'absenter. *Impressions, Chasin' the Trane, Spiritual, One Down, One Up* et bien d'autres thèmes sont l'occasion quasi systématique pour Coltrane d'exiger la disparition plus ou moins totale du piano pour plus de liberté, de place, d'ouverture. Pas *My Favorite Things,* qui contraint le piano, McCoy Tyner comme Alice Coltrane, à une présence active et perpétuelle. La chanson est semble-t-il chez Coltrane plus qu'une chanson : *My favorite Things* est un choral, un chœur qui nécessite la résonance de l'instrument polyphonique par excellence.

Les aléas de l'introduction

D'autres éléments structurels sont maintenant disponibles pour notre réflexion. Ils sont significatifs à la fois par leur présence récursive, mais aussi par leur absence plus ou moins singulière. Ainsi, l'introduction (notée φ) qui ouvre systématiquement le morceau durant toute la période « classique » du groupe de Coltrane. C'est un motif de quatre mesures, renouvelable si besoin est, qui lance simplement et efficacement la dynamique rythmique et mélodique du morceau. Avec ses effets de quarte et de croche par trois, il insiste sur la couleur de valse, et établit une dimension mineure générale, malgré l'évidente orientation tonale de son cheminement. Les deux dernières notes du motif, *fa* dièse et *ré* dièse, indiquent clairement un accord de dominante (*si* 7), dans un esprit tonal qui contraste quelque peu avec la modalité générale du morceau, mais qui vise parfaitement son immuable note tonique, le *mi* [318].

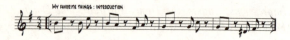

Parfois, Coltrane joue seul l'introduction, au ténor même, pour lancer la rythmique qui reprend le motif, avec les cymbales marquant fortement les premiers temps de ces quatre premières mesures. Or cette introduction pourtant si caractéristique de l'empreinte coltranienne sur ce standard, et qui permet immédiatement d'en identifier l'interprétation, est abandonnée dès le changement de casting de 1966, avec le départ de McCoy Tyner et Elvin Jones, l'arrivée d'Alice Coltrane (piano) et Rashied Ali (batterie), et la présence affirmée de Pharoah Sanders comme deuxième soufflant. À la place du motif, une longue introduction de contrebasse de Jimmy Garrison, seul rescapé du quartet « classique ». Totalement improvisée, cette introduction qui prend généralement une dizaine de minutes, devient alors un moment de méditation et de tension dramatique important.

Mais pourquoi abandonner le motif, si connu des amateurs, si identifiable par tous, et si efficace ? C'est comme si Glenn Miller enlevait le riff d'introduction de *In the Mood*, ou si Led Zeppelin se passait de l'arpège de guitare ouvrant *Starway to Heaven*. Le nouveau et dernier groupe de Coltrane est caractérisé par

---

318. Quand bien même la basse continuerait à jouer ce *mi* grave sur l'accord de *si* 7 – ce que Steve Davis fait quasi exclusivement, simultanément avec la quinte, sur le morceau original de 1960.

l'abandon de pulsation régulière à proprement parler, un effet rubato généralisé qui se concentre sur la texture sonore, et une polyrythmie plus aléatoire. La mise en place du tempo qu'offrait le motif d'introduction n'est plus nécessaire. Les improvisations introductives de Garrison, toujours autour du *mi* mineur, ont par contre le mérite d'ouvrir le champ harmonique et modal qui va ensuite se développer en *tutti* sur des espaces et des temporalités très variables (une heure pour la version 7 au Japon). Les introductions changent parce que les évolutions formelles changent, mais *My Favorite Things* a besoin, quoiqu'il advienne, d'une introduction pour sa propre relation narrative.

Trait volubile et trait de transition

L'interprétation du thème de la section A est elle-même assujettie aux mêmes règles structurantes qui, à la longue, paraissent immuables. Le thème est, durant toute la période « classique », toujours joué avec la même mise en place (notée MeP) sur l'avant-dernière phrase (pause sur le temps) et la dernière phrase du thème (avec un effet de retard d'une croche jouée par la rythmique, qui est pour Steve Davis la seule occasion de jouer autre chose que le *mi/si* perpétuel en appuyant enfin sur un *si* de dominante). Évidemment, pour les mêmes raisons qu'évoquées au paragraphe précédent, les thèmes joués durant la dernière période (en 1966 et 1967) ne sont pas soumis au même traitement rythmique, dans la mesure où la pulsation devient beaucoup plus dissipée. La version 8, lors du dernier concert enregistré de Coltrane, est même édifiante : le thème n'est plus que suggéré, il n'est jamais joué en entier, tronqué et réduit à sa dimension mineure pour ne plus devenir qu'une réminiscence du morceau, une évanescence effrénée de *My Favorite Things*.

Par contre, curieusement, un élément stable de l'interprétation du thème passerait inaperçu si l'on ne se penchait pas sur la structure du morceau : souvent, dans chaque version, Coltrane abandonne la simple exécution du thème pour lancer, à la place de l'avant-dernière phrase, un trait volubile (noté 𝄽) qui semble une succession virtuose mais aléatoire de doubles croches. Nous pourrions gager que, pour éviter la routine, Coltrane use de cet effet afin de dynamiser quand bon lui semble le thème maintes fois répété. Pourtant, grâce à nos schémas, nous observons que le trait volubile est *systématiquement* joué sur le thème de la section A mineur qui succède au thème de la section A majeur, après la première improvisation majeure de Coltrane. Même la version 6, la première de la période « avant-garde », respecte la règle partout immuable, même si elle ne survivra pas aux deux dernières versions, plus singulières. Le trait volubile apparaît également très souvent, dans les versions 2, 4, 5 et 6, dans le thème qui succède à la deuxième improvisation majeure de Coltrane (même si dans la version 6, la couleur mineure reste dominante). Il ne s'agit donc pas, avec ce trait volubile, d'une lubie de virtuose en mal de mouvement, mais d'une intention concrète de structure formelle qui semble, surtout avec la pression créatrice et hasardeuse du live, apporter une stabilité, une permanence à ce moment musical atemporel.

Cette intention formelle est d'autant plus flagrante

lorsque l'on constate que ce thème avec trait volubile est systématiquement suivi d'un trait de transition (noté ₿) de 16 mesures qui consiste en une mélodie originale, un effet de trille particulièrement efficace au soprano, et donne des impressions presque orientales dans ce moment qui très souvent est un climax du début du morceau. La dernière phrase du trait insiste, après ce déchaînement de trilles, sur les noires de la pulsation, comme pour mieux passer le relais au piano qui entame alors son solo sur le mode mineur.

Scott Anderson, auteur d'un bon mémoire de musicologie consacré à *My Favorite Things*[319], parle pour la version originale de 1960 d'un « Interlude, Coltrane solos », signifiant ainsi le caractère improvisé de ce moment. Concernant la version 4 à Newport en 1963, il affirme que Coltrane « reprend à ce moment-là des sections de son solo de 1960 », pour reparler de « Coltrane solos » à propos de la version 5 de 1965. À suivre son raisonnement, nous passerions à côté de l'intention réelle de ces 16 mesures, nullement improvisées, mais bien composées pour l'occasion, jouées invariablement dans une même dynamique, et survivant même à la période d'avant-garde, toujours présentes, même si elles sont un peu chamboulées,

---

319. S. Anderson, « John Coltrane, Avant-Garde Jazz & the Evolution of *My Favorite Things* », en ligne.

pour leur fonction de transition (versions 6, 7 et 8). Nous affirmerons donc volontiers que ces 16 mesures de trait de transition sont en fait un élément immuable de l'interprétation coltranienne, au même titre que la section B et la coda. Elles sont utilisées à tout moment jugé opportun, pour dynamiser, transmettre le flambeau, ou reprendre la main après le solo de piano (version 3).

Trait volubile et trait de transition nous amènent à l'élément essentiel qui détermine notre question sur l'invention coltranienne de *My Favorite Things*. La qualité structurante de phrase ou de trait musical fonctionnant comme des clefs de transition se retrouve également durant les solos improvisés. Tout solo se doit de finir sur une phrase, un intervalle, une intention conclusive, en accentuant selon les besoins et les envies de l'improvisateur les couleurs qui lui semblent les plus efficaces en ce sens. Coltrane est d'ailleurs un grand spécialiste de cet art subtil de terminer la phrase, plus encore un solo en entier. En bon bluesman, et ancien *sax honker* arpenteur de bars, Coltrane maîtrise la manière de choisir telle ou telle phrase pour conclure un propos qui pourrait durer éternellement « sur le papier ».

Le blues, succession hiérarchique et répétée de sections mélodiques et de strophes chantées – sur la base du question-question-réponse[320] qui générale-

---

320. Question-Question-Réponse : Going to the Louisiana bottom to get me a hoodoo hand/Going to the Louisiana bottom to get me a hoodoo hand/Gotta stop these women from taking my man (*Louisiana Hoo Doo Blues*, Ma Rainey, 1927). Au passage, une façon de se rappeler le lien entre blues, Louisiane et voodoo.

ment se cristallise sur 12 mesures (4/4/4) – surmonte l'ambiguïté de sa couleur harmonique par la clarté de ses fonctions mélodiques. L'harmonie du blues – qui déteint également sur le gospel, le jazz, le country – a pour singularité de systématiser les accords de septième de dominante, et de créer un trouble majeur/mineur par la présence de « *blue notes* » étrangères à la gamme diatonique : il nécessite donc une clarté mélodique accrue. La « réponse » (quatre dernières mesures du blues) accentue la phrase rythmiquement et mélodiquement pour mieux en souligner le caractère conclusif.

Coltrane semble étirer la convention sur l'ensemble d'un solo ou d'un morceau, de plus en plus selon que l'improvisation prend du temps à se développer. C'est comme si le solo dans son entier devenait une immense *question* et qu'il trouvait sa juste fin – sa *réponse* – dans une phase conclusive d'autant plus marquée. Dans *Impressions,* composition de John Coltrane basée sur le *So What* de Miles Davis – 32 mesures modales en AABA avec le A en *ré* dorien et le B en *mi* bémol dorien – le quartet en arrive finalement à jouer de plus en plus, selon les interprétations, sur une couleur de *sol* de dominante (G7), relatif modal de *ré* dorien (*ré-mi-fa-sol-la-si-do*) qui donne une dimension dynamique beaucoup plus prolixe aux solos et interactions. Jimmy Garrison insiste autour de la corde de *sol* à vide de la contrebasse, et Coltrane peut développer à l'envi un discours qui semble ne jamais devoir s'arrêter, jusqu'à ce que l'intention conclusive se résolve pour la fin du morceau, donnant d'autant plus de latitude à Elvin Jones pour dire le dernier mot dans le fracas des cymbales et des roulements de peaux. Nous avons vu que la structure du morceau pouvait s'étirer sur l'ensemble de son interprétation, l'improvisation est traitée pareillement.

Mais dans *My Favorite Things*, les intentions sont encore plus codifiées. Chaque fin de solo amène Coltrane à jouer un système mélodique assez homogène et régulier que nous appelons *trait d'appel du thème* (noté ℌ) : il consiste à indiquer très clairement la fin d'un solo pour enchaîner sans à-coups sur le thème. Nous pourrions écrire ce trait d'appel du thème ainsi, selon le passage de la version 4 de Newport en 1963 (le relevé, comme tous les autres dans ce chapitre, est simplifié pour plus de clarté) :

Avec une certaine diversité dans le ton et la dynamique, et une différenciation nette entre les passages mineurs et majeurs, ces traits d'appel du thème n'en restent pas moins systématiques et clairement identifiables : ils usent, pour mieux viser la tonique, du même effet rythmique et du même effet de dominante que le trait de transition. Nous voyons ainsi que non seulement le morceau en son entier est parfaitement encadré par les intentions formelles de Coltrane – introduction puis section B et coda – mais que les solos en eux-mêmes sont aussi soumis à un encadrement formel strict. Pour Coltrane, *la vision macrocosmique du morceau rejoint sa vision microcosmique* – à ceci près que ces traits d'appel du thème n'existent pas dans la version 1, la version originale en studio de 1960, même s'ils sont suggérés à l'intérieur des solos, comme des bribes d'un motif qui prendra son essor lors des versions live.

Nous pouvons imaginer d'ailleurs que Coltrane se soit inspiré, consciemment ou pas, de ses propres solos pour construire ces traits d'appel du thème, nécessaires à la cohésion des longues réitérations du morceau en concert, forcément risqués et fragiles[321]. Après tout, la version en studio est fraîche, presque expérimentale et inédite par le traitement nouveau de la modalité et de la répétition obsessionnelle d'une seule tonique fondamentale. À en croire les discographies de Coltrane, il n'existerait qu'une seule version du thème, jouée en public à Monterey et jamais publiée, avant la version studio officielle. Le thème est une nouveauté au répertoire de Coltrane quand le groupe entre en studio en octobre 1960. Coltrane ne sait alors peut-être pas encore que le morceau deviendra un succès énorme et une nécessité presque ontologique des passages du groupe sur scène. L'« invention » du morceau passe alors pour Coltrane par l'ajout et la systématisation des traits d'appel du thème. C'est la pratique incessante du morceau en concert qui induit chez Coltrane l'adjonction de ces traits d'appel, comme pour mieux gérer le flux intarissable des idées et de l'interaction en concert – nous voyons même, à travers les différentes versions en *live*, la place du public dans cette interaction. Il est donc étonnant que dans la vaste littérature consacrée à Coltrane, il ne soit jamais fait mention de ces traits et de leur rôle de clef de voûte formelle dans la conception du morceau. Soulignons d'ailleurs que certains traits récurrents adviennent même sans fonction d'appel ou de conclusion. Dans la partie majeure des improvisations, apparaît une phrase que nous avons appelée *trait de dégringo-*

---

321. Ce qui ne nous semble pas être le cas avec le trait de transition, visiblement écrit et prévu formellement par Coltrane dès 1960, n'en déplaise à Scott Anderson.

lade de noire pointée (noté 𝄐). Il apparaît un peu plus tardivement que les autres (version 3) mais prend une place prépondérante dans l'organisation des solos dans les parties majeures du morceau.

Le trait de dégringolade de noire pointée arrive généralement au sein de l'improvisation, sans obligation de succession vers le thème, mais juste dans une fonction de stabilité et d'organisation formelle. Basé sur une suite de noire pointée trillée, ce trait apporte un ressort lyrique identifiable au sein de l'improvisation majeure, comme si l'improvisation elle-même exigeait ses propres thématiques formelles.

Dans tous les cas de figure étudiés ici, il ne s'agit pas « d'arrangement » au sens commun du terme. S'il y a dans la conception coltranienne une intention claire de donner forme au hasard et à l'incantatoire, elle n'est pas pour autant figée dans le temps et dans l'espace. L'arrangement théâtralise un moment musical selon une vision préétablie de l'arrangeur. L'intention de John Coltrane est tout autre : elle dispose un ensemble d'outils formels qui œuvrent sans *a priori* dans le cadre d'une exécution reposant sur l'interaction, le risque, l'improvisation, l'immobilité tonique, afin de mieux hiérarchiser, dynamiser, ordonner son déroulement et son dénouement. Cette intention agit comme un cadre cognitif : un programme interactif susceptible de provoquer les jeux du hasard jazzistique pour mieux le circonscrire dans un cadre, qui plus est statique harmoniquement. Elle n'est pas pour autant exempte de règles ou d'obligations, nous l'avons vu, elle n'est pas un simple trousseau d'idées ou de motifs. En cela, elle diffère de façon décisive de la dynamique répétitive à l'œuvre dans le blues et le gospel. Elle en est clairement inspirée, évidemment, comme toute l'œuvre de Coltrane. Mais, à la fois plus formelle et plus profonde, elle la dépasse largement. Au-delà des riffs et des jeux de *call and response*, l'intention à l'œuvre dans *My Favorite Things* provient sans doute de sa proximité avec un autre immense transformateur formel du blues : Thelonious Monk. Et c'est Coltrane lui-même qui, dans ce témoignage en tous points crucial, nous le confirme :

> « Avec Monk, j'avais pris l'habitude de jouer longtemps sur chaque pièce. Et le fait de jouer la même pièce pendant une longue période nous a amenés à un nouveau concept de solo ; au demeurant sur certaines pièces nous improvisions rarement. Je vais vous expliquer les mécanismes de ces solos qui ne finissent jamais : nous avons un certain nombre de points de référence donnés, qui nous indiquent ce qui devrait se produire ensuite. De toute évidence, il ne s'agit pas de placer ces points de référence toujours au même endroit, mais simplement de les déplacer ou même de les oublier parfois. C'est ça qui crée le suspense : mes musiciens ne savent jamais quand je vais leur donner

des indices! Si nous devons faire court, j'arrive tout de suite à un certain endroit près de la fin du morceau, et quand je sais que nous pouvons prendre notre temps, je peux parfois revenir à l'un des points de référence. Cette méthode nous permet dans nos morceaux de ne jamais perdre contact dans l'instant, et de ne jamais être pris par surprise[322]. »

Il y a donc bien un jeu, un subterfuge, un procédé défini, une mise en scène du suspense, une malice d'interaction qui outrepasse l'habituel jeu agonistique entre improvisateurs de jazz. Sans se départir de ce rapport de compétition, les musiciens chez Coltrane jouissent, en plus, d'un outil, d'un code de conduite, d'une boussole mobile qui les ouvre aux développements les plus créatifs et les plus surprenants. C'est sans doute dans *My Favorite Things*, truffé de clefs diverses mais homogènes, de « points de référence », que le jeu décrit par Coltrane s'observe le plus clairement. Il conviendrait sans doute de se concentrer sur d'autres compositions et pièces du répertoire de Coltrane pour y deviner la présence de ces « points de référence ». Comme il conviendrait de se pencher également sur le répertoire d'autres jazzmen, pour mieux repérer chez eux ce mode de jeu. Il paraît notamment évident chez Thelonious Monk, dans sa manière de jouer avec le soliste. Monk n'accompagne pas, ne joue pas les accords, mais ordonne de manière semblablement systématique les couleurs et le déroulement de chaque moment musical, par citation modifiée du thème ou par rappel de phrase et de motif: comme points de référence.

322. C. DeVito, *Coltrane on Coltrane; The John Coltrane Interviews*, Chicago Review Press, 2010.

Avec Coltrane, le nombre extraordinairement important de versions différentes de *My Favorite Things,* bien plus important que de n'importe quel autre morceau, nous rend ces points de référence beaucoup plus visibles. Il nous rend surtout plus flagrante l'importance de ces principes de jeu, entre arrangement spontané et structuration consciente : une forme de ritualisation de l'improvisation jazzistique qui exalte le moment présent au sein de la construction la plus solide, la plus magnifiée et la plus admirable.

Une ritualisation nouvelle ?

J'en viens au concept, à mon sens crucial, auquel nous introduit l'analyse du jeu de John Coltrane. Et que je propose de nommer *subterfuge rituel*. J'ai conscience du risque qu'il y a à mobiliser l'idée de ritualisation, ou même de rituel. Voilà un terme valise, fourre-tout, devenu à ce point polysémique qu'il en a perdu presque tout sens, autant dans le langage courant que dans celui des sciences humaines. Tout devient « rituel », et toute situation un tant soit peu chronique s'impose comme « un rite ». Nous avons déjà souligné à travers l'influence du fait maçonnique, à quel point la question du rituel dans le jazz était un motif important autant que potentiellement périlleux. Les *jazz funerals* sont sans aucun doute l'un des rares mais éloquents cas où le jazz est mobilisé rituellement, qui plus est dans l'un de ses actes fondateurs. Pour autant, il serait aventureux de supposer à partir de cela une ritualité intrinsèque au jazz, qui s'observerait dans ses actes communs de la vie : attitude sur scène, habillement, vocabulaire, relations professionnelles, interviews, etc. Certes, le jazzman, par sa proximité manifeste avec le monde rituel afro-américain, tel que l'Église ou la Loge, a sans aucun doute une affinité avec celui-ci, qu'il est intéressant de deviner dans les œuvres elles-mêmes, dans l'utilisation des symboles, et l'affirmation d'un langage mythologique. Mais de là à faire de chaque représentation chronique, de chaque geste technique routinier, de chaque théâtralisation cérémonielle d'une performance, de chaque élément de langage cryptique, un ensemble rituel homogène, il y a un glissement délicat, que semble s'autoriser un auteur comme Neil Leonard. Dans son essai surprenant, *Jazz, Myth and Religion*[323], le chercheur américain élabore un système de réflexion qui fait du jazzman le membre d'une secte (*sect*) qui, en opposition manifeste à la culture musicale dominante (*church*), a ses prophètes (*prophets*), ses rites (*rituals*), son savoir (*gnosis*), et par conséquent sa propre mythologie. En convoquant les mânes de l'ethnologue et folkloriste français Arnold Van Gennep, de l'historien et philosophe des religions Mircea Eliade et de l'anthropologue britannique Victor Turner, Leonard construit un système attrayant, parfaitement efficient sur le papier : il stipule l'existence d'une *communitas* jazzistique – selon la définition de Victor Turner [324] –, en opposition à la *structure* dominante, à quoi correspond également le concept cher à Turner de « liminalité » – étape ambivalente, entre-deux – du musicien. L'initiation, chez Leonard, est d'abord pour le jazzman une éducation à l'altérité et la déviance. Il est très plaisant alors de voir

323. N. Leonard, *Jazz, Myth and Religion*, Oxford University Press, 1987.
324. V. Turner, *Le Phénomène rituel. Structure et contre-structure*, PUF, 1990.

ici le fait religieux dans le jazz considéré non plus comme un élément historique ou esthétique à décortiquer, mais comme un ensemble sémantique structurant le phénomène jazzistique dans sa globalité – sociale, culturelle, politique.

Pour autant, s'il y a *communitas,* il doit y avoir rituel. Et s'il y a prophète, il doit y avoir credo. L'ensemble de notre étude tend à démontrer que le jazz en lui-même ne représente pas d'homogénéité religieuse et spirituelle, mais un ensemble de parcours individuels, de réflexions métaphysiques, de critiques sociales ou politiques et de croyances qui fait certes bloc, mais ne peut représenter une idéologie, même religieuse, à part entière. Mais plutôt un état d'esprit commun et adogmatique. Il y a une volonté d'uniformisation épistémologique du fait jazzistique chez Leonard comme chez de nombreux auteurs, qui consiste en l'occurrence à transformer en « rituels » des manifestations récurrentes de la vie quotidienne du musicien, des routines langagières ou professionnelles, des éléments empiriques et performatifs répétés, pour mieux correspondre à son idée d'une mythologie jazzistique consubstantielle. N'observe-t-on pas ce même glissement sémantique chez de très nombreux auteurs en sciences sociales abordant tout phénomène collectif structurant, cyclique et à forte valeur symbolique comme un « rituel »? Le moment de détente des musiciens de jazz autour d'un joint pendant la pause amené au même niveau que les cérémonies ndembu d'Afrique centrale analysées par Victor Turner, cela semble tout de même un raccourci osé. Car le rite en sa fonction première est autant un cadre qu'une prescription sociale.

Un cadre d'abord, qui détermine l'organisation d'un phénomène qui, selon Gregory Bateson, s'insère dans une conception ludique et fictionnelle de la performance [325] : Dieu est convoqué par la liturgie religieuse, à travers le rituel, mais la grande majorité des fidèles s'accorde à dire qu'il n'est pas concrètement là. Dieu est le présent/absent de la liturgie, qui se réalise rituellement comme une performance ludique et fictionnelle. Une prescription sociale ensuite. Car le rite est avant tout une règle admise par ceux qui la subissent ou la sollicitent comme étant entièrement indispensable à la réalisation du phénomène pour lequel il a été créé. Une initiation maçonnique, un rite de passage à l'âge adulte, un baptême n'existent et ne sont valables aux yeux des protagonistes que par l'observation la plus stricte possible du rituel afférant. Évidemment, dans cette acception, l'idée de rite peut venir s'appliquer à des phénomènes profanes : cérémonie républicaine, élection politique, match sportif. D'une certaine manière, le rite, consciemment conçu pour l'occasion ou issu d'une accumulation routinière, donne une dimension de sacralité au phénomène qu'il ordonne : il instaure ce qui est interdit et ce qu'il ne l'est pas, tout en assouplissant les relations entre protagonistes, qui de ce fait pourraient être mises à mal. Mais si l'on prend l'exemple des manifestations sportives, nous pouvons reconsidérer alors ce qui relève du rite et ce qui n'en relève que peu ou pas du tout. Le coup d'envoi d'un match de football,

---

325. Pour une analyse comparative de l'école batesonienne sur le rite, on lira Albert Piette, « Pour une anthropologie comparée des rituels contemporains », *Terrain* n° 29, 1997, en ligne.

avec l'arbitre qui solennellement départage entre les capitaines de chaque équipe la manière dont le match va commencer, s'il n'est pas scrupuleusement observé selon la règle établie, a de fortes chances de déstabiliser l'ensemble du match. Les « olas » du public, le signe de croix d'un des joueurs avant un penalty, ou la danse d'un autre après un but marqué, s'ils sont des éléments essentiels du spectacle, ne sont en rien indispensables au déroulement du match : ils ne le mettent pas en danger par leur absence – même si, sans eux, la compétition n'aura pas la même saveur. Gageons alors que les nombreux auteurs qui ont eu l'heur de définir comme rite à peu près toutes les manifestations de ce genre – routine, théâtralisation, tics, habitudes – ont justement débarrassé le terme de sa gangue religieuse, mais ont surtout rehaussé leurs concepts d'une aura particulière, par le recours à un terme synonyme de « consécration ». Ce faisant, ils ont désacralisé le terme de rite – tout en sacralisant leur conception intellectuelle.

Posons-nous donc la question de la signification d'une « musique rituelle ». Y a-t-il un concept inhérent à cette notion présumée de « musique rituelle » ? La réponse en elle-même est une très bonne illustration de nos réflexions sur le rite : si musique rituelle il y a, c'est en tant que prescription concrète d'un élément musical nécessaire à la réalisation d'un rite. Pour autant, l'appellation semble désigner aussi la nature cérémonieuse d'un moment musical ou d'une œuvre, à travers des procédés musicaux dont l'usage courant reconnaît, à force, la qualité rituelle : effet de pédale, carillon, ostinato, modalité prononcée, succession de quintes, psalmodie. Autant d'éléments qui se réfèrent soit à une époque ou une région supposées plus cérémonielles – le Moyen Âge, que l'on peut invoquer par un mode grégorien ou de fortes sonorités de quintes justes, ou encore l'Afrique qui s'affiche dans la polyrythmie et les percussions –, soit à un jeu obsessionnel de motifs réitérés – musique répétitive et minimaliste – qui nous ramène une nouvelle fois au rapport étroit que le rite entretient, dans l'imaginaire collectif, avec la répétition. Ainsi l'écrivain et critique Benoît Duteurtre voit le recours à ces procédés comme un rempart des nouvelles musiques tonales contre l'hégémonie de l'atonalisme académique :

> « Les premiers compositeurs modernes ont fait évoluer la tonalité mais ne l'ont, pour la plupart, jamais abandonnée. Ils ont utilisé les modes anciens ou extra-européens ; ils ont pu s'écarter des modes naturels (la gamme par tons chez Debussy ; les échelles de Messiaen) ; ils ont mêlé les modes entre eux dans la polytonalité ; mais jamais ils n'ont renoncé à la sélection ni à la hiérarchisation perceptible des notes, qui caractérisent les échelles tonales. Au contraire même, une certaine puissance de la pulsation rythmique, une simplification des tournures mélodico-harmoniques autour de pôles obsessionnels semblent parfois nourrir la musique moderne aux sources rituelles (*Le Sacre du Printemps*, *Le Gibet* de Gaspard de la Nuit, les *Danses rituelles* de Jolivet…). Loin des élaborations du contrepoint ancien, loin du chromatisme postwagnérien, cette musique poursuit l'exploitation et le renouvellement des possibilités tonales. Elle ravive spontanément ce mouvement continu de l'histoire. La tonalité des temps modernes n'est que l'éternelle

conscience musicale, ouverte à des possibilités inconnues[326]. »

Nous pourrions soupçonner alors que l'influence avérée de certains compositeurs européens – Ravel, Debussy, Stravinsky – sur Coltrane ne serait pas qu'harmonique : elle se vérifierait aussi dans l'intention incantatoire des dispositifs adoptés dans sa période modale. Mais nous sommes surtout frappés chez Duteurtre par la vision réductrice d'un tonalisme qui n'existerait que pour contrer un atonalisme qui n'a rien, lui non plus, d'homogène. J'aimerais souligner un fait que ma propre expérience de musicien m'a amené à constater. Pourquoi ne joue-t-on jamais (ou presque) *My Favorite Things* dans les *jam sessions*, les ateliers pédagogiques, les concerts ? Il y a évidemment des exceptions, nous l'avons vu, mais en général, le thème, pourtant connu de tous, n'est pas exécuté en public, à l'inverse d'un *Bye Bye Blackbird* ou d'un *What Is this Thing Called Love*. L'« invention » opérée par Coltrane sur ce thème est-elle à ce point vampirisante qu'elle ne supporte pas la comparaison ? Il ne s'agit visiblement pas que de cela puisque *Body and Soul*, irrémédiablement lié à Coleman Hawkins, ou *My Funny Valentine*, perpétuel monument à la mémoire de Chet Baker et Miles Davis, demeurent très populaires comme standards – comme « saucissons » de *jam sessions*, dirait-on en France. Même l'introduction de Miles Davis et Cannonball Adderley sur *Autumn Leaves*, de l'album *Something Else* (1958), ins-

---

326. B. Duteurtre, *Requiem pour une avant-garde*, Robert Laffont, 1995.

pirée par les méthodes de composition d'Ahmad Jamal, est devenue finalement un élément inaltérable du thème dans toutes les *jam sessions* du monde.

My Favorite Things est différent. De l'aveu de ceux qui s'y sont essayés, interrogeant mon entourage ou analysant nos propres tentatives, il « manque quelque chose », « ça tourne en rond », « c'est creux », « ça donne pas la même chose, la même magie[327] ». Il faut alors faire preuve d'une surprenante modestie et avouer : « c'est pas pour nous, on n'a pas le niveau de Coltrane, Elvin, McCoy, pour dire quelque chose d'intéressant sur un seul accord. » Une fois cet examen autocritique passé, on justifie aussi que « Coltrane, c'est à part, c'est différent, il a vu Dieu, il a le feu sacré, il sait qu'il va mourir, il n'est pas normal, etc. ». L'explication prend alors place sous le signe du magique, de l'irrationnel, de l'inaccessible, justifiant à lui seul un culte à Coltrane aux conséquences diverses – et diversement heureuses. Pensons, d'un côté, à l'admirable dévotion d'un Christian Vander qui constituera le socle d'une véritable révolution musicale hexagonale avec la création de Magma[328]. Mais, d'un autre côté, ce culte justifiera aussi trop de manifestations de ferveurs dramatisées, afin de surjouer les transes d'une extase sonore de circonstance. On mul-

---

327. Je souhaite rendre hommage ici à Jean-Sébastien Simonoviez, pianiste et batteur érudit, et connaisseur parmi les plus fins de la musique de John Coltrane, qui m'a permis de jouer en sa compagnie, pour une fois, une version étonnante du thème de Rodgers selon les critères coltraniens, sans pour autant tomber dans « le piège ».

328. Une dévotion qui ne cache pas dans son cas des orientations idéologiques pour le moins étranges et contestables.

tiplie les pentatoniques, supposées universelles, on accentue les cris et les saturations qui définissent si clairement son propre investissement exalté, on répète inlassablement les pédales de basse et les riffs tels des mantras de la nouvelle ère. Les années 1970 voient éclore des litanies de disciples et de clans constitués autour de saint John, parfois avec d'excellents résultats – j'ai pour ma part un réel attachement aux relectures très *new age* de Carlos Santana et John McLaughlin. Mais on se casse les dents inexorablement sur *A Love Supreme*, trop monumental, et plus encore sur *My Favorite Things*, alors même qu'il s'agit du mètre étalon reconnu de l'improvisation modale et de l'incantation coltranienne. De fait, c'est justement lorsque l'on tente de jouer *My Favorite Things*, pour ses qualités incantatoires, en privilégiant ce qui semble pourtant l'essence même du morceau – pédale de *mi*, alternance mineur/majeur, 3/4 « africanisé » en 6/8, sonorité intensifiée – que la tentative tourne à l'échec.

Ce sont bien les « points de référence », ces règles édictées par Coltrane pour, de son propre aveu, créer le suspense, jouer avec le temps et les « nerfs » des musiciens, éviter la routine et la monotonie, et surtout donner une ampleur temporelle jusque-là inconnue aux improvisations, qui font de *My Favorite Things* un objet à la fois audible et reconnaissable par tous, mais aussi impalpable et inaccessible aux éventuels exécutants. Il est alors intéressant de noter que les compositions de Thelonious Monk, l'autre grand maître avec Coltrane et Ahmad Jamal[329], de ce jeu de points de

---

329. Son immense succès, *Poinciana*, est un chef-d'œuvre en la matière.

référence, ont la même réputation d'inaccessibilité ontologique – bien au-delà du seul problème de la difficulté technique – que *My Favorite Things*. En dehors de ses blues ou de ses morceaux proches de formes standards – *Rhythm a Ning* sur la forme « anatole » très répandue –, les compositions de Monk ont ceci d'ardu qu'elles sont constellées de contrechants, de formules rythmiques singulières, de procédés mélodiques secondaires caractéristiques, qui rendent leur interprétation périlleuse, à moins de les jouer d'après les simplifications d'usages qu'offrent les *Real Books* et autres réductions de partitions ne montrant que la mélodie et les accords, au risque alors d'en perdre la substantifique moelle. Dans les solos également, comme *My Favorite Things,* ne jouer que les accords d'une composition de Monk, sans les subtils artifices ludiques qu'il a inventés pour signer l'instant présent, revient à passer à côté du morceau. À moins, comme Paul Motian ou, dans un sens, Bud Powell, que l'on ne s'approprie les chefs-d'œuvre monkiens en en changeant totalement la lettre, pour mieux en respecter l'esprit.

Donc, à quoi servent chez Monk et Coltrane ces points de référence, ces ponctuations du hasard et du ludique ? Ils sont le cadre plastique d'un discours improvisé, les garants à la fois de sa stabilité et de sa créativité, de son bon fonctionnement et de sa belle invention. Ils sont la prescription nécessaire à la singularité de moments musicaux radicalement nouveaux mais qui, grâce à eux, semblent devenir l'objet d'un jeu familier, audible et admirable. Ils sont la trame d'une narration en perpétuel mouvement, les balises d'un registre fictionnel qui se construit dans l'instant. Ils ne sont en rien un rituel en tant que tel, évidemment. Mais ils s'imposent d'abord comme le véritable moteur d'une musique reconnue pour son caractère prodigieux (Monk) et incantatoire (Coltrane). En cela ces points de référence sont la manifestation précise d'une volonté de ritualiser le chaos sous-jacent à « l'extase » musicale. Le rituel crée l'ordre et met en scène le phénomène. Mobiliser un principe de ritualisation afin d'ordonnancer une performance devient donc une possibilité évidente pour un jazzman : c'est qu'il trouve là un subterfuge ludique aux ressources spirituelles infinies.

Le grand jeu

Autorisons-nous à pousser notre raisonnement un cran plus loin. Qu'entendons-nous finalement par *subterfuge rituel* ? Quel est le sens de la révolution musicale dont *My favorite Things* est l'événement ? Bref à quoi joue, véritablement, John Coltrane ? De l'appréhension du spirituel dans le jazz à la reconnaissance de l'expérience mystique de Coltrane, de la découverte de la vivacité du rite dans la société afro-américaine à la compréhension de subterfuges à l'œuvre dans les interprétations de *My favorite Things*, nous avons désormais toutes les cartes en main pour prendre la pleine mesure de la geste coltranienne. Car il ne s'agit plus simplement de musique, bien sûr, ni même d'art au sens strict, académique, occidental du terme. C'est qu'à travers son œuvre, le mystique John Coltrane s'élève bien plutôt à un point d'où les frontières qui séparent l'art, la spiritualité et la vie s'abolissent d'elles-mêmes. Il met en œuvre un grand jeu, en somme, à travers lequel la vérité du désir, la liberté du geste, et la présence du monde se confondent enfin en un même élan, toujours à recommencer.

Et de fait, n'avons-nous pas souvent insisté dans ces pages sur la dimension profondément ludique du jazz ? Brouillant toutes les pistes, le jazzman n'a de cesse de prouver sa capacité à être là où on ne l'attend pas : en un mot, à jouer. Mais à l'instar de la cocasserie des réponses données à ses intervieweurs, et qui pourtant se révèlent si profondes, le jeu, ici, ne se déploie pas au détriment de l'expérience spirituelle. Au contraire, allègre et cependant très sérieux, il la soutient. Le jazz, innovation inestimable des temps modernes, embrasse tous les paradoxes et s'élance par-delà toutes les lignes de démarcation : il articule en un même geste, le très ancien et le plus actuel, l'hédonisme populaire et la rigueur savante, et donc, l'élévation spirituelle et l'aventure ludique. En cela, il n'est pas seul, bien sûr : disons qu'il est à la pointe avancée d'un temps, le nôtre, qui, peu à peu, a su redécouvrir que le jeu est au fondement même de notre humanité. C'est que le jeu jadis jouissait du plus grand respect – en témoigne le célèbre fragment d'Héraclite l'élevant au rang de principe cosmique : « Le temps est un enfant qui s'amuse, il joue au tric-trac. À l'enfant la royauté. » Et c'est à partir de la naissance de la philosophie, avec Platon et Aristote, et plus encore du christianisme, qu'il va connaître une progressive dévaluation sur la scène occidentale[330] : le jeu est une réalité quotidienne incontournable mais la métaphysique « eurologique » – pour reprendre la notion de George Lewis –, s'en détourne au profit de

---

330. C. Duflo, *Le Jeu : de Pascal à Schiller*, PUF, 1997.

la contemplation des « Idées » vraies placées dans le Ciel. Le jeu n'est plus alors considéré comme une chose sérieuse. C'est donc un véritable coup de force qu'opère le penseur romantique allemand Friedrich von Schiller. Dans ses *Lettres sur l'éducation esthétique de l'homme*, en 1795, il restaure la souveraineté du jeu. C'est qu'il est à la fois confronté à l'idée de la mort du dieu chrétien – « Dieu est mort ! Le ciel est vide… » écrit, le premier, le romantique allemand Jean Paul en 1795 également, avant d'ajouter : « Pleurez ! Enfants vous n'avez plus de père » –, et travaillé par les thèses de Kant – qui définit la contemplation esthétique comme résultant d'un « libre jeu des facultés ». De là, l'ami de Goethe comprend que le jeu, seul, est l'endroit où l'homme surmonte sa déchirure pour rassembler sa « part sensible » et sa « part formelle » – rationnelle et sensuelle – en une liberté enfin pleine : « L'homme ne joue que là où dans la pleine acceptation de ce mot il est homme, et il n'est tout à fait homme que là où il joue. »

Schiller anticipe ainsi un tournant anthropologique des sociétés occidentales : l'apparition de nouvelles conditions qui seront fortement expérimentées, et exprimées, par les mouvements artistiques tout au long du XXe siècle : pensons aux avant-gardes françaises – le « Grand Jeu » de Daumal, Gilbert-Lecomte et Vailland, la promotion du hasard dans la vie quotidienne par les surréalistes, les créations de situations par les situationnistes menés par Guy Debord – et bien sûr, pour ce qui nous concerne directement, pensons à l'épopée afrologique du jazz, où c'est la mise en jeu de soi qui devient l'art lui-même. C'est dans cette atmosphère de plus en plus manifeste que l'historien hollandais Johan Huizinga compose, au cours des années 1930, son fameux essai *Homo ludens*[331]. Il y affirme, radicalement, que le jeu est au fondement anthropologique du sacré, de la civilisation, et de l'art.

> « Le culte s'épanouit dans le jeu sacré. La poésie est née dans le jeu et continue à vivre de formes ludiques. Musique et danse ont été de purs jeux. Sagesse et science se sont traduites en jeux sacrés de compétition. La réglementation du combat armé, les conventions de la vie aristocratique ont été basées sur des formes ludiques. En conclusion, la culture, dans ses phrases primitives, est jouée. Elle ne naît pas du jeu, comme un fruit vivant se détachant de la plante mère, elle se déploie *dans* le jeu et *comme* jeu. »

De fait, l'idée ludique va bientôt contaminer le reste de la société. Face à la démocratisation du jeu, le philosophe Mehdi Belhaj Kacem constate, dans son essai *L'Esprit du nihilisme* : « La remarque de Marx selon laquelle la "religion est l'opium du peuple" est devenue triviale. Mais dans le cadre du nihilisme démocratique, une nouvelle question se pose : pourquoi le jeu est-il l'opium des peuples sans religion ? » Dans le jeu, il y a une dimension de sacré qui appelle à être pleinement reconnue. Le jeu s'impose comme la réponse à *l'effondrement* occidental, « la mort de dieu » traversée par Nietzsche – et qui n'est pas la fin de la possibilité de croire en Dieu, Coltrane nous le montre, mais l'impossibilité désormais pour les sociétés modernes de se

---

331. J. Huizinga, *Homo ludens*, Gallimard, 1988.

fonder sur l'idée du Dieu de l'Église, de l'imposer comme un phénomène « naturel », spontané, inquestionné, en quelque sorte. Pour autant cette situation nouvelle ne débouche sur un nihilisme, explique l'auteur du *Gai Savoir*, que si on se refuse à l'accueillir pleinement. La « mort de dieu » s'impose comme un défi – exigeant, angoissant, passionnant – lancé aux modernes de surmonter la perte du fondement que nous offraient les dogmes de la métaphysique eurologique hérités de Socrate et de saint Paul, constate Nietzsche. Ainsi affirme-t-il dans l'aphorisme intitulé « L'insensé », de son *Gai Savoir* : « Dieu est mort ! Dieu reste mort ! Et c'est nous qui l'avons tué ! (...) Quelles expiations, *quels jeux sacrés serons-nous forcés d'inventer* ? La grandeur de cet acte n'est-elle pas trop grande pour nous ? Ne sommes-nous pas forcés de devenir nous-mêmes des dieux simplement – ne fût-ce que pour paraître dignes d'eux ? »

Il s'agit de comprendre que le simulacre, la fiction, la technique ne nous barrent pas l'accès à l'authenticité du présent, à notre vérité intime. Mais peuvent bien être, au contraire, le véhicule d'une élévation spirituelle. Tel est sans doute le sens de ces « jeux sacrés » que l'homme nouveau sera « forcé d'inventer », et que les jazzmen, à travers mille ruses de la raison – de la fréquentation de loges franc-maçonnes à la confrontation aux industries culturelles en passant par la sublimation de la *black music* – auront su mettre en œuvre : par-delà le simulacre et le réel, le subterfuge et le rituel. Les jazzmen – comme, du reste, beaucoup de grands artistes de leur temps – auront mis en œuvre un genre d'incantation nouveau au sein d'un XXe siècle dévasté par une violence froide. Ainsi, John Coltrane : voilà un mystique véritable qui reprend un *hit* de l'*entertainment* américain pour y expérimenter un principe de liberté. Et manifester, pour tous, une possibilité d'imprimer un rythme nouveau au chaos éternel.

Le joueur, écrit Mehdi Belhaj Kacem, met « en forme un rapport *autre* à la Loi » – celle du hasard, de l'apprentissage, de la rencontre. C'est que partout, l'homme a un rapport malheureux à la Loi sauf dans le jeu, précise-t-il – et de citer l'exemple du match de foot où l'inégalité, l'injustice, le mauvais sort qui frappent une équipe et en avantagent une autre ne sont pas sources de scandale, mais au contraire, font partie du jeu. Ce rapport heureux à la « Loi » est aussi celui d'un apprentissage dans la joie. Un apprentissage rigoureux, acharné, incessant, mais ouvert à un certain abandon de soi : par où se conquièrent une attitude de droiture, d'attention, de souplesse, et une langue agile, volubile, sophistiquée, qui permettent au joueur d'agir en lâchant prise, connecté à l'instant présent. Venant après l'effondrement des certitudes religieuses, il sait désormais que la spontanéité, passé l'âge de l'enfance, n'est jamais donnée, mais qu'elle est chaque fois une conquête. Le résultat, nous l'avons dit, d'une initiation. Ainsi, là où l'ironie nihiliste de nos contemporains voudrait nous faire accroire qu'à force de simulacre, nous n'avons plus accès au réel, le jazzman nous montre au contraire qu'un simulacre faste – un subterfuge rituel mis en place avec ses partenaires dans l'interprétation d'un standard populaire – nous raccorde au réel, puisque le réel, c'est l'exultation d'un corps insufflée par l'esprit.

Par une répétition acharnée et son culte « transcendentaliste » de l'intimité – pour reprendre le mot du fondateur de la philosophie américaine Ralph Waldo Emerson –, le jazzman répond que la vie vaut non seulement d'être vécue, mais surtout d'être habitée, et donc d'être. Peu importe, finalement, les moyens qu'il emploie pour ce faire, ce seront toujours des simulacres, à partir du moment où il parvient à en faire la marque même de sa sincérité et de son efficacité. Car, ce que nous pouvons comprendre maintenant, c'est qu'il y a « de bons et de mauvais simulacres. Il y a les semblants qui nous tirent vers nos pulsions et ceux qui nous entraînent vers notre désir[332] ». Le subterfuge pauvre, c'est celui du consommateur, et le subterfuge faste, c'est celui de l'amateur : « celui qui aime sa pratique », « qui assume le simulacre – il apprend les règles – et adhère au réel – il est attentif à son désir. Autrement dit ? Il a une attitude : le corps et l'esprit vont de concert ». Alors, comme nous le montrent les jazzmen au sein de leurs confréries du souffle, il n'y a plus de compétition dans le jeu, mais une émulation entre grands joueurs. Le jazzman est d'autant plus un symbole de liberté, qu'il ne revendique pour tout dire jamais la paternité d'une révolution esthétique ou politique. Les mutations qu'opère le jazz sur la société ne se font pas directement au détriment des règles établies, mais par une effraction, une traversée, un déplacement de ces règles – ces simulacres du conformisme. Le jazz ordonne ainsi son rap-

---

[332]. Philippe Nassif, *La Lutte initiale*, Denoël, 2011, qui dans son chapitre « Portrait du joueur » reprend les thèses de Mehdi Belhaj Kacem.

port ambigu et potentiellement périlleux à la spontanéité. Il n'y a pas de culte du chaos, même dans le free jazz, mais plutôt par-delà l'ordre et le désordre, l'apprivoisement de la spontanéité.

Tel est le projet de Coltrane. Car en s'ancrant dans l'extraordinaire terreau de la musique afro-américaine, lui qui fut tour à tour honker répétant à l'envi les figures de style afrologiques de la réitération blues, bopper poussant à l'extrême les possibilités techniques par un surréaliste acharnement au travail, ordonnateur d'un subterfuge rituel musical efficace, et enfin mystique, John Coltrane magnifie, sublime, élève jusqu'à une hauteur peut-être inégalée, la figure du joueur. En assumant et ordonnant comme jamais les jeux du simulacre et de la vérité, et ainsi en sublimant toute l'histoire de la musique afro-américaine, il devient immédiatement la figure allégorique non seulement du joueur mais surtout d'une spiritualité nouvelle, celle de l'après-mort du Dieu de la métaphysique eurologique – qui oppose l'esprit et le corps, la culture et la nature, le ciel et la terre –, celle des nouveaux jeux sacrés qui laissent jaillir la transcendance dans l'immanence même. John Coltrane nous rappelle ce que nous avions oublié. Que la spiritualité s'incarne dans un corps subtil et à travers des dispositifs efficaces – on pourrait tout aussi bien dire : dans un style sublime. Et il nous apprend que le chaos nouveau provoqué par la perte du fond métaphysique en cours en appelle non pas à une torpeur résignée, mais à une spiritualité plus vive encore : en mouvement, en rythme, en liberté.

On le sait, Kandinsky a su opérer la révolution de l'abstraction en éprouvant le caractère spirituel de la forme et de la couleur (*Du spirituel dans l'art et dans la peinture en particulier*). Coltrane, tout aussi important pour l'évolution des mentalités intellectuelles et artistiques de notre temps, démontre la pertinence d'une vision pragmatique de l'expérience spirituelle. Une idée de la spiritualité qui n'a pas peur du jeu, de ses émotions intimes et de la « Loi » du réel. Coltrane est donc ce croyant de l'après-Nietzsche. Il est l'archétype de l'esprit pieux nouveau : qui n'a plus de compte à rendre au credo, à la tradition, aux interdits – résolument actuel. Il est un esprit libre qui aura trouvé le chemin qui mène du subterfuge rituel à « un amour suprême », du profane au sacré. Il s'impose ainsi à nous comme l'exemple d'un artiste et homme spirituel moderne, transcendant les clivages religieux, communautaires et esthétiques. Lui qui aspirait à être un saint, il le sera pour notre époque, sans cultes mal placés, et sans véritables rivaux.

Son inouï subterfuge rituel, Coltrane en use en toute conscience. En toute proximité avec sa propre expérience mystique et sa profonde culture religieuse, bien entendu. Mais aussi en remarquable architecte de la forme et du temps en musique. Alors, suffirait-il, désormais, de respecter à la lettre ce subterfuge pour enfin interpréter dans l'esprit *My Favorite Things* ? Évidemment pas, et là réside une part du génie de John Coltrane – et de son sens de la responsabilité, oserions-nous dire. Respectant scrupuleusement la lettre des procédés que nous avons identifiés, nous ne ferions alors que recopier l'histoire. De sympathiques ignorants errant dans l'immobilité harmonique d'une valse dont nous ne saisissons pas l'essence, nous passerions au stade de pâles copistes, savants certes, mais ressassant le passé, et incapables d'accueillir l'esprit de la musique. De la même façon qu'imiter un rituel ne constitue pas liturgie, imiter la lettre du cadre coltranien ne fait pas de nous de nouveaux exaltés de l'improvisation musicale. Le pire donc serait de transformer un subterfuge – forcément propre à une personnalité, un lieu, une époque – en un dogme de plus. Coltrane, mystique humble et génie studieux, qui a si bien « inventé » ce thème désormais reconnu par tous, a montré la seule voie possible à ses aspirants : le renouveau dans l'instant présent.

3.
La Confrérie du souffle

Lorsqu'à la fin des années 1960, le musicien sud-africain Chris McGregor, en exil européen, rassemble autour de lui un collectif de musiciens tout autant exilés que lui, il nomme cette assemblée inédite Brotherhood of Breath : la Confrérie du souffle. Autour d'une idée régénératrice de l'improvisation collective, comme réponse au bannissement de toute une génération de musiciens luttant contre l'apartheid, Chris McGregor évoque ici la force du rassemblement et l'intelligence spirituelle d'une philosophie musicale sans dogme mais profondément incarnée par la puissance du souffle : cet esprit de la terre panthéiste au service de l'élan vital qu'incarnent les cuivres, le chant, l'air qui vibre à chaque son et à chaque note. Une philosophie que le saxophoniste Zim Ngqawana fera plus tard sienne. Pour mieux la sublimer, bien sûr : lui nommera cet élan créateur « Ingoma » (« médecine » en langue xhosa).

Mais des confréries du souffle, il en a existé bien avant le grandiose collectif cosmopolite de Chris McGregor. Et dès l'origine du jazz en fait. Il y a eu d'abord les *brass bands* de la Nouvelle-Orléans, véritables chevilles ouvrières des confréries de la ville. Il y a eu ensuite l'incroyable réunion de cuivres et de vents autour du chef ultime, Duke Ellington, qui s'entend si bien à marier les contraires. À faire sonner des associations de sons et de personnalités aussi improbables sur le papier qu'efficaces sur scène : Paul Gonsalves, Ben Webster, Russel Procope, Johnny Hodges, Harry Carney, Jimmy Hamilton, Tricky Sam Nanton, Lawrence Brown, Rex Stewart, Cat Anderson, Cootie Williams, et bien d'autres encore. De l'éthylique Gonsalves au kleptomane Anderson, en passant par toutes ces personnalités hors normes, s'exprime une solide fraternité au long cours. Et qui ne repose pourtant que sur la présence du Duke, la plupart de ses musiciens ne lui survivant pas – Johnny Hodges meurt en 1970, Ellington en 1974, et la même année, comme une épidémie, disparaissent Paul Gonsalves, Harry Carney. Il y a eu, enfin, la toile qu'a su tisser John Coltrane autour de lui, à travers une si singulière confrérie du souffle et du saxophone, qui outrepasse les liens habituels entre les générations, entre les maîtres et les disciples, entre les styles. Le grand ordonnateur d'un subterfuge rituel n'est certainement pas un gourou. Mais plutôt, à travers son attitude mystique ouverte au monde, un être d'exception qui a su laisser venir à lui un ensemble d'esthètes du son et de l'anche – à commencer par ses maîtres et disciples Albert Ayler et Pharoah Sanders – faisant ainsi non pas école, mais plutôt fraternité.

Ni Miles Davis, ni Art Blakey, grands découvreurs de jeunes talents tout au long de leurs carrières, n'ont poussé l'ouverture aux nouveaux arrivants de la scène jazzistique comme John Coltrane, qui n'avait de cesse d'afficher son admiration et sa curiosité d'éternel étudiant pour certains d'entre eux. Même Duke Ellington, hiérophante d'une fraternité orchestrale portée à son comble, ne semble pas aussi attentif à ce que ses musiciens pourraient apporter à son propre univers. J'ai été frappé par la dimension « extra-esthétique » de la confrérie coltranienne, lorsqu'en décembre 2010 j'eus la chance de participer à une nuit consacrée à Albert Ayler à la Fondation Cartier[333]. Aucun thème d'Ayler n'a été joué : simplement son esprit invoqué par nos improvisations. Archie Shepp y interpréta un solo sublime, plus websterien et ellingtonien qu'aylerien, pour évoquer la mémoire de ce compagnon de route rencontré par l'entremise de John Coltrane. Nul besoin de forcer la musique, c'est l'esprit d'un musicien, d'un frère, d'un ami qui ressuscite par le souffle unique de Shepp devant un public médusé face au témoignage d'un compagnonnage unique en son genre. John Coltrane avait conçu avec Pharoah Sanders, Albert Ayler, Archie Shepp, un souffle musical qui ne s'embarrassait pas de style. Et ce lien ne s'arrête pas à ces derniers. Mais s'étend à l'ensemble du paysage saxophonistique que Coltrane a pu aborder durant sa carrière, réussissant finalement à agir sur et avec ses aînés, ses contemporains, ses cadets.

La réconciliation des aînés

Les racines du jeu saxophonistique de Coltrane sont clairement lisibles dans ses témoignages d'affection répétés pour certains aînés. Dans sa conversa-

---

333. Une soirée de concert avec, parmi tant d'autres, Evan Parker, John Tchicai, Archie Shepp, Joe McPhee, Barre Philipps, Didier Levallet, Simon Goubert, Joëlle Léandre, Michel Portal, et dont l'enregistrement est sorti en CD chez Rogue Art en 2012. Je ne remercierai jamais assez Franck Médioni et Joëlle Léandre de m'avoir invité à participer à cet événement.

tion, les noms de Stan Getz, Sonny Stitt, Dexter Gordon, Johnny Hodges, Charlie Parker, Sydney Bechet sont souvent évoqués comme bases de son inspiration – comme ils sont évidents pour nos oreilles à l'écoute de son jeu. Pour autant, Coltrane représente une forme de réconciliation de deux univers qui paraissaient jusque-là antinomiques. Ainsi, il existe depuis les années 1930 deux manières de penser l'improvisation qu'incarne le travail de deux saxophonistes primordiaux : Coleman Hawkins et Lester Young. Le premier, après avoir totalement transformé le saxophone ténor pour lui donner sa légèreté, son aura, et sa prestance, impose une vision harmonique de l'improvisation issue de sa profonde connaissance technique des arpèges et des substitutions. Le deuxième, sans doute pour mieux se distinguer du grand Hawk, développera un sens unique de la distance, du détachement, de la volatilité rythmique, sonore et mélodique qui fera la modernité des mouvements jazzistiques futurs. L'un par l'avancée de ses conceptions harmoniques, l'autre par ses audaces mélodiques et rythmiques, ils seront sans aucun doute les influences les plus solides du be-bop, et ensuite du third stream, cool et hard bop. Mais en attendant, il s'agit de choisir son camp. Miles Davis, Stan Getz, Al Cohn, Dexter Gordon n'auront de cesse de payer leurs tributs au « Prez » Lester Young. Sonny Rollins, Dizzy Gillespie et Thelonious Monk ne cacheront pas tout ce qu'ils doivent au « Faucon » Hawkins. Suivant son appétence pour l'harmonie ou pour la mélodie, on penchera pour l'un ou l'autre. Et on peut arguer que les deux saxophonistes ont ainsi enrichi le jazz de deux modes de jeu distincts qu'il s'agit de connaître, voire de reconnaître : une notion horizontale et onirique de la construction musicale chez Lester Young, une vision verticale et harmonique, à la fois scientifique et virile, de l'improvisation chez Coleman Hawkins.

Or John Coltrane, après avoir reconnu en Lester Young son premier maître, dans le son notamment, en adoptant une similaire stabilité presque uniforme du vibrato et de l'amplitude, verra en Coleman Hawkins un formidable inspirateur en matière d'invention harmonique. Mélodiste créatif et harmoniste virtuose, Coltrane réconcilie les deux approches, et revient ainsi à une manière de faire plurielle, celle qui prévalait avant l'apparition de Young et Hawkins, et que l'on voit à l'œuvre chez Armstrong et Bechet, redoutables mélodistes qui usent pleinement des possibilités harmoniques de leur époque. Dans la conception sonore également, Coltrane fait preuve d'un remarquable sens de l'unité. Il déploie une homogénéité pleine, directe et profonde du son, presque stationnaire, dans une esthétique lesterienne qui l'approcherait de Stan Getz et Dexter Gordon. Mais aussi un large éventail expressionniste issu non seulement d'une longue pratique du blues et des honky tonks, mais aussi d'une écoute attentive de la virtuosité démonstrative de Coleman Hawkins.

Nous pouvons nous demander malgré tout si cette recherche d'unité n'est pas aussi une quête propre à sa génération. Benny Golson et Jimmy Heath, les deux frères d'armes des débuts de Coltrane à Philadelphie, illustrent aussi dans leurs démarches les questionnements de leur époque. Benny Golson témoigne dans ses compositions d'un souci de contribuer à la modernisation d'une musique, tout en affirmant l'importance de ses racines populaires, et qui déterminera la création d'un hard bop à la fois fier de ses origines et de sa contemporanéité, dont la vitrine sera les *Jazz Messengers* d'Art Blakey. Pour cette génération, pensons à Yusef Lateef, chez qui il y a plus encore nécessité de re-tisser le lien entre les fondamentaux de la musique du monde et les découvertes esthétiques de la modernité – par le jeu de l'improvisation, l'étude d'instruments du monde, le cheminement spirituel – pour toucher de plus près l'essence universelle de la musique. Un universalisme artistique et philosophique qui touchera profondément le jeune Coltrane, tout comme Sonny Rollins d'ailleurs, avec qui les médias aimeront continuellement le mettre en concurrence. Celui-ci dira de ses premiers contacts avec Coltrane :

> « Je devais vraiment l'écouter avec attention. Je me demandais souvent : mais qu'est-ce qu'il est en train de faire ? Où va-t-il ? Je ne pouvais pas le lui demander directement, ça n'aurait pas été convenable ; alors j'écoutais encore plus attentivement, et il m'arrivait de commencer à mieux comprendre sa musique. Plus tard, nous sommes devenus de bons amis. Assez bons pour que je lui emprunte de l'argent ; et Coltrane et Monk ont été les seuls à qui il a pu m'arriver de demander de m'en avancer [334]. »

Décidément, Monk devient de plus en plus central, et à tout point de vue, dans notre paysage coltranien ! Mais les liens d'amitié vont au-delà des problèmes

---

334. J. C. Thomas, *Chasin' the Trane*, cit.

d'argent. Rollins, artiste intellectuel féru d'ésotérisme, semble partager avec Coltrane des préoccupations d'ordre spirituel et philosophique. Ils s'échangent des ouvrages sur les philosophies orientales et Lewis Porter souligne assez justement l'influence que leurs discussions sur le rosicrucianisme – tradition initiatique, par essence hermétique et syncrétique, dont Rollins était un adepte – ont pu avoir sur les interrogations mystiques de John Coltrane. De son côté, Ben Ratliff affirme que l'intérêt de Coltrane non seulement pour l'ésotérisme, l'occulte, la spiritualité, mais aussi pour une vision holistique de la nature et du son proviennent de la lecture assidue de l'ouvrage, fortement teinté de théosophie, du compositeur Cyril Scott : *Music : Its Secret Influence Through The Ages*[335]. Malgré une vision pour le moins réductrice du jazz, la pensée de Scott affirme que la musique, lorsqu'elle est proprement interprétée, remet l'auditeur en contact avec les Devas, les divinités primordiales. Et que ce n'est pas seulement par les émotions qu'elle provoque mais aussi par la forme même qu'elle prend, que la musique peut changer la psychologie de l'être humain.

Sun Ra

Ces échanges intellectuels, suggère Ratliff, éclairent les relations entre Coltrane et Sun Ra. Ce dernier est lui aussi féru de théosophie – doctrine élaborée au XIXᵉ siècle, fortement influencée par l'hindouisme et qui met la « Vérité » au-dessus de toute religion révé-

---

335. B. Ratliff, *John Coltrane : The Story of a Sound*, Farrar, Straus & Giroux, 2007.

lée. Rose-Croix et théosophie partagent une même vision syncrétique de la quête du divin par l'homme. Pour Coltrane, qui souhaitait influencer le climat, la Nature donc, par la musique, et qui aspirait à une vie de saint, les idées spirituelles holistiques de certains de ses camarades les plus influents ont largement dépassé le simple cadre musical. C'est aussi le souffle « divin » qui inspire les membres de cette confrérie du saxophone en quête d'unité.

Reste que Sun Ra aura aussi une influence sur la musique de Coltrane : à travers, notamment, le plus connu des saxophonistes de l'Arkestra, John Gilmore. Ce dernier, reconnaît volontiers Coltrane, aura grandement participé à sa prise de conscience des possibilités techniques, formelles et sonores offertes par une libération des habituelles contraintes académiques[336]. Coltrane considère Gilmore comme faisant parti, avec Shepp et Ayler, d'un réservoir d'inspiration intarissable, et regrette, ici en conversation avec Kofsky, qu'aucun enregistrement ne rende compte véritablement de son potentiel.

> « COLTRANE : J'ai écouté assez attentivement John Gilmore avant d'avoir fait *Chasin' The Trane*. Pas mal de choses que je fais là-dedans sont directement influencées par mon écoute de ce gars. Mais d'un autre côté, je ne sais pas qui il a écouté pour en arriver là. C'est en plein développement.
> KOFSKY : C'est donc vraiment un réservoir ?
> COLTRANE : Oui.

336. C. DeVito, *Coltrane on Coltrane: The John Coltrane Interviews*, cit.

KOFSKY : C'est dommage qu'il n'ait pas fait un enregistrement qui démontrerait ce qu'il peut faire vraiment.

COLTRANE : Oui, tout à fait. Je l'apprécie vraiment.

KOFSKY : Tout le monde parle de lui, et pourtant – je l'ai écouté un certain nombre de fois dans les enregistrements de Sun Ra, qui sont les seuls endroits où l'on peut vraiment l'entendre.

COLTRANE : Oui, mais vous devez l'entendre s'épanouir de son propre fait…

KOFSKY : D'accord.

COLTRANE : Parce je l'ai écouté faire certaines choses vraiment magnifiques[337]. »

John Gilmore, plus jeune que Coltrane, fut sans aucun doute l'un des premiers improvisateurs à s'affranchir de la forme harmonique académique, des habitudes mélodiques et rythmiques, pour se concentrer sur le motif, le cri, le chant de la modalité. Autant de notions que Gilmore pouvait à sa guise explorer à travers les conceptions avant-gardistes de son chef d'orchestre Sun Ra, et que Coltrane développera et sublimera. Même si Coltrane semble mettre l'accent sur les qualités propres de Gilmore, il sait ce qu'il doit au concepteur de l'Arkestra.

« KOFSKY : Sun Ra est assez amer et affirme que toutes vos idées sont un pillage des siennes, mais en fait ce serait plutôt que TOUT LE MONDE pille TOUTES ses idées.

COLTRANE : Il peut y avoir quelque chose de ça (rires). Je l'ai écouté et je sais ce qu'il a fait, qu'il fait certaines choses que j'ai voulu faire. »

337. *Ibid.*

Ornette Coleman, Don Cherry, l'harmolodie

L'utopie, non pas libertaire, mais de liberté et d'universalité que cultive Coltrane, trouve aussi son épanouissement dans une relation particulière qu'il entretient avec le créateur patenté et putatif du free jazz, Ornette Coleman. Dans le cadre de notre Confrérie du souffle, Ornette Coleman garde un statut à part. Bien que saxophoniste – alto essentiellement –, il semble plutôt influencer Coltrane sur un plan théorique, à la manière, nous le verrons, d'un George Russell – même si bien plus profondément et concrètement que celui-ci – ou d'un Thelonious Monk – ce dernier ayant en plus, nous le vérifierons, une réelle influence sur la technique saxophonistique de Coltrane. Ornette Coleman est sans aucun doute le musicien pour lequel Coltrane manifeste le plus clairement et avec le plus de ferveur son admiration. Une admiration d'ailleurs réciproque, et une amitié profonde, qu'illustre la présence d'Ornette et de son quartet lors des funérailles de Coltrane en 1967, selon les volontés du défunt, qui souhaitait sa présence musicale ainsi que celle du groupe d'Albert Ayler. Coltrane, répondant aux interrogations – dans tous les sens du terme – de Benoît Quersin sur Ornette Coleman, en 1962 :

> « Je l'adore. Je suis son exemple. Il a fait beaucoup pour m'ouvrir les yeux sur ce qu'on peut faire… Je me sens une dette envers lui, en ce qui me concerne. Car, en fait, quand il est arrivé, j'étais à fond dans un truc (les accords à la *Giant Steps*) et je ne savais pas où ça allait me mener. Et je ne sais pas si j'aurais pensé à abandonner le système harmonique ou non. Je n'y

aurais sans doute jamais pensé. Et il a commencé à faire ça, j'ai entendu ça, et je me suis dit : Eh bien, ça doit être la solution[338]. »

Même les très rares fois où ils se retrouvent sur scène ensemble, c'est une expérience primordiale pour Coltrane :

« Je n'ai joué qu'une seule fois avec lui dans ma vie. J'étais allé l'écouter dans un club et il m'a demandé de le rejoindre. Nous avons joué deux morceaux – exactement vingt minutes – mais je crois que ce fut vraiment le moment le plus intense de ma vie[339] ! »

On peut imaginer un tant soit peu le résultat en écoutant *The Avant-Garde*, le disque que Coltrane enregistra en 1960 en collaboration avec Don Cherry, et deux autres membres du quartet d'Ornette Coleman – Charlie Haden et Ed Blackwell – sur un répertoire essentiellement colemanien (et un morceau de Monk, *Bemsha Swing*). Coltrane y fait sa première apparition au soprano, et semble tout à fait à l'aise dans ce répertoire, même si, contrairement à Ornette, il ne sort pas encore de la structure harmonique des morceaux. En fait, Ornette Coleman devint à ce moment-là à la fois son ami et son professeur, malgré son plus jeune âge.

« Au début des années 1960, il [Coltrane] étudiait avec moi. Il s'intéressait au jeu non-harmonique, et c'est un matériau auquel je m'étais longuement frotté. Plus

---

338. L. Porter, *John Coltrane, sa vie, sa musique*, cit.
339. *Ibid.*

tard, il m'envoya une lettre de remerciements qui contenait trente dollars pour chaque leçon[340]. »

Il ne reste plus qu'à spéculer et imaginer avec délectation la nature de ces leçons entre deux immenses artistes, Ornette, en maître de la digression, aimant jouer avec nos nerfs. À tel point que son concept global d'improvisation, l'« harmolodie », a souvent été vu comme un mot vague et valise qui permettait à l'auteur de noyer le poisson à coup de considérations très hermétiques et d'une terminologie intellectuelle élitiste. Pourtant, le terme en lui-même a le mérite d'être clair. Partant de conceptions empiriques autour d'un *jeu non harmonique*, Ornette met au point un cadre, certes ouvert mais parfaitement efficace, qui, en s'intitulant « harmolodie », stipule bien que non seulement la mélodie n'est plus assujettie à l'harmonie, mais surtout que les deux notions n'en font plus qu'une. Un concept, encore une fois holistique, qui branche directement l'improvisateur à son libre arbitre et ses choix spontanés de construction musicale. Cela se traduit chez Ornette par l'évidente inutilité de jouer les œuvres standard, pour se concentrer sur l'importance d'une composition au service de cette inédite liberté. Ainsi, sous la houlette du jeune maître, Coltrane s'émancipe de plus en plus des contraintes harmoniques, mais aussi de la pulsation régulière pour, en 1965, témoigner d'une liberté totale et consciente envers les besoins structurels de sa musique.

L'harmolodie, qui ne disait peut être pas encore son nom, telle que la lui a enseignée Ornette Cole-

---

340. *Ibid.*

man, a eu pour Coltrane un rôle émancipateur sur son jeu, mais peut-être plus encore sur son travail de compositeur. Elle lui a confirmé – après Monk, Miles Davis, voire même Ellington – l'importance de l'adéquation entre le discours improvisé et l'œuvre qui le sous-tend. Nous pouvons ressentir cette évolution dans l'œuvre écrite de Coltrane, avec la nette évolution d'une thématique prétexte vers une globalité où écriture et improvisation, comme chez Ornette, se distinguent de moins en moins. D'un point de vue spirituel – même si Ornette Coleman demeure l'un des rares grands innovateurs du jazz à brouiller les pistes de ses influences philosophiques, cultuelles ou religieuses – l'harmolodie vue comme un langage commun, un « *all languages* », et comme la possibilité de considérer la musique en un tout global qui exprime l'esprit d'un être humain dans son entier, sans intermédiaire, ne pouvait que conforter les convictions holistiques et universalistes de Coltrane – et des musiciens de son temps.

Ornette Coleman est délicat à analyser et à comprendre dans le cadre de notre étude. Il n'en reste pas moins qu'il aura sans aucun doute contribué plus que bien d'autres à l'avènement d'un esprit de liberté et de conviction dans la musique de son temps. Sonny Rollins en est la démonstration, lui qui aura remis en cause son statut de maître incontesté du hard bop afin d'assimiler la révolution harmolodique à son art consommé de la transmutation des standards du jazz. Ornette aura inventé la méthode, Coltrane l'aura sublimée, Rollins l'aura réintégrée au répertoire thématique du jazz. Nous ne pourrons alors que souscrire à l'analyse d'Alain Gerber, dans son *Cas Coltrane*, qui voit dans ce trio un « triangle » incontournable, phare de la modernité musicale. Un triangle qui se développe au sein de cette Confrérie du souffle, dont Coltrane demeure l'élément central, par la singularité de sa personnalité : celle d'un mystique à l'écoute, humble et irrémédiablement convaincu de son but – et des moyens à mettre en œuvre pour y accéder.

Nous constatons d'ailleurs toute la difficulté à intégrer dans notre étude un musicien aussi essentiel mais si original que Don Cherry. Le duo qu'il forme avec Ornette est du même niveau d'adéquation et de symbiose que ceux d'Armstrong et Earl Hines, Clifford Brown et Sonny Rollins, Bird et Dizzy. Il devient également un ambassadeur prestigieux de l'harmolodie auprès des musiciens qui veulent toucher au nouveau « graal » de l'improvisation : Sonny Rollins, Albert Ayler, *New York Contemporary Five*, Gato Barbieri, George Russell, Sun Ra, jusqu'à Lou Reed. Il est de ceux qui ont contribué à l'émergence d'une *world music* au sens le plus noble du terme. Spirituellement, nous pourrions même prétendre que Don Cherry est l'illustration parfaite de notre démonstration sur l'importance du fait spirituel chez les jazzmen. Quel autre musicien aussi intensément spirituel que lui dans l'histoire du jazz ? Pourtant, ce qui marqua le plus ses compagnons de route réguliers (Charlie Haden, Carla Bley, Ornette, etc.), c'est son indéfectible insaisissabilité. Il n'était jamais là où on l'attendait être, sans aucune attache religieuse, philosophique, encore moins politique. Don Cherry est avant tout le symbole de ce que le jazz peut apporter de liberté et d'indépendance d'esprit à un artiste. Il nous invite, survolant notre étude de son génie créateur totalement affranchi, à demeurer loin des chapelles et des codes académiques.

À l'écoute de ceux qui découvrent des moyens d'expression nouveaux, quel que soit leur âge, leur statut, leur culture, John Coltrane devient vite lui-même un exemple pour de très nombreux jeunes musiciens et saxophonistes. Coltrane conservera avec eux une attitude d'éternel étudiant, tout en usant de son pouvoir médiatique et professionnel pour aider la jeune génération à développer les nouveaux langages musicaux. Wayne Shorter fut profondément frappé par l'attitude à la fois bienveillante, amicale et studieuse d'un Coltrane qui n'hésitera pas à prendre de son temps et de ses relations pour aider ce jeune improvisateur et compositeur très prometteur. Wayne Shorter enregistrera dans les années 1960 un certain nombre d'albums chez Blue Note avec des musiciens du quartet de Coltrane (Elvin Jones, McCoy Tyner, Jimmy Garrison, Reggie Workman) dans une esthétique à la fois proche de celui-ci et déjà très personnelle, pour prendre ensuite son envol dans la direction que l'on sait. Archie Shepp enregistrera chez Impulse sous son nom grâce au parrainage actif de Coltrane qui imposa au label de représenter ces jeunes innovateurs de l'avant-garde, comme Albert Ayler et Pharoah Sanders. Archie Shepp le remerciera immédiatement en enregistrant son premier disque en *leader* et chez Impulse en forme d'hommage à Coltrane, *Four for Trane*, avec des arrangements originaux de thèmes coltraniens. Il sera également sollicité par Coltrane pour des sessions parmi les plus importantes de l'époque, *Ascension* en grande formation, et même *A Love Supreme* dans une version sortie que très récemment. Enfin, Albert Ayler et Pharoah Sanders complètent parfaitement cette « Confrérie du souffle ». Si Ornette, Rollins et Coltrane représentent le triangle intellectuel et conceptuel de cette fraternité, *The Father* (Coltrane), *The Son* (Sanders) and *the Holy Ghost* (Ayler) en forment le triangle incarné et hiératique – au sens premier du terme. Cette relation particulière détermine chez notre trio une conception sonore et musicale exigeante et intense, qui s'intègre tout à fait dans notre triptyque des tendances spirituelles : religieuse, métaphysique et mystique.

L'attitude religieuse d'Albert Ayler

Albert Ayler est un mystère de l'histoire du jazz. Sa passion pour la simplicité des mélodies militaires, les fanfares imaginaires, les paroxysmes sonores, les vibratos exacerbés l'a définitivement rangé comme une sorte de Douanier Rousseau du jazz, naïf et infantile, beau parce qu'incompétent académiquement. Son destin d'artiste maudit et sa mort mystérieuse – il est retrouvé noyé dans l'East River après un mois de disparition – auréolent le personnage de fantasmes. Ignorant son sens mélodique et sa technique rigoureuse, que Cecil Taylor jugeait l'une des meilleures qu'il avait entendue, on préfère montrer Ayler comme un activiste politique et un illuminé candide. Il y a bien exaltation spirituelle chez Ayler, qui lui vient directement de son importante culture religieuse. Les titres de morceaux (*Jesus Christ*, *Holy Ghost*, *Ghosts*, *Truth Is Marchin' In*, etc.) dénotent un évangélisme évident, qui s'associe comme chez Coltrane à un intérêt ésotérique et *new age*. Animé d'un prosélytisme énergique, Ayler domine le champ de l'expérimentation sonore de son époque par la puissance de ses convictions et de sa passion, qui prennent des tournures poétiques et littéraires selon une forme bien plus prophétique encore que chez Coltrane. Autant par son œuvre que par ses racines, Albert Ayler est le parfait exemple d'un artiste de tendance religieuse.

Nous prendrons plus loin le temps d'approfondir le cas de ce musicien méconnu et pourtant essentiel, mais il est d'ores et déjà judicieux de noter l'extraordinaire jeu d'influences réciproques qui unissait Coltrane et Ayler. Ayler fut profondément marqué par sa rencontre avec Coltrane, tant professionnellement – il bénéficia lui aussi du soutien de Coltrane chez Impulse, à un moment où personne ne pariait sur lui – que musicalement, avec ses compositions tardives, beaucoup plus modales et incantatoires. Inversement, Coltrane voit en Ayler une nouvelle influence radicale sur ses conceptions sonores et musicales, la dernière véritablement marquante de sa carrière. Michel Delorme le surprend s'entraînant à Antibes sur des bandes d'un concert d'Ayler. Et Coltrane appellera Ayler après l'enregistrement d'*Ascension* pour lui dire : « Je viens d'enregistrer un album, et je trouve que j'y joue enfin comme toi. » Sur quoi, Ayler lui répondit : « Non, tu n'y es pas, tu as juste joué comme toi-même. Tu étais simplement dans le même esprit que moi, et tu as exprimé notre unité spirituelle[341]. » (*Spiritual Unity* est un thème d'Ayler.)

---

341. V. Wilmer, *As Serious As Your Life : John Coltrane and Beyond*, Serpent's Tail, 2000.

Albert Ayler ajoute, dans une interview de Val Wilmer de 1966[342] :

> « Après avoir enregistré *Ghosts* et *Spiritual Unity*, j'ai envoyé tous ces albums à Coltrane pour l'aider à trouver la voie. C'est un frère spirituel et un de ceux qui peut réellement entendre et comprendre la musique dans toutes ses formes. Après lui avoir envoyé ces disques est venu *Ascension*, et ce fut si beau, tout prenait corps, tous vibraient avec ferveur. »

Il y a là effectivement un ton prophétique, et un clair prosélytisme. Il envoie ses disques pour montrer la voie, et ne s'embarrasse nullement de modestie mal placée, il connaît la vérité et souhaite la partager, surtout avec ceux qui sont aptes à la recevoir. Coltrane le mystique n'y voit rien à redire et accepte sans ambages l'aide proposée par le prophète Ayler. Cette relation devint intense et profonde, faite de coups de téléphone réguliers et répétés, de télégrammes échangés, et même d'aide financière bienvenue que Coltrane propose à Ayler, alors totalement incompris et contesté. Dans son entretien avec Kofsky, qui lui demande quel musicien il écoutait en dehors de Sanders, Coltrane confie : « Albert Ayler en premier. Je l'ai écouté très attentivement. Il a quelque chose d'autre. » Un Charles Gayle semble actuellement suivre non seulement la voie musicale du grand Albert, mais aussi, nous l'avons vu, la direction religieuse et prophétique du maître, en intégrant dans son discours esthétique la figure moralisatrice du prêcheur.

---

342. *Cf.* la biographie en ligne de Jeff Schwartz : *Albert Ayler : His Life and Music*.

La tendance métaphysique de Pharoah Sanders

Pharoah Sanders est quant à lui l'archétype du musicien animé d'une spiritualité métaphysique. « Fils » spirituel de John Coltrane, il récupéra les notions universalistes de son maître pour en faire un syncrétisme très personnel. « Je crois en toutes les religions, du moment qu'elles parlent d'un créateur » professera-t-il. Et dans les déclarations les plus récentes, il suggère qu'après avoir beaucoup cherché, il a compris qu'il n'y avait rien à chercher. Il est l'archétype de l'artiste lancé dans une quête personnelle, cherchant partout, et dans toutes les cultures, des raisons de trouver, de croire, de douter. À un journaliste de *Jazzman* qui, en 2007, l'interroge sur les raisons de son image de mystique et d'intouchable il répond : « Je ne sais pas, questionne ceux qui pensent ainsi. » Posture ultime du cherchant en spiritualité !

Ce qui est certain, c'est que son œuvre témoigne avec évidence de son syncrétisme très personnel, à travers des titres comme *The Creator Has a Master Plan* ou *Hum Allah Hum Allah Hum Allah* et qu'il est, des trois, celui qui manifestera le plus clairement sa vision universaliste dans sa musique, et son attrait pour l'Afrique (*Our Roots Began in Africa*). Certains voient en lui l'inventeur de l'ethno-jazz, avec Don Cherry, autre immense artiste métaphysique. Pour autant, quand John Coltrane lui confie le poste de second soufflant dans son groupe en 1965 – un poste que seul avait occupé jusque-là Eric Dolphy –, Pharoah Sanders n'est pas encore le ténor syncrétique que l'on connaît, cette sorte de mémoire vivante, œcuménique et créative du message coltranien. Il représente tout autre chose, sans aucun doute une même singularité qu'Ayler, dans le traitement totalement décomplexé du son, du cri, du bruit. On se demanderait presque, à l'écoute du jeune Sanders chez Coltrane, et du Sanders *leader* et compositeur de longues mélopées afro-jazz, s'il s'agit du même musicien. Le producteur Michael Cuscuna confia à Lewis Porter que Sanders et Ayler apportaient à Coltrane une limite à atteindre, à dépasser, un « au-delà des notes ». Coltrane confirme même à Kofsky que Sanders le seconde efficacement pour tenir le coup physiquement lors de concerts et de sets de plus en plus longs et intenses, lui seul ne pouvant plus assurer la totalité des solos. Après la mort de Coltrane, Sanders développera le son et la musique que l'on connaît, et qui étaient déjà lisibles dans ses premiers albums en *leader* chez Impulse (*Karma*, *Tauhid*) : leitmotiv de basse continue, rythmes afro-jazz, nature du son qui, parfaitement contrôlé, passe sans problème de la saturation au cri, thèmes répétitifs, autant de motifs qui, en compagnie du pianiste Lonnie Liston Smith et du chanteur Leon Thomas, deviendront les marques de fabrique du langage sandersien. Mais chez Coltrane, comme avant chez Sun Ra, et comme sur son premier disque chez ESP, *Pharoah First*, c'est le cri et le traitement alternatif du saxophone qui dominent. Il est en cela très proche d'Ayler, presque plus radical lorsqu'il déclare en 1967 :

> « Il y a longtemps que j'ai cessé de jouer sur des accords, bien avant que je commence à jouer avec Coltrane. Je me sentais limité dans l'expression des émotions et des rythmes. Je n'habite pas les grilles harmoniques. Elles sont trop restreintes pour accueillir tout ce que je vis et qui se déverse dans ma musique[343]. »

343. L. Porter, *op. cit.*

Ayler inspire Coltrane[344], Sanders le nourrit et le soutient sur scène pour les ultimes développements de la plus absolue des quêtes sonores. De plus, ils forment un triangle spirituel qui unit, en musique, attitudes mystique, prophétique et métaphysique.

Triangle spirituel et free

Nos trois artistes précisent ainsi les différentes racines de l'imaginaire spirituel jazzistique. L'écoute de « The Father, The Son and The Holy Ghost », premier mouvement d'une suite qui s'intitule *Meditation*, nous permet une juste appréciation de leurs relations. Commençant par un effet harmonique très saxophonistique – le *si* bémol du ténor est joué simultanément avec le doigté de la palette de main droite du *mi* aigu, faisant résonner les harmoniques naturelles des deux notes, presque en accord –, Coltrane laisse continuer Sanders sur cette voie pour jouer une mélodie, presque une sonnerie (quinte-tonique-seconde-tierce), souvent en transposition de tierce, selon la règle harmonique qui porte son nom, *Coltrane changes*[345]. Pendant ce temps, le reste de l'orchestre (piano, contrebasse, deux batteries) développe l'éner-

---

344. Il fera plus que l'inspirer, jouant avec lui à plusieurs reprises. Le fameux concert du Lincoln Center à New York en 1966 est cité dans la discographie officielle de Coltrane, avec les frères Ayler. L'enregistrement semble exister, mais n'est jamais sorti ! Inutile de dire qu'il est convoité à sa juste valeur.

345. Lewis Porter, faisant part des constatations de Noel Da Costa, démontre que le thème s'inspire fortement de *Bless This House O Lord We Pray*, faisant appel aux tierces de cette chanson pour « former une composition très mouvante ».

gie musicale par clusters et magmas sonores. Une fois les transpositions de la sonnerie achevées, l'orchestre et les deux solistes – Coltrane et Sanders – se rejoignent pour une improvisation collective de l'ordre de l'explosion. Elle débouche bientôt sur un solo de Coltrane d'une intensité rare, aidé par les deux batteries et les tambourins et cloches actionnés par Sanders, qui prend ensuite le relais sur son saxophone ténor.

Et puisque *Meditation* et *Ascension* sont deux albums qui revendiquent l'influence d'Ayler sur Coltrane, nous pouvons affirmer que tout y est pour appréhender au mieux la configuration qui réunit nos trois artistes. Et d'abord une même recherche du paroxysme sonore et de l'avant-garde musicale : à tel point que *Meditation* comme *Ascension* sont très généralement cités avec *Free Jazz* d'Ornette Coleman, comme incarnant le moment décisif où le jazz bascule définitivement de la musique populaire à la musique de recherche – pour le meilleur ou pour le pire, selon les points de vue.

Mais nous pouvons aussi distinguer les particularités dans le jeu de chacun. Chez Coltrane, le paroxysme et le cri découlent d'une longue réflexion intérieure, d'un travail personnel colossal, d'un sens de la construction parfaitement adapté et intelligible, même dans ce solo de *Meditation* où le blues, ses répétitions et ses motifs, n'est jamais loin. Les transpositions en tierce de la mélodie initiale rappellent l'importance des principes harmoniques que Coltrane a inventés, notamment avec sa fameuse composition *Giant Steps* de 1959, et qu'il aimait représenter par un triangle ésotérique – nous l'avons vu. Pourtant, il semble que Coltrane lui-même se reprochait cette intelligence mathématique froide, et il n'a eu de cesse dès le début des années 1960 de rechercher auprès d'Ornette Coleman, John Gilmore, mais surtout Ayler et Sanders la voie d'une musique aux principes plus directs et chauds.

Pharoah Sanders apparaît, au moment où il intègre le groupe de Coltrane, beaucoup plus préoccupé par la nature du son que par la théorie académique harmonique dont son aîné était l'incontestable champion. C'est un alchimiste de la recherche sonore qui est à l'œuvre alors, usant de la langue, des dents, de la gorge, des cordes vocales pour initier des sons totalement inédits au saxophone – et c'est bien ce génie créateur acoustique que Coltrane admire. Mais dès Coltrane décédé, Sanders change d'optique, comme s'il se sentait investi d'une mission, en une véritable symbiose sonore avec son maître. Il perpétue ainsi la filiation sonore coltranienne, et ajoute à son répertoire des compositions modales qui permettent une démocratisation du message musical universel de Coltrane. Il passe en quelque sorte, par l'évolution de son propre son, du statut de fils adopté à celui de fils spirituel.

Reste que, des trois, Sanders est sans aucun doute le plus tourné vers l'avenir. Du moins ne ressent-il pas le besoin de rendre un tribut quelconque au passé. Contrairement à Coltrane – et ses références nombreuses au negro-spiritual, au blues, à la mémoire afro-américaine – ou Ayler, Pharoah Sanders ne joue quasiment jamais autre chose que des standards jazzistiques ou coltraniens, sinon ses propres compositions teintées d'une vision œcuménique, futuriste et mythologique de l'Afrique, de l'Univers, du sacré. Rien chez Sanders ne semble faire preuve de nostalgie, si ce n'est, presque exclusivement, pour témoigner de sa proximité avec Coltrane. Et encore, n'ai-je pas été remarquablement surpris, en 2003, à l'Iridium de New York, de voir un Pharoah Sanders semblant ne pas reconnaître le premier mouvement de *A Love Supreme* qu'entamait McCoy Tyner, tête d'affiche de la soirée ? Se tournant vers Ravi Coltrane pour lui demander de quel morceau il s'agissait, Sanders constata le regard incrédule du fils de Coltrane, et se lança alors dans un solo du cri qui rappelait l'esprit de ses débuts. Entre le fils spirituel et le fils réel, les enjeux de mémoire ne sont pas les mêmes.

Albert Ayler, lui, peut sembler de prime abord le plus radical des trois. En tout cas le plus étrange. La simplicité naïve de ses mélodies peut décontenancer autant que les sons suraigus qui immanquablement et sans préavis viennent entamer ses improvisations. Autant la chaleur du son de Sanders et la construction mélodique et harmonique de Coltrane peuvent rassurer, autant la manière dont Ayler passe radicalement de la simplicité à l'abstraction a longtemps empêché les critiques de voir clair dans son jeu. Je pense sincèrement que la solution, comme pour Sanders et Coltrane, passe par une juste compréhension de l'imaginaire spirituel d'Ayler : il est « prophète du saisissement », comme nous l'expliquerons plus loin. Mais si l'on s'accorde sur la place importante du sacré chez de nombreux musiciens de jazz, nous devons être alors particulièrement attentifs au traitement du son et à l'utilisation d'instruments d'origines diverses dans le free jazz. Chez Ayler, Coltrane, Sanders, la quête sonore d'avant-garde se joue selon des références traditionnelles explicites : religieuses chez Ayler, mystiques chez Coltrane, métaphysiques chez Sanders. C'est l'ultime paradoxe que symbolisent à merveille nos trois artistes : modernité contemporaine absolue de l'esthétique et ancrage traditionnel, mythologique, liturgique de l'imaginaire.

Eric Dolphy

Reste, pour compléter le tableau d'une fraternité du souffle et de l'anche unique en son genre, le cas d'Eric Dolphy. Aucune référence spirituelle ou démarche mystique, aucune revendication connue chez ce révolutionnaire qui sera à très juste titre considéré comme le passeur d'une époque artistique intense et troublée. Si esprit il y a chez Dolphy, c'est celui d'une intelligence hors normes, d'une sensibilité aiguisée par un esprit rationnel pour tout ce qui fait sens musicalement – les oiseaux, les sons urbains, les intervalles inhabituels –, d'un caractère cognitif profond au service de l'innovation. Eric Dolphy est une force du progrès, presqu'au sens politique du terme – tranchant avec l'imposante énergie spirituelle des Coltrane, Sanders, Logan, Ayler que d'aucuns ont pu considérer comme réactionnaires. Pourtant, Eric Dolphy est le seul, avec Pharoah Sanders, à s'être vu offrir une place permanente de saxophoniste au sein du groupe de Coltrane, de 1961 à 1963. Il reçoit en partage, avec Ayler et Ornette Coleman, les plus sincères témoignages d'admiration de la part de Coltrane :

« Eric [Dolphy], lui aussi, a tenté des efforts spectaculaires pour s'évader des schémas conventionnels d'improvisation. Quant à moi, ma tentative a été identique, mais je ne sais pas si j'ai réussi. Je pense sincèrement qu'Ornette et Eric ont mieux réussi que moi dans leurs tentatives[346]. »

Toujours la même humilité dans les propos d'un authentique génie, et qui peut expliquer à elle seule cette fraternité du souffle qu'il a su créer. Et toujours cette écoute, cette admiration sincère pour tout ce qui arrive de nouveau et de probant de la part des jeunes créateurs.

Ceci étant, Eric Dolphy n'est pas Sanders ou Ayler. Lorsqu'il rencontre Coltrane et joue avec lui régulièrement, il est déjà totalement lui-même, et ne semble pas transformer son jeu à l'écoute de Coltrane, et il faut se poser aussi la question de savoir si Coltrane change son jeu sous l'influence de Dolphy. La singularité du jeu de Dolphy, si elle est issue d'une profonde réflexion et d'un travail titanesque, n'a pas vocation à faire école, comme Ornette, ni à transformer radicalement la nature sonore de l'instrument et de l'improvisation, comme chez Ayler, Gilmore ou Sanders. Eric Dolphy est autant vu par ses contemporains comme un révolutionnaire de la forme que comme un continuateur du jeu virtuose et prolixe du be-bop – à l'instar d'un Jackie McLean –, jamais comme figure d'une rupture radicale avec l'histoire et les conventions du jazz – nonobstant les propos peu amènes de Miles Davis à son endroit. Et effectivement, si influence il y a chez Coltrane, elle sera d'ordre formel plus qu'esthétique. Eric Dolphy prend une place importante au début des années 1960 pour accompa-

---

346. J. Coltrane, *Je pars d'un point et je vais le plus loin possible. Entretiens avec Michel Delorme*, cit.

gner la transformation des recherches de Coltrane en un « classicisme » coltranien. Il supervise les séances de studio en grand ensemble qui donneront *Africa Brass* et détermineront les choix de Coltrane en matière de polytonalité et d'atonalité, comme dans la composition *Miles Mode*. Mais Eric Dolphy est surtout un compagnon de route, moins un disciple ou collègue qu'un véritable ami, inspirant et attentif, ainsi que l'avaient bien compris les parents de Dolphy lorsqu'ils confieront, à la mort très prématurée de leur fils pour défaut de soins appropriés lors d'une crise de diabète, ses instruments à Coltrane. Coltrane jouera de ses instruments à partir de 1966 – *Reverend King* à la clarinette basse, *To Be* à la flûte –, montrant ainsi que les liens spirituels qui pouvaient unir des musiciens si proches et si différents allaient bien au-delà de considérations mystiques, métaphysiques ou religieuses.

Ainsi en est-il de la fraternité coltranienne de l'anche, cette inédite confrérie du souffle, centrée autour de la personnalité d'un être d'exception, qui n'imposa jamais rien à ses compagnons, ni credo religieux, ni dogme esthétique. Nous comprenons alors le vide qu'il a laissé lors de sa subite disparition, le sentiment d'abandon que ses amis et confrères ont manifestement éprouvé en apprenant sa mort. Laissons à Miles Davis le dernier mot, lui qui disait parfois converser avec son ami Coltrane après sa mort. Il résume le sentiment général : « En juillet, Coltrane mourait et mettait tout le monde sur le cul. La mort de Coltrane choqua et prit de court tout le monde[347]. »

347. M. Davis, & Q. Troupe, *Miles Davis, the autobiography*, Picador, 1990.

Miles Davis

Miles justement. C'est que les jeux d'influence autour de la personnalité de John Coltrane s'exercent par-delà les affinités saxophonistiques. Et il est sans doute judicieux de penser que Coltrane devint *le* Coltrane que l'on admire et connaît grâce à deux parrainages cruciaux : ceux de Miles Davis et Thelonious Monk. Deux *leaders* qui ont su à leur manière mettre en valeur le *sideman* Coltrane. Par leur direction artistique le trompettiste et le pianiste ont radicalement favorisé l'épanouissement du son et des idées du jeune Coltrane. Faudrait-il y adjoindre, comme Ashley Kahn nous y invite, Dizzy Gillespie, dont Coltrane intégra le *big band* et le quintet au début des années 1950 ? Malgré la grande admiration que le saxophoniste pouvait témoigner pour l'un des inventeurs du be-bop, nous savons que le répertoire de son orchestre était, à cette époque, devenu bien moins révolutionnaire : il servait d'abord à éviter la casse d'une machine très lourde à gérer économiquement. Coltrane semble y avoir surtout appris l'usage des stupéfiants – dont il se débarrassera définitivement en 1957.

Miles Davis, lui, aura indiqué à John Coltrane deux directions essentielles. Une orientation formelle en l'engageant dans un premier quintet historique en 1955[348]. Et une orientation théorique en créant avec lui un nouveau sextet en 1958[349]. Dans le premier quintet, John Coltrane, encore sous l'influence néfaste de la drogue,

---

348. Avec Red Garland au piano, Philly Joe Jones à la batterie, et Paul Chambers à la contrebasse.
349. Avec Bill Evans puis Wynton Kelly au piano, Cannonball Adderley au saxophone alto, Jimmy Cobb à la batterie, et toujours Paul Chambers à la contrebasse.

apprendra malgré tout à maîtriser la forme orchestrale du *small jazz combo* et la forme mélodique des solos bop d'harmonie tonale : autant d'éléments milesiens déjà à l'œuvre dans le formalisme impressionniste dit « cool », popularisé par l'album *Birth of the Cool*[350], et dans la maîtrise du son, de la narration et de la structure modernisés du blues sur *Walkin'* ou *Bag's Groove* – avec la présence désormais légendaire de Monk, jouant avec les silences et les nerfs du *leader*.

Jouant ici aussi du contraste entre les deux solistes vedettes – l'élégance sonore du trompettiste et la rage virtuose du saxophoniste –, ce nouveau quintet marque le retour en grâce de Miles Davis comme *leader* incontournable. Et il façonne le son caractéristique d'une époque, que l'on entend parfaitement dans le chef-d'œuvre *Round About Midnight*, enregistré en 1956 : sur une composition de Thelonious Monk arrangée par Miles, le contre-chant et le solo de Coltrane marquent véritablement ses débuts dans l'histoire de cette musique.

De retour chez Miles en 1958, Coltrane découvre un sextet dont seuls Paul Chambers, et un temps Philly Joe Jones – remplacé rapidement par Jimmy Cobb –, ont participé au premier quintet. Une révolution est alors en marche. De nombreux jazzmen s'affranchissent désormais de la tonalité pour explorer les possibilités du concept lydien, théorisé par George Russell[351] et mis en pratique par Bill Evans. Ils donnent ainsi naissance à ce

---

350. En 1949, avec de jeunes solistes compositeurs et arrangeurs comme John Lewis, Gerry Mulligan, Lee Konitz, Gil Evans.

351. G. Russell, *Lydian Chromatic Concept of Tonal Organization*, 1953.

qu'on a pu appeler le modal jazz. Et le groupe de Miles Davis en devient le laboratoire principal. Ces expérimentations nouvelles consistent à déplacer le « centre de gravité tonal unifié » autour du mode lydien qui dispose d'une quarte augmentée (*do-ré-mi-fa* dièse-*sol-la-si*) à la place de l'habituelle quarte juste propre à la gamme tonale majeure diatonique (*do-ré-mi-fa-sol-la-si*). En quelque sorte le mode lydien propose une « sensible » pour la note dominante de la gamme – *fa* dièse pour aller à *sol* – en plus de la sensible usuelle de la tonique – *si* pour aller à *do*. Par extension, les structures harmoniques et mélodiques des improvisations ne sont plus assujetties à la conception tonale habituelle, qui dépend essentiellement d'un jeu de tensions autour de la septième (*si*) et de son intervalle tritonique (*fa-si*, quarte et septième donc). Mais harmonie et mélodie définissent désormais leurs rapports réciproques selon des modes qui dérivent de la gamme lydienne. Par le déplacement de la fondamentale, l'échelle modale apporte une sensation d'unité inconnue dans le jazz jusqu'alors. Pour le dire autrement, l'harmonie tonale traditionnelle (dite diatonique), est : une *horizontalité* (marche harmonique en tension-détente) qui débouche néanmoins sur une obligation *verticale* (chaque accord de chaque mesure devenant référant et dépendant) pouvant confiner à un enfermement. Le concept tonal lydien (menant à la modalité) est lui : une *verticalité* (basée sur l'opposition entre la dualité du diatonisme et l'unité du mode lydien) qui permet une ouverture *horizontale* (un mode par accord, mais aussi par cycle ou par morceau).

C'est ainsi que le concept lydien et ses mises en pratique modales ouvrent aux jazzmen des perspectives de liberté, d'expression, et une temporalité inédites. L'album *Kind of Blue* (1959) synthétise et sublime à lui seul les conceptions modales de son époque. Il les confronte au blues (*Freddie Freeloader*, et en 6/8 avec *All Blues*) et à la ballade (*Blue in Green*). Mais il propose surtout, à travers *So What*, une quintessence de la conception modale avec la composition d'un morceau entier, et ses solos improvisés, autour d'un seul mode – *ré* dorien, transposé au demi-ton supérieur sur le pont, sans lien ou préparation de tension tonale pour passer de l'un à l'autre. Quant à *Flamenco Sketches*, il consiste en une exploration de cinq modes différents où chaque développement sur chacun des modes est laissé à la libre convenance de chaque soliste, sans nombre de mesures ni structure prédéterminés – en l'occurrence, Miles Davis, John Coltrane, Cannonball Adderley, Bill Evans se succèdent à la tâche. Sans aucun doute, cet album – et d'abord ces deux dernières compositions –, ouvre la voie d'un jazz libre qui prendra rapidement son essor. Nous pouvons y entendre un Coltrane en pleine maturité : il n'est plus le « jeune homme en colère » de 1955, ni encore l'expérimentateur technique et acharné qui provoquera la polémique lors de sa dernière tournée européenne dans l'orchestre de Miles en 1960, avant de prendre en main sa propre carrière de *leader*. Nous comprenons alors ce qu'il voulait dire : « [Miles] m'a donné une compréhension de la simplicité[352]. »

George Russell
Grâce à ce laboratoire davisien, John Coltrane affine donc son sens de la liberté – comme Monk, il a

---

352. V. Wilmer, « As Serious As Your Life : John Coltrane and Beyond », *cit.*

une immense latitude dans ses choix, ses prises de
« parole » et son sens mélodique. La découverte des
concepts russelliens permet en effet la constitution
d'un langage modal proprement coltranien qu'Andrew White a pu baptiser le « polydiatonisme[353] » – un
langage qui fait suite à sa période sur-harmonique
représentée par *Giant Steps* (1959). Le polydiatonisme
évite la monotonie intrinsèque aux langages purement
modaux : il combine l'art de la modulation tonale
microcosmique que Coltrane avait développé auparavant, avec une conception beaucoup plus large,
macrocosmique, de la temporalité de l'improvisation.

Mais au-delà de leur simple mise en pratique, toute
aussi fondamentale soit-elle, les conceptions modales
de George Russell, Miles Davis, John Coltrane, Bill
Evans, et du grand précurseur, Sun Ra – un des premiers à utiliser de longs mouvements incantatoires
orchestraux – sont, aussi, autant de façons de voir le
monde : comme un retour aux sources, européennes et
africaines, et comme une musicale philosophie spirituelle. Ingrid Monson, dans sa remarquable étude sur
le jazz et la lutte des droits civiques[354] évoque cette
relation intime, chez les jazzmen modernes, entre
quête spirituelle, recherche formelle, et revendication
d'autodétermination politique et professionnelle. Sun
Ra, John Coltrane et George Russell ne séparent
aucunement leurs recherches théoriques de leurs
visions spirituelles et politiques. Chez Russell, le

---

353. A. N. White, « John Coltrane, 25 ans après, tout est là ! », *Jazz Hot* n° 492, 1992.

354. I. Monson, *Freedom Sounds ; Civil Rights Call Out to Jazz and Africa*, Oxford University Press, 2007.

concept lydien est particulièrement marqué par sa lecture de G. I. Gurdjieff[355] : il voit dans la philosophie ésotérique unitaire du penseur arménien une justification de sa propre conception musicale centrée autour de l'idée incontournable d'unité du mode lydien. Le centre de gravité tonal (*tonal gravity*) est ramené à un soleil influent et généreux qui préside à la vie de ses douze « planètes » : les douze tons qui tournent autour, jouent et s'émancipent de ce centre de gravité « solaire ». L'improvisation musicale n'est donc plus seulement un simple acte sonore mais un geste créatif qu'englobe une vision panthéiste de la nature[356]. Il y a donc chez Russell un aspect exotérique du concept lydien – sa théorie musicale, sa mise en pratique – et un aspect ésotérique. Il insiste en effet sur la dimension intuitive de la quête de connaissance que son concept implique : « C'est de l'intelligence intuitive. C'est cette intelligence qui vient d'une question posée à votre centre intuitif et qui a foi en sa capacité à y répondre. Et il y répond[357] ! »

Le concept lydien de George Russell n'a rien d'académique. Au contraire, il affirme la primauté de

---

355. Un intérêt pour le philosophe iconoclaste qu'il partage avec Keith Jarrett, ce dernier ayant enregistré les *Sacred Hymns* composés par Gurdjieff.

356. Les réflexions cosmologiques de Russell ont-elles été l'une des causes de la passion de Davis pour l'astrologie ? L'hypothèse est intéressante – même si on retrouve cet intérêt pour l'influence des astres chez des musiciens plus éloignés des conceptions de Russell, comme Horace Silver.

357. Il ajoute même, nous apprend Monson : « J'ai connu un certain nombre d'expériences religieuses étant enfant. J'y étais en quelque sorte forcé. Ma mère était très religieuse, à la recherche désespérée de quelque chose. »

l'autodétermination, la confiance en une intuition créative et l'élan vers l'unité spirituelle d'un peuple afro-américain qui a appris, nous l'avons vu, à s'éduquer en constituant son propre univers symbolique, culturel et cultuel. Russell se souvient de la quête religieuse infinie de sa mère. Davis témoigne, avec *Kind of Blue*, de son désir de retrouver les sensations musicales de l'église de sa jeunesse. Et John Coltrane n'aura, lui, jamais fini d'explorer les bases d'un mysticisme universel à travers aussi bien l'histoire des religions que la théorie des modes. Les transgressions philosophiques de Sun Ra, John Coltrane ou George Russell n'ont donc rien de divagantes. Elles établissent le lien entre leurs conceptions musicales et leurs volontés de poursuivre l'historique effort d'émancipation des Noirs américains. Elles affirment la nécessaire conjonction de la politique, de l'art et de la spiritualité. En ce sens, chaque jazzman n'est-il pas une manière de prophète ? Le choix radical, d'un musicien afro-américain comme Russell, de remettre en cause plusieurs siècles de domination musicale occidentale reposant sur le centralisme du triton (l'intervalle du diable : *fa-si*) ne peut qu'être un geste révolutionnaire, une illumination, une « théologie prophétique » – expression du philosophe Cornel West – qui « nous force à illustrer dans notre propre vie ce à quoi nous [Afro-Américains] aspirons théoriquement. Elle soulève la question de l'intégrité, du caractère, et plus important, la question du risque et du sacrifice », écrit Monson. Le jazzman, soliste, poète, intellectuel, expérimentateur ou simple créateur de l'instant, celui qui, au détriment de sa respectabilité, résiste depuis plus d'un siècle aux tentatives d'industrialisation, de formalisation, de marginalisation, n'est-il pas ce nouveau prophète profane ?

Thelonious Monk

Thelonious Sphere Monk, l'autre influence principale de Coltrane qui nous intéresse désormais, est lui aussi alors un prophète majeur du jazz – plus que ce « grand prêtre du be-bop » que certains voulaient introniser[358]. Le risque et le sacrifice sont en tout cas au centre de sa vie et de son œuvre ! Et une certaine aura mystérieuse entoure Monk dans son influence pourtant évidente sur Coltrane. Il y a l'influence formelle d'un espace-temps élastique de l'improvisation, souvent sans piano et sans restriction de temps : un espace qui deviendra la marque de fabrique de l'improvisation coltranienne. Au Five Spot, tous les soirs, et durant six mois, Coltrane expérimente sur le répertoire ardu du pianiste chef d'orchestre les labyrinthes harmoniques qui sont autant de défis à relever. Souvent, Monk se lève et part en cuisine, avec les auditeurs, ou reste à côté du piano en tournant sur lui-même. Coltrane jouit alors d'un espace infini et aléatoire – comme un nouveau terrain de jeu ascétique et fascinant – qui s'étend parfois sur plus de vingt minutes.

---

358. Ceci étant, Monk est un des rares musiciens afro-américains à témoigner d'un certain agnosticisme prudent. On se souvient de son dialogue avec Val Wilmer, cité par Robert D. G. Kelley : « WILMER : Croyez-vous en Dieu ? MONK : Je n'en sais rien. Et vous ? WILMER : Je n'y crois pas. MONK : C'est un sujet profond quand on y pense. Je penche un peu pour votre avis. » R. D. Kelley, *Thelonious Monk; The Life and Times of an American Original*, Free Press, 2009.

Mais l'influence la plus significative, et pourtant la plus hermétique, de Monk sur Coltrane consiste sans doute en une démonstration des possibilités harmoniques (*overtones*) par des doigtés alternatifs et des techniques multiphoniques (qui permettent de jouer plusieurs sons en même temps). Selon Coltrane lui-même, au plus grand étonnement des exégètes et historiens, c'est le pianiste qui lui fait découvrir ces techniques pourtant si caractéristiques de l'instrument saxophone et du langage coltranien : « C'est Monk qui m'a montré le premier comment faire deux ou trois notes à la fois sur le ténor… Monk me regardait simplement et a *senti* le mécanisme qu'il fallait actionner pour obtenir cet effet[359]. » Mais qu'est-ce qu'un pianiste, quand bien même serait-ce Monk, peut connaître aux doigtés du saxophone ? Comment aurait-il pu alors, d'un simple regard, « sentir » le mécanisme qui permettait un tel effet ? Est-ce là un miracle typiquement monkien ? Coltrane nous livre un élément de réponse lorsqu'il précise la manière d'obtenir ses effets multiphoniques :

> « Ça se fait par une combinaison de doigtés… C'est comme ça aussi que les types faisaient ce qu'ils appelaient des notes bizarres sur le sax, vous voyez. Par exemple, vous jouez une note, puis la même note avec un autre doigté – c'est le même principe. Simplement, là il faut bien écouter la note qu'on veut diviser et la laisser se diviser, d'accord ? L'idée du [faux doigté] était juste d'avoir un autre son pour la

---

359. Lewis Porter lui-même laisse apparaître son étonnement et son incompréhension en introduisant la citation par : « De façon surprenante, Coltrane dit… »

même note, et là on peut le faire aussi de cette façon. Mais si on veut juste une légère division du son, on peut le faire aussi en variant la pression directement sur l'anche – généralement, je relâche la mienne [pour obtenir les sons simultanés]. »

L'idée de division nous met sur la voie d'une juste compréhension du phénomène. Si Coltrane évoque la possibilité de diviser une note pour obtenir un effet multiphonique et simultané – effet inattendu pour un instrument monophonique comme le saxophone – c'est qu'il s'agit bien ici d'harmonique. En français, le terme « harmonique », parce que proche d'« harmonie », est susceptible d'induire en erreur le béotien. Le terme synonyme en anglais, « *overtone* » (littéralement « au-dessus du ton »), a l'avantage de la clarté. Harmonique et *overtone* désignent les composantes d'un son constitué par une fréquence fondamentale et par ses fréquences multiples premières. Ainsi, une note de fréquence fondamentale de 440 Hz (la note *la* du diapason moderne) génère autant de fréquences multiples, surtout audibles dans les premières décompositions (fréquence multiple première : 880 Hz (440 x 2), fréquence multiple seconde : 1320 Hz (440 x 3), etc.). On a l'habitude d'illustrer concrètement ce principe à l'aide d'un instrument à cordes (guitare, violon, violoncelle, etc.) en montrant les harmoniques obtenues à la moitié de la corde, au tiers, au quart, etc. C'est là d'ailleurs un principe d'illustration pratique qui nourrit une réflexion sur les rapports entre musique, science et spiritualité depuis l'Antiquité – la gamme pythagoricienne qui résulte du canon monocorde de Pythagore, comme idée panthéiste d'harmonie des sphères –, en passant par les

Lumières – le traité d'harmonie de Jean-Philippe Rameau, directement inspiré des travaux du physicien Joseph Sauveur sur les ondes stationnaires des cordes vibrantes. De la constatation que la hauteur d'un son est inversement proportionnelle à la longueur de la corde, et qu'ainsi les divisions par nombres entiers de la corde correspondent à autant de multiplications de la fréquence fondamentale (générant des sons qui y sont étroitement associés), les chercheurs ont conclu à la nature réelle du son comme vibration. Et à la compréhension du timbre musical : le son naît d'une onde, d'une fréquence, et le timbre, qui représente la qualité et l'unicité d'un son, est issu de l'association des fréquences multiples harmoniques. Dans la nature, aucun son n'est une fréquence fondamentale isolée, pure. Il est le fruit des décompositions harmoniques partielles qui constituent son timbre. Sur de nombreux instruments, on peut même faire ressortir ces harmoniques – par exemple, avec l'archet d'un violon, on obtient ce qu'on appelle la « flûte harmonique » en promenant la main droite sur toute la corde frottée sans l'enfoncer sur la touche. En fait, la bonne connaissance des principes et possibilités harmoniques de son instrument permet à un musicien de prendre conscience de sa propre personnalité sonore. Comprendre les règles des harmoniques permet de trouver son propre son, sa voie, son timbre. John Coltrane semble particulièrement attentif aux possibilités qu'elles offrent, comme l'illustre la fin de *While My Lady Sleeps* de l'album *Coltrane*, le début de *The Father, the Son and the Holy Ghost* de l'album *Meditation*, les solos polémiques de la tournée européenne du quintet du Miles Davis en 1960. Ou le titre d'une de ses compositions, *Harmonique,* en français dans le texte.

La mise à jour fastidieuse du « tempérament égal » tout au long de l'histoire de la musique – il s'imposera à tous au XIXᵉ siècle seulement – atteste des hésitations récurrentes entre quête de la modulation et recherche de la justesse harmonique – *a priori* antinomiques. Si le son, en effet, est la résultante d'un ensemble d'harmoniques, il y a de fortes chances que cet ensemble soit audible harmonieusement à l'oreille. Nous voyons ici l'analogie qui existe entre les termes « harmonique », « harmonie », « harmonieux ». Le problème est que cette échelle de fréquences harmoniques – surtout les premières les plus audibles, qui correspondent peu ou prou à l'octave, la quinte, la tierce – est très difficile à transposer. Une constatation qui naît avec la musique si l'on ose dire : selon la légende, Pythagore, accordant son monocorde selon les intervalles qui consonaient le mieux à l'oreille de l'époque (octave et quinte), et établissant à partir d'une succession de quintes harmoniquement pures ce qui allait devenir la gamme pythagoricienne, remarque qu'il existe une différence notable dans le cycle des quintes entre sa fondamentale de départ (*ut* par exemple) et la dernière note du cycle de douze quintes (*si* dièse selon le cycle de quinte : *ut-sol-ré-la-si-mi-fa* dièse-*do* dièse-*ré* dièse-*la* dièse-*mi* dièse-*si*)[360]. Cette différence de quelques hertz, nommée « comma pythagoricien », permet de comprendre les siècles de turpitudes depuis le Moyen Âge jusqu'à

---

360. La différence entre ce *mi* dièse et le *do* fondamental est communément appelée « quinte du loup » : une expression devenue populaire dans l'univers de la musique ancienne pour exprimer cet intervalle criard et dur.

l'époque moderne : comment fabriquer des instruments qui sonnent harmoniquement juste, mais répondent en même temps à la demande croissante des musiciens et compositeurs de pouvoir transposer et moduler de manière plus intempestive – une caractéristique de la musique occidentale qui s'éloigne ainsi de la modalité pour inventer la tonalité ? Tant que le goût et l'oreille musicale définissaient la quinte et l'octave comme seuls intervalles consonants – jusqu'au Moyen Âge peu ou prou –, il n'y avait pas trop de souci à partir du moment où l'on restait dans une modalité proche du ton fondamental. On pouvait alors, avec plaisir, accorder les instruments selon la règle pythagoricienne. Et avec encore plus de facilité, adapter les voix d'un chœur selon ce goût. Mais les ennuis arrivent, à la Renaissance, avec l'apparition d'instruments à intonation fixe (comme l'orgue clavier) et la recherche de modulation tonale. La réponse quasi définitive viendra au XVIIIe siècle avec l'invention du « tempérament égal ». Et donc la création de la gamme tempérée, devenue la règle, mais qui ne doit pas nous faire oublier que, en divisant l'octave en douze intervalles parfaitement égaux, elle n'a créé – ce qui est déjà bien – qu'un compromis entre la justesse parfaite de certains tons et la fausseté évidente d'autres intervalles : un « presque juste partout » qui a le mérite de s'écouter dans toutes les tonalités.

Avant l'invention du tempérament égal, les chercheurs, facteurs et compositeurs ont longtemps débattu de la marche à suivre : selon les sensibilités, les régions et les priorités, ils ont ainsi développé un ensemble assez hétéroclite, mais passionnant de tempéraments différents afin de permettre l'harmonisation de la musique tonale alors en train de se construire. Il est d'ailleurs intéressant de suivre l'évolution des intervalles considérés comme consonants et des intervalles issus des différentes fréquences multiples d'une fréquence fondamentale. Cette évolution fonctionne selon l'ordre presque exact des rangs harmoniques – les rangs 2 et 4 correspondent à l'octave, les rangs 3 et 6 à la quinte pure, le rang 5 correspond plus ou moins à la tierce, le rang 7 plus ou moins à la septième mineure, et le rang 9 plus ou moins à la neuvième. Octave et quinte sont les intervalles consonants depuis l'Antiquité jusqu'au Moyen Âge. La tierce est la grande découverte consonante de la Renaissance et du Baroque. Les sixtes et septièmes sont l'apanage de la période classique. La neuvième est une consonance contemporaine.

Marc Texier a bien résumé les enjeux du tempérament dans son texte de présentation du colloque « Les tempéraments, échelles sonores, micro-intervalles : Une nouvelle frontière de la musique » à la Fondation Royaumont[361] : « C'est cela qu'on appelle le tempérament : la façon dont est monnayé sur les différents intervalles le comma pythagoricien résiduel, et chaque époque a proposé des solutions différentes. » Il définit ainsi les trois grandes périodes historiques du tempérament : la période pythagoricienne (le Moyen Âge, avec la prépondérance des quintes et quartes justes au détriment des tierces), la période où les tierces justes sont privilégiées (les tempéraments inégaux, de la Renaissance jusqu'au Baroque) et

---

361. 1996. En ligne : http://audiolabo.free.fr/revue1999/content/texier.htm.

l'époque du tempérament égal où « tous les intervalles sont approximatifs et égaux » (du XVIIIe siècle à nos jours) – seul l'octave conservant de tout temps la même définition.

Le patrimoine organistique européen témoigne précisément de ces siècles de débats et de tâtonnements passionnants. De nombreux orgues sont conservés dans leur tempérament d'origine – ainsi que dans leur diapason d'origine, très variables selon les époques et les régions. Le tempérament mésotonique, très courant durant l'époque baroque, privilégie ainsi la justesse des tierces – intervalle baroque s'il en est – au détriment des quintes légèrement diminuées. Il permet donc des transpositions relativement justes dans des tons voisins du ton fondamental (*do-sol-fa*) mais qui deviennent particulièrement périlleuses et dures selon que l'on s'en éloigne (*mi* bémol-*fa* dièse-*do* dièse, etc.). On en revient alors à l'importance du choix des tonalités, évidemment tributaires des tempéraments que l'on choisit ou que l'on subit. En improvisant avec André Rossi sur des instruments anciens, dans le cadre de notre *Bach Coltrane*, j'ai pu faire l'expérience d'orgues mésotoniques. Ayant goûté les tierces pures de ce tempérament passionnant, il est très compliqué psycho-acoustiquement de revenir ensuite au tempérament égal, qui sonne alors assez faux et plat. La pratique de l'improvisation « de chambre » avec le Quatuor Manfred m'a donné des sensations similaires, les cordes s'accordant naturellement, comme les voix, sur la pureté harmonique des intervalles en fonction des cordes à vide et des situations (ce qui rend par exemple la tonalité de *do* majeur plus complexe à harmoniser dans ce contexte). Mon saxophone devient alors un outil malléable au service de cette recherche collective d'une harmonie naturelle assez éloignée de l'égalité du tempérament – en quelque sorte la fraternité de la vibration plutôt que l'égalité du tempérament, avec la liberté de l'improvisation en sus!

Qu'en est-il du piano et du jazz, alors? Le piano est par définition l'instrument le plus fixe que l'on puisse imaginer, le plus également tempéré. Et le jazz semble certainement bien éloigné des églises baroques et des ateliers de lutherie ancienne. Pourtant, en évoquant l'incessant débat qui a occupé des générations de musiciens autour de la vibration, de l'onde, du son et du timbre, nous approchons bien plus précisément du jeu de Thelonious Monk. C'est que Monk, démontre Laurent de Wilde[362], est un maître du sous-entendu. Une singularité ambiguë. Au premier abord, il ne supporte pas la comparaison technique avec les Art Tatum et Bud Powell de son temps. La vélocité et l'exécution virtuose ne semblent pas à sa portée, et il cultive visiblement une complicité plus harmonique et mystérieuse que technique, avec ses contemporains les plus prolixes. La force de son propos semble réservée à l'originalité de son langage, l'économie de sa temporalité, l'intelligence de son architecture mélodique. Pourtant, Thelonious Monk, dans la continuité d'un autre pianiste sous-estimé, Duke Ellington, est un immense virtuose de l'harmonisation du piano – un instrument pourtant rétif aux manipulations. Monk maîtrise l'univers des fréquences d'une manière unique dans l'histoire du jazz.

362. L. D. Wilde, *Monk*, Gallimard, « Folio », 1997.

Les témoignages qui le décrivent répétant des heures durant le même accord ou stoppant une séance parce qu'il a fait une « *wrong mistake* » (« fausse erreur » à l'inverse d'une « vraie erreur »), servent généralement à illustrer une excentricité plutôt qu'à constater sa force de travail et de réflexion, certes novatrice, mais parfaitement maîtrisée. Il délaisse l'artifice de la vélocité, afin de se concentrer sur les possibilités inédites de la résonance et des illusions acoustiques qui peuvent découler d'une manipulation des timbres. Il joue contre le tempérament de l'instrument et développe ainsi des « *mixtures* » qui, étonnamment pianistiques, transcendent pourtant la stabilité presque inerte du piano. En clair, Monk est un illusionniste sonore : il fait « toujours entendre plus de notes qu'il n'en joue réellement. Il faut sans arrêt se demander : est-ce qu'il la joue vraiment celle-là, ou est-ce que je n'ai que l'impression de l'entendre ? » constate Laurent de Wilde.

Nous pourrions pousser l'expérience en réalisant deux relevés d'un chorus de Monk d'après l'un de ses nombreux concerts filmés : l'un à l'oreille, l'autre « au regard ». Et obtenir ainsi deux partitions différentes. Les techniques employées pour obtenir cet effet spectaculaire sont multiples. D'abord, grâce au jeu digital : il frappe « deux notes voisines d'un demi-ton pour en relâcher l'une des deux une fraction de seconde après », explique Wilde, et approche ainsi de nombreuses techniques d'appogiatures baroques, comme l'acciacature. Son esprit d'expérimentation semble précoce, rappelle Peter Keepnews : « Il découvrit qu'il pouvait toucher plus de notes qu'il le voulait en gardant ses doigts à plat sur le clavier plutôt que de les courber comme on l'enseignait systématiquement aux élèves de piano[363]. »

Ensuite, en travaillant sur les renversements et la constitution des accords, en fonction des résonances harmoniques que l'on souhaite accentuer. Monk privilégie les fondamentales et les septièmes, sur des accords de septième majeure ou de dominante (septième mineure), pour exciter par dissonance les fréquences harmoniques de l'intervalle, faisant alors apparaître par réflexion les tierces et/ou quintes de l'accord. Une science des accords élusifs qui vient encore d'un esprit précoce pour la recherche sonore : « Peu à peu, le jeune Monk développa une approche du piano qui, tout en enfreignant les normes standard du jeu pianistique, lui permit de s'exprimer personnellement, écrit Keepnews. Il découvrit qu'il pouvait induire certaines notes dans un accord sans les jouer, grâce à l'utilisation judicieuse des harmoniques. »

Enfin, faire sonner les harmoniques d'un piano implique un travail remarquable sur le poids et l'attaque, seul véritable moyen d'agir sur la corde du piano – à moins d'y aller « voir » directement, par-delà le clavier, en « préparant » l'instrument. Monk affiche dans son jeu, et dans cette technique digitale si particulière, sa volonté parfaitement maîtrisée, mais si manifeste de « faire corps » avec le piano, voire de l'assujettir à son bon vouloir. Ainsi, en parvenant à modeler incroyablement le timbre de l'instrument et à jouer de notre perception acoustique par l'apparition, habile magicien, des notes virtuelles des harmoniques

---

[363]. P. Keepnews, *The Thelonious Monk Reader*, Oxford University Press, 2001.

les plus pures à l'intérieur d'accords supposés académiques, Thelonious Monk créé un espace sonore pianistique et vibratoire unique en son genre. Par définition, les notes « non jouées » que Monk réussit à faire entendre par sa virtuosité harmonique, audibles comme des intervalles d'un accord constitué, sont pures harmoniquement, et donc « fausses » selon le tempérament égal. Nous touchons ici du doigt l'essence même de la sonorité monkienne. Il semble transformer le son de l'instrument, le faire basculer dans une *altérité* puissante, personnelle et, en fait, totalement naturelle.

On se souvient de la remarque de George Shearing, fameux pianiste virtuose aveugle, qui jouait dans le même spectacle télévisuel que lui. Monk finit son show, les techniciens viennent annoncer à Shearing qu'il peut entrer en studio à son tour. Il dit alors : « Non, non. Attendez plutôt que l'accordeur ait fini son travail. » Erreur ou raillerie, l'épisode souligne en tout cas la singularité transgressive du tempérament monkien, particulièrement clair lorsque l'on considère l'ensemble de sa carrière. Lors des premiers enregistrements des années 1940, on peut mettre les tempéraments bizarres sur le compte de pianos sans doute peu entretenus dans les clubs et studios américains de l'époque. Mais que dire alors des tournées européennes et japonaises, parfaitement documentées, que Monk effectue durant les années 1960, profitant de grands pianos de concert souvent remarquables (Steinway & Son, Bösendorfer, etc.) ? L'impression y est tout aussi étonnante et étrange, habitués que nous sommes au tempérament égal, comme dans ce fameux *Epistrophy* de 1963 pour la télévision japonaise, où Thelonious, dans un de ses solos les plus sinueux et les plus créatifs, fait allègrement ressortir les harmoniques non tempérées d'un magnifique Steinway qu'il refaçonne complètement! C'est selon moi encore plus flagrant lors des sessions parisiennes en solo en 1954. À la première écoute, on peut conclure que le piano n'a visiblement pas été accordé depuis longtemps, sans que cela n'affecte pourtant l'écoute d'un album en tous points remarquable! Mais si l'on entre dans les détails, on remarque que les basses jouées à la main gauche sont souvent également tempérées, alors que la main droite offre un festival de diffractions harmoniques!

Monk s'approprie chaque instrument pour en faire le sien propre, par son travail virtuose sur le son, la résonance et la vibration. Laurent de Wilde affirme très justement que Monk « fait tout sonner, Steinway, Baldwin, casseroles », et nous pourrions poursuivre en constatant qu'il fait tout sonner *pareil*, réglant le problème récurrent des pianistes de jazz face à l'hétérogénéité des instruments généralement proposés. Monk, en véritable alchimiste, semble transporter partout avec lui son piano idéal, ni juste ni faux : toutes les sortes de « vils plombs » rencontrés se transforment systématiquement avec lui en un même et magnifique « or » – l'*opus magnum* sonore perpétuel.

Mais s'il réussit à ne pas changer de piano par un son caractéristique, il ne change pas non plus de style, nourrissant les commentaires les plus interrogateurs sur la quasi-immuabilité du style monkien des années 1940 jusqu'à son arrêt plus ou moins volontaire de carrière. Chez Monk, l'invariabilité du son et du style répond à l'incroyable originalité du discours : rien ne semble ainsi redit ou déjà vu, mais donne au contraire l'impression rare d'assister en direct à la création d'une œuvre aboutie et intemporelle, et pourtant en chantier. L'impact de son discours musical sur notre imaginaire, lié à son incroyable capacité à transcender les règles académiques et physiques de la musique, pose la question de notre représentation théorique du jazz. À la lumière des créations monkiennes, pouvons-nous admettre que le jazz est une musique de tempérament égal ? De fait, non : il est même la quintessence d'un phénomène moderne qui aura vu les musiques populaires en mutation faire la jonction entre les académismes occidentaux, dont le tempérament égal, et les anciennes règles de pureté harmonique et modale qui reprenaient leur juste place. C'est le blues qui a initialement fusionné musique tonale et intonation harmonique[364] en assumant une similitude nouvelle et ambiguë entre accord de tension de dominante (5e degré) et accord de tonique blues (1er degré 7). Il a ainsi ouvert au jazz un univers de possibles propice aux expériences et aux brassages.

De Skip James à Ornette Coleman, de Memphis Slim à Elmo Hope, il semble qu'effectivement le tempérament égal ait été accepté car imposé pour mieux être instantanément modelé selon les besoins de la *cause* : toujours la transgression, le risque, la joute, dans l'écho retentissant d'une musique neuve et mystérieuse. Presqu'aucun jazzman ne deviendrait pour autant un théoricien du tempérament, à l'instar des

---

364. Après tout, la gamme harmonique issue des fréquences multiples premières – octave, quinte pure, tierce pure donc un peu basse, un peu « blue note » et septième mineure harmonique –, lorsqu'elle est ramenée à sa réduction verticale, ne devient-elle pas un magnifique accord de blues ?

très nombreux compositeurs européens qui émailleront les siècles de casse-tête harmoniques, certains donnant leur nom aux gammes et tempéraments qu'ils auront théorisés ou expérimentés : Zarlino, Werckmeister, Aaron, Sauveur, Rameau[365], etc. Rien de tel dans le jazz, qui n'a que faire finalement de mettre sur papier ce qui paraît comme évident pour l'ensemble des musiciens de tradition orale : le tempérament utilisé par l'improvisateur peut se plier à ses intentions singulières et à ses particularités instrumentales ou esthétiques. Malgré tout, il ne viendrait à l'esprit de personne de vaticiner sur l'existence d'un « commun tempérament jazz ». Le tempérament égal demeure, malgré les distorsions d'usage, le mètre étalon. Même George Russell, qui nourrit les mêmes préoccupations que ses confrères baroques ou free jazzmen à l'égard d'une certaine mythologie naturaliste de la musique, ne cherche pas d'autres tempéraments que l'égal pour développer son concept chromatique lydien – la « première véritable contribution théorique venant du jazz » selon John Lewis.

Décidément, le jazz aura toujours du mal à démontrer, théoriquement et académiquement, une quelconque antériorité par rapport à la masse de réflexions et de découvertes que la musique classique occidentale archive dans d'innombrables volumes et traités. Pourtant, au début du XXᵉ siècle, une simple affirmation

---

365. Outre l'introduction de Marc Texier déjà citée, l'ouvrage de Franck Jedrzejewski, *Mathématiques des systèmes acoustiques, tempéraments et modèles contemporains* (L'Harmattan, 2002) présente, sauf les craintes que le titre peut inspirer au néophyte, un paysage très complet des différents tempéraments utilisés au fil des époques.

musicale, collective, libre et anonyme, émanant d'un peuple dont on n'attendait rien, pour la simple raison qu'il était *invisible* – pour citer Ralph Ellison – et fusionnant sans préméditation des pans de cultures musicales réminiscentes (l'Afrique) ou imposées (l'Europe), allait secouer ce magistral édifice occidental. L'idée même de tempérament égal immuable, comme celle de temps fort et temps faible, de règle harmonique tonale fixe ou de gamme diatonique, allaient être ébranlées par les faits et gestes de musiciens qui n'avaient pas pour autant conceptualisé par écrit leur révolution. Ils n'en avaient pas besoin : la transmission orale et l'enregistrement étaient leur Gutenberg – beaucoup plus volatiles mais ô combien plus directs que l'imprimé.

Schoenberg, avec notamment son *Traité d'harmonie* de 1911, qui met fin à plusieurs siècles de suprématie tonale, usera du livre, de la partition (et d'une correspondance pléthorique et passionnante) pour en venir à ses fins. Plus tard les tenants des nouveaux systèmes (non-octaviants, cycliques, dorés, etc.) et des musiques contemporaines passeront par l'édition pour mieux marquer la filiation occidentale de leur révolution en marche et graver dans le marbre leurs idées pour les générations futures (Pierre Boulez, Iannis Xenakis, Olivier Messiaen, etc.) – quand bien même les générations suivantes auraient à fournir un effort important pour y avoir accès, concrètement et intellectuellement. En revanche, le jazz ne « fait pas système ; il s'ingénie au contraire à contourner ou à subvertir tout système, qu'il soit tonal, atonal ou modal[366] ». En

---

366. J. Jamin & P. Williams, « Jazz et anthropologie », *L'Homme*, revue française d'anthropologie 2001.

acteur esthétique original et dissident, affranchi des contingences de l'industrie musicale et de l'académie savante, il ne se soucie même pas de faire école. Il offre la démonstration palpable de la plus grande liberté d'esprit face aux règles et aux dogmes, sans pose ni prosélytisme, à la disposition de celui qui, auditeur ou confrère, souhaite comprendre, suivre et relayer le geste.

Et pourquoi pas alors transformer le tempérament de son instrument, de ses intonations, de sa technique ? À ce jeu-là, Monk est le maître absolu, le « High Priest », celui qui aura poussé jusqu'au bout les possibilités d'appropriation d'un instrument des plus complexes. Il est tout sauf un instinctif de l'harmonique et de l'harmonie. Encore moins un naïf de la fréquence. Mais un véritable, et singulier, intellectuel et pédagogue, n'économisant jamais son temps pour expliquer à celui qui le souhaite vraiment les principes qu'il met en œuvre. Un maître désespérément absent des histoires de la musique et du tempérament, mais un maître quand même, qui y aurait largement sa place pour avoir impeccablement mis en pratique ses principes théoriques[367].

Car si le jazz n'est pas une affaire de système, il est en revanche amateur, et pourvoyeur, de principes. Le système impose là où le principe dispose et propose, d'une manière qui convient parfaitement à la *pensée* jazzistique. Monk, le pianiste clairvoyant, avait la

---

367. De nombreux tempéraments supposément inventés par certains compositeurs baroques n'ont toujours pas trouvé leur concrétisation musicale et physique. Monk, lui, est parfaitement documenté sur l'exécution de ses principes harmoniques.

maîtrise d'un principe global qu'il a pu sans aucun problème transmettre au saxophoniste John Coltrane, peut-être le plus attentif de ses musiciens[368] : un disciple grand amateur de principes lui-même, dont certains deviendront ses marques de fabrique. Ce sont les principes du blues – tonalité harmonique, structure de répétition, *call and response*, ambiguïté tonale – qui sont transcendés et actualisés chez Monk et Coltrane, en grands bluesmen qu'ils furent. Des principes qui sont placés devant les yeux de tous, mais ne se révèlent qu'à ceux qui ont fait le choix de les comprendre et de les mettre en pratique. Une dimension *initiatique* de la transmission que voudrait ignorer l'école – avec l'université, la méthode, le livre d'exercices systématisant, pour les besoins de la cause pédagogique de masse, l'égalité du tempérament et des tonalités, le formalisme du geste improvisé, la suprématie du graphe sur la mémoire cognitive. Un système pédagogique qui reste à mille lieues du salon de la baronne de Koenigswarter[369] ou de la scène du Five Spot de New York, où officiait le « Grand Prêtre » Monk, enseignant à ceux qui, comme Coltrane, souhaitaient connaître.

---

368. Un paradoxe de plus, si l'on songe à la fugacité du passage de Coltrane chez Monk, comparé aux autres grands saxophonistes monkiens, Sonny Rollins, Johnny Griffin, et le fidèle Charlie Rouse. Rollins sera sans doute plus proche intellectuellement et amicalement de Monk. Et Charlie Rouse aura sans doute le plus modelé son propre son au service de l'univers monkien. Mais la rencontre la plus explosive et aboutie restera celle avec Coltrane.

369. Mécène et protectrice des jazzmen, elle accueillera Monk chez elle jusqu'à la mort solitaire du pianiste en 1982.

Albert Ayler, prophète du saisissement[370]

Il me semble important de conclure notre étude sur l'engagement spirituel de John Coltrane en revenant sur la personnalité d'Albert Ayler. C'est qu'Ayler condense de manière étonnante les grands motifs – spirituels, intellectuels, musicaux – qui nous ont occupés jusque-là. Et il ne s'en impose pas moins comme un phénomène esthétique d'une radicale singularité.

Mais j'aimerais d'abord confesser une relation toute personnelle à Ayler. C'est que mon initiation au jazz aura décisivement été orientée par la découverte de l'homme et de sa musique. Ou plutôt par ma difficulté à les découvrir. Non pas à cause de mes goûts ou de mes préventions vis-à-vis de sa musique, mais bien à cause de la rareté, à l'époque, de ses références discographiques. Ainsi, jeune saxophoniste de quinze ans, je vois revenir mon père, mélomane curieux, mais à ce moment-là pas particulièrement jazzophile, totalement transformé par l'écoute d'un *Summertime* « hallucinant » sur lequel il est tombé par hasard en écoutant France Musique. Il n'a pas eu le temps de noter le nom de ce saxophoniste « magnifique », mais il est hors de question de ne pas retrouver sa trace. Nous nous procurons donc le *Dictionnaire du Jazz* qui vient de paraître chez Robert Laffont, et, par déduction, devinons l'identité de ce saxophoniste si particulier, auteur, pour son premier disque, d'une version d'anthologie du standard de Gershwin. Mais nos virées chez différents disquaires de la région aixoise et

---

[370]. Une première version de ce texte est parue dans le livre collectif *Albert Ayler, témoignages sur un Holy Ghost* (Le Mot et le Reste, 2009). Je remercie à nouveau Franck Médioni de son invitation.

marseillaise aboutissent au triste constat de la très grande rareté de cet enregistrement – alors disponible seulement en vinyle. Reste que ce que j'ai pu alors lire sur Ayler, à propos de sa vision panthéiste de la musique, de son souhait de revenir aux fondamentaux du jazz, de ses influences et de sa descendance extra-jazzistique, m'a rapidement invité à écouter Bechet, Armstrong, Rollins, Parker, Ellington, Charles Ives, Ornette, et évidemment Coltrane, dans une posture anti-stylistique qu'il me plaît encore de cultiver dans mes goûts et mes choix artistiques. Ce *Summertime* fera d'ailleurs longtemps figure d'œuvre maudite de mon apprentissage : je mettrai des années avant de pouvoir l'écouter, sans pour autant relâcher ma quête de ce Graal, qui me faisait découvrir par capillarité le vaste monde de la musique américaine et afro-américaine. Mes parents avaient eu encore l'occasion de l'écouter à la radio lors d'une diffusion que j'avais évidemment manquée, et ils m'avaient confirmé le statut unique et poignant de ce morceau de légende. Je me rappelle même, sachant qu'il possédait le disque original de cette session mythique, avoir demandé à Didier Levallet de m'en faire une copie sur cassette, et que la bande s'était cassée au moment précis où j'avais démarré le magnétophone. C'est avec stupéfaction, alors même que j'avais presque renoncé à pouvoir un jour l'écouter, que par hasard je suis tombé des années après sur la réédition CD Black Lion de *My Name Is Albert Ayler*. Je demandais au vendeur de me faire un paquet-cadeau, et assez solennellement je l'offris comme il se doit à mes parents. Que dire de la première écoute qui suivit, sinon que, loin de la déception à laquelle ce genre d'attente prédispose –

« Ce n'était que ça ? » –, l'incroyable transformation, quasi alchimique, d'un thème tant ressassé, par le génie d'un musicien d'exception, allait procurer de quoi vivre pour longtemps au saxophoniste professionnel que j'étais devenu, et qui jusque-là se sentait en manque de tant de magie musicale.

Pour autant, je n'avais pas attendu la réédition de ce disque pour me procurer d'autres enregistrements d'Ayler. Très vite après la découverte de mon père, j'avais trouvé un disque live, édité par Hat Hut, qui rendait compte de la tournée européenne du quintet d'Ayler en 1966, notamment à Paris, Berlin et Lörrach. Il y a plus souple comme initiation à Ayler, et c'est d'ailleurs ce qu'ont dû se dire les spectateurs parisiens qui avaient réservé un accueil houleux à l'orchestre, hissant ce concert au rang des grandes batailles d'Hernani de l'histoire de l'art – entre le *Sacre du Printemps* de Stravinsky et le *Déjeuner sur l'herbe* de Manet. On peut ne pas aimer cette manifeste débauche de sons. On peut aussi être choqué par une apparente simplicité naïve des thèmes. En ce qui me concerne, c'est un saisissement apeuré qui m'envahit. Surtout à l'écoute du *Japan* où Ayler abandonne le saxophone pour chanter et crier une mélopée incantatrice digne d'un pow-wow amérindien possédé, le tout suivi par un cri orchestral où Don Ayler rivalise avec Michael Sampson, violoniste classique qui fut parmi les premiers admirateurs de cette exploration ultime du bruit musical. N'ayant pas eu le courage d'arrêter le disque, j'étais sorti en courant de la pièce, avec l'étrange impression de subir une expérience surnaturelle. Et, histoire de mieux souligner l'importance du son et l'impact de son traitement chez Ayler, je me souviens de ma mère au même moment qui s'étonnait que j'écoute un disque de cornemuse[370bis] !

Mais peur ne signifie pas dégoût, puisque j'ai très vite nourri une attirance magnétique pour ce disque et, bientôt pour toute l'œuvre d'Ayler. La peur est d'ailleurs un élément important de la constitution musicale. N'a-t-elle pas d'ailleurs participé à la naissance même de la musique ? Militairement d'abord : on connaît la supériorité « musicale » des légions romaines face à leurs adversaires, conquise par l'usage de cuivres, percussions, et – décidément ! – cornemuses : n'oublions pas que les Britanniques et les Celtes ont hérité cet instrument emblématique des Romains. Religieusement ensuite, puisque la musique liturgique contribuera à maintenir une « sainte crainte » de Dieu, des prêtres ou des éléments surnaturels : l'orgue, autre grand instrument du saisissement, sera considéré par sa capacité à provoquer un sentiment sonore de terreur, comme un outil de propagande par le pouvoir ecclésiastique. Si le sacré est l'endroit de la règle, du rituel, de l'intemporel – en opposition au profane qui embrasse le libre arbitre, le quotidien, le personnel –, la crainte y tient un rôle décisif de sidération. Le stade primitif et universel des musiques sacrées se caractérise ainsi, démontre le musicologue Alain Daniélou, par le recours démonstratif, bruitiste, intensif aux percussions, sonnailles, cuivres, métallophones : soit dans un but d'exorcisme – faire peur aux esprits malins –, soit dans un but de « terreur sacrée [371] » – faire peur aux fidèles.

370bis. il ne s'agissait pourtant pas de « Masonic Inborn », mais bel et bien d'un jeu de saxophone aylérien particulièrement intense !

371. A. Daniélou, *Origines et pouvoirs de la musique*, Kailash, 2003.

Constatant la place essentielle du sacré chez nombre de jazzmen, nous serons alors particulièrement attentifs au traitement du son et à l'utilisation d'instruments sonores d'origines diverses dans le free jazz, période riche en témoignages religieux, spirituels, métaphysiques, voire en manifestations mystiques.

Après avoir exploré l'attitude mystique de John Coltrane et la métaphysique humaniste de Duke Ellington, je voudrais affirmer ici, au risque de choquer, qu'Ayler représente, lui, un courant beaucoup plus liturgique : qu'il est à proprement parler un homme et un musicien religieux. Il est vrai qu'à son propos, on parle facilement de « mystique » : terme flou, on l'a dit, qui ici permet d'évoquer la magnifique et naïve vision d'Ayler, sans pour autant oblitérer sa joyeuse et dangereuse révolution sonore. C'est oublier d'abord que le mystique est celui qui « a vu » ou du moins qui a vécu une expérience d'unicité avec l'enjeu de sa quête, au point d'en avoir, par expérience, la connaissance absolue. C'est, nous l'avons vu, le cas de John Coltrane. Ayler quant à lui apparaît beaucoup plus préoccupé de religion – au sens du latin *religare* : la capacité à relier les hommes entre eux par une foi commune. Et sans doute l'atmosphère politique et spirituelle des années 1960 a-t-elle parasité une plus juste compréhension du message aylerien. La décennie de la contre-culture voit en effet surgir, à un niveau international, la manifestation d'idées révolutionnaires et l'expérimentation de spiritualités nouvelles, notamment orientales. N'a-t-on pas trop voulu lire les actes musicaux d'Albert Ayler à l'aune de cette double tendance ? Ayler, à juste titre totalement affilié au mouvement contre-culturel, a peut-être souffert d'une accentuation trop prononcée de ses convictions politiques – réelles, du moins en ce qui concerne son engagement pour les droits civiques et la place des Noirs aux États-Unis[372] – au détriment de la dimension religieuse de son œuvre, qui ne collait pas forcément à l'idée que l'on pouvait se faire d'un activiste militant. Et sans doute les références spirituelles propres à la contre-culture – exotique avec le titre *Universal Indians*, *new age* avec *Spiritual Rebirth*, *Love Flower*, *Omega*, *Island Harvest* ou *Dancing Flowers* – ont pu faire oublier que les références bibliques, chrétiennes, évangéliques, restent prépondérantes, ne serait-ce que dans les titres des compositions : *Bells*, *Holy Family*, *Angels*, *Zion Hill*, *Holy Holy*, *Holy Ghost*, *Divine Peacemaker*, *Spirits Rejoice*, *Saints*, le *Our Prayer* de son frère Don, et le prophétisme de *Truth Is Marching In*, suivi de *Prophecy*, puis de *Prophet* – qui deviendra à Berlin en 1966, *Jesus*.

« Religieux », ici, ne renvoie pas à une quelconque bigoterie. Mais à la manifestation explicite, presque de la veine du prosélytisme, d'un désir de communauté – à l'inverse du mystique. Appartenance, d'abord, à une communauté d'esprit universel en plein essor – voyez les *Universal Thoughts*, *Infinite Spirit*, *A Man Is Like a Tree*. Mais aussi appartenance militante à la société afro-américaine – perceptible aussi bien dans ses compositions, telle *Change Has Come*, que dans son recueil de negro-spiritual, *Goin' Home*, magnifique hommage à l'ancestrale musique sacrée du peuple noir américain. Parce que cette bande ne

---

372 *Cf.* les interviews d'Ayler par Nat Hentoff dans *Down Beat* et *Vogue* en 1966.

fut pas alors publiée, certains considèrent ce recueil comme une démo plus qu'un véritable disque. Le biographe Jeff Schwarz estime normal que cette session n'a pas été publiée, puisque Ayler « n'improvise pas » ! Comme s'il s'agissait d'une bonne raison ! Albert Ayler en effet n'improvise (presque) pas, mais se concentre sur la nature mélodique de ces chants qui appartiennent au patrimoine universel du peuple afro-américain. Son approche sonore, l'interprétation mélodique de chaque chant, le choix judicieux du répertoire font en fait de cet album, sorti pour la première fois dans les années 1980, un chef-d'œuvre poétique, liturgique et mémoriel – au même titre que le *Good Book* d'Armstrong. Ayler semble tant respecter le caractère si spécial de ce répertoire qu'il conçoit chaque morceau comme une interprétation qui se suffit à elle-même – sans développement intempestif. *Goin' Home* rejoint les œuvres intemporelles du jazz, telles *Crepuscule With Nellie* de Monk ou *Come Sunday* d'Ellington, où solo, bavardage même intelligent, babillage de chorus à la chaîne, n'y ont pas de place. Formellement, Ayler concentre toute son attention sur Call Cobbs, pianiste récurent de ses disques et concerts, sans pour autant être affilié à la mouvance free – il accompagna Billie Holiday et Johnny Hodges, et servit de guide à Art Tatum, le génial virtuose aveugle du piano. Si Henry Grimes (contrebasse) et Sunny Murray (batterie) ont les coudées assez franches, Call Cobbs, lui, ne lâche jamais la structure harmonique de ces gospels et spirituals qui, d'ailleurs, conviennent parfaitement à sa technique rhapsodique. Il est d'ailleurs éclairant de comparer leur version de *Goin' Home* à celle de Paul Robeson au

Carnegie Hall en 1958 — concert qui marque le retour en grâce de cet immense artiste, activiste admiré de tous ses confrères et militants afro-américains. C'est comme si Ayler et Cobbs cherchaient à retrouver, avec succès, la majesté du chant de Robeson : la mélodie prime sur tout le reste, et seule l'intensité de l'interprétation et du vibrato viennent sublimer un cri intérieur, mais tout aussi saisissant que les grandes improvisations du cri d'Ayler à Paris en 1966, ou des tournoiements funky et saturés du concert à la Fondation Maeght en 1970[372bis].

Goin' Home, un des premiers disques d'Ayler, manifeste si besoin l'immense talent mélodique du saxophoniste, et l'approche révolutionnaire d'un son virtuose et habité. Il témoigne aussi de l'intention du

---

372bis. Cette filiation entre Robeson et Ayler est d'autant plus pertinente qu'elle s'inscrit dans une histoire musicale de l'émancipation édifiante, mais quelque peu oublié. Robeson est le légataire de ce groupe de musiciens pédagogues, militants et théoriciens afro-américains qui accompagnèrent le compositeur tchèque Anton Dvořák dans sa direction du conservatoire de New York en 1892. Parmi ces jeunes musiciens, Will Marion Cook, le futur professeur de Duke Ellington, Will Vodery, Harry T. Burleigh, ce dernier réunissant un recueil de negro-spirituals dans une édition qui allait devenir un classique. Ce sont ces spirituals qu'interpretera Robeson, et dans un registre différent mais clairement affilié, Ayler. Le fameux *Goin' Home*, qui donne le titre de l'album d'Ayler, et qui est un tube de Robeson, est issu de la fameuse *Symphonie du Nouveau Monde* de Dvořák, qui n'a eu de cesse de rendre hommage à la musique noire américaine qu'il avait découvert lors de son séjour. Tout ceci illustre si besoin l'enracinement de l'activisme musical d'Ayler, à travers une histoire profonde et étendue, tout comme la place prépondérante de Robeson dans cet imaginaire de l'émancipation musicale.

musicien vis-à-vis d'une musique qu'il souhaite globale dans son histoire et populaire dans son essence. Sans distinction réelle, finalement, entre ses racines et ses expérimentations :

> « D'une simple mélodie, à des textures complexes, puis de nouveau à la simplicité et, de là, jusqu'aux sons les plus complexes, les plus denses, écrit-il en 1967. (...) Nous essayons de faire maintenant ce que faisaient au début des musiciens comme Armstrong : leur musique était réjouissance. Et c'était la beauté qui apparaissait. C'était ainsi au début, ce sera ainsi à la fin. Un jour tout sera comme il doit être. »

Je comprends que les amateurs d'hier et d'aujourd'hui d'Albert Ayler aient du mal à envisager le lien qui pourtant existe entre son avant-gardisme et son attachement à un discours si traditionnel qu'il paraît passéiste et dépassé aux yeux de la plupart d'entre nous. Entre le saxophoniste illuminé de Cleveland et les intellectuels, militants, amateurs de jazz expérimental, il y a un mouvement de « répulsion-addiction[373] » envers ce que véhicule de primaire, de religieux, voire de superstitieux, l'œuvre d'Ayler. Et pourtant, en se rendant à cette évidence, nous n'enlèverons rien à la dimension révolutionnaire de l'immense artiste qu'il était. Bien au contraire, de tous les acteurs de la free music des années 1960 revendiquant à la fois affiliation immémoriale et expression

---

373. *Cf.* Jedediah Sklower, « Rebel with a wrong cause. Albert Ayler et la signification du free jazz en France (1959-1971) », *Volume !* n° 6, vol. 1 & 2, 2008.

contemporaine, Ayler est selon moi celui qui aura réussi l'alchimie impossible d'une musique ancestrale et nouvelle, enracinée et révolutionnaire. Selon la tradition, seule une foi profonde et une connaissance ample permettent à l'alchimiste de parvenir à ses fins : de transformer le plomb en or. Ayler fait figure d'alchimiste – comme Monk –, mais plus encore de prophète. Et rien de tel, pour mieux appréhender sa dimension religieuse, que de se replonger dans ce texte hallucinant, *To Mr Jones – I Had a Vision*, qu'Ayler compose en 1969 pour la revue *The Cricket* d'Amiri Baraka et A. B. Spellman. Il y mélange allégrement ufologie, prédication, moralisme, hygiénisme, végétarisme, et y fait preuve d'un prophétisme strict – radicalement différent en cela de l'offrande mystique de Coltrane dans *A Love Supreme* –, prenant parfois même des accents apocalyptiques – ce qui ne manquera pas de nous faire méditer sur son destin funeste et sa fin prochaine. Appelant d'autres figures prophétiques à son secours, comme Elijah Muhammad et surtout Jésus-Christ, il prédit la venue imminente de la Nouvelle Jérusalem, et parsème son texte de références bibliques, citées avec pertinence, pour appuyer son propos. La dimension éminemment religieuse du texte ne saurait être contredite. Mais plus encore un paragraphe de ce récit nous interpellera :

> « Un matin, je fus réveillé par tous les enfants à l'étage qui couraient vers les fenêtres à cause d'un bruit, dehors, si perçant qu'il en était paralysant. Il m'a été révélé quelques semaines plus tard que c'était Gabriel qui sonnait l'alerte. C'était bien l'ange de Jésus qui se tient debout à sa droite et ce Gabriel

est l'esprit du son et de la force. Le son a duré cinq minutes. Tout va arriver vite maintenant, alors tenons-nous prêts. »

Love Cry ! Il avait composé ce thème pour l'album éponyme, en 1967. Une sublime mélopée, répétitive et incantatoire, où le saxophone et la trompette précèdent sa fameuse voix de fausset venue manifester sa conviction : la fraternité, l'amour, le sacré, ne trouvent à se révéler qu'à travers le cri, la terreur, la violence – comme un écho iconoclaste aux fameuses thèses de René Girard sur *La Violence et le sacré*, avec un Ayler à la fin si tragique, dans le rôle du bouc émissaire sacrifié par la communauté. Le son, la force du son, le saisissement du son, la paralysie qu'il peut provoquer, la prophétie d'un amour suprême qu'il peut annoncer : n'est-ce pas cela que j'ai ressenti au plus profond de mon être, il y a vingt ans, lorsque pour la première fois, effrayé, j'ai écouté Albert Ayler ? Mais après la répulsion, l'addiction : ce qu'il tentait alors de me dire par la musique, message si étranger à ce que je suis, allait pourtant, de manière irrémédiable, changer mon rapport à la beauté – comme des milliers d'autres personnes de par le monde, saisies par la foi unique qu'il prêchait.

4.
In a Sentimental Mood :
pérennité et solitude

Je n'en revenais pas, les joies d'Internet et de Wikipédia ! Dans la page de discussion de l'article francophone sur Coltrane, quelques « experts » jugent que l'album *Duke Ellington & John Coltrane* n'est pas représentatif de l'œuvre de ce dernier, et qu'il convient de le retirer de la rubrique « Collaborations » ! Hérésie et consternation !

Le 26 septembre 1962, c'est un miracle, et un événement historique, qui a lieu dans le studio de Rudy Van Gelder – qui en a pourtant vu d'autres. Par l'entremise du clairvoyant producteur Bob Thiele, Duke Ellington, celui sans qui le jazz ne serait pas ce qu'il est, et John Coltrane, celui par qui le jazz sera ce qu'il doit être, sont ensemble. Prêts à enregistrer. Chacun est venu avec son batteur et son bassiste, qui se mélangeront au gré des morceaux. La nature des deux hommes, deux créateurs parmi les plus attentifs qui soient, fait que la séance s'annonce fraternelle, respectueuse, concentrée, fertile : portée par ce même sens du jeu, à la fois concret et spirituel, qui risque fort d'offrir un inestimable plus à la musique. Et la musique est bel et bien là. Seule l'expérience quasi ancestrale du Duke lui donne assez d'autorité pour alléger les manières inquiètes d'un Coltrane qui a plutôt l'habitude d'enregistrer de nombreuses versions d'un même thème. Et effectivement, une seule prise de *In a Sentimental Mood* suffit à ce que chacun trouve la justesse de ton, d'intensité et d'onirisme – manifeste dès les premières secondes. Cette romance admirablement construite, sans doute un des thèmes ellingtoniens les plus récurrents, révèle alors des richesses d'imagination et d'esprit insoupçonnées. Coltrane en fait immédiatement un chant profond et quasi irréel, que Duke introduit par un leitmotiv impressionniste qui se joue de la pulsation et des modulations. Johnny Hodges lui-même, grand interprète ellingtonien s'il en est, dira toute l'admiration qu'il porte à la version coltranienne de *In a Sentimental Mood*. Le disque entier est un chef-d'œuvre qui se moque des générations, des styles, des polémiques stériles, et hisse au plus haut l'esprit d'une musique sans contrainte. Par-delà la différence de parcours, nos deux explorateurs se découvrent une émouvante affinité spirituelle – entre le Duke compositeur métaphysique et fraternel, et le Coltrane arpenteur mystique, humble serviteur de son propre génie. Car *Duke Ellington & John Coltrane* est un titre qui sonne comme un manifeste : il n'affiche aucun concept si ce n'est celui de la rencontre. Et ici, aucun thème de la liturgie ellingtonienne ou du mysticisme coltranien ne sont nécessaires. C'est un répertoire plutôt conventionnel qui suffit à dire l'essentiel : le jazz – en tout cas cette musique de l'instant, de la vie, de l'imaginaire – est par essence spirituelle, par-delà le sacré et le profane et par l'entremise de ses créateurs. Car c'est aussi, c'est d'abord, la force de la rencontre qui porte l'esprit de cette musique. Et c'est sans doute ce que se sont dit Jimmie Rodgers, le père de la country, et Louis Armstrong lorsqu'ils enregistrèrent ensemble le remarquable *Blue Yodel n° 9* en 1931 : pas de frontières ethniques, religieuses, esthétiques qui tiennent, la force spirituelle est là. Des bars interlopes de Philadelphie à *A Love Supreme*, des pistes de danse du Cotton Club à la cathédrale de San Francisco, Coltrane et Ellington auront eux aussi démontré l'extraordinaire plasticité d'un esprit qui échappe à toute assignation. Tel est *The Feeling of Jazz*, composition ellingtonienne avec laquelle Duke et Trane concluent leur magnifique et unique échange.

Ainsi, loin des clichés qui saturent la mythologie du jazz, avons-nous vu apparaître, en la figure de John Coltrane, un artiste total, porteur d'un projet précis, au service d'un message. Et ce message est un don fait à l'humanité par un homme qui a su témoigner, mais sans prosélytisme, de sa rencontre divine. Un homme qui a su traverser ses doutes et ses tourments pour délivrer le plus profond message de paix et de compassion. Un homme qui souhaitait humblement accéder au statut de saint et qui devint par la force des choses un mystique. Le seul, d'ailleurs, d'une discipline musicale qui compte beaucoup de vrais ou faux prophètes, d'illuminés, de sectateurs, de gourous, d'initiés, d'humbles artisans, de chercheurs d'absolu. Mais encore une fois, ne confondons pas ce qui relève de la quête spirituelle, métaphysique, initiatique – le sublime récit œcuménique et fraternel que Duke Ellington déploie à travers ses concerts sacrés –, ce qui relève du phénomène religieux – Mary Lou Williams dans le magnifique *Black Christ of the Andes*, le negro-spiritual ou le gospel en général, et bien sûr, la fulgurante singularité d'Albert Ayler –, et ce qui relève de l'état mystique.

Certains musiciens peuvent évidemment développer une « mystique intimité » avec leur art – pensons à Keith Jarrett. Et l'on peut même songer à l'incroyable intimité qui relie Pharoah Sanders à Coltrane, – il est en quelque sorte un mystique de Coltrane. Mais ils sont peu à pouvoir se comparer à l'interprète inspiré de *My Favorite Things*, tant musicalement que spirituellement. Car comprendre la nature profonde du mysticisme de John Coltrane, c'est justement se garder d'un enthousiasme dévot pour le personnage, à l'image la St. John's African Orthodox Church de San Francisco, qui, en sanctifiant Coltrane selon le rite orthodoxe, a en quelque sorte transformé sa nature mystique en une doctrine religieuse. Et c'est abandonner les interprétations trop réductrices pour enfin pénétrer véritablement au cœur de son œuvre : là où les subterfuges sont aussi des rituels et où les aventures de l'esprit trouvent à se relancer par-delà le sentiment nihiliste de notre temps.

Dans ces pages, finalement, nous n'avons pas parlé tant que cela de saxophone. Mais Coltrane est-il seulement saxophoniste ? Lorsque, « soufflant » débutant de quinze ans, je rencontre sa musique – un choc inouï, évidemment –, les renseignements que je peux recueillir à son sujet me laissent dans l'expectative. Pourquoi focaliser sur la seule dimension technique du saxophoniste, certes hallucinante, alors que l'aura du compositeur s'avère tout aussi éclatante ? Les domaines de l'harmonie, des harmoniques, de la tonalité, de la modulation, du son et de la mélodie – autant de sciences familières aux plus grands compositeurs – sont chez John Coltrane si maîtrisés que l'on peut s'interroger sur la relative indifférence quant à sa stature de compositeur. On rétorque généralement que la force d'improvisation, la technique et l'implication musicale de Coltrane sont si puissantes qu'elles dépassent, en elles-mêmes, l'écriture. N'est-ce pas plutôt une manière de se protéger d'une inspiration trop exigeante pour le commun des mortels ? Une inspiration où se côtoient de si près la mort, le sacré et l'extase ? La composition représente en général le cœur du projet musical[374]. Le son, quant à lui, est son souffle – *spiritus* en latin. En ce qui concerne John Coltrane, ni l'une ni l'autre de ces dimensions essentielles ne font actuellement l'objet d'un travail de mémoire[375] ou de pédagogie. La technique harmonique et instrumentale a seule voix au chapitre chez les nouvelles générations, comme une accession superficielle, bâclée même, au savoir coltranien. *Giant Steps*, étape certes importante chez Coltrane, mais qui jamais ne fut une fin en soi – plutôt un exercice de luxe menacé d'une certaine stérilité –, devient, dans les conservatoires et universités, une méthode à part entière. Il éclipse ainsi les dimensions essentielles qui ont constitué la magnifique confrérie du souffle et du son, que nous avons découvert. De ce point de vue, il n'y a pas d'héritage coltranien. John Coltrane restera-t-il un mystique solitaire ?

---

374. Et d'ailleurs, l'improvisation et la composition sont-elles seulement différentes, selon les termes du concept de *real time composition* cher au pianiste Yaron Herman ? Nous pourrions nous interroger sur cette nécessaire unité entre spontanéité, écriture et oralité pour les jazzmen qui, comme Coltrane, développent une vision spirituelle de la musique.

375. Excepté l'étude récente de Ben Ratliff, *John Coltrane : The Story of a Sound*, cit.

Manifeste pour le geste en guise de conclusion

Septembre 2012. L'été s'étire et, aux abords de la Grande halle de la Villette, les habitants de l'Est parisien viennent profiter de la douceur de la journée, avant une rentrée « de crise » qui s'annonce sévère. Les pelouses vastes, les récréatives structures métalliques et l'atmosphère culturelle du parc invitent à se poser, méditer, partager, prendre le temps, jouer. Nous sommes en plein « Jazz à la Villette », la musique est partout, mais sur les scènes de la Villette, l'ambiance n'est cependant pas à la rêverie.

Dans la salle Boris Vian, elle est même particulièrement studieuse. Là s'y trame un de ces moments rares que seul le jazz s'entend à inventer : à la fois chargé d'histoire et profondément actuel. Le saxophoniste Archie Shepp, accompagné d'un orchestre inédit de vingt-six musiciens, reprend son album mythique de 1972, *Attica Blues*. Cette suite de compositions écrite avec Cal Massey rend compte des événements de la prison d'Attica : le meurtre de George Jackson, militant du Black Panther Party, y avait provoqué une mutinerie réprimée dans le sang – trente-neuf morts, dont vingt-neuf parmi les détenus, et dix parmi les policiers. Ce disque est sans aucun doute l'un des manifestes les plus importants de l'histoire des droits civiques. S'il a déjà été rejoué et réenregistré à Paris, au Palais des Glaces, en 1978, sa recréation aujourd'hui prend des accents novateurs – et pas seulement pour ses résonances étonnantes avec notre époque trouble. L'orchestre, dont j'ai la joie de faire partie, est un condensé de l'épopée jazz. Sont présentes les légendes de la musique noire américaine : Archie évidemment, l'impérial Famoudou Don Moye, le batteur de l'Art Ensemble of Chicago, et l'immense Amina Claudine Myers, si émouvante au piano comme à la voix. Mais aussi la jeune garde créative américaine : Ambrose Akinmusire, incroyable, ou la jeune et remarquable vocaliste Cécile McLorin. Des professionnels expérimentés de la musique improvisée, tels les Nord-Américains François Théberge, Daryl Hall, Tom McClung ou les Français Sébastien Llado et Christophe Leloil. Des jeunes musiciens promis à un bel avenir tel Olivier Chaussade, Olivier Miconi, Jean-Philippe Scali, Pierre Durand, Michael Ballue, Izidor Leitinger, ou, pour ce qui est de la jeune scène marseillaise et sudiste, Marion Rampal, Simon Sieger, Romain Morello. Il y a enfin un jeune quatuor à cordes classique, étonnement à l'aise. Je ne crois pas me souvenir d'un moment d'échange aussi intense entre générations et entre nationalités. Les regards attentifs ne trompent pas : l'instant est historique, et chacun profite pleinement de chaque seconde.

Archie Shepp joue avec son *big band* comme d'un instrument à part entière. Il prend le temps de changer un accord qui ne lui convient plus, d'accélérer un tempo ou d'en ralentir un autre. Aucun morceau du célèbre album ne manque, mais aucun n'est joué dans sa version originale. Oui, ça tâtonne et ça cherche. La mémoire fait parfois défaut. Comme une assurance contre tout passéisme, tout risque de fétichisme. C'est l'esprit qui est là. Parfois, face à notre envie de surjouer le blues, le groove, la danse d'un morceau comme *Blues for Brother George Jackson*, Archie Shepp nous rappelle aimablement mais fermement que ce n'est pas une chanson joyeuse, ce n'est pas une fête : George Jackson a été tué par les policiers lorsqu'il tenta de s'évader de la prison de San Quentin, Californie. Même rappel à l'ordre avec *Steam*, que nous serions tentés d'interpréter comme une magnifique valse swing, mais qui est pourtant dédiée à son cousin mort à quinze ans lors d'une bataille de gangs à Philadelphie. Pour autant le swing est bien là. Nous vivons pleinement le paradoxe ontologique de cette musique. Comme à la Nouvelle-Orléans, les funérailles sont tristes mais elles convoquent le corps et la danse. Ces quelques jours sont vécus par nous tous comme une université populaire du rythme, du *shout*, et surtout du blues – Archie demeurant incontestablement le maître du genre. Le « bleu » est partout ! Le jour du concert, face à une salle pleine, et qui témoigne du même mélange de générations que l'orchestre, je ne réprime pas mon émotion lors d'un *The Cry of My People* ou *Ballad for a Child* qui tireraient des larmes à n'importe qui.

L'esprit est bel et bien là. Mais l'esprit de quoi au juste ? Du jazz ? La veille du concert, *Libération* consacre un article à cette recréation[376]. Archie Shepp y exprime sa méfiance envers le terme « jazz » : « Je ne suis pas le seul, Max Roach, Yusef Lateef et d'autres

---

376. *Libération* daté du 7 septembre 2012, article de Dominique Queillé.

contestaient aussi ce mot qui viendrait de "jass" en occitan. » À la lecture de l'article, je suis fier de cette possible racine occitane, mais, même si ces réticences sont bien connues, je ne peux m'empêcher d'éprouver une certaine perplexité. N'est-ce pas Archie Shepp qui s'exprimait ainsi en manière de manifeste : « Je suis jazz, c'est ma vie », dans le magnifique documentaire éponyme de Frank Cassenti ? À bien y réfléchir pourtant, je finis par comprendre que la solution est là, quintessence de l'ambivalence de cette musique sans attache : *on ne joue pas du jazz, mais on est, ou on n'est pas, jazz*. Le jazz est vécu. Il n'est pas un genre, encore moins un style, il est un acte. Son esprit s'exprime dans les marges de son histoire, l'attitude de ses acteurs, ses sources d'inspiration spirituelles, ses racines si diverses, et dans la transgression qu'il opère sur toutes choses – provoquant admiration, ignorance ou sarcasme, parfois tout cela en même temps.

Une musique de trahison !

Oui, je me suis toujours dit que l'on apprenait plus sur un sujet de la part de ceux qui ne l'apprécient pas que de ceux qui l'admirent. Car on aime souvent le jazz pour des raisons superficielles ou anecdotiques : « C'est la musique de ma jeunesse ! » ; « Le jazz, c'est la liberté » – comme si Mozart ou Pink Floyd avaient produit des musiques prisonnières. « J'ai embrassé pour la première fois sur du Sydney Bechet. » Autant de raisons certes louables, mais qui ne disent cependant rien de la musique en question. La rubrique que publiait *Jazzman* à une époque : « Ceux qui aiment le jazz », témoignages de personnalités du *show bizz*, de la culture, des médias, était, à ce titre, édifiante. N'aurait-il pas été tout aussi judicieux de demander à quelques personnalités importantes les raisons de leur aversion? Dans une rubrique « Ceux qui n'aiment pas le jazz » auraient trouvé place des penseurs et artistes aussi notables que Pierre Boulez, John Cage, Michel Onfray[377] ou Theodor Adorno, pour qui cette musique représente quelque chose d'indéfini, de suspect, d'incompréhensible. Ainsi Claude Lévi-Strauss, dans un court et touchant article[378], explique en 1959 son désintéressement progressif. Après un vif attrait de jeunesse, il a le sentiment que le jazz et lui-même évoluent dans des directions opposées, et ne trouve plus aucun plaisir à son écoute. Patrick Williams voit dans cet éloignement d'une figure aussi marquante l'une des raisons de l'absence chronique du jazz dans le champ des sciences humaines[379].

Reste que ces manifestations de suspicion visent paradoxalement juste. D'après Claude Lévi-Strauss, le jazz change: oui, il change et ne reste jamais là où on pense qu'il est, ou là où on aimerait qu'il reste. D'après Theodor Adorno, le jazz est la manifestation

---

[377]. Dans une communication personnelle, le philosophe m'avouait sincèrement n'avoir jamais réussi à « entrer » dans cette musique, lui qui pourtant n'avait aucun problème à travailler avec et sur du Pascal Dusapin (par ailleurs grand amateur de jazz!).

[378]. Repris dans les *Cahiers du Jazz* n° 6, 2009.

[379]. Patrick Williams s'exprimait ainsi lors de notre séminaire d'apprentissage artistique que ma compagnie Nine Spirit organisait en octobre 2010 à la Cité de la musique de Marseille. Voir son ouvrage, coécrit avec Jean Jamin: *Une anthropologie du jazz*, CNRS éditions, 2010.

de vulgarité marchande : oui, le jazz est né dans le contexte populaire de l'industrialisation et de la médiatisation des arts. Il en est même l'une des premières et inédites créations. D'après Pierre Boulez, le jazz use toujours des mêmes schémas thématiques, ressasse, ânonne, tombe dans le piège cyclique de l'improvisation musicale la plus basique, et systématise les effets de tension/détente et de crescendo/decrescendo : oui, le jazz est une musique de motifs qui plonge ses racines dans le contexte afrologique de la question/réponse et de la répétition, et parvient ainsi à survivre et résister face à la domination intellectuelle eurologique. D'après John Cage, le jazz regarde trop son passé pour servir la cause juste de la future musique universelle : oui, parce que le jazz est la musique du présent de chacun plutôt que l'hypothétique avenir de la musique de tous, il convoque le souvenir d'une histoire dont il peut être fier afin de nourrir un projet qui, malgré les mauvais augures, n'a finalement jamais failli. Oui, ceux qui n'aiment pas le jazz nous apprennent beaucoup plus sur ce qu'est concrètement cette musique. Sa force de transgression déstabilise et inquiète, même si chez chacun de ces critiques, nous pouvons deviner une attirance initiale. Consciemment ou non, les pourfendeurs et les dédaigneux du jazz ont eu malgré tout un regard qui, souvent, naissait d'un désir envers l'objet mystérieux, fantasmé ou mythifié. D'une manière ou d'une autre, nous sentons une attente qui n'a pu être comblée, comme chez Lévi-Strauss qui avoue un amour de jeunesse qui s'étiole, ou Walter Benjamin qui n'arrive pas à réprimer un pas de danse à l'écoute d'un orchestre de jazz.

Et peut-être, devrions-nous accepter que, plus qu'une musique de transgression, le jazz soit une musique de trahison. Il trahit les attentes de ceux qui y voient une musique universelle et de ceux qui y lisent une claire filiation ethnique. Il trahit les espoirs de ceux qui aimeraient qu'il reste populaire, et de ceux qui souhaitent qu'il devienne un pur outil d'expérimentation. Dès son apparition, le jazz a trahi ses fans qui désirèrent son intemporelle fixité stylistique – Hugues Panassié – et ceux qui prévoyaient pour lui le développement le plus efficient – André Hodeir. Le monde du jazz lui-même ne compte plus ceux, musiciens et amateurs, qui se sentent trahis par la musique qu'ils vénèrent : ils ne supportent plus son évolution ou sa stagnation, sa récupération ou son impopularité – autant de motifs contradictoires qui empêchent toute réconciliation entre ceux qui pourtant aiment la même musique. Le jazz est le plus formidable roc sur lequel se cassent et se casseront encore les dents, ceux qui voudraient l'assigner aux définitions strictes, aux analyses formalistes, aux explications rationnelles. Chercher à tout prix à affirmer, sentencieusement, ce qui est du jazz et ce qu'il n'en est pas, revient à trahir l'esprit du jazz. Si telle est notre ambition, laissons tomber. Le jazz, par nature, nous trahira en retour. Il le fera comme il l'a toujours fait, et nous l'aurons bien cherché. Il nous reste donc à participer à son esprit, son état d'esprit, sa spiritualité ancrée dans l'immanence. Ceux qui vivent le jazz, à l'instar d'Archie Shepp, ceux qui « sont jazz », ont alors tout loisir de ne plus revendiquer le mot. Le mot « jazz » est l'enjeu de récupérations médiatiques, commerciales ou académiques. Mais ceux qui vivent le jazz – Duke Ellington,

Max Roach, Randy Weston, Miles Davis, Ahmad Jamal, Lester Bowie, John Coltrane, Yusef Lateef, Ornette Coleman et consorts – savent alors quoi répondre. En substance : nous jouons la *Great Black Music* (Lester Bowie et l'AACM), l'*American Classic Music* (Ahmad Jamal) ou simplement de la bonne musique en opposition à la mauvaise (Duke Ellington). Vivre le jazz, c'est alors moins « le faire » qu'éprouver l'intemporalité, la profonde historicité et la singulière spiritualité d'un geste musical quotidien mais qui échappe au profane : il est une musique des sphères et des astres (Sun Ra, Steve Coleman, Roswell Rudd, ou Miles Davis), musique de l'antiquité africaine (Sun Ra, Duke Ellington, AACM, ou Phil Cohran), musique ésotérique (Steve Coleman, Anthony Braxton), musique de la nouvelle pensée magique, chamanique ou occulte (Keith Jarrett, Jim Pepper, John Zorn), musique du corps et de l'esprit (Cecil Taylor), musique d'une identité révolutionnaire (Archie Shepp), ou chant de prière d'un mystique privilégié (John Coltrane), d'un prophète extraordinaire (Albert Ayler), d'un profond croyant (Charles Gayle, Mary Lou Williams), plus encore chant de prière œcuménique pour tous (Louis Armstrong, Duke Ellington, Dave Brubeck). Le jazz représente l'esprit sacré de la vie qui se manifeste en toute chose. Un souffle immarcescible, qui s'incarne en ses musiciens, sincères adeptes, libérés des habitudes du quotidien et des dogmes religieux.

Pas de paradoxe

Il nous faut alors comprendre l'ultime paradoxe du jazz. Ce paradoxe, c'est qu'il n'y a pas de paradoxe. Au moment où la musique devient acte, au moment où le musicien laisse se manifester le fruit de son travail et de son imaginaire, il n'y a plus alors ambiguïté, contradiction, interrogation. Lorsqu'il se matérialise sur scène ou sur disque, le résultat pourtant complexe d'un désir occulte et d'inspirations ésotériques, affirme sa formidable unicité. Archie Shepp nous avait habitués, après quelques jours de répétition, à le voir prendre le temps de la réflexion, à remodeler sans cesse son ébauche, à remettre le travail sur l'établi. Je me souviens des nombreuses fois où il arrêtait l'orchestre, s'avançait vers le piano, et essayait une multitude d'accords avant de trouver celui qui lui convenait : une seule mesure sur deux heures de répertoire. Peu importe que l'accord change le lendemain. Nous savons pertinemment qu'au moment du concert, qu'au moment où Archie embouchera son saxophone, chantera son premier blues, tout doute nous quittera. Son autorité est d'autant plus forte qu'elle repose sur un questionnement profond, et jamais inopportun. « Apprends et oublie » disait Charlie Parker. Le temps de la réflexion et du doute sont pour l'avant et l'après. Le jazz demande l'abandon à l'instant. Il rassemble alors la multitude de ses influences et de ses pensées en un seul et unique geste. Autrement dit : *le jazz, c'est le geste*. Et comme tout geste, il énerve par son opportunisme, il gêne par sa complaisance, il perturbe par son attitude et son altitude. Mais plus encore, le geste du jazz dérange et fascine par sa sacralisation du temps – et du présent.

« Le jazz est fondamentalement une musique sacrée » confirme l'écrivain américain Ishmael

Reed[380]. Le sens qu'il en donne n'est pas religieux, du moins sûrement pas cultuel. Certes, le sacré dont il est question ici régit, organise, ritualise. Mais il n'a pas grand-chose à voir avec la liturgie musicale occidentale. À l'instar du Djeuze Grou, qui personnifie le principe spirituel créateur de la culture afro-américaine dans le roman de Reed, *Mumbo Jumbo*, le sacré à l'œuvre dans le jazz est le garant d'un secret bien gardé, et d'un savoir-faire ancestral issu des pratiques du rite, de l'invocation et de la dévotion envers la nature, le corps et l'esprit. « Il n'est d'ailleurs pas innocent que les églises chrétiennes noires qui sont baptisées « africaines » parlent plutôt de l'Esprit saint que de Jésus! » ajoute Reed. C'est le geste, le corps, la voix qui font acte de dévotion et incarnent l'esprit d'une musique qui réinvente sans cesse le présent. La religion sacralise le passé. Les utopies sont la foi en l'avenir. Le spirituel, lui, est l'esprit du présent. Et le jazz, musique du geste, en est l'incarnation.

Le présent sacralisé

C'est qu'à vrai dire, aucune autre musique ni aucun autre mouvement artistique n'ont cultivé une telle proximité avec l'instant vécu par celui qui le joue ou celui qui l'écoute. Le jazz n'est pas sacré en soi, mais il conserve inexorablement la capacité unique à transformer, à amender, à régénérer radicalement, et donc à sacraliser le présent de tout un chacun. L'idée du jazz, musique de vie, n'a donc plus rien de paradoxal. Elle n'a que faire des frontières qui régissent les

380. *Jazz News* n° 12, 2012.

domaines du sacré et du profane, du présent, du passé et de l'avenir. De toute manière, si le jazz est un geste, il n'est alors que cela : ouvert à ce qui vient, sans but esthétique ou intellectuel qui viendrait restreindre sa liberté de mouvement. S'affirme ainsi une nouvelle définition du sacré, moderne, décomplexée, actuelle. Car le jazz s'éloigne des impératifs du credo, de l'assignation communautaire, de la fixité rituelle, pour mieux valoriser la liberté véritable de l'individu, permise par la beauté du geste, le principe créateur et la profondeur de son engagement spirituel. Le jazz est sans aucun doute l'une des premières manifestations du sacré contemporain.

D'où l'incompréhension entre celui qui fait le geste, et celui qui l'analyse. « Je joue un état d'esprit, je joue ce que je suis, je suis un geste ». « Non, vous jouez un style, une musique qui s'appelle jazz. » Le fossé est insurmontable tant que chacun campe sur sa position. Le geste du jazz suffit pourtant à son édification. Il se lit et s'observe dans la plupart des moments culturels de l'époque contemporaine, camouflé sous la masse critique des analyses, des jugements et des commentaires. Le geste du jazz est parfois fugace : dans le trait plus ou moins gratuit d'un interprète classique qui s'éloigne de la « ligne », d'un musicien qui se permet un imprévu, d'un artiste qui dans son œuvre laisse parler sa part muette, et profonde. Il éclate dans les gestes de musiciens et d'artistes qui ont pour simple ambition de participer à la vie du monde et de laisser s'exprimer ce qui les traverse sans entrave, sans souci de rentabilité intellectuelle, performative, esthétique ou financière ! Il demeure souvent absent chez de nombreux artistes qui revendiquent pourtant son héritage. Ne les condamnons pas. Le culte du travail, de l'esthétisme, de l'essentialisme stylistique, de l'historicité anecdotique est passé par là. Il demeure et même s'épanouit au fur et à mesure que le milieu du jazz s'amenuise. Il nous éloigne d'une juste et simple compréhension du phénomène.

Et si phénomène il y a, il commence là où la parole s'arrête. N'est-il pas étonnant que le jazz ait inventé l'une des très rares expressions vocales sans paroles, le scat ? Le geste du jazz s'exprime au moment où le monde prend pleinement conscience de son état, de ses limites comme de son potentiel, et il propose alors un nouveau mode de communication bien plus ouvert. Ainsi, le jazz n'est pas libre parce qu'il est improvisé, spontané ou inattendu, bien d'autres phénomènes artistiques le sont. Mais parce qu'à travers son geste, il n'impose jamais quoi que ce soit qui pourrait entraver le libre arbitre de l'auditeur, du chercheur, du critique. Il n'a finalement jamais fait école philosophique ou mouvement intellectuel, et on le lui a bien souvent reproché. Il a participé des mouvements sociaux, spirituels et politiques de son temps, sans pourtant prendre parti. *Jazz Hot* ne fut pas les *Cahiers du Cinéma*, et Hugues Panassié, Joachim Berendt, Charles Delaunay, Leonard Feather n'ont pas été, pour le moins, François Truffaut, Jean-Luc Godard, Jacques Rivette. Le « free jazz », appellation journalistique, n'est pas la « Nouvelle Vague », prise en main artistique et intellectuelle de l'avenir du cinéma. Mais c'est là aussi la force du jazz, comme la cause de son apparent ésotérisme. Le geste du jazz, plus encore que son histoire ou son esthétique, a cette capacité à réunir des personnes de tous horizons grâce à son pouvoir d'attraction insaisissable, et pourtant indubitablement jouissif. Le jazz n'a pas eu besoin de se définir en mouvement, en assemblée, en révolution pour exister de par son propre geste. Et le jazz, en tant que geste, est désintéressé. Il se nourrit d'une spiritualité qui lui est propre. Notre recherche nous conduit au bout d'une réflexion qui ne peut trouver sa conclusion : le jazz n'est plus un paradoxe, mais il garde son mystère. Sa nature gratuite, même si elle s'élance depuis un contexte culturel concret, débouche malgré tout sur un art du silence et du geste qui pourrait tout aussi bien contredire nos efforts d'élucidation.

Mais c'est ce qui de toute façon attend quiconque s'aventure à explorer les motifs aussi impalpables que le spirituel, le sacré, l'oralité, la transmission, et qui plus est en leur absconse dimension musicale. L'objectif du chercheur ne peut être alors de toucher au but, mais plutôt de mieux circonscrire le domaine de son inévitable incompréhension. Les mots, et leur sens, ne sont pas inutiles pour mieux s'orienter sur ce chemin, mais ils sont vains à dire le ressort essentiel d'un art qui n'a finalement jamais cherché à se définir. Évocateur est le symbole de la phalène, si cher à un improvisateur comme Keith Jarrett. La phalène s'approche de la flamme de la chandelle, comme hypnotisée par son éclat. Elle s'approche de plus en plus, mais ne peut jamais atteindre son but, à moins d'y perdre la vie – elle reste sans espoir de comprendre. J'ai parfois l'impression d'être cette phalène. Mais plus encore, je crois savoir que le jazz est une musique qui rassemble une multitude d'adeptes inspirés et obnubilés par une lumière perceptible mais inatteignable. Le jazz est un geste de la vacuité sereine et lumineuse. C'est pourquoi il conserve cette évidente affinité élective avec la spiritualité, le numineux, le sacré. Voici donc le jazz, avec ses prophètes, ses mystiques, ses initiés, tous passés maîtres dans l'art de l'esquive, du non-dit, du jeu – afin d'éviter de se brûler l'âme.

Remerciements

Ce livre a une histoire, à la fois lourde et heureuse.
Heureuse aujourd'hui en 2018, avec cette réédition en poche, qui marque le succès inouï d'un tel travail. Quand il y a plus de 10 ans j'envisageais ce projet de rédaction qui partait d'un constat – « Pourquoi ce qui paraît évident pour analyser et contextualiser l'œuvre de Mozart, Bach ou Messiaen par rapport à leur environnement spirituel, ne l'est pas aussi clairement pour Coltrane, Ellington et Ayler ? » –, je ne me doutais pas qu'il rencontrerait des lecteurs venant d'horizons si différents, ni qu'il allait être ainsi commenté, ou même... copié ! Ce sont ces lecteurs que je veux remercier aujourd'hui de leur retour, de leur acuité et de leur soutien, ainsi que tous les festivals, librairies, médiathèques qui m'ont invité à échanger sur le territoire francophone à propos de ce travail. Je veux également remercier très vivement mon père, Nicolas Imbert, ma belle-mère Bénédicte Imbert, qui m'ont toujours témoigné d'un soutien sans faille, particulièrement ces dernières années. Mes enfants Timon, Garance, Malo sont le moteur de mes idées et de mes envies, ils sont dans mon cœur à jamais. Je tiens à remercier aussi leur maman, Leïla.
Patrick Chamoiseau, rencontré par l'intermédiaire d'une amie commune, Isabelle Fruleux, que je tiens à remercier, m'a fait l'insigne honneur d'écrire une préface pour cette édition de poche. Elle est d'une justesse et d'une émotion qui me vont droit au cœur. Patrick, je te prie de croire en ma gratitude infinie.
Histoire lourde également, car ce livre a failli ne pas exister. Il devait paraître en 2013 chez François Bourin éditeur, qui n'a pas supporté les effets de la crise que subit le monde de la culture en général, et du livre en particulier. Il a trouvé sa place, grâce à Michel Valensi et Patricia Farazzi, en 2014 aux Éditions de l'éclat, et je les remercie du fond du cœur de leur confiance, leurs

conseils, leur amitié et leur compétence. Je tiens à remercier également Philippe Nassif, alors directeur de collection chez Bourin éditeur, sans qui le livre n'aurait jamais vu le jour. Il a passé un temps et une énergie incroyable sur mon travail, d'une manière qui m'a donné confiance en ma propre capacité à le mener à bien. Je remercie également les autres membres de l'équipe de Bourin éditeur, qui ont travaillé ardemment sur le livre, et ont subi les conséquences de la situation de l'éditeur : Amélie Petit, Emmanuel Amar, Sophie Schwab, Maya Morando, Marie-Laure Blot. Je remercie d'ailleurs tous les amis, amateurs, anonymes qui nous ont manifesté leur soutien lors de cette période difficile.

Je remercie vivement Gilles Tordjman, pour son sens de la rencontre et son acuité amicale ! Pour les mêmes raisons, je veux remercier Jean-Michel Kantor. Merci à Olivier Corchia, qui a bien voulu porter un regard continu sur mon activité rédactionnelle.

Je remercie chaleureusement Jean Jamin et Patrick Williams qui ont toujours porté un regard précieux, critique et bienveillant sur mon travail. Sans eux, rien n'aurait été possible.

Enfin, tous les amis et confrères qui m'ont donné, d'une manière ou d'une autre, un avis, un conseil, une information m'ayant aidé à mener à bien ce travail : Lynn D. Abbot, Vincent Anglade, Bruce "Sunpie" Barnes, Pierre-Yves Beaurepaire, Karol Beffa, Franck Bergerot, Vincent Bessières, Christian Béthune, Philippe Blanchet, Jean-François Bonnel, Philippe Bourgey, Pascal Bussy, Jean Buzelin, Michel Camatte, René Caprioli, Virginie Carter, Jean-Louis Chautemps, Daniel Chini, Christine Chivallon, La Cité de la musique – Marseille et sa magnifique médiathèque, Gerald Cleaver, Michel Delorme, Dominique Dupuis, Alex Dutilh, Daniel Fabre, Pierre Fenichel, Ludovic Florin, Stéphane Gentil, Christian Girardin, Benoît Grison, Pauline Guedj, Rosalind J. Hackett, Harmonia Mundi, Graham Haynes, Alaina W. Hébert, Hogan Jazz Archive à Tulane University (New-Orleans), Jean-Baptiste Imbert, l'Institut français, Michel Lecour, Martin Legros, Didier Levallet, Guy Longnon, Bernard Loupias, Joe Martin, Gaëlle Massicot-Bitty, Franck Médioni, Michel Meurger, Alexandre Meyer, Régis Michel, Florent Milhaud, Greg Osby, Frédéric Pagès, Emmanuel Parent, Sté-

phane Pessina Dassonville, Alexandre Pierrepont, Jean-François Pitet, Didier Platteau, Sarah Quintana, Bruce Raeburns, Jean-François Ramelet, Cécile Révauger, Claude Ribbe, François Rognon, André Rossi, Jérôme Sabbagh, Frédéric Salles, David Sanson, Michel Samson, Henri Selmer Paris, Simon Sieger, Alain Soler, Philippe Subrini, Gilles Suzanne, le Treme Brass Band, Alain Venditti, Thomas Weirich.

Mais il y a une personne de cœur que je souhaite remercier très particulièrement maintenant : Annabelle Ambler, qui me donne à nouveau l'envie d'écrire, l'envie de débattre, l'envie de revivre toutes les aventures du sensible et de l'inouï. D'autres chemins sont à prendre. Avec elle, je me sens plus apte à les arpenter en chantant !

Index

AACM 50, 258, 273, 284, 479
Abbé Grégoire 187
Abbott, Lynn 206-207
Abdal Karim 126
Abdullah Ibrahim 89-90, 126
Abernathy, Ralph 218
Abrams, Richard 177, 266
Absalom Jones 330
Acuff, Roy 220
Adams, John Quincy 97-98, 187
Adamski, George 280-281
Adderley, Canonball 390, 431, 434
Adorno, Theodor W. 37, 48, 85, 287, 344-345, 476
Ahmed Abdul-Malik 126
Ahmed Abdul Kariem, 126
Akinmusire, Ambrose 473
Alahi, Nuh 126, 502
Alexander, Michael 146
Allen, Richard 105, 198, 255, 330
Amin Dada, Idi 264
Amsterdam Klezmer Band 150
Anderson, Cat 35, 405
Anderson, James, 181, 184, 191
Anderson, Scott 375, 380
Anselme, Jean-Loup 147
Aristote 395
Arkestra 115, 279, 282, 289, 293, 411, 412 (voir aussi Sun Ra)
Arminius, Jacobus 105, 330
Armstrong, Louis 22, 26, 44, 46, 60, 66-68, 76-77, 82, 88-89, 136, 138, 166, 220, 223-226, 231-232, 235, 241, 247, 249, 260, 293, 408, 417, 457, 462, 464, 469, 479, 510

Arnold, Eddie 220
Arnold, Kenneth 280
Art Ensemble of Chicago 276, 473
Asante, Molefi Kete 211
Atkins, Chet 220
Augier, R. 210
Autry, Gene 220
Ayler, Albert 21-22, 26, 59, 69, 73, 75, 88-90, 92, 102, 161-162, 169, 263-264, 266, 297-299, 405-406, 411, 413, 417-429, 456,-466, 469, 479
Ayler, Don 458

Bâ, Amadou Hampâté 21
Babs, Alice 158
Bach, Jean-Sébastien 22, 41, 44, 78, 314, 322, 324, 327, 329, 332, 339-341, 445
Bacon de la Chevalerie, Jean-Jacques 187
Bacot, Jean-Pierre 225
Baker, Chet 350, 390
Baker, Joséphine 219
Baker, Stuart 68, 266
Ballue, Michael 473
Baraka, Amiri (*voir* LeRoi Jones)
Barbieri, Gato 417
Barker, Danny 220
Barnes, Bruce « Sunpie », 243
Barruel, Abbé 189
Basheer, Ahmed 137-138
Basheer, Jamil 126
Basheer, Qusim 126
Basie, Count 36, 219, 238
Bassiri, K. G. 213

Bateson, Gregory 387
Beatles 143, 288
Beaurepaire, Pierre-Yves 163
Bec, Cédrick 19
Bechet, Sydney 46, 66, 407-408, 457, 475
Beethoven, L. von 44, 160, 323
Beissel, Conrad 116
Belhaj Kacem, M. 397, 399- 400
Bell, Alfred 175, 219
Benjamin, Walter 477
Bennet, Tony 350
Berendt, Joachim 46, 227, 483
Berlin, Irving 147, 148, 220, 349
Berliner, Paul F. 49, 85
Bessel, Paul W. 191, 192, 277-278
Béthune, Christian 37, 39, 50, 65, 85, 216, 231, 287
Big Ron Hunter 336
Bigeard, Barney 36
Birnbaum, J. A. 339
Bivins, Jason 85, 103
Blackwell, Ed 414
Blake, Eubie 175, 219
Blakey, Art 26, 126-127, 139-140, 405, 409
Blanchard, Jonathan 187
Blanton, Jimmy 34
Bley, Carla 417
Böhme, Jakob 116
Bolden, Buddy 26, 179, 205, 229
Boone, Lester 175, 219
Borello, Jean-Michel 253-254
Boulez, Pierre 160, 344, 356, 453, 476-477
Bourdieu, Pierre 68
Bowie, Lester 479
Braxton, Anthony 56, 177, 266, 268, 273-274, 479

Briley, Ron 101
Brooks, Joanna 211
Brothers, Thomas 232, 234, 292
Brown, Andrew 219
Brown, Clifford 417
Brown, John 175, 219
Brown, Lawrence 36, 405
Brown, Leonard 303
Brown, Marion 319
Brubeck, Dave 22, 479
Bruce « Sunpie » 243
Bryars, Gavin 356
Buisine, Andrée 226
Burley, Dan 163, 178
Bush, George W. 101
Bushell, Garvin 173, 180, 204, 219, 254
Byron, Don 150

Cabu 282-283
Cage, John 52, 54-55, 143, 344, 356, 476-477
Caillois, Roger 49
Caldwell, Albert « Happy » 175, 219
Calloway, Cab 62-63, 170-171, 204-205, 219, 272
Calvin, Jean 329
Cantagrel, Gilles 340
Caracci, Stephan 19
Carles, Philippe 83, 305
Carmichael, Stokely 270
Carney, Harry 33, 405
Cash, Johnny 59, 102, 220
Cassenti, Frank 475
Caux, Daniel 73, 355
Celestin, Oscar « Papa » 219, 230, 233, 240-241, 264
Chadbourne, Eugene 144

Chambers, Paul 431-432
Charles, Ray 149
Charpentier, M.-A. 324-325
Charru, Philippe 340
Charters, Samuel 229-230
Chaussade, Olivier 473
Chazot, Christophe 340
Cheatham, Doc 219
Cheek, Robert 175, 219
Cherry, Don 145, 413-414, 417, 422
Chevalier de Saint-Georges 187
Christian, Charlie 62
Churchill, Winston 166
Clark, Joseph « Red » 230, 239
Clark, Roy 220
Clarke, Kenny, 124-125, 136, 219
Claudel, Paul 308
Claxton, William 240
Cleaver, Eldridge 270
Clooney, Rosemary 154
Clufetos, Chris 67
Clyde, McCoy 220
Cobb, Jimmy 431, 432
Cobbs Call 462, 463
Coeuroy, A. 66
Cohen, Leonard 143
Cohen, Pat 337
Cohn, Al 146, 407
Cohran, Phil 479
Cole, Cozy 175, 219
Cole, Nat « King » 219, 272
Coleman, Ornette 151, 299, 413-416, 419, 425-426, 428-429, 451, 479
Coleman, Steve 66, 90, 151, 176, 177, 178, 258, 266, 284, 342, 415, 479
Colli, Giorgio 301

Coltrane Alice 141, 320, 365-367, 370-372
Coltrane, John 13, 21-22, 25-27, 36, 43, 59, 63, 69, 73-76, 82, 87, 88-90, 92, 102, 111, 125, 141, 154-155, 161-162, 178, 273, 275-276, 293-294 et passim
Coltrane, Naima 125
Coltrane, Ravi 427
Comolli, Jean-Louis 83, 305
Constant-Martin, Denis 81, 85
Cook, William 35, 463
Copland, Aaron 109, 144
Corbett, J. 115, 282
Corea, Chick 28, 92
Cornel, West 437
Cox, Harvey 303
Cox, J. 218
Crassous de Médeuil, J. 186
Crèvecœur, J. H. St John de 96
Crow, B. 173, 241, 259
Crowley, Aleistair 152
Cugny, Laurent 309
Czerny, Carl 327

Da Costa, Noel 424
Dachez, Roger 256
Daleel, Fard 126
Daniélou, Jean 459
Darr, Jerome 175, 219
Daumal, René 396
Davis, Miles 13, 36, 50, 66, 81-82, 140, 142, 154-155, 299, 314, 347, 350, 354-356, 358, 372-373, 377, 390, 405, 407, 416, 429-437, 441, 479
Dawkins, Richard 99
Dawson, Eddie 233
Debord, Guy 396

Debussy, Claude 54, 356, 389-390
Delany, Martin 99, 163, 198, 212, 240, 270
Delaunay, Charles 84, 288, 483
Delorme, Michel 327, 342, 370, 420, 429
Delporte, Maxime 151
Desnos, Robert 84
DeVito, C. 383, 411
DeWitt, Algi 368
Dial, Harry 174-175, 219
Dianteill, Erwan 335
Dickson, Moses 255
Difraya, Jean-Luc 314
Diop, Cheikh Anta 211
Dobard, Raymond 255
Dodds, Baby 236
Dolphy, Eric 19, 43, 357, 359-360, 422, 428-430
Dorsey, Thomas A. 112-114
Douglass, Frederick 99
Dreyer, E. 248
Du Bois, W. E. B. 199, 202, 218, 221
Duflo, Colas 395
Dufty, William 68
Dunkley, Archibald 210
Dupree, Champion Jack 220, 254
Durand, Pierre 473
Dusapin, Pascal 476
Duteurtre, Benoît 389-390
Dutilh, Alex 79
Dvořák, Anton 463
Dylan, Bob 100-102, 144

Echenoz, Jean 15, 42, 79-80, 87-88, 300

Edgell, P. 98
Ellington, Duke 21-22, 26, 33,-38, 44, 59, 69, 72, 76, 82, 88, 90-91, 102, 112, 114, 140, 154-162, 166, 176, 205, 219, 221, 246, 261, 263, 272, 276, 283, 293, 299, 325, 404-405, 416, 446, 457, 460-463, 467-469, 478-479
Ellison, Ralph 47-48, 453
Elwood, Paul 144
Emerson, Ralph Waldo 400
Étienne, Bruno 181
Evans, Gil 82, 326, 355, 431-432, 434-435

Fanon, Franz 147
Fard Muhammad, W. D. 130
Farmer, Art 350
Fau, Guy 319
Faulkner, William 35
Feather, Leonard 85, 483
Feidman, Giora 146
Fiske, John 55-56
Fleck, Bela 144
Florin, Ludovic 157
Forrest, Nathan Bedford 193
Fox, George 97
François d'Assise 309
Franklin, Benjamin 97, 274
Fraser, A. 77, 124
Frazier, Charles 175, 219
Frisell, Bill 144

Gagnepain, Jean 291
Gale, Tim 173, 174
Galloway, Charles 229
Gandhi, M. K. 100
Gant, Willie 175, 219

Garland, Red 198, 331, 431
Garner, Errol 347
Garrison, Jimmy 354, 361-362, 364-368, 372-373, 377, 418
Gates, Henry 253
Gayle, Charles 89, 102-103, 421, 479
Gelder, Rudy Van 314, 467
Georges, James Mona 187, 190, 211
Gerber, Alain 306, 416
Gershwin, George & Ira 147, 347, 349, 456
Gerteis, J. 98
Getz, Stan 136, 146, 407-408
Ghazali, Ahmad 316
Gilbert-Lecomte, Roger 396
Gillespie, Dizzy 77-78, 92, 122-125, 130, 133, 136, 175, 299, 407, 431
Gilmore, John 299, 411-412, 426, 429
Gilroy, Paul 48, 200-201, 216
Ginibre, Jean-Louis 80
Ginsberg, Allen 102, 141, 143
Girard, René 466
Glass, Philip 298, 355
Gleason, Ralph J. 36
Glissant, Edouard 7-8, 13-14, 200-201
Godard, Jean-Luc 483
Goethe, J. W. von 166, 223, 396
Goldberg, Joe 274-275
Golson, Benny 299, 408
Gomez, Joaquin 186
Gonsalves, Paul 36, 405
Goodman, Benny 146, 272
Gordon, Dexter 66, 331, 407-408

Grant, George 175, 219
Granz, Norman 272
Grappelli, Stéphane 62
Grasse Tilly, Auguste de 188-189
Graves, Milford 90-91, 152
Greer, Sonny, 35
Griffin, Johnny 455
Grimes, Henry 462
Grimshaw, William 196
Grubbs, Carl 325
Guedj, Pauline 124, 163, 214, 275
Guillaud, L. 97, 104, 194
Guralnick, Peter 60
Gurdjieff, Georges 88, 436
Guthrie, Woody 101-102, 144

Haden, Charlie 414, 417
Hafez 304, 317, 318
Haig, Al 136
Haïlé Selassié 210
Hakim, Sadik 136-137, 258
Halevi, Ilan 147
Hall, Daryl 473
Hall, Herbert 219
Hamilton, Jimmy 405
Hammerstein, Oscar 346, 349
Hampton, Lionel 36, 166, 176, 193, 219, 221, 238, 272
Hancock, Herbie 142, 355
Handy, W. C. 36, 175, 208, 219, 221, 245
Hanon, Charles-Louis 327
Harlen, Harold 147
Harris, Cheryl I. 55
Hart, Lorenz 349
Hartford, John 144
Hartmann, D. 98
Hawkins, Coleman 118, 297, 299, 390, 407-408

Hayden, Lewis 198, 255
Hayes, Edgar 123
Hayes, Isaac 92
Haynes, Roy 362-363
Hazeldine, Mike 236, 241
Heath, Jimmy 299, 408
Heifetz, Jascha 146
Helm, Levon 144
Henderson, Fletcher 279
Henson, Josiah 198
Hentoff, Nat 37, 44, 46, 461
Héraclite 395
Herman Poole Blount (*voir* Sun Ra)
Herman, Yaron 17, 19, 471
Hermès Trismégiste 114
Herskovits, Melville C. 234, 284
Herzhaft, Gérard 244
Hibbert, Joseph Nathaniel 210
Hille, J. M. Van 185
Hines, Earl 36, 219, 417
Hinks, Peter P. 203
Hinton, Milt 169, 171, 175, 178, 204, 219
Hodeir, André 288, 344-346, 353, 478
Hodges, Johnny 36, 158, 219, 405, 407, 462, 468
Holiday, Billie 68, 81, 462
Hood, James Walker 198
Hooker, William 266
Hoover, Edgar G. 100
Hope, Elmo 451
Hope, Lynn 125
House, Eddie James « Son » 220
Howard, Joe 229
Howell, Leonard 210
Howlin' Wolf (C. A Burnett) 220, 254

Huizinga, J. 397
Hurston, Zora Neale 179, 283
Hutcherson, Bobby 31
Huxley, Aldous 308

Ikeda, Daisaku 142
Imbert, Raphaël 69, 209
Ives, Charles 116, 144, 457

Jackson, Buddy 257
Jackson, Frank 207
Jackson, George 472, 474
Jackson, Jesse 218
Jackson, Mahalia 35, 90, 113-114, 158
Jackson, Michael 288
Jaeglé, Claude 39, 43, 45, 65
Jamal, Ahmad 67, 90, 126, 391-392, 479
James, Skip 451
Jamin, Jean 24, 38-39, 163, 243, 284, 301, 453, 476
Jarreau, Al 350
Jarrett, Keith 22, 66, 88, 140, 142, 436, 470, 479, 484
Jean de la Croix 304, 309, 316-317
Jean Paul 396
Jeanneau, François 322
Jedrzejewski, Franck 452
Jefferson, Thomas 97
Jenkins, David 255
Joans, Ted 15, 337
Johnson, Buddy 175, 219
Johnson, Bunk 219, 236, 237, 241, 249
Johnson, Jack 218
Johnson, Keg 171, 219
Johnson, Lem 175, 219

Johnson, Edward « Noon », 162, 219, 239
Jolson, Al 148, 220
Jones, Elvin 295, 321, 358-359, 361-362, 364, 372, 377, 418
Jones, Jonah 175, 219
Jordan, Duke 41
Jung, Carl Gustav 268, 281
Jung, F. 268

Kabbalah 150
Kahn, Ashley 64, 266, 295, 431
Kandinsky, Wassili 332, 401
Kant, Emmanuel 396
Kantrowitz, Stephen 203
Kariem, Abdul 126
Katz, Mickey 150
Keepnews, Peter 447, 448
Keersmaeker, A. T. de 298
Keller, Carl A. 315
Kelley, Robin 126-127, 139, 438
Kelly, Wynton 431
Kelpius, Johannes 116
Kern, Jerome 146, 220, 349
Kerouac, Jack 102, 141, 143
King, Eddie 238, 243
Klezmatics 146
Klezmer Conservatory Band 146
Kline, Franz 55
Knowles, Richard A. 240
Koenigswarter, P. de 47, 455
Kofsky, Frank 73-75, 85, 411-412, 421, 423
Konitz, Lee 136, 146, 432
Kraukaer, David 146
Kraus, Alison 144

Lacorne, D. 96, 104
Lafayette, G. du Motier de 187

Lairet, Bernard 70-71, 73
Lamoine, Georges 181
Lantoine, Albert 225
Lapierre, Nicole 28, 147-149
Lateef, Yusef 89-90, 125, 138, 297, 341, 409, 474, 479
Latrobe, B.H.B. 235
Le Meur, Yves 186
Leary, Timothy 308
Led Zeppelin 372
Lee, Shadrack 219, 239
Lee, Spike 271
Leiris, Michel 84
Leitinger, Izidor 473
Leloil, Christophe 473
Leonard, Neil 385
LeRoi Jones, Everett 73, 85, 465
Levallet, Didier 406, 457
Lévi-Strauss, Claude 476, 477
Levitt, Al 70
Lewis, George (clarinettiste) 162, 219, 240
Lewis, George (trombonniste) 50-57, 59, 63, 273, 355, 395
Lewis, Harvey Spencer 274
Lewis, John 432, 452
Lhamon, William T. 61, 231
Liebman, David 146, 155, 350
Ligou, Daniel 181, 215
Lincoln, E. 198, 297
Lipsitz, George 55
Llado, Sébastien 473
Lloyd, Charles 76
Locke, Alan 37
Lomax, Alan 39, 68, 85, 108, 179, 230, 253
Loupias, Bernard 80
Lovano, Joe 143
Lowe, Franck 160

Lucie, Lawrence 175, 219
Lukoschek, Guido 142
Lunceford, Jimmie 220
Luther, Martin 106, 329-331, 332

Madison, John 97
Maître Eckhart 304
Malcolm X 74, 99, 100, 102, 130, 199, 270-272
Mamiya, L. H. 198
Mandela, Nelson 18
Mann, Thomas 116
Manzarek, Ray 355
Marini, Stephen A. 107
Marmarosa, Dodo 136
Marquis, Donald 179, 180
Marrant, John 211
Martin Luther King Jr, 21, 99-100, 102, 104, 199, 269, 342
Marsalis, Winton 46, 140, 205, 322
Marshall, Thurgood 179, 218, 225-226
Martyn, B. 236, 241
Marx, Karl 397
Masekela, Hugh 17
Massey, Cal 472
Mattheson, Johann 324
Maxime le Confesseur 316
May, Butler « String Beans » 207, 219
McClung, Tom 473
McDaniels, Ozella 255
McDowell, Fred 220
McGregor, Chris 404
McLaughlin, John 28, 92, 141, 392
McLean, Jackie 429
McLorin, Cécile 473

Médioni, Franck 301, 406, 456
Melton, J. Gordon 198, 331
Menuhin, Yehudi 146
Mesheux, Oliver 124-125
Messiaen, Olivier 78, 308, 344, 356, 389, 453
Metcalfe, R. P. 218
Metheny, Pat 144
Métraux, Alfred 226
Meurger, Michel 182-183
Meyer, Edgar 144
Mezzrow, Mezz 81, 146, 178-179, 258
Mfume, Kweisi 218
Mialy, Louis-Victor 323
Michel, Jean-Christian 72
Miconi, Olivier 473
Migenès, Julia 92
Miley, « Bubber » 36
Milhaud, Darius 81
Miller, Glenn 220, 372
Milstein, Nathan 146
Mingus, Charles 46, 81, 149, 154, 325
Mirabeau, H. G. Riqueti de 187
Mizra Ghulam Ahmad 132
Molla, Serge 99
Monduc, Guy 185
Monk, Thelonius 13, 26, 44-45, 66, 119, 126-127, 136, 139, 253, 299, 308, 325, 382-383, 392-394, 407, 409, 413-414, 416, 431-432, 434, 438-439, 446-450, 454-455, 462, 465
Monod, Théodore 21
Monroe, Bill 59
Monson, Ingrid 272, 435-437
Moore, Vernon 175, 219
Moreau de Saint-Méry, M. 187

Morello, Joe 80, 220, 473
Morgan, Lee 140
Morgan, Lewis Henry, 214-215
Morgan, William 187, 256
Morin, Etienne 188, 189
Morricone, Ennio 152
Morris, Leo 126
Morris, Ronald L. 37, 82
Morton, Jelly Roll 15, 39-41, 68, 172-173, 179, 230, 249, 254, 325
Motian, Paul 393
Moye, Famoudou Don 473
Mozart, W. A. 22, 78, 166, 206, 223, 475
Muhammad, Elijah 99, 102, 126, 130, 132-134, 199, 213, 270-271, 465
Mulligan, Jerry 136, 350, 432
Murphy, L. G. 60, 198, 331
Murray, Sunny 462
Myers, Amina Claudine 473

Nanton, « Tricky Sam » 35, 405
Nassif, Philippe 400
Nettleford, R. 210
New Orleans Klezmer All Stars 150
New York Contemporary Five 417
Newton, Huey P. 270
Ngqawana, Zim 17-21, 26, 29, 404
Nichiren 142
Nicholson, Stuart 48
Nietzsche, F. 300-301, 397-398, 402
Nitschmann, David 104
Noble, Drew Ali 131, 213, 219, 417

O'Neal, Shaquille 219

Obama, Barack 102
Odo, Georges 190
Odum, Homard Washington 85
Olmsted, F. L. 227
Onfray, Michel 476
Oscar « Papa » Celestin (*voir* Celestin)
Osey, Adolphe, J. 248
Otto, Rudolf 307

Paine, Thomas 97
Paisley, Brad 220
Panassié, Hugues 81, 84, 87, 128, 288, 345, 478, 483
Parent, Emmanuel 47-48, 51, 203, 243-244, 336, 338
Parker, Arthur C. 215
Parker, Charlie « Bird » 36, 46, 52-54, 128, 136-138, 240, 406-407, 457, 480
Parker, Ely S. 215
Parker, William 77
Payne, Daniel A. 330
Penn, William 97, 116
Pepper, Jim 145, 479
Péres, Michel 314
Perkins, Carl 220
Perlman, Itzhak 146
Perret, Guillaume 151
Perry, Chester 175, 219
Peterson, O. 68, 219, 222, 266
Pfeiffer, B. 274
Philly Joe Jones 431, 432
Picou, Alphonse 220, 240-241
Pierrepont, A. 47, 160
Piette, Albert 387
Pike, Albert 194
Pink Floyd 475
Pippen, Scottie 218

Pitet, Jean-François 63, 176, 282
Platon 395
Pollock, Jackson 55
Porset, Charles 184
Porter, Lewis 125, 275, 303, 308, 312, 319, 320, 325-326, 331, 336, 340-342, 348, 356, 410, 414, 423-424, 439
Powell, Adam Clayton 99, 218
Powell, Bud 136, 393, 446
Powell, Rudy 123,125
Pragman, Jiri 190
Price, Emmett G. 333
Price, Sammy 220
Prince Hall 83, 138, 164, 170, 175, 181, 190-203, 209-213, 215-216, 218-219, 221, 223-226, 238, 240, 243, 245, 255-257, 261, 264, 278, 330
Pythagore 67, 265, 325, 440, 442

Quatuor Manfred 21, 314, 445
Quersin, Benoît 413
Qusim, Basheer 126

Rabia, Aliya 126
Rachmaninov, Sergueï 44
Rahim, Emmanuel 365
Rainey, Alfonso Nelson 125
Rainey, Ma 207, 376
Rameau, Jean-Philippe 325, 441, 452
Rampal, Marion 473
Randolph, Asa Philip 218
Randolph, Paschal Beverly 275
Rashied Ali 126, 342, 365-367, 372
Ratliff, Ben 333, 410, 471
Ravel, Maurice 54, 321, 390

Reed, Ishmael 160, 179, 256-257, 258, 283, 481
Reed, Lou 417
Régnier, Gérard 84
Reich, Steve 178, 298, 355-356
Reid, Steve 266
Reinhardt, D. 22, 62, 88, 119
Reisner, R. G. 46, 136
Révauger, Cécile 164, 184, 192, 194, 196, 212, 214, 221, 240
Reymond, B. 330
Rhine, J. B. 50
Rich, Buddy 146
Ridley, Carroll 175, 219
Riley, Terry 51, 298, 355
Rivette, Jacques 483
Roach, Max 273, 474, 479
Roane, Kenneth 175, 219
Robertson, David 208
Robeson, Paul 90-91, 102, 147, 219-220, 272, 462-463
Robinson, Bill «Bojangles» 219
Robinson, James «Bob» 175, 219
Robinson, Sugar Ray 218
Rodgers, Jimmie 59-60, 147, 349-351, 369, 391, 468
Rodney, Red 136
Rogers, J. A. 15, 37, 39-40, 346, 349
Rogin, Michael 149
Rollins, Sonny 22, 48, 141, 274-275, 297, 299, 407, 409-410, 416, 417, 419, 455, 457
Roosevelt, Theodore 97
Rosenbaum, Art 60
Rosenblatt, Yossele 112, 148
Rosner, Eddie 147
Ross, A. 39
Rossi, André 21, 314, 445

Roueff, O. 85
Rouget, Gilbert 335
Rouse, Charlie 455
Rudd, Roswell 67, 479
Rumi, Jalal ad-Din 301, 304, 309, 318
Rushdan, Amir 126
Rushing, Jimmy 175, 219
Russell, George 276, 332, 355, 413, 417, 432, 434-437, 452
Russell, Johnny 175, 219
Russell, Luis 219, 236

Sadiq, Muhammad 126, 132-134
Sahab, Sahib 126
Salles, Frédéric 18, 229
Sanâ'i 318
Sanborn, David 326
Sanders, Pharoah 21, 69, 75, 88, 90-92, 297-299, 320, 365-368, 372, 405-406, 418-419, 421-429, 470
Santana, Carlos 141, 392
Santos, Juma 368
Sartre, Jean-Paul 147
Satie, Erik 84
Sauveur, Joseph 441, 452
Saxon, L. 108, 248
Scali, Jean-Philippe 473
Schaeffer, Pierre, 344
Schaeffner, André 84
Schiller, Friedrich von 396
Schœlcher, Victor 188
Schomburg, A. A. 218, 320
Schopenhauer, Arthur 301
Schubart, C. F. D. 324
Schwarz-Bart, André 147
Schwarz, Jeff 421, 462
Scott, Cyril 410

Scott, Tony 141
Seale, Bobby 270
Seeger, Pete 102, 144
Séité, Y. 85
Seroff, Doug 206, 207
Shamblin, Eldon 62
Shankar, Ravi 352
Sharpton, Al 218
Shaw, Artie 146
Shearing, George 449
Shepherd, Thomas 113
Shepp, Archie 73, 154, 273, 314, 406, 411, 418, 472-475, 478-480
Shorter, Wayne 22, 88, 140, 142, 266, 325, 355, 418
Sibelius, Jean 166
Sidran, Ben 146
Sieger, Simon 473
Silver, Horace 436
Simon, François-René 302-303, 309, 310, 312
Simonoviez, Jean-Sébastien 391
Simpkins, C. O. 125, 319, 342
Siné 100
Singleton, Zutty 220, 225
Sister Johnson 247
Sklower, Jedediah 464
Slim, Memphis 220, 451
Slonimsky, Nicolas 327
Smith, Bessie 62
Smith, Clara 207
Smith, Lonnie Liston 423
Smith, M. 210
Smith, Wadada Leo 152
Spellman, A. B. 465
Spencer, D. W. 210, 274
Springsteen, Bruce 102
Sri Chinmoy 141
Stabat Akish 151

Stafford, Gregg 242
Statman, Andy 146
Stearns, Marshall 179, 225-227, 230, 233-234, 236, 241
Steed, J. T. 158
Stevenson, David 182
Stewart, Rex 36, 261, 405
Stitt, Sonny 70, 407
Stockhausen, Karlheinz 274
Stowe, David W. 38, 86, 104, 106, 112, 116, 157
Stowe, Harriet Beecher 198
Stravinsky, Igor 44, 54, 390, 458
Strayhorn, Billy 34
String Beans (voir May, Butler)
Sulayman, Idris 126
Sun Ra 21-22, 26, 66-67, 88, 90, 112, 114-116, 131, 141, 177-178, 255, 266, 277-283, 293, 299, 355-356, 410-412, 417, 423, 435, 437, 479
Sweet Child 235
Szwed, J. F. 44, 67, 278, 280

Tailleu, Simon 19
Tallant, R. 248
Tatum, Art 119, 446, 462
Taxil, Léo 189
Taylor, Cecil 178, 203, 419, 479
Tercinet, Alain 129, 135
Terry, Clark 65
Texier, Marc 444, 452
Théberge, F. 155, 473
Theobald, Christoph 340
Thérèse d'Avila 304
Thiele, Bob 294, 314, 346, 467
Thomas, Hugh 186
Thomas, J.-C. 76, 303, 307, 319, 342, 409

Thomas, Leon 423
Tillis, Mel 220
Tilly, Grasse 188, 189
Tobin, Jacqueline 255
Tocqueville, Alexis de 96
Tolliver, Aaron 207
Tolliver, Alexander 207
Toussaint Louverture 190
Townsend, Charles 63
Trafton, Scott 212
Tristano, Lennie 136
Truffaut, François 483
Tucker, M. 173, 180
Turner, Richard Brent 125, 131, 133, 136, 138, 213, 241, 248, 271
Turner, Tina 142
Turner, Victor 289, 385, 386
Tyner, McCoy 125-126, 354, 358-364, 370-372, 418, 427

Vailland, Roger 396
Vander, Christian 28, 391
Varèse, Edgar 54
Vaughan, Sarah 350
Vesey, Denmark 99, 199, 270
Vian, Boris 288
Vitray-Meyerovitch, E. de 317
Vodery, Will 175, 219, 463
Voltaire 96

Walker, David 199, 270
Walker, T-Bone 94, 220, 254
Walkes, Joseph 223, 224
Waller, Fats 274
Ward, G. L. 331
Washington, Booker T. 199, 202-203, 218
Washington, George 97, 192
Watts, Isaac 105, 328

Webb, Chick 173, 220
Webster, Ben 36, 219, 405
Wells, Al 207
Werckmeister, Andreas 324, 452
Wesley, Charles & John 104-106, 218
Weston, Randy 70-72, 75, 479
White, Andrew 121, 435
Whiteman, Paul 220
Wiener, Jean 81
Wilde, Laurent de 446-447, 450
Wilder, Craig Steven 202, 284
William, Arthur 207
Williams, Bert 246
Williams, Cootie 36, 246, 405
Williams, Mary Lou 26, 76, 88-90, 325, 469, 479
Williams, Patrick 38-39, 76, 301, 453, 476

Wills, Bob 62, 63
Wilmer, Val 420, 421, 434, 438
Workman, Reggie 354, 359, 418

Xenakis, Iannis 453

Yaffe, David 81
Yom 150
Young, Andrew 218
Young, Lester 119, 174, 225, 258, 407-408
Ysaguirre, Bob 175, 219
Yusef Muzafaruddin Hamid 125

Zappa, Frank 276
Zeno, Henry 220, 235
Zorn, John 93, 150, 151, 152, 479

Table

Préface: *Au cœur de l'impensable*, par *Patrick Chamoiseau* 7

JAZZ SUPREME

Élégie en guise d'ouverture 17

PREMIÈRE PARTIE : Du spirituel dans la musique
(et dans le jazz en particulier) 31

   1. État d'esprit 33
   2. Afrologie vs Eurologie 43
   3. La parole des jazzmen et l'amnésie médiatique 65
   4. Les trois discours spirituels 87
   5. Amazing Grace, *ou la naissance d'une nation* 94
   6. Le bop et le Croissant 118
   7. Duke Ellington: les racines de l'universel 154

DEUXIÈME PARTIE : Jazzmen, Noirs et francs-maçons 163
   1. « Notre musique est un ordre secret » 165
   2. L'histoire clandestine des loges de Prince Hall 181
   3 Who's Who? 218
   4. La Nouvelle-Orléans de Louis Armstrong 223
   5. Jazz funerals, un berceau? 232
   *6. « Masonic inborn »: les symboles immémoriaux
   à l'avant-garde* 261
   7. Une musique d'initiés? 286

Troisième partie : « The Father, The Son and
       The Holy Ghost » : John Coltrane,
         la foi et la communauté 295

Prélude 297
1. La déclaration mystique 301
2. My Favorite Things *ou le subterfuge rituel* 344
3. La Confrérie du souffle 404
4. In a Sentimental Mood *: pérennité et solitude* 467

Manifeste pour le geste, en guise de conclusion 472

Remerciements 486
Index 489

L'éclat/poche

1. Giorgio Colli, *La Naissance de la philosophie*
2. Giorgio Colli, *Après Nietzsche*
3. Thomas Nagel, *Qu'est-ce que tout cela veut dire ?*
4. Jacques Bouveresse, *Philosophie, mythologie et pseudo-science*
5. Jacques Bouveresse, *La demande philosophique*
6. Philip K. Dick, *Si ce monde vous déplaît…*
7. Philip K. Dick, *Dernière conversation avant les étoiles*
8. María Zambrano, *De l'Aurore*
9. Carlo Michelstaedter, *La persuasion et la rhétorique*
10. Yona Friedman, *Utopies réalisables*
11. Alfred Korzybski, *Une carte n'est pas le territoire*
12. R. Joseph Gikatila, *Le secret du mariage de David et Bethsabée*
13. Ibn 'Arabî, *Le dévoilement des effets du voyage*
14. Yona Friedman, *L'Architecture de survie*
15. Yona Friedman, *Comment vivre avec les autres sans être chef et sans être esclave ?*
16. Paolo Virno, *L'usage de la vie et autres sujets d'inquiétude*
17. Yona Friedman, *Comment habiter la terre*
18. Jean-Louis Sagot-Duvauroux, *Pour la gratuité*
19. Pico della Mirandola, *De la Dignité de l'homme*
20. Sergio Bettini, *Venise. Naissance d'une ville*
21. Ruwen Ogien, *Un portrait logique et moral de la haine*
22. Gershom Scholem, *Le prix d'Israël. Écrits politiques 1916-1974*
23. Edward Kritzler, *Les pirates juifs des Caraïbes*
24. Peter Lamborn Wilson, *Utopies pirates*
25. Giorgio Colli, *Écrits sur Nietzsche*

26. Mauvaise troupe, *Constellations. Trajectoires révolutionnaires du jeune 21ᵉ siècle*
27. Giordano Bruno, *Le Banquet des Cendres*
28. Michael Löwy, *Walter Benjamin: avertissement d'incendie*
29. Denis Charbit, *Retour à Altneuland. La traversée des utopies sionistes*
30. Emmanuel Fournier, *Philosophie infinitive*

*Catalogue complet sur demande à infos@lyber-eclat.net
ou sur le site www.lyber-eclat.net*

ACHEVÉ D'IMPRIMER DANS L'UNION EUROPÉENNE
SUR LES PRESSES DE L'IMPRIMERIE SMILKOV
POUR LE COMPTE DES ÉDITIONS DE L'ÉCLAT, PARIS

DÉPOT LÉGAL : MAI 2018